Fides pro mundi vita

Missionstheologie heute

Hans-Werner Gensichen zum 65. Geburtstag

In Verbindung mit
Hans-Jürgen Becken
und Bernward H. Willeke, OFM
herausgegeben von
Theo Sundermeier

Gütersloher Verlagshaus
Gerd Mohn

Missionswissenschaftliche Forschungen
Herausgegeben von der Deutschen Gesellschaft für Missionswissenschaft
Band 14

CIP-Kurztitelaufnahme der Deutschen Bibliothek

Fides pro mundi vita: Missionstheologie heute; Hans-Werner Gensichen zum 65. Geburtstag / in Verbindung mit Hans-Jürgen Becken u. Bernward H. Willeke hrsg. von Theo Sundermeier. — Gütersloh: Gütersloher Verlagshaus Mohn, 1980.
    (Missionswissenschaftliche Forschungen; Bd. 14)
    ISBN 3-579-04076-6

NE: Sundermeier, Theo [Hrsg.]; Gensichen, Hans-Werner: Festschrift

ISBN 3-579-04076-6
© Gütersloher Verlagshaus Gerd Mohn, Gütersloh 1980
Gedruckt mit Unterstützung der "Deutschen Gesellschaft für Missionswissenschaft"
Umschlagentwurf: Dieter Rehder, Aachen
Gesamtherstellung: Weserdruckerei Chr. Oesselmann, Stolzenau
Printed in Germany

Inhalt

Dritter Teil: Missionarischer Glaube im Dialog

Vierter Teil: Missionarischer Glaube und die Kirchen

Vorwort

Mit dieser Festgabe wollen Schüler, Freunde und Kollegen Hans-Werner Gensichen zum 65. Geburtstag ehren. Im Jahre 1971 veröffentlichte der Jubilar unter dem Titel "Glaube für die Welt" eine Missionstheologie, zu der es bis heute im protestantischen Bereich kein gleichrangiges Gegenstück gibt. Zwar hatte er selbst nur, wie es im Untertitel heißt, "Aspekte der Mission" verdeutlichen wollen; dennoch war ihm ein Sach- und Lehrbuch gelungen, das sehr bald in den an der Mission interessierten Kreisen im universitären und kirchlichen Bereich als Standardwerk akzeptiert wurde. Inzwischen ist die Forschung weitergegangen. Auf katholischer Seite sind die Positionen fraglos stärker in Bewegung geraten als auf protestantischer Seite, vor allem was den Dialog mit den nicht-christlichen Religionen betrifft. Mit diesem Buch soll nun in der Auseinandersetzung mit der wissenschaftlichen Arbeit des Jubilars verdeutlicht werden, wo neue Einsichten gewonnen sind, neue Aspekte der Forschung sich aufgetan haben und wo man in Zukunft weiterforschen muß. Es wäre zu hoch gegriffen, wollten wir den Anspruch erheben, einen repräsentativen Querschnitt durch die neuere Missionswissenschaft vorlegen zu können, dennoch hoffen wir, daß allen an der Mission Interessierten hiermit ein Band zur Verfügung steht, der für Theorie und Praxis neue Impulse gibt. Ist uns das gelungen, wäre das sicherlich die angemessene Weise, Hans-Werner Gensichen zu ehren. Er hat durch seine Lehrtätigkeit in Indien und Heidelberg, durch seine Mitarbeit an wichtigen ökumenischen Gremien und Konferenzen und durch das breite Spektrum seiner Veröffentlichungen uns allen nicht nur die Intention des sich in der Mission verwirklichenden Glaubens dargestellt, sondern auch die weltzugewandte, ökumenische Dimension des christlichen Glaubens aufgezeigt, der immer FIDES PRO MUNDI VITA ist.

Hans-Jürgen Becken   *Theo Sundermeier*   *Bernhard H. Willeke*

7

Fides pro mundi vita

Missionstheologie heute

Erster Teil
Zur Grundlegung des missionarischen Glaubens

Christoph Burchard

Jesus für die Welt
Über das Verhältnis von Reich Gottes und Mission

1.

"Trotz der Verschiedenheit der Deutungen, wie sie die traditionsgeschichtliche Forschung sichtbar macht — einer Verschiedenheit, die sicherlich durch kein Schema nivelliert werden kann — darf immerhin ein Einverständnis darüber angenommen werden, daß 'die Wirksamkeit Jesu zu den Voraussetzungen der urchristlichen Mission gehört', auch wenn 'Anlaß und Grund' der Mission erst durch die nachösterliche Sendung gegeben waren." So beschrieb H.-W. Gensichen das Verhältnis zwischen Jesus und der urchristlichen Mission im Anschluß an das gerade erschienene Buch von H. Kasting[1]. Die straffe Untersuchung des Conzelmannschülers erhärtet an diesem Punkt das Geschichtsbild der Forschungstradition, in der er steht; kaum zufällig klingt der berühmte Anfangssatz der "Theologie" seines wissenschaftlichen Großvaters durch[2]. Man kann die Sache aber auch so sehen, daß die Wirksamkeit Jesu als eine erste Phase in die Geschichte der urchristlichen Mission hineingehört oder sogar doch als ihr Anlaß und Grund[3]. Solche Sicht wird zunehmen, wenn die Zuversicht zum irdischen Jesus weiter so wächst wie in den letzten Jahren. Das liegt zwar letztlich an theologischen Klimaänderungen. Aber gleichzeitig hat die Jesusforschung soviel dazugelernt, daß es nicht mehr geboten erscheinen muß, Jesus aus der Rekonstruktion der urchristlichen Missionsgeschichte und -theologie samt anschließenden systematischen Erwägungen herauszuhalten. Das möchte auch Gensichen nicht. "Aus der irdischen Weisung Jesu, die mit seiner Auferstehung in Kraft gesetzt ist, können die auf ein Wirken und eine Sendung über Israel hinaus zielenden Aussagen und Berichte auch für die Frage nach dem bleibenden Grund der Mission nicht ausgeklammert werden."[4] Darum möge, was zur Einsicht des Historikers Gensichen nicht paßt, wenigstens dem Missionswissenschaftler Gensichen willkommen sein.

2.

Jesus[5] hat das, was er wollte, oder mindestens wichtige Aspekte auf den Begriff "Reich Gottes" gebracht. Gemeint ist die am Ende der Tage für immer einsetzende Herrschaft Gottes, die gleichwohl in bestimmter Weise schon da ist[6].

2.1 Das hat seine Hintergründe.
2.1.1 Die jüdische Umwelt bedachte das Reich Gottes selten theologisch, hat aber jeden Sabbat im Qaddisch darum gebetet. "Reich" bedeutet hier Herr-

schaftsvollzug, und zwar legitimen; "Gottes" bezeichnet den, der die Herrschaft ausübt, nicht den, der sie gestiftet hat oder verleiht. Vollzogen wird sie nicht im Himmel, sondern an Menschen, Israel und darüber hinaus. Der Herrschende ist nicht als Unparteiischer und als Verwalter aller laufenden Geschäfte gedacht, sondern als Freund und Helfer seiner Untertanen, der von Fall zu Fall aus Nöten rettet, Übergriffe straft und Feinde abwehrt. Also wandelt das Reich Gottes auch widrige irdische Herrschaftsverhältnisse, aber ohne daß der Begriff als solcher zu politischer Aktion auffordern muß. Denn gegenwärtig ist es noch nicht so weit. Wenn mit der gleichen Vokabel auch von einer gegenwärtigen Herrschaft Gottes geredet wird, dann ist nicht der Anfang oder ein Aspekt des endzeitlichen Reiches gemeint[7]. Es wird erst noch kommen, durch Gott selber, und dann ewig bleiben. Das ist alles ziemlich abstrakt, aber mehr geben die jüdischen Belege samt ihren alttestamentlichen Wurzeln nicht her.

2.1.2 Offenbar nicht von ungefähr. "Reich Gottes" ist anscheinend für keine Theologie oder Gruppe, auch nicht "die Apokalyptik", wie immer man sie definiert, typisch und bringt anders als bei Jesus nicht eine eschatologische Konzeption auf den Begriff[8]. Das Reich ist ein Motiv, das sich an- und ausbauen läßt. Jesus hat also nicht nur einen theologisch kaum benützten Begriff aufgenommen und zum zentralen gemacht, sondern auch einen unausgedachten und ihn befrachtet, wobei er ihn verändert hat, weniger in Um- als in Ausprägung[9]. Er hat mit ihm auch Alternativen verdrängt. "Reich Gottes" bezeichnet ja nicht gedankliches Neuland, sondern den in Israel seit Jahrhunderten besprochenen Bereich der endlichen Heilsvollendung durch Gott. Deshalb ist auch die Ausprägung des Begriffs durch Jesus nicht ohne Anhalt in der Tradition[10]. Er verbindet zum Beispiel mit ihm Redeweisen, die für die Hoffnung auf einen neuen Äon charakteristisch sind, so das "Kommen"[11]. Wichtiger ist, daß Jesus mit seiner Sicht des Reiches wohl auch in einer dualistischen Tradition steht, die das Endheil Gottes als eine zeit- und raumübergreifende Sphäre verstand, die sich schon jetzt gegen eine widergöttliche durchsetzt. Derartiges gab es offenbar in Qumran[12]. Das macht Jesus nicht zum Essener. Aber daß die Behauptung gegenwärtigen Endheils durch ihn ein Novum in der israelitischen Religionsgeschichte wäre[13], stimmt nicht mehr.

2.1.3 Wenn das Reich Gottes die Reiche konkurrierender Herrscher nicht duldet, gewiß nicht den Kaiser und das hellenistische Königtum, wie es unter Juden spätestens in den Herodianern Fleisch geworden war, dann sollte man annehmen, daß die Erfahrung irdischer Herrschaft den Begriff Jesu mitgeprägt hat, sowohl die durch Tradition wie zum Beispiel das Bild des alttestamentlichen Königs vermittelte als auch die in der Wirklichkeit gemachte, zumal einschlägige Auseinandersetzungen das Judentum spätestens seit der Makkabäerzeit beschäftigten[14]. Man wird einerseits fragen müssen, wieweit und nach welchen Maßstäben Jesus das Reich Gottes gegen die Pyramide von Autoritäten gesetzt hat, die im Palästina des frühen 1. Jahrhunderts teils über-, teil gegeneinander herrschten. Andererseits muß man beachten, m. E. stärker als bisher,

14

daß das Reich Gottes auch in Analogie zu weltlicher Herrschaft gedacht ist. Das gilt gerade an zwei Punkten, die oft als Besonderheiten Jesu hervorgehoben werden. Der eine ist der "dynamische" Charakter des Reiches[15]. Mit dem Adjektiv ist ein Unterschied zur Machtausübung im neuzeitlichen Rechts- und Verwaltungsstaat richtig notiert, wenn auch nur vage bezeichnet. Aber für die Zeitgenossen Jesu dürfte alle politische Herrschaft, zumindest oberhalb der traditionalen Einheiten, ebenso "dynamisch" gewesen sein, nämlich heteronom, personal, direkt, partiell und okkasionell. Kaiser oder Tetrarch herrschten durch persönliche Legitimation und so weit oder tief, wie sie Loyalitäten binden, Gunst erweisen und ihren Arm spielen lassen konnten. Ihre Herrschaft konnte kräftig und einschneidend sein, mußte sich aber faktisch auf bestimmte Tätigkeiten und Gelegenheiten wie Heerwesen, Rechtsprechung, Steuererhebung, höhere Bautätigkeit beschränken (womit auch ein Raumaspekt verbunden ist), und sie stand und wankte mit ihrem Inhaber. Der zweite Punkt ist die "individualisierende" Art des Reiches[16]. Gewiß, aber eine solche Dimension hat auch die Herrschaft des Herodes oder der Kaiser, wenn sie sich letztlich aus eigenem Recht und in der Person des Herrschers konzentriert als etwas Neues über Israel und seine überkommenen Loyalitätspflichten gegenüber Bund und Gesetz legt. Daß solche Herrschaft den einzelnen angeht, haben als Zumutung die Zeloten empfunden, wenn sie sich weigerten, Münzen mit Herrscherkopf darauf anzufassen oder durch Stadttore mit Statuen darüber zu gehen (Hippolyt, Ref. IX 26,1), als Verpflichtung der jüngere Plinius, wenn er ertappte Christen zum Kaiseropfer zwang (Ep. X 96,5; 97,1).

2.2 Für Jesus gehe ich aus von Lk 11,20 par. Mt 12,28. "Wenn ich mit dem Finger (Mt: Geist) Gottes die bösen Geister austreibe, dann ist das Reich Gottes zu euch gekommen." Das Wort mag ursprünglich allein überliefert worden sein. Das sei ebenso wie die inhaltliche Echtheit vorausgesetzt[17].
Das Wort bringt ein Geschehen zur Sprache, die Exorzismen Jesu. Ich nehme an, daß der Wenn-Satz nicht welche mitteilen will, sondern vorhandene Erfahrung der Angeredeten in Worte faßt. Daß Jesus exorziert hat, ist nicht zu bezweifeln. Was "mit dem Finger Gottes" bedeutet, ist unsicher[18], jedenfalls: im Auftrag und mit der Kraft Gottes, nicht dank eigener Mächtigkeit. Nun gehören mit den Exorzismen die Heilungen Jesu sachlich zusammen und darüber hinaus alle Handlungen, die wir Wunder nennen[19]. Wiederum ist nicht zu bezweifeln, daß Jesus dergleichen getan hat[20]. Man wird Lk 11,20 par. darum auch so verstehen dürfen, als ob es hieße: "Wenn ich mit dem Finger Gottes Wunder tue ... ".
Zu diesen Dingen setzt der Hauptsatz das Reich Gottes in Beziehung: "dann ist es zu euch gekommen". Das muß heißen: es ist da[21], nicht: es steht unmittelbar bevor. Die Meinung ist wohl, daß die Wunder das Reich nicht nur äußerlich signalisieren, sondern zu ihm gehören. Der Satz beschreibt also, was das Reich Gottes für Jesus ist, wenn auch nicht unbedingt erschöpfend: Vertreibung der Dämonen, Heilung der Kranken, notfalls auch am Sabbat (Mk 3,1–6), Rettung vor Ertrinken bei Sturm und vor Hunger. Ein Reich also, das sich weniger als

Herrschaft über Menschen darstellt denn als Schutzmacht gegen die Bedrängnisse, deren sich Menschen nicht erwehren können, durchaus subsidiär und im Rahmen der Schöpfung[22].

2.3 Das Reich ist nach Lk 11,20 gekommen, freilich erst "zu euch". Damit sind kaum nur die Individuen gemeint, an denen Jesus Wunder tat, sondern alle, die davon betroffen waren. Dennoch ist das eine Einschränkung. Das Reich kam wirklich, aber partikular und okkasionell. Universalität und Dauer liegen im Begriff, werden aber nicht als verwirklicht behauptet, was auch absurd gewesen wäre. Dadurch wird der Begriff selber aber nicht verändert. Es stehen neben Lk 11,20 und einigen verwandten Worten wie 17,20f., die von der Gegenwart des Reiches reden, andere wie die Bitte um sein Kommen Mt 6,10 par. oder die Verheißung in der Seligpreisung der Armen Lk 6,20 par., die seine Zukünftigkeit voraussetzen, doch wohl universal und bleibend. Soweit das Reich dabei beschrieben wird, wird es nicht grundsätzlich anders sein als aus Lk 11,20 erkennbar: Entsatz für die Armen, Sättigung der Hungernden, Erheiterung der Weinenden (Lk 6,20f. par.), Bankett mit den Erzvätern (Mt 8,11f. par.), Weintrinken beim Passafest (Mk 14,25 par.). Soweit sich aus den Gleichnissen Jesu in diesem Zusammenhang etwas ergibt, liegt es auf derselben Linie. Nun nehmen die Worte über das gegenwärtige Reich und die über das zukünftige sozusagen aufeinander keine Rücksicht: wie das Verhältnis von Gegenwart und Zukunft gedacht ist, wird nicht gesagt. Daraus ergibt sich eins der meistbesprochenen Probleme der Forschung, weil man kaum eine der beiden Gruppen von Worten Jesus absprechen kann. Hier nur soviel: Man darf die beiden Gruppen nicht auf zwei Arten von Adressaten verteilen; auch Exorzisierte sollen noch das Vaterunser beten. Es ist auch kaum denkbar, daß der Zeitaspekt in den Zukunftsaussagen[23] oder in beiden Gruppen[24] uneigentlich ist. Er muß in beiden ernst genommen werden. Eine Lösung ist nicht einfach. Deutet man die Gegenwart des Reiches als seinen "Anbruch"[25], so schließt das ein Fortschreiten ein, womöglich die Vorstellung einer Entwicklung. Doch scheint weder von einer Zwischenzeit nach dem Anbruch des Reiches, konkret: nach Jesus, die Rede zu sein, noch ist das künftige Reich als Vollendung des gegenwärtigen bezeichnet. Diese Schwierigkeiten werden vermieden, wenn man die Erscheinungsformen des Reiches in der Gegenwart als "Zeichen" des kommenden, eigentlichen auffaßt[26]. Nur sagen die Worte über die Gegenwart nichts von Zeichen. Vielleicht hilft hier die Analogie des Reiches zu weltlicher Herrschaft weiter. Wo Herrschen heißt, nicht in traditionelle Funktionen einzutreten und Behörden zu lenken, sondern persönliche Bindungen zu erhalten und persönliche Wohltaten zu erweisen, muß der Herrscher reisen oder Beauftragte schicken (immer neue, damit sich nicht Nebenregierungen bilden) oder beides[27]. Herrschaft vollzieht sich in Parusien, zwischen denen Pausen liegen, in denen man sich, sofern man die Zeit nicht zu Eigenmächtigkeiten nutzt, an die gekommene Herrschaft erinnert, von ihren Anordnungen zehrt oder unter ihnen seufzt und der kommenden entgegensieht oder -zittert. Natürlich unterscheiden sich solche Parusien, zum Beispiel darin, ob der Herrscher selber kommt oder sich vertreten läßt, ob er lange oder kurz bleibt, entsprechend auch in den Wirkungen. Aber die erste ist nicht Anbruch oder Zeichen kommender Herrschaft, sondern sie selber, soweit sie unter gegebenen Umständen konkret werden kann, die letzte nicht Vollendung, auch wenn sie mehr bringt als alle vorherigen, weil zum Beispiel der Herrscher dableibt. Wenn Ähnliches für Gekommensein und Kommen des Reiches Gottes bei Jesus gilt, dann verhalten sich Gegenwart und Zukunft nicht wie Anbruch und Vollendung oder Zeichen und Ankunft, sondern wie ein erster Herrscherbesuch und ein zweiter oder vielmehr wie Besuch und Niederlassung.

2.4 Nach Lk 11,20 par. ist nicht Gott persönlich gekommen, sondern Jesus "mit dem Finger Gottes". Es ist wohl das einzige Wort, in dem Jesus sich ausdrücklich zum Reich in Beziehung setzt. Er ist danach gegenüber den Dämonen so etwas wie sein Vorkämpfer, gegenüber den befreiten Menschen Gottes Legat. Das dürfte nicht momentane Hyperbel sein, sondern für sein Selbstverständnis charakteristisch, ohne daß damit alles gesagt sein müßte. Ein solcher Anspruch ist in bezug auf das universale endzeitliche Reich Gottes in Israel neu, soweit wir wissen. Wahrscheinlich ist er auch exklusiv. Jesus hat zwar offenbar bestimmte Jünger[28] an seinem Wirken beteiligt, wie die Überlieferung über eine Aussendung und entsprechende Instruktionen zeigt (Mk 6,7–11 par.; Lk 10,2–12 par.)[29]. Der Auftrag enthält, was nach Lk 11,20 par. Jesus selber tat: Wunder vollbringen und die als Reich Gottes zur Sprache bringen (Lk 10,9 par.)[30]. Nichts "Christologisches", nicht einmal Berufung auf einen Auftraggeber. Gleichwohl dürfte es sich um Delegation gehandelt haben. Die Überlieferung zeichnet nicht zu Unrecht von Jesus das Bild des Einen, der Jünger hat, nicht das einer Gruppe (anders z.B. der Anfang der Damaskusschrift). Das heißt, das gegenwärtige Kommen des Reiches ist an Jesus gebunden[31]. Der Finger Gottes ist nicht frei verfügbar.

2.5 Soweit bisher gesehen, ist das Reich Gottes alles andere als ein Sprachereignis; weder so, daß es wortförmig je und je Menschen unmittelbar mit Gott konfrontierte und in dieser Form mit Jesus wieder gegangen wäre, noch so, daß die als es bezeichneten Ereignisse eine neue Sprache hervorgebracht hätten, in der es je und je wiederkommt, wenn auch wieder nur zur Sprache[32]. Es besteht, mit 1 Kor 4,20 zu reden, nicht in Worten, sondern in Kraft, die Jesus wirken läßt, unter Umständen durchaus mittels Worten. Die Wirkungen dieser Kraft bedeuten sich selber und vertreten nicht eine Predigt. Freilich hat Jesus (und haben die ausgesandten Jünger) das Reich mit Lk 11,20 par. und anderen Aussagen auch in Worte gefaßt. Er knüpft dabei an die geschehenen Wunder an. Nicht, daß er verbal wiederholte, was im Wunder ohnehin erfahren war. Das Wort bringt etwas dazu. Wunder können auch vom Teufel sein (Lk 11,15 par.). Erst das Wort identifiziert sie als gekommenes Reich Gottes. Da das aber das endzeitliche universale ist, begründet die Identifizierung des gekommenen Reiches gleichzeitig die Hoffnung auf sein erneutes

Kommen. Man könnte sagen: das Wort Lk 11,20 par. nimmt die Wunder als seinen Text und deutet sie als Verheißung. Ich möchte annehmen, daß das für die Worte Jesu über das Reich Gottes schlechthin gilt. Nicht einfach die feste Erwartung des nahen Reiches trägt sie, sondern die Erfahrung des gekommenen.

2.6 Das alles bedeutet, daß die Bürger des Reiches sich zunächst als befreite, beschenkte, erfreute, auf mehr hoffende Menschen definieren, und erst auf dieser Basis als angeredete, zu Verstehen und Verhalten gerufene. Es ist unbestritten, daß Jesus wesentlich innerhalb Israels gewirkt hat und wirken wollte. Ob er außerhalb jüdischer Siedlungen aufgetreten ist (Mk 5,1—20 par.; 7,24—9,1 par.) oder seine Jünger dort auftreten ließ, ist sehr fraglich; selbst wenn, braucht das nicht mehr zu bedeuten, als daß er sich an dort wohnende Juden wandte[33]. In Israel freilich gehört das Reich jedem. Es mag sein, wie gesagt, daß es in einer Tradition begriffen ist, wie sie auch in Qumran vorhanden ist, wo man vergegenwärtigtes Endheil kennt. Aber dort besteht es in der Qumrangemeinde selber, die sich als endzeitlich erneuerter Tempel sieht und als Armee, die für den endzeitlichen Krieg übt; wer draußen ist, hat nichts davon. Eine solche Begrenzung fehlt bei Jesus, damit auch die entsprechenden Einlaßbedingungen (die Seligpreisungen und die Sprüche vom Eingehen in das Reich Gottes sind eher Parodien von solchen — später liest es sich anders, z.B. Mk 4,11f. par.). Das Reich gehört nicht Würdigen, sondern Bedürftigen: den Notleidenden, den "Zöllnern und Sündern", den Kindern. Wenn die Reichen dagegen kaum ins Reich eingehen werden (Mk 10,23.25), dann wohl nicht, weil sie von vornherein nicht gemeint wären, sondern weil sich ihr Verhalten zum Reich absehen läßt. Nun hat aber Jesus in zwei, vielleicht drei Wundergeschichten (Mk 5,1—20 par.; 7,24—30 par.; Mt 8,5—13 par.) Nichtjuden als Gegenüber[34]. Es spricht nichts dafür, daß er sich solchen Menschen verweigerte, wenn sie ihm begegneten. Falls man ein Wort wie Mt 15,24 für echt halten möchte, so wird doch die darin ausgedrückte Haltung, die nur prinzipiell und mit Bezug auf die Person Jesu in Worte faßt, was in der Geschichte Mk 7,24—30 par. ohnehin liegt, in deren Verlauf gerade überwunden. Jesus hat also das Reich Gottes auch zu Nichtjuden kommen lassen, wohl ausnahmsweise, vielleicht abgebettelt, aber er hat. Auf jeden Fall wird das künftige Reich die Heiden einschließen (Mt 8,11f. par.).

2.7 Ich denke, muß aber andernorts begründen, daß für die Wirksamkeit Jesu insgesamt, nicht nur den über die Reichsaussagen erfaßbaren Ausschnitt, gilt, daß er das Reich "zu euch" gebracht hat und mit der so gesetzten Wirklichkeit — sagen wir ruhig: Heilsgeschehen — als Realtext dann in Verheißung, Bußruf, Paränese auch zur Sprache.

2.8 Es ist freilich nicht zu übersehen, daß Jesus keineswegs alle in seiner Umwelt verspürten Heilserwartungen und -hoffnungen aufnimmt und nicht alle empfundenen oder denkbaren Übel ausschließt. Das endgültige Heil, das er wirkt und ausspricht, ist nicht mit dem Gesetz oder dem Tempel verknüpft, sondern kommt sozusagen an beiden vorbei. Eine kosmische Dimension ist zumindest nicht ausgeprägt. Was wir den gesellschaftlichen Bereich nennen, fehlt. Der Finger Gottes rührt nicht direkt an Politik. Soziale Mißstände sind bekannt (Mk 12,1–9 par.; Mt 11,8; Lk 12,16–21; 16,19–31 u.a.), werden aber nicht als solche angegangen. Jesus hat offenbar nicht viele Zöllner dazu gebracht, sich einen anderen Beruf zu suchen. Er hat seine Anhänger nicht in einer Solidargemeinschaft gesammelt, kein Almosenwesen organisiert, womöglich eher aus vorhandenen Beziehungen herausgerufen. Das ist angesichts der religiösen und politischen Geschichte Israels nicht selbstverständlich. Es ist aber wohl nicht richtig, den Tatbestand so zu deuten, daß die Wirksamkeit Jesu unpolitisch gewesen und auf Bekehrung des einzelnen, natürlich mit dessen folgender Bewährung in der Nächstenliebe, gerichtet gewesen sei, wie manche mit Enttäuschung oder Abscheu, viele mit der Erleichterung, durch ihn im verantwortlichen Gebrauch politischer Vernunft nicht festgelegt zu sein, feststellen[35]. Daß Jesus von einem großen politischen Horizont nichts erkennen läßt (Sätze wie Mk 10,42 par. oder Mt 11,8 par. sind Gemeinplätze), mag an einem gewissen Provinzialismus liegen. Wo keine Geschichte gemacht wird, verspricht man sich nichts davon, daß sie besser gemacht würde. Auf der anderen Seite greift das Reich Gottes sehr wohl kräftig in den sozialen Bereich ein, wenn es in Gestalt von Exorzismen und Aussätzigenheilungen oder der Verleihung des Bürgerrechts an Frauen, Kinder, Heiden, Dirnen und Zöllner gekommen ist und in Gestalt der Erhöhung der Armen kommen wird. Was bei Jesus fehlt, ist die Analyse der real existierenden Zustände. Aber sie fehlt nicht so, wie dem Krüppel ein Bein fehlt. Sie ist durch das Reich Gottes überholt, damit auch jede Rechtfertigung dieser Zustände.

2.9   Die Zukunft hat Jesus offenbar nicht als womöglich weltweite Ausdehnung seines Wirkens gedacht. Die Aussendung ist kaum der Anfang von Mission als laufender Einrichtung. Wahrscheinlich ist es schon zuviel, sie als ein für alle Nachfolger geltendes Gesandtsein zu deuten[36]. Vermutlich hat Jesus auf einen umfassenden Akt Gottes selber gehofft, durch den sein Reich bald für alle und dauernd gegenwärtig sein würde. Wie er ihn sich vorstellte und ob er sich dabei eine Rolle zuschrieb, ist unsicher. Das zweite wäre im Zusammenhang des Menschensohnproblems zu bedenken. Für das erste wird oft die Vorstellung der Völkerwallfahrt in Anspruch genommen, nach der durch ein universal sichtbares Zeichen Gottes die Völker zum Zion strömen[37]. Allerdings ist möglicherweise die Völkerwallfahrt ursprünglich auch keine vollständige eschatologische Konzeption gewesen, sondern ein Motiv, das in verschiedenen Zusammenhängen vorkommt[38]. Vielleicht ist sie auch bei Jesus nicht mehr als das. Daneben scheint er von der Auferstehung (aller?) und dem Gericht gesprochen zu haben. Es kann sein, daß er sich mit überlieferten Symbolen begnügt hat, ohne sie zu einer Apokalypse zusammenzufügen. Was das Leben im künftigen Reich betrifft, so darf man wohl auch hier aus den oben genannten Zukunftsaussagen nicht auf eine zusammenhängende Zukunftsvision schließen. Von neuem Himmel und neuer Erde ist jedenfalls nichts gesagt[39], was angesichts des personalen Charakters des Reiches nicht überrascht. Letztlich möchte Jesus nicht viel anderes erwartet haben als Paulus nach 1 Thess 4,17b oder 1 Kor 15,28b.

3.

Falls Jesus Anlaß und Grund von Mission geworden ist, dann also nicht als Veranlasser und Begründer, sondern weil Menschen sich durch ihn zu Mission veranlaßt sahen und sie mit ihm begründeten. Das ist geschehen. Nur muß man bei der urchristlichen Mission wie bei der urchristlichen Geschichte insgesamt[40] mit einer Vielfalt von Begründung und Vollzug rechnen, die es nicht erlaubt, sie als einheitliche und organische Fortführung der Sache Jesu anzusehen. Gensichen hat recht: "Es besteht hier eine Spannung, die es verbietet, den Grund der Mission sozusagen eindimensional in den Kategorien eines zeitlos gültigen Befehls und seiner Ausführung oder der zwangsläufigen Evolution eines heilsgeschichtlichen Schemas zu beschreiben."[41] Drei Momentaufnahmen aus der urchristlichen Missionsgeschichte als Illustration.

3.1 Anlaß und Grund für Mission war Jesus für die Wanderpropheten, die, wie viele annehmen, die dann in der Logienquelle gesammelte Jesusüberlieferung weitergetragen haben und von ihr getragen wurden[42]. Namen kennen wir nicht, was wohl für das Selbstverständnis dieser Leute typisch ist. Den Anstoß müssen Jünger gegeben haben, die Jesus zu Lebzeiten nahegestanden hatten; Petrus und die anderen aus der synoptischen Tradition Bekannten waren es aber wohl gerade nicht (siehe unter 3.2). Nicht daß sie einfach ohne Jesus weitergemacht hätten, als ob sie sich auf einer Aussendung wie der oben vermuteten befänden. Das Ende Jesu hatte für sie wie für alle anderen Jünger eine neue Lage geschaffen. Es war für sie aber nicht das eigentliche heilsame Ereignis, in das hinein das Wirken des Irdischen aufgehoben wäre. Jesus hatte für sie das gemeine Schicksal aller Propheten erlitten, von seinem Volk getötet zu werden, aber Gott hatte ihn zum richtenden Menschensohn erhöht. Das Sterben Jesu hatte also sein Wirken bekräftigt und seine Erhöhung eine Frist gesetzt, in der sie es weiterführen sollten[43]. Das taten sie, nun mit Ansage des Gerichts für die, die das Reich Gottes nicht annahmen. Soweit sie es wie Jesus vollzogen, waren sie sich seines Vorbilds und Auftrags gewiß. Soweit sie es zu Wort brachten, gehörte Jesus als Anfänger und Vollender hinein, vor allem aber als derjenige, der je nach der Stellung zu ihm den Eintritt ins künftige Reich gewähren oder ablehnen würde. Sie scheinen sich damit auch an Heiden gewandt zu haben; ob an Juden nur mit der Verkündigung ihres Verwerfungsurteils oder um sie aufzurütteln, ist kontrovers. Diese Mission hat offenbar die frühe Kirchengeschichte Syriens geprägt[44]. Auch verdanken wir ihr die Logienquelle, und Matthäus war einer ihrer Erben.

3.2 Folgenreicher war ein anderer Ansatz, zu dessen frühesten Zeugnissen wohl 1 Kor 15,3–5[45] gehört. Der Text ist zwar keine Missionspredigt in nuce, sondern ein Bekenntnis- oder Lehrsatz zur Selbstvergewisserung. Aber Paulus hat ihn in seiner Mission "als erstes" weitergegeben, sicher nicht nur in Korinth, und selber so übernommen (V. 1–3). Er ist also ein Satz missionswilliger Christen[46]. Mission kommt in ihm auch vor: Petrus und die Zwölf, auf deren Beglaubigung der Satz zuläuft. Daß sie neben Jesus sozusagen im Credo stehen, bedeutet, daß sie neben Jesus für das Christentum, dessen Ausdruck dieser Satz ist, konstitutiv sind. Sie stehen darin aber nicht einfach als Urmissionare, sondern als unablösbare Repräsentanten des neuen Gottesvolkes, und Mission bedeutet demnach hier dessen Sammlung, vielleicht als vorläufige in Erwartung baldiger endgültiger Restitution. Ihr Anlaß war also, daß in Gestalt der Zwölf durch Erscheinungen des Auferstandenen das Gottesvolk eschatologisch neu begründet ist, und ihr Grund, daß Jesus durch seinen Tod "unsere Sünden" so umfassend gesühnt hat, daß eine Erneuerung des Gottesvolkes in Heiligkeit möglich war[47]. Für solche Mission muß dann die Vermittlung solcher Sühne wesentlich gewesen sein. Die alten Institutionen des Gottesvolkes brauchen dabei ebenso wenig wie bei Jesus selbst als abgeschafft gegolten zu haben. Anders als bei den Wanderpropheten wirkte das Ende Jesu hier nicht als seinem Wirken zugeordnete Konsequenz, sondern als Erfüllung, auf die das vorherige Wirken hingeordnet erscheinen konnte. Das gegenwärtige Reich hatte eine neue Qualität gewonnen, das künftige war nicht für eine Frist hinausgeschoben, sondern nähergekommen. Also konnte man nicht einfach das offene Werk Jesu mit neuem Akzent weiterführen, sondern mußte es um die Sammlung des Gottesvolkes ergänzen, was Jesus vermutlich als Usurpation eines Gott zustehenden Rechts beurteilt hätte. Trotzdem ist diese Mission kein völliger Neuanfang. Ihr Grund ist ein Werk des Irdischen, das ohne sein vorheriges Wirken kaum in dieser grundlegenden Bedeutung hätte erfahren werden können; im übrigen mag von den Formen dieses Wirkens vieles erhalten geblieben sein, so die Wundertätigkeit. Der Anlaß der Mission liegt zwar beim Auferstandenen; aber wenn schon der Irdische den Zwölferkreis begründet hat oder zumindest seine nachösterlichen Angehörigen schon zu Lebzeiten zu seinen engsten Mitarbeitern gehört hatten, dann ist die Tatsache, daß gerade sie zu neuen Erzvätern berufen wurden, eine Erneuerung ihrer vorösterlichen Funktion. Und wenn darin Usurpation liegt, dann in Verlängerung des eschatologischen Mutes, den Jesus mit seinem ganzen Wirken selber bewiesen hatte. Der historische Anfang dieser Mission dürfte bei Petrus und seinem Kreis selber liegen[48], vermutlich in Jerusalem, gleichviel, wo die begründenden Erscheinungen stattgefunden hatten. Erfolge hatte sie unter anderem bei in Jerusalem lebenden Diasporajuden, die nach einer Vertreibung ihr Christentum nach Norden bis Antiochia und auf Zypern verbreiteten[49]. Durch sie wie wohl durch Petrus selbst wurden auch Heiden angesprochen, jedenfalls am Rand und außerhalb Palästinas, und durften Christen werden, ohne zugleich Proselyten werden zu müssen[50].

3.3   Von dieser Mission geht auch Paulus aus. Aber wo geht er hin[51]! Erstens wagte er es, seine eigene Begegnung mit dem Auferstandenen als Berufung

21

gleichen Ranges mit der der im Credo stehenden Petrusgruppe aufzufassen, obwohl er weder mit ihnen verbunden gewesen war noch gar mit Jesus selbst zu tun gehabt hatte und das Ereignis auch noch außerhalb seines und ihres Wirkungsgebietes in Syrien stattgefunden hatte. Zudem gab er seiner Berufung einen speziellen, bisher unerhörten Sinn, nämlich neben Petrus, der (nunmehr nur?) das Apostelamt für die Juden besaß, das Apostelamt für die Heiden zu haben[52]. Zweitens beließ Paulus es nicht bei einem Sühnetod Jesu als Inbegriff des gegenwärtigen Reiches Gottes, sondern deutete Jesus als neuen Adam, dessen Geschick das der ganzen Menschheit unmittelbar, nicht über das Gottesvolk, bedingt[53]. Sein Sterben war der verdiente Tod aller Menschen als Strafe für ihre Sünden, erzwungen vom Gesetz Gottes, das damit sein Recht bekommen hat und zumindest in seiner historischen, am Sinai erlassenen Gestalt seinen Zweck erfüllt hat; die Auferweckung Jesu ist die Neuschöpfung aller Menschen. Es bleibt dabei, daß sich dieses in der Sammlung von Menschen zu Gemeinden sinnfällig ausdrückt, um deren Gründung und Festigung sich Paulus daher müht, ebenso wie um den Zusammenhalt der ganzen Christenheit. Aber sie sind für ihn nicht erneuertes Gottesvolk und nicht vorläufig, sondern neugeschaffene Menschheit, in der deshalb Juden und Nichtjuden originär gleichen Rechts zusammenleben und die Gebote vom Sinai nicht mehr Lebensgesetz sind. Drittens leitete Paulus aus seiner Berufung die Pflicht ab, in einem einmaligen, von ihm selbst mit Mitarbeitern getragenen, nicht auf Fortsetzung angelegten Zug durch das Imperium die Neuschöpfung in Christus exemplarisch Wirklichkeit werden zu lassen – wonach dann die Parusie kommen würde.

Die Mission des Paulus und ihre Begründung sind gegenüber seiner Tradition und erst recht gegenüber Jesus neu. Hier hat das Charisma eines einzelnen viel mehr getan, als gegebene Ansätze zu entfalten und an neue Umstände anzupassen. War schon die Sammlung des Gottesvolkes ein Schritt über Jesus hinaus, so wiederholt Paulus diese eschatologische Hybris auf höchster Stufe, indem er die Einbeziehung von Heiden nicht nur zuläßt, sie gab es vor und neben ihm, sondern sie weltweit exemplarisch durchführt und die heilsgeschichtliche Notwendigkeit dieses Unternehmens behauptet, was Suspendierung der Parusie einschließt. Eben so einschneidend neu ist seine Christologie. Für Paulus ist nicht nur das Wirken des irdischen Jesus unerheblich, mindestens zum Teil einfach unbekannt, sondern auch die Passion als Werk Jesu. Was an ihr heilvoll ist, ist etwas, das Gott an Jesus vollzog und woran der so wenig aktiv beteiligt war wie Adam an seiner Erschaffung. Die ontologische Tiefe, die Paulus diesem Ereignis gibt, und die Folgerungen, die er daraus zieht, verändern die Welt gründlicher als Jesu Wirken mit dem Finger Gottes und die Restitution des Gottesvolkes, die Petrus dachte. Der Zug durchs Imperium hat mit Jesu gelegentlicher Einbürgerung von Heiden ins Reich nichts mehr und mit Petrus' Mission nur noch wenig zu tun. Sonst hat niemand in der Urchristenheit dergleichen versucht, soweit wir wissen. Hier und nur hier hat man so etwas wie Weltmission, obwohl ich den Begriff auch für das Werk des Paulus zu modern finde[54].

Die Mission des Paulus ist eine, die sich nicht durch den Irdischen veranlaßt sieht und sich nicht durch Berufung auf sein Wirken begründet, auch wenig Anhalt bei ihm gefunden hätte, wenn sie ihn gesucht hätte. Und doch läßt sie sich über die Tradition, von der Paulus ausgeht, auf Jesus zurückführen, und das ist nicht das einzige, was die beiden verbindet. Man hat mit Recht gesagt, daß bei Paulus die Gerechtigkeit Gottes das ist, was für Jesus das Reich Gottes war[55]. Das gilt nicht nur in dem Sinn, daß im Handeln und Reden des Paulus die Gerechtigkeit Gottes ähnlich zentral fungiert wie bei Jesus das Reich. Das könnte sie auch tun, wenn beide nicht sachlich vergleichbar wären. Sie sind es aber. Auch die Gerechtigkeit Gottes ist eine weltverändernde Wirklichkeit, nämlich die in Christus geschehene Neuschöpfung, und Paulus läßt sie analog zu Jesu Wirken "mit dem Finger Gottes" konkret werden dank der Wirkungen des machterfüllten, geistspendenden Evangeliums, "auf daß wir würden Gerechtigkeit Gottes in Ihm" (2 Kor 5,21). Und ähnlich wie Jesus dem Reich in Israel, aber grundsätzlich für alle Menschen offen, Raum schaffte, so Paulus der Gerechtigkeit Gottes im Rahmen der Ökumene. Die Unterschiede zwischen Paulus und Jesus reichen tief. Der Apostel hat nicht einfach in theologischer Reflexion fortgesetzt, was Jesus in urwüchsiger Gottunmittelbarkeit begann, oder zu theologisch gültiger Gestalt gebracht, was bei Osterlicht besehen am irdischen Jesus eigentlich dran war. Die Unterschiede sind aber auch nicht so, daß Paulus der Neu- oder eigentliche Gründer des Christentums gewesen wäre (auch deswegen nicht, weil es sich abgesehen von seiner Schule und Randgruppen von ihm zunächst am wenigsten prägen ließ). Die Mission des Paulus — und sein ganzes Wirken war wesentlich dies — ist nicht mehr, aber auch nicht weniger als der kongeniale Nachvollzug dessen, was Jesus in Israel getan hatte, auf der universalen Ebene des Bereichs, der damals die zivilisierte Welt war.

4.

Gensichen behält zum Schluß noch einmal recht: "Hier [bei Paulus] hat die biblische Grundlegung der Mission eine Klimax erreicht, die nicht mehr zu überbieten ist."[56] Freilich meine ich anders als er, daß für Paulus auch der Vollzug dieser Mission sein Ziel schon erreicht hat: in ihm selber. Will man sie weiterhin begründen, wird der charismatische Mut zur Innovation gebraucht, den Paulus gegenüber seiner Tradition und die gegenüber dem irdischen Jesus hatten.

Anmerkungen

1. *H.-W. Gensichen:* Glaube für die Welt. Theologische Aspekte der Mission, 1971, 68; *H. Kasting:* Die Anfänge der urchristlichen Mission. Eine historische Untersuchung (BevTh 55), 1969, 126. — Die folgenden Überlegungen haben angefangen in einem Seminar mit F. Beißer (jetzt Mainz) und H.-J. Hermisson (jetzt Bonn). Rat und Kritik verdanke ich außer dem hiesigen NT-Oberseminar vor allem B. Schaller — Göttingen.
2. *R. Bultmann:* Theologie des Neuen Testaments, 1953 = UTB 630, 1977[7], 1.
3. So etwa gleichzeitig mit Gensichen *M. Hengel:* Die Ursprünge der christlichen Mis-

sion, NTS 1971/72, 15—38, und der Richtung nach, abgesehen von älterer Forschung, schon die beiden Bücher, mit der die Neutestamentler nach einer Pause zur Mission zurückgekehrt sind, *J. Jeremias:* Jesu Verheißung für die Völker. Franz Delitzsch-Vorlesungen 1953, 1956 = 1959[2]; *F. Hahn:* Das Verständnis der Mission im Neuen Testament (WMANT 13), 1963 = 1965[2]. Damit sollen ältere Arbeiten nicht herabgewürdigt sein. Zu nennen ist u.a. von Gensichens langjährigem Fakultätskollegen *K.G. Kuhn:* Das Problem der Mission in der Urchristenheit, EMZ 1954, 161—168.

4. Ebd.
5. Das folgende aus Raumgründen gekürzt. Ausführlich: Jesus und das Reich Gottes, demnächst.
6. Aus der endlosen Literatur zuletzt *G. Friedrich:* Utopie und Reich Gottes. Zur Motivation politischen Verhaltens (Kleine Vandenhoeck-Reihe 1403), o.J.; *F. Beißer:* Das Reich Gottes, 1976; *E. Gräßer:* Das Problem der Parusieverzögerung in den synoptischen Evangelien und in der Apostelgeschichte (BZNW 22), 1957, 1978[3]; *H. Merklein:* Die Gottesherrschaft als Handlungsprinzip. Untersuchung zur Ethik Jesu (Forschung zur Bibel 34), 1978. Noch nicht gelesen: *K. Koch:* Offenbaren wird sich das Reich Gottes. Die Malkuta Jahwäs im Profeten-Targum, NTS 1978/79, 158—165. Eine Neuuntersuchung des religionsgeschichtlichen Hintergrunds scheint also zu lohnen. Statt "Reich" übersetzt man gern "(Königs)herrschaft", um Anklänge an ein Staatsgebilde zu vermeiden (vgl. *R. Schnackenburg:* Gottes Herrschaft und Reich. Eine biblisch-technologische Studie, 1959, 1965[4], 247). Aber das bringt andere falsche Töne, und "Herrschaft" ist vox media, wenn nicht mala, während eine vox bona nötig ist. Ich bleibe bei "Reich" und nehme in Kauf, daß es kein gleichstämmiges Verb gibt.
7. "Daß die Vorstellung von der Königsherrschaft Gottes im antiken Judentum in zwei Ausprägungen vorhanden gewesen ist" (*J. Jeremias:* Neutestamentliche Theologie. Erster Teil. Die Verkündigung Jesu, 1971 = 1973[2], 102) stimmt traditionsgeschichtlich. Synchronisch betrachtet handelt es sich eher um Homonymität.
8. *N. Perrin:* Was lehrte Jesus wirklich? Rekonstruktion und Deutung, 1972, 52—59.
9. *Anders W. Schmithals:* Jesus und die Weltlichkeit des Reiches Gottes, EvKom 1968, 313—320, hier 313: "Nicht das jedem Juden bekannte *Was* oder *Wie* der Gottesherrschaft stellt den besonderen, erregenden Gegenstand der Predigt Jesu dar, sondern das *Wann,* die Zeit des Kommens der Gottesherrschaft."
10. *H. Conzelmann:* Grundriß der Theologie des Neuen Testaments (Einführung in die evangelische Theologie 2), 1967 = 1976[3], 127, stellt fest: "Die Begriffsgeschichte ist nicht sehr ertragreich" und bricht damit ab. — Ich meine nicht, daß sich Jesu Reich-Gottes-Verständnis einfach aus der Tradition herleiten läßt, im Gegenteil. Jesus war ja auch sozialgeschichtlich betrachtet eher homo novus.
11. Mehr bei *Jeremias:* Theologie I 40—43.
12. *J. Becker:* Das Heil Gottes. Heils- und Sündenbegriffe in den Qumrantexten und im Neuen Testament (SUNT 3), 1964; *H.-W. Kuhn:* Enderwartung und gegenwärtiges Heil. Untersuchungen zu den Gemeindeliedern von Qumran mit einem Anhang über Eschatologie und Gegenwart in der Verkündigung Jesu (SUNT 4), 1966. Zustimmung u.a. von *A. Vögtle:* Das Neue Testament und die Zukunft des Kosmos (KBANT), 1970, 145f.
13. *Bultmann:* Theologie 5; *C.H. Dodd:* The Parables of the Kingdom, 1935, revised edition 1961, 49.
14. *H.G. Kippenberg:* Religion und Klassenbildung im antiken Judäa. Eine religionssoziologische Studie zum Verhältnis von Tradition und gesellschaftlicher Entwicklung (SUNT 14), 1978.
15. Z.B. *Jeremias:* Theologie I 101.
16. Z.B. *E. Gräßer:* Zum Verständnis der Gottesherrschaft, ZNW 1974, 3—26.
17. Zum Text u.a. *D. Lührmann:* Die Redaktion der Logienquelle (WMANT 33), 1969, 32—43; *Perrin,* 64—69; *Th. Lorenzmeier:* Zum Logion Mt 12,28; Lk 11,20, in: *H.-D.*

Betz — L. *Schottroff (Hg.):* Neues Testament und christliche Existenz (H. Braun-Festschrift), 1973, 289—304; E. *Gräßer:* Zum Verständnis (gegen Lorenzmeier); *Merklein,* 158—160.

18. Anspielung auf Ex 8,14f. (für viele *Perrin,*67f.)?
19. G. *Theißen:* Urchristliche Wundergeschichten. Ein Beitrag zur formgeschichtlichen Erforschung der synoptischen Evangelien (SNT 8), 1974, unterscheidet Exorzismen, Therapien, Epiphanien (z.B. die Verklärung), Rettungswunder (z.B. die Sturmstillung), Geschenkwunder (z.B. die Speisungen) und Normenwunder (z.B. die verdorrte Hand).
20. Am wenigsten natürlich bei Wundern, bei denen die überwundene Widrigkeit nicht naturgesetzlich geschützt ist und das Ereignis eine psychosomatische Erklärung zuläßt (die die einschlägigen Geschichten aber gerade nicht geben). Doch warum könnte nicht auch z.B. eine Sturmstillung durch Jesus erlebt worden sein? Ob Mk 4,35—41 das hergibt, ist eine andere Frage.
21. Z.B. *W.G. Kümmel:* Verheißung und Erfüllung. Untersuchungen zur eschatologischen Verkündigung Jesu (AThANT 6), 1945, 1956[3], 100; *Kuhn:* Enderwartung, 190—193.
22. G. *Klein:* "Reich Gottes" als biblischer Zentralbegriff, EvTh 1970, 642—670, hier 657: "Die Gegenmacht zur Herrschaft Gottes ist die Herrschaft der Sünde", scheint mir zur Hauptsache zu machen, was nur ein Moment ist, gewiß ein wichtiges.
23. *Dodd:* Parables.
24. Z.B. E. *Fuchs:* Das Zeitverständnis Jesu, in: *Fuchs:* Zur Frage nach dem historischen Jesus. Gesammelte Aufsätze II, 1960 = 1965[2], 304—376 u.a.
25. Z.B. *Kümmel:* Verheißung;*Jeremias,* Theologie I 99—110 u.ö.
26. Z.B. *Conzelmann:* Theologie 130: "Es gilt also die Faustregel: Das Reich steht bevor — die Zeichen sind da"; E. *Gräßer:* Die Naherwartung Jesu (SBS 61), 1973, 118.
27. Hadrian ist in fast 20 Regierungsjahren (117—138) fast pausenlos auf Reisen gewesen.
28. "Seine Jünger, und damit das ganze Gottesvolk" (*Gensichen,* 70) ist geläufige, aber m.E. zu extensive Auslegung.
29. Z.B. *Hahn,* a.a.O., 33—36; *J. Roloff:* Apostolat — Verkündigung — Kirche. Ursprung, Inhalt und Funktion des kirchlichen Apostelamtes nach Paulus, Lukas und den Pastoralbriefen, 1965, 150—152; *P. Hoffmann:* Studien zur Theologie der Logienquelle (NTA N.F. 8), 1972, 235—334.
30. In dieser Reihenfolge (unter Hinweis auf V. 5f. anders wohl *Hahn,* a.a.O. 35).
31. Ich würde nicht sagen: ist Jesus selbst, worauf z.B. die eingehende Interpretation von L. *Goppelt:* Theologie des Neuen Testaments. Erster Teil. Jesu Wirken in seiner theologischen Bedeutung, von *J. Roloff (Hg.),* 1975, 94—127, hinausläuft.
32. Vgl. E. *Fuchs:* Die Sprache im Neuen Testament, in: *W. Schneemelcher (Hg.):* Das Problem der Sprache in Theologie und Kirche, 1959, 21—35 = in *Fuchs,* Zur Frage 258—279, hier 262: "Durch das Reich Gottes kam das Neue Testament."
33. Das gilt auch, wenn Mt 10,5f. unecht ist (dies gegen *Jeremias:* Jesu Verheißung 16—18). Ob die Worte vormatthäisch sind (z.B. *Hahn,* a.a.O. 44f.; *Hengel:* Ursprünge 36) oder matthäisch (z.B. *Kasting,* a.a.O. 110—114; vgl. noch *Gensichen,* a.a.O. 69f.), ist hier gleichgültig. Mindestens für V. 6 liegt m.E. das zweite nahe (V. 6—8 wirken wie ein in Befehlsform gesetzter Krebs von 9,35f.). Im übrigen braucht das Gebot, heidnisches Gebiet nicht zu betreten, nicht unbedingt zu bedeuten, sich von Heiden fernzuhalten. "Eßt, was euch vorgesetzt wird" (Lk 10,8), "entspricht der freien Haltung Jesu gegenüber dem Ritualgesetz und seiner pharisäischen Auslegung" (*Hengel,* ebd.); Einkehr bei Heiden wird dadurch jedenfalls nicht ausgeschlossen.
34. Wenn die Überlieferung hinter Joh 4,46—54 traditionsgeschichtlich älter ist als ihre Q-Parallele hinter Mt 8,5—13 par. (so neuestens *P. Heekerens:* Die Zeichen-Quelle der johanneischen Redaktion. Ein Beitrag zur Entstehungsgeschichte des vierten Evangeliums, Diss. theol. Heidelberg 1979, 125—127), dann hat vielleicht erst die Überlieferung den Mann zum Heiden und Hauptmann befördert. — Gewöhnlich wird das Samaritanermatial in diesem Zusammenhang angeführt; es besagt aber nur etwas,

wenn für Jesus die Samaritaner so viel wie Heiden waren, nicht Schismatiker.

35. So eindrücklich *Friedrich*.

36. Siehe Anm. 28.

37. Vor allem durch *J. Jeremias'* Arbeiten.

38. *D. Zeller:* Das Logion Mt 8,11f / Lk 11,28f und das Motiv der "Völkerwallfahrt", BZ N.F. 1971, 222—237; 1972, 84—93.

39. *Vögtle*, a.a.O. 143—150.

40. Die Forschung erweckt heute oft den Eindruck — oder die Befürchtung —, die Urchristenheit wäre eine Art Proto-Ökumene mit getrennten, zum Teil konkurrierenden Konfessionen gewesen oder überhaupt nur ein Sammelname für heterogene Gruppen, die erst im Lauf der Zeit zum Christentum fusionierten. Doch selbst wenn sich die heute gern angenommene theologische und organisatorische Diversität voll bestätigen sollte, muß das nicht bedeuten, daß sich die Urchristenheit nicht als Einheit begreifen ließe und selbst so begriffen hätte. Unterscheidet sich das Bild eigentlich wesentlich von dem des Judentums, das ihr Mutterboden war? Es wäre freilich anstelle der Entfaltung des einen Urkerygmas ein passendes neues Interpretationsmodell zu finden, das der Vielfalt Raum gibt und nicht überwiegend ideengeschichtlich gestaltet ist (Soziologen würden es vielleicht segmentär nennen). Daß uns Diversität leicht als Gespaltenheit vorkommt, hängt wohl mit Sympathie für Paulus zusammen (aber darf man eigentlich seine Vehemenz gegen Übergriffe in sein Missionsgebiet — darum geht es, nicht um allgemeine dogmatische Intransigenz — auch bei seinen Gegnern voraussetzen?), daß sie als solche suspekt ist, mit der sicherlich auch durch Paulusexegese begründeten abgrenzenden Funktion, die wir Bekenntnis und Dogma auch innerchristlich geben.

41. *Gensichen*, a.a.O. 71f. Die Spannung ist noch größer, als er annimmt. Man kann wohl nicht nur zwei "Linien" unterscheiden, jedenfalls nicht als "Sammlung ohne bzw. mit einer völkisch beschränkten Sendung" (nach *G. Schille:* Anfänge der christlichen Mission, KuD 1969, 320—339, hier 331) und "Weltmission" (nach *Kasting*, a.a.O. 131). Universalismus ist nur eins der Unterscheidungsmerkmale und reicht historisch nicht weit; Paulus ist nicht weniger universalistisch als Matthäus.

42. Siehe vor allem die Arbeiten von *G. Theissen*, zuletzt Soziologie der Jesusbewegung (ThEx 194), 1977. Zur Logienquelle *Lührmann; Hoffmann; S. Schulz:* Q. Die Spruchquelle der Evangelisten, 1972; *A. Polag:* Die Christologie der Logienquelle (WMANT 45), 1977.

43. Ostern setzt hier offenbar Parusieverzögerung. Übrigens dürfte die pure Zeiterfahrung nicht so ernüchternd gewirkt haben, wie wir uns das manchmal vorstellen. Zeitverlauf wurde in der Antike nicht als Galopp empfunden, zumal außerhalb der Zentren, wo Geschichte gemacht wurde. Und das Reich war ja auch schon gekommen.

44. Vgl. *G. Kretschmar:* Das christliche Leben und die Mission in der frühen Kirche, in: *H. Frohnes — U.W. Knorr (Hg.):* Die Alte Kirche (Kirchengeschichte als Missionsgeschichte I), 1974, 94—128. Zu möglichen Wirkungen außerhalb vgl. *H.-W. Kuhn:* Der irdische Jesus bei Paulus als traditionsgeschichtliches und theologisches Problem, ZThK 1970, 295—320.

45. Vgl. Formen, 315f.

46. Alter und Herkunft bleiben umstritten. Die beliebte Frage nach der Ursprache bringt m.E. nicht viel ein; auch ein ursprünglich griechischer Text könnte uralt und aus Jerusalem sein, auch ein aramäischer jünger und z.B. aus Antiochia. Nach dem Kontext müßte "was ich auch empfangen habe" (V. 3) zwanglos heißen: in Damaskus. V. 3—5 sind aber vielleicht traditionsgeschichtlich schon ein Kompositum (aus einer Formel über Sterben und Auferstehung Jesu analog Röm 4,25 und einer über seine Erscheinung vor Petrus analog Lk 24,34?). Wir wird aber auch dann aus V. 3 entnehmen dürfen, daß Paulus der Substanz nach bei seiner Bekehrung lernte, was er den Korinthern bei ihrer mit den Worten eines vielleicht jüngeren Textes weitergab.

47. "Unsere" Sünden sind nicht eine allgemeine Sündhaftigkeit, sondern die gegen den Bund Gottes mit den Vätern. Ob die Auferweckung konkrete Heilswirkung über

26

Petrus' Beauftragung hinaus hatte, bleibt offen.

48. Warum sie anders reagierten als die Wanderpropheten, ist dunkel. Partielle Täufer-Renaissance?

49. Zum historischen Problem *M. Hengel:* Zwischen Jesus und Paulus. Die "Hellenisten", die "Sieben" und Stephanus (Apg 6,1—15; 7,54—8,3), ZThK 1975, 151—206.

50. Was sich am besten begreifen läßt, wenn die Sammlung des Gottesvolkes nur vorläufig war.

51. Formen, 315—320.

52. Das, nicht die abstrakte theologische Frage der gesetzesfreien Heidenmission, war m. E. der Gegenstand des sogenannten Apostelkonzils (vgl. Formen, 336; Fußnoten zum neutestamentlichen Griechisch II, ZNW 1978, 143—157, hier 154).

53. Brücke war möglicherweise der Gedanke, daß Kult Welterhaltung ist (Hinweis von *B. Schaller*).

54. Die Welt des Paulus ist wie für die ganze Urchristenheit das Imperium, in das er vom Rand aus eindringt, nicht wie für uns die Weite, in die man hinausgeht.

55. Vgl. *E. Jüngel:* Paulus und Jesus. Eine Untersuchung zur Präzisierung der Frage nach dem Ursprung der Christologie (HUTh 2), 196, 1972[4].

56. *Gensichen,* a.a.O. 76.

Ferdinand Hahn
Der Sendungsauftrag des Auferstandenen
Matthäus 28, 16—20

Hans Werner Gensichen hat in seinem Buch "Glaube für die Welt" auf die
"Vielfalt der Wirklichkeitsbezüge" hingewiesen, welche sich heute mit dem
Begriff der Mission verbinden[1]. Es stellt sich somit unausweichlich die Frage
nach dem entscheidenden Ansatz eines sachgerechten Missionsverständnisses.
Das ist um so notwendiger in einer Zeit, in der zu der äußeren Bestreitung einer
missionarischen Wirksamkeit der Kirche auch noch die "Anfechtung von innen,
die Ungewißheit über Grundziel und Methode der 'Sendungsveranstaltung' "
hinzukommt. Eine "theologische Neuorientierung" darf daher nicht länger
vertagt werden[2]. Soll aber eine Theologie der Mission dazu anleiten, "Gott in
seinem Weltbezug zu sehen", und ein entsprechendes christliches Handeln
begründen, so geht es fundamental um die Aufgabe einer "Hermeneutik der
Sendung", die, ausgehend von dem Urzeugnis des Evangeliums über Gottes
Heilshandeln in Kreuz und Auferstehung Jesu, den jeweiligen "Ort" und
"Kontext" als ein mitkonstituierendes Element des missionarischen Dienstes
zu bedenken hat, weil nur so eine "Öffnung der Welt auf die eschatologische
Zukunft hin, die durch das Evangelium ermöglicht ist", realisiert werden
kann[3].
Im Zusammenhang mit der Heiligen Schrift stellt sich vor allem die Frage
nach "Grund" und "Ziel der Mission", wenngleich auch das "Werk der Mission" durch die Urchristenheit in wesentlichen Grundzügen bereits vorgezeich-
net ist[4]. Eine besondere Rolle spielt dabei von jeher Mt 28,16—20, der Sendungsauftrag des Auferstandenen. Es gibt kaum eine missionstheologische
Überlegung, bei der dieser Text nicht im Blickpunkt steht. Zeitweise wurde
er geradezu als Schlüsselstelle angesehen, weil hier ein ausdrücklicher Befehl
Jesu vorliege, der das missionarische Handeln der Kirche begründe und moti-
viere[5]. Doch die neuere Exegese hat gezeigt, daß der Schluß des Matthäusevangeliums eine sehr komplizierte Vorgeschichte hat und seinerseits in erheb-
lichem Maße theologische Reflexion enthält, so daß sehr genau nach seiner
Eigenart und Aussageabsicht gefragt werden muß. Das Problem der geschichtlichen Authentizität ist dabei nicht zu umgehen, darf aber keinesfalls im
Vordergrund stehen. Auszugehen ist vielmehr von Überlegungen zur Stellung
im Kontext, zu den hier erkennbar werdenden Motiven, was dann eine Klärung
über Inhalt und Bedeutung des überaus dichten Textabschnittes ermöglicht
und schließlich auch die Rückfrage nach dem geschichtlichen Ausgangspunkt
zuläßt[6].

I

Mt 28,16–20 bildet den Abschluß des Matthäusevangeliums. Der Text ist Höhepunkt des Osterkapitels und dessen entscheidender Inhalt; zugleich ist er in vielfältiger Weise mit dem Gesamtevangelium verknüpft.

Achtet man zunächst auf den engeren Kontext, so weist die Erzählung vom leeren Grab in Mt 28,1–8 wie in den beiden anderen synoptischen Evangelien über sich hinaus[7]. Das wird durch die Osterbotschaft des Engels ebenso hervorgehoben wie durch dessen Weisung, daß die Jünger nach Galiläa gehen sollen, um den Auferstandenen dort zu sehen[8]. Bei Matthäus wird dieser Sachverhalt dadurch noch besonders unterstrichen, daß die nachfolgende Erzählung von der Erscheinung Jesu vor den Frauen in 28,9f. als "Unterwegserscheinung"[9] stilisiert ist und eine Wiederholung der Weisung an die Jünger aus Jesu eigenem Munde enthält. Durch die Geschichte von den Grabeswächtern in 28,11–15, die eine Fortsetzung von 27,62–66 darstellt, soll dann noch jede Mißdeutung der Überlieferung vom leeren Grab abgewehrt werden[10], doch der gesamte Kontext von Mt 28 weist unverkennbar voraus auf V. 16–20 als Ziel und Abschluß. Der Textabschnitt selbst ist allerdings, wie noch genauer zu zeigen ist, keine typische "Ostererzählung", sondern hat eine sehr viel umfassendere Bedeutung[11].

Über den engeren Kontext von Mt 28 hinaus ist das ganze Evangelium in einer sehr kunstvollen Art zu dem Schlußabschnitt in Beziehung gesetzt. Die "zwölf Jünger" spielen bei Matthäus durchgängig eine wichtige Rolle und sind immer wieder Repräsentanten der Gemeinde; daß hier von "elf Jüngern" gesprochen wird, ist nach dem Verrat und Tod des Judas nur konsequent[12]. "Galiläa" ist die Stätte der Wirksamkeit des irdischen Jesus in Kap. 3–18; hierhin lenkt nun der Schluß des Evangeliums wieder zurück. Von einem "Berg" war bereits in 5,1f. als dem Ort der Predigt Jesu, in 14,23 als der Stätte des Gebets Jesu und in 17,1 als Schauplatz der Verklärung Jesu die Rede; in 28,16–20 findet die Begegnung mit dem Auferstandenen wiederum auf einem "Berg" als dem Ort besonderer Offenbarung statt. Vom "Zweifel" der Jünger ist paradigmatisch bei dem versuchten und mißlungenen Seewandel des Petrus in 14,28–31 gesprochen worden. Das Motiv der Proskynese gegenüber Jesus, das bei Markus und Lukas nur ganz selten auftaucht, ist von Matthäus bereits achtmal in Kap. 2–20 zusätzlich in den Evangelienbericht aufgenommen und kehrt nun in 28,9.17 wieder[13].

Auch die Worte des Auferstandenen in 28,18b–20 stehen in vielfältiger Beziehung zum vorausgegangenen Evangelium. Bei der Vollmachtsaussage V. 18b ist vor allem an Mt 11,27 zu erinnern, aber auch 7,28f.; 8,8–10; 9,6–8 sind zu berücksichtigen. V. 19a steht mit der Aussendungsrede in 10,5–42 in unmittelbarem sachlichem Zusammenhang, wenngleich es jetzt wie bei der ἐξουσία um eine Entschränkung und Ausweitung geht. Bei V. 19b ist an Jesu eigene Taufe zu denken. Bei der Lehre von V. 20a wird auf die großen Reden Jesu, vor allem die Bergpredigt, zurückgegriffen. Der Zuspruch des Beistandes in V. 20b steht in sachlicher Beziehung zu dem Namen "Immanuel" von 1,23, und das Motiv der συντέλεια τοῦ αἰῶνος, das innerhalb der Evangelien nur bei

Matthäus vorkommt, weist auf 13,39f.49 und 24,3(29–31) zurück. Bei dem für den Evangelisten bezeichnenden Begriff μαϑητεύειν in V. 19a kommt die spezifisch matthäische Ekklesiologie zum Tragen, wobei neben der Vorstellung der Jünger als "seinem Volk" (1,21, vgl. 21,43) auch der im Stammbaum 1,1–17 hervorgehobene Gedanke der Abrahams-Kindschaft Jesu und der Seinen eine besondere Rolle spielt[14]. Antithetisch ist zweifellos auch auf das Angebot der Weltherrschaft durch den Satan in 4,8–10 Bezug genommen[15].

In dieser Fülle von Beziehungen zeigt sich nicht nur ein kompositorisches Interesse, sondern das Bemühen des Evangelisten, den wesentlichen Inhalt seines Evangeliums zusammenzufassen.

II.

Beachtenswert ist die Form des Textabschnittes. Das im Hintergrund stehende Modell des Gesamtabschnittes Mt 28,16–20 ist das eines Erscheinungsberichtes, aber diese Gattung liegt in einer stark abgewandelten Gestalt vor. Das zeigt sich nicht nur daran, daß das Erscheinen des Auferstandenen gar nicht berichtet, sondern in V. 17 vorausgesetzt wird; ebensowenig wird von seinem Entschwinden etwas gesagt. Abgesehen von der knappen Bemerkung in V. 17 wird auch über das Verhalten der Jünger nichts weiter berichtet. Alles, was in V. 16–18a dargestellt ist, hat eigentlich nur den Charakter einer knappen Situationsangabe für die allein ausschlaggebenden Worte des Auferstandenen in V. 18b–20. Es handelt sich insofern durchaus um eine "besondere Form": in knappen Worten wird ein Geschehen geschildert, "das zu einem Ende nicht kommt, sondern nur zu einem feierlich großen, sorgfältig gefügten Wort Jesu hinleitet"[16]. Das bedeutet zugleich, daß die Szene "völlig offen auf die Gegenwart hin" bleibt und keinesfalls als "Abschiedsrede" verstanden werden darf[17].

Es lohnt sich, das Problem der Gattung noch einen Schritt weiter zu verfolgen. Es gibt drei verschiedene Grundformen der Erscheinungsberichte: Christophanien, die auf das Wiedererkennen des auferweckten Jesus und die Erneuerung der Gemeinschaft mit ihm zielen[18]; andere, die in einen Sendungsauftrag einmünden[19]; und nochmals andere, die den Abschied des Auferstandenen von seinen Jüngern zum Inhalt haben[20]. In Mt 28,16–20 sind interessanterweise Elemente der drei Grundformen miteinander verschmolzen, wenngleich der Sendungsauftrag unverkennbar dominiert. Zwar spielt das Wiedererkennen keine direkte Rolle, aber das dorthin gehörende Motiv des Zweifels taucht auf. Auch vom Abschied ist nicht expressis verbis wie im Engelwort Apg 1,11 die Rede; gleichwohl handelt es sich um das Jesu irdisches Leben abschließende Wort, welches eine neue Art seiner Gegenwart ankündigt. Daher steht eine Offenbarungsaussage am Anfang (V. 18b) und eine Zusage seines dauernden Beistandes bis zur Vollendung des gegenwärtigen Äons am Ende (V. 20b). Eingebettet in diesen Zusammenhang ist der Sendungsauftrag, worauf ein besonderes Gewicht liegt (V. 19.20a).

So hat der Schlußabschnitt des Matthäusevangeliums, verglichen mit den anderen Erscheinungsberichten, eine Sonderstellung[21]. Der Textabschnitt ist Ostererscheinung, Himmelfahrtsbericht und Wort des Erhöhten zugleich; und stärker als in allen anderen österlichen Christophanien ist der Akzent vom Geschehen auf das Wort verlagert. Deshalb weicht seine formale Gestaltung von den übrigen Ostertexten ab, und von daher erklärt sich die Eigenart der hier vorliegenden Gattung[22].

Nicht nur bei der erzählenden Einleitung in 28,16—18a, sondern ebenso bei den Worten Jesu in 28,18b—20 stellt sich die Frage nach der Form bzw. einem zugrundeliegenden "Schema". Es ist mehrfach der Versuch unternommen worden, V. 18b—20 mit dem Ritual einer königlichen Thronbesteigung in Verbindung zu bringen, bei dem die Einsetzung, die Präsentation bzw. Proklamation und die Herrschaftsergreifung die drei zentralen Elemente sind[23]. Hierfür ist dann bisweilen Dan 7,14 als Grundlage angesehen worden, wobei gleichzeitig auf die Menschensohn-Christologie der vorliegenden Ostererzählung hingewiesen wurde[24]. Aber trotz zweier terminologischer Berührungen kann der Abschluß des Matthäusevangeliums nicht direkt von Dan 7,14 abhängig sein; denn weder wird Dan 7,13 berücksichtigt, noch geht es in Mt 28,18b—20 um die eschatologische Vollendung, diese wird vielmehr in V. 20b nur als terminus ad quem für die Beistandsaussage berücksichtigt; vor allem aber ist nicht von einem Wechsel des Inhabers der Weltherrschaft gesprochen, vielmehr von einer Herrschaft über Himmel und Erde in der Vertretung Gottes[25]. Neuerdings ist versucht worden, zwar auf das Inthronisationsschema zu verzichten, wohl aber an der These einer matthäisch modifizierten Menschensohn-Vorstellung festzuhalten[26]; doch gerade die Menschensohn—Christologie ist hier, worauf zurückzukommen ist, allenfalls indirekt maßgebend. Andere Bemühungen um den Nachweis eines außerchristlich vorgegebenen Schemas haben ebensowenig zu einem Ergebnis geführt[27].

Man wird deshalb davon ausgehen müssen, daß die Voraussetzungen für die hier maßgebende Form nur im Urchristentum selbst liegen können. Die überraschende inhaltliche Parallelität zu dem im sekundären Markusschluß verarbeiteten, von Matthäus zweifellos unabhängigen Traditionsstück Mk 16,15f.19f. läßt eine Gemeinsamkeit in der Motivkombination erkennen[28]. Denn auch dort sind das Erhöhungs- und Beistandsmotiv V. 19f., wenngleich in berichtender Gestalt, und der Missions- und Taufauftrag V. 15f. miteinander koordiniert. Es handelt sich in diesem Text allerdings nicht um ein streng geordnetes "Schema", sondern um eine lockere Zusammenfügung der für den nachösterlichen Auftrag der Jünger wesentlichen Motive. Mt 28,18b—20 geht über Mk 16,15f.19f. vor allem darin hinaus, daß die konstitutiven Elemente in einem einheitlich geprägten Wort des Auferstandenen zusammengefaßt sind[29]. Grundvoraussetzung ist hierbei die Erhöhung Jesu, seine Einsetzung in das himmlische Herrscheramt im Sinne von Ps 110,1, und damit ist ebenso der Gedanke der Weltmission, und zwar unter Einschluß von Taufe und Unterweisung, wie des bleibenden Beistands verbunden. Entscheidend ist die Machtübertragung und die Stellung des Erhöhten in der Zwischenzeit zwischen Ostern und Parusie. Insofern wird auf das Inthronisationsritual zumindest mit V 18b Bezug genommen. Doch ist mit Recht festgestellt worden, daß das Inthronisationsschema lediglich "gebrochen und abgewandelt" vorliegt[30].

Das den Worten des Auferstandenen zugrundeliegende Schema ist von Matthäus nicht erfunden oder aufgrund andersartiger Überlieferung frei geschaffen, wohl aber in der vorliegenden Gestalt umgeformt und weitergeführt worden[31]. Indem er das Offenbarungswort an den Anfang und die Zusage des Beistandes an das Ende stellt, unterstreicht er den genuin christlichen Charakter des ganzen Textes, dem der Missions- und Taufauftrag nun fest integriert ist. So sehr Matthäus sonst Wert auf den Gedanken der Erfüllung alttestamentlicher Verheißungen und Traditionen legt, wie die zahlreichen "Reflexionszitate" in seinem Evangelium zeigen, an dieser Stelle geht es ihm allein um das, was Jesus Christus gesagt hat und sagt, um seinen Jüngern den Weg in dieser Zeit und ihre Aufgabe in dieser Welt zu bestimmen. Diese konsequent christologische Schau, die dem Evangelisten gerade für den Abschluß seines Evangeliums wesentlich ist, ergibt sich bereits deutlich aus der formalen Gestaltung des Abschnitts.

III.

Die formgeschichtliche Analyse hat ergeben, daß der Evangelist sowohl bei der erzählenden Einleitung als auch speziell bei dem Wort Jesu auf vorgegebene Überlieferungsformen zurückgreift, jedoch bei der Gestaltung selbständig am Werke gewesen ist. Dasselbe zeigt sich, wenn man die Sprach- und Stileigentümlichkeiten dieses Textabschnittes überprüft; in dieser Hinsicht zeigen sich neben traditioneller Begrifflichkeit ebenfalls redaktionelle Eingriffe[32]. Vor allem aber wird das Ineinander von Tradition und Redaktion bei der Verarbeitung vorgegebener Überlieferungselemente erkennbar.

In Mt 28,16–18a hat der Evangelist vermutlich auf einen Bericht von einer galiläischen Ostererscheinung zurückgegriffen, bei der ähnlich wie in Lk 24,36–43 die Jünger anfänglich an der Identität des Auferstandenen mit dem Irdischen zweifelten. Bei der absichtlich kurz gehaltenen Situationsangabe ist jedoch über das vorausgesetzte Traditionsstück im einzelnen nichts zu ermitteln.

Wichtiger ist die Traditionsverwertung in Mt 28,18b–20. Bei V. 18b fällt sofort die Parallelität zu Mt 11,27a auf, wozu es auch noch eine Entsprechung in Joh 3,35 gibt. Mt 11,27a steht nicht nur in Zusammenhang mit 11,27b.c, sondern ist Bestandteil von 11,25f.27.28–30, einer dreiteiligen Komposition von Herrenworten über das Offenbarungsgeschehen[33]. Der unmittelbare Kontext zeigt, daß sich das πάντα μοι παρεδόθη in 11,27a auf die Offenbarungsvollmacht des irdischen Jesus bezieht, und zwar im Sinn der ausschließlichen und endgültigen Gottesoffenbarung, die den leidenden und belasteten Menschen bereits auf Erden das Heil erschließt[34]. Dasselbe gilt für Joh 3,35, wie die Verbindung mit V. 36 zeigt[35]. Aber Mt 28,18b läßt sich nicht einseitig von Mt 11,27a ableiten, zumal die Frage der traditionsgeschichtlichen Priorität durchaus offen ist[36].

Neben Mt 11,27a muß in jedem Fall die Tradition der Aussendungsrede Jesu berücksichtigt werden. Obwohl sich auch hier Spuren nachösterlicher Missionsauffassung und -praxis finden, ist doch zunächst einmal deutlich, daß es um die vorösterliche Situation geht, wobei Jesu eigener Auftrag zur Verkündigung und seine Vollmacht zu Machttaten vorausgesetzt sind und den Jüngern übertragen werden[37]. An die Stelle der ἐξουσία des irdischen Jesus tritt in nachösterlicher Zeit die ἐξουσία des Erhöhten. Interessant ist, daß in Mk 16,15–20 nicht nur der Auftrag zur Verkündigung des Evangeliums (V. 15) und die Erhöhungsaussage (V. 19) miteinander verbunden sind, sondern auch das Wirken von Machttaten Berücksichtigung findet (V. 17f.), was hier in Anlehnung an urchristliche Erzählungstradition ausgestaltet ist[38]. Beim Vergleich zwischen den Aussendungsreden und den beiden Texten in Mk 16,15–20 und Mt 28,18b–20 läßt sich somit ein Transformationsprozeß erkennen, der von Ostern her in Gang gekommen ist und bereits in vormatthäischer Tradition einen Niederschlag gefunden hat.

Unter der Voraussetzung des Ostergeschehens ist es begreiflich, daß der Sendungsauftrag im Sinne der weltweiten Mission aufgefaßt wird. Der Gedanke der Verkündigung des Evangeliums unter allen Völkern hatte bereits in dem Logion Mk 13,10/Mt 24,14 seinen Ausdruck gefunden[39]. Daß mit dem Sendungsauftrag nun auch die Taufe fest verbunden wird, ist aus der nachösterlichen Situation verständlich. Neu ist in Mt 28,19b die triadische Taufformel, doch muß der Evangelist diese aus der Praxis seiner Gemeinde im ausgehenden 1. Jahrhundert übernommen haben[40]. Dagegen kommt bei der Verwendung von μαθητεύειν in V. 19a ein spezifisch matthäisches Anliegen zum Tragen, so sehr der Evangelist damit auf vorösterliche Tradition in eigenständiger Weise zurückgreift[41]. Noch unverkennbarer ist die redaktionelle Tendenz in V. 20a bei dem Gedanken der fortdauernden Lehre in Rückbindung an Jesu eigenes Wort; denn es ist wohl nicht ohne Grund, wie eine Reihe von Aussagen im Matthäusevangelium zeigt, ein Hinweis auf die vollmächtigen Taten weggelassen und statt dessen auf die grundlegende und unverändert gültige Lehre Jesu verwiesen worden[42].

Die Zusage des Beistandes ist in der urchristlichen Überlieferung fest verankert. Nicht nur Mk 16,20 ist in diesem Zusammenhang zu nennen, noch sehr viel näher steht die Verheißung Mt 18,20, daß dort, wo zwei oder drei versammelt sind in Jesu Namen, er selbst mitten unter ihnen sein will[43].

Auch bei der traditionsgeschichtlichen Analyse der Einzelelemente sehen wir also, daß in diesem Matthäustext ein breiter Überlieferungsstrom, der für die älteste Christenheit grundlegende Bedeutung hatte, eingegangen ist und eingeschmolzen wurde. Dieses ganze weite Spektrum gehört mit zum Bestand unseres Textabschnittes.

Verbindet man die formgeschichtlichen und die traditionsgeschichtlichen Ergebnisse, so darf angenommen werden, daß der Evangelist eine Überlieferung verwendet hat, in der wesentliche Elemente des Auftragswortes bereits vorgegeben waren.

IV.

In der Einzelexegese ist davon auszugehen, daß es sich um einen Text handelt, der "in Form einer 'Offenbarungsrede' das Geheimnis des κύριος" erschließen will[44]. Dabei geht es wie in Phil 2,9–11 um den auferstandenen Herrn, der nicht nur der Macht des Todes entrissen wurde, sondern der "erhöht" worden ist und an Gottes Stelle die Herrschaft über Himmel und Erde angetreten hat[45]. Es handelt sich jedoch nicht um eine der Menschensohn-Christologie entstammende Auffassung, bei der bekanntlich die Erhöhungsvorstellung keine konstitutive Bedeutung hat[46]; Matthäus hat seinerseits in der Deutung des Unkrautgleichnisses 13,36–43 lediglich eine sekundäre Brücke zu der Herrschaft des Erhöhten[47] mit der Vorstellung vom "Reich des Menschensohnes" geschaffen[48].

V. 16: Die Rückkehr der elf Jünger nach Galiläa ist vom Auferstandenen angeordnet (28,7); sie ist aber auch sachlich notwendig, wenn das Offenbarungs- und Auftragswort alle Jünger an das geschichtliche Wort und Wirken Jesu binden soll, das von dort seinen Ausgang genommen hat. Dabei spielt der "Berg" eine wichtige Rolle, weil er neben der traditionellen, schon im Alten Testament nachweisbaren Funktion als Stätte der Offenbarung im besonderen auch der Ort der grundlegenden Lehre Jesu gewesen ist[49]. Der Rückweg der Jünger nach Galiläa bedeutet, daß sie im Lichte des Osterereignisses die geschichtliche Wirklichkeit Jesu voll erfassen werden.

V. 17: Die Begegnung mit dem auferstandenen Herrn führt zum προσκυνεῖν. Er erscheint, wie aus V. 18b eindeutig hervorgehen wird, in seiner Funktion als Weltenherrscher. Wo der lebendige Herr den Menschen entgegentritt, geht es um uneingeschränktes Vertrauen und Glauben. Dabei müssen aber Zweifel und Unglaube noch überwunden werden. Der Anschluß von V. 17b an V. 17a ist nicht völlig eindeutig: Die übliche Übersetzung von οἱ δὲ ἐδίστασαν mit "etliche aber zweifelten" ist nicht gänzlich auszuschließen, wahrscheinlicher ist jedoch "sie (sc. alle) aber zweifelten". Zwar scheint durch die Anbetung bereits jeder Zweifel beseitigt; doch der Text will zum Ausdruck bringen, daß die Jünger erst durch das anschließende Wort Jesu in ihrem Zweifel überwunden werden[50]. Vor allem aber gilt: Das unmittelbare Sehen des Auferstandenen gehört der Vergangenheit an, sein Wort dagegen bleibt; und durch dieses "geschichtsmächtige und zukunftsträchtige Wort"[51] wird Zweifel überwunden. Ähnlich wie Joh 20,29 ist hier also das Problem des Sehens bzw. Nicht-mehr-Sehens mitbedacht[52]. Von diesem Sachverhalt her erklärt sich dann auch, warum die Erscheinungserzählung in Mt 28,16–18a eine relativ untergeordnete Rolle spielt und eigentlich nur zu einem vorbereitenden und begleitenden Ereignis für das Offenbarungswort geworden ist.

V. 18: Der Text betont, daß Jesus auf die Jünger zukommt und dann zu ihnen spricht. Bei der Vollmachtsaussage in V. 18b ist das passivum divinum zu beachten. Die Vollmacht über Himmel und Erde ist ihm gegeben (ἐδόθη μοι). Es handelt sich um die Übertragung der Schöpfermacht Gottes auf den Kyrios[53]. "Damit ist der Monotheismus gegen jede Erschütterung geschützt"[54]. Entsprechend wird das "mir" fast unbetont in Gestalt eines Enklitikons angehängt, was wiederum zeigt, daß nicht auf Dan 7,14 Bezug genommen sein kann, da sonst der Gegensatz zu den bisherigen Machthabern auf Erden hervorgehoben sein müßte. Daß der Auferstandene "alle Macht" ($\pi\tilde{\alpha}\sigma\alpha$ $\dot{\epsilon}\xi o v\sigma i\alpha$) erhält, ist betont und wird durch die Wendung "im Himmel und auf Erden" ($\dot{\epsilon}v$ $o\dot{v}\rho\alpha v\tilde{\omega}$ $\kappa\alpha\dot{\iota}$ $\dot{\epsilon}\pi\dot{\iota}$ $\gamma\tilde{\eta}\varsigma$) erläutert. Im Unterschied zu Mt 11,27a geht es hier nun nicht nur um die im Zusammenhang des Offenbarungshandelns stehende "Vollmacht", sondern um göttliche "Macht". Die $\dot{\epsilon}\xi o v\sigma i\alpha$ ist "universal entschränkt"[55]. Vor allem gilt: "Die Beschreibung der vom Auferstandenen gewonnenen Souveränitätsstellung mittels des $\dot{\epsilon}\xi o v\sigma i\alpha$-Begriffs ermöglicht es, einerseits den Sendungsanspruch des Erhöhten mit dem des Irdischen zu verknüpfen ... Sie schafft andererseits den begrifflich adäquaten Ausdruck für das eigentliche Herzstück der abschließenden Offenbarung: die nachfolgende ... Beauftragung und Verheißung"[56]. Entscheidend ist jedenfalls die enge sachliche Verbindung der $\dot{\epsilon}\xi o v\sigma i\alpha$ Jesu mit der durch Mission sich realisierenden Anerkennung seiner Herrschaft unter den Völkern. Das $o\tilde{v}v$, das V. 18 mit V. 19 verbindet, gibt daher die "ursächliche Folge" an[57]. Denn das "Besondere unseres Textes ist nicht nur die Verbindung von Erscheinung und Sendung, sondern die von Erhöhung und Völkermission"[58]. In der Inthronisation und der Anerkennung des Erhöhten ereignet sich bereits eschatologische Erfüllung, ohne daß die Kirche einfach mit der $\beta\alpha\sigma\iota\lambda\epsilon i\alpha$ $\tau\tilde{\omega}v$ $o\dot{v}\rho\alpha v\tilde{\omega}v$ gleichgesetzt und das Ende schon definitiv gekommen wäre[59].

V. 19a: Aufschlußreich ist die syntaktische Struktur des Auftrags an die Jünger. Ganz gleich, ob man $\pi o\rho\epsilon v\vartheta\acute{\epsilon}v\tau\epsilon\varsigma$ imperativisch versteht oder als vorausgehende Bedingung, unter allen Umständen trägt $\mu\alpha\vartheta\eta\tau\epsilon\acute{v}\sigma\alpha\tau\epsilon$ das eigentliche Gewicht dieser Aussage, während $\beta\alpha\pi\tau\acute{\iota}\zeta o v\tau\epsilon\varsigma$[60] und $\delta\iota\delta\acute{\alpha}\sigma\kappa o v\tau\epsilon\varsigma$ im Sinne von "Ausführungsbestimmungen" subordiniert sind. Es handelt sich dabei um unerläßliche Konsequenzen, wenn Menschen als Jünger gewonnen sind. Nicht zu übersehen ist, daß der Auftrag an die Jünger hier wie in V. 20a ein typisch matthäisches Gepräge hat. Nicht bloß erweist sich der Begriff $\mu\alpha\vartheta\eta\tau\epsilon\acute{v}\epsilon\iota v$ als spezifischer Ausdruck, vor allem steht der Sendungsauftrag mit der Ekklesiologie des Evangelisten in direktem Zusammenhang. Kirche gibt es für Matthäus nur dort, wo Jünger Jesu in Gemeinschaft miteinander leben, den Willen ihres Herrn zu erfüllen trachten und aus der Barmherzigkeit Gottes stets neue Kraft empfangen[61]. Auch die Erhöhung Jesu ändert nichts daran, daß er nach Mt 23,8 der eine Meister bleibt, dem alle Glaubenden als Jünger zugehören. So wird das Wort aus der eschatologischen Rede Mt 24,14, daß "das Evangelium vom Reich in der ganzen Welt verkündigt werden wird", hier mit der Weisung "macht zu Jüngern alle Völker" aufgenommen. $"E\vartheta v\eta$ bezeichnet dabei nicht die Heiden im Gegensatz zu den Juden, sondern alle Völker dieser Erde unter Einschluß Israels[62].

V. 19b: Wer Jünger geworden ist, soll durch die Taufe in die Gemeinschaft der Kirche eingegliedert werden. Für Matthäus steht die Verankerung der Taufe im Auftrag des Auferstandenen fest, und Mk 16,15f. zeigt, daß dies geläufige Tradition des Urchristentums war. Von daher wird verständlich, daß seit dem Pfingstgeschehen die Taufe allgemein praktiziert worden ist. Was durch Johannes den Täufer vorbereitet und in Jesu eigener Taufe begründet war, ist zum Signum nachösterlicher Jüngerschaft geworden. Die Taufe tritt an die Stelle der persönlichen Nachfolge zu Lebzeiten Jesu. Sie erfolgte im Urchristentum anfänglich "auf den Namen Jesu" als Ausdruck dafür, daß der Täufling Jesus als seinem Herrn unterstellt wird und fortan ihm zugehört. Die triadische Form des Taufwortes ist zur Zeit des Matthäus bereits gebräuchlich und hat für den Evangelisten eine besondere Bedeutung wegen ihres Bezuges auf die Struktur der Erzählung von Jesu Taufe in 3,13–17 mit der vom Vater ausgehenden Sohnes-Proklamation und der Verleihung des Heiligen Geistes an den Täufling[63].

V. 20a: Zu beachten ist, daß es sich hier nicht um einen der Taufe vorangehenden "Katechumenenunterricht" handelt, wie wir ihn aus späterer Zeit kennen[64], sondern um eine postbaptismale Unterweisung, die weitgehend mit der innergemeindlichen Verkündigung zusammenfällt. Hierbei zeigt sich das spezielle Interesse des Evangelisten. Nicht zufällig ist das ganze Begriffsfeld von διδάσκειν bis hin zu der Bezeichnung Jesu als διδάσκαλος für ihn besonders charakteristisch[65]. Daß er jedoch nicht willkürlich vorgeht, ergibt sich daraus, daß im Urchristentum Taufe und Paränese stets in sachlicher Beziehung zueinander stehen[66]. So wird der Sendungsauftrag des Erhöhten verbunden mit der Verpflichtung auf die Worte bzw. "Gebote" des Irdischen (ὅσα ἐνετειλάμην ὑμῖν). "Die Worte, die Jesus den Jüngern überliefert hat, sind jetzt sein eigentliches Vermächtnis"[67]. Die Jünger sollen "alles" halten, was er ihnen "befohlen" hat, was besagt, daß seine Worte die Lebensordnung des neuen Gottesvolkes bestimmen. Von daher wird deutlich, daß es bei dem Sendungsauftrag neben dem Wort der Verkündigung auch um "ein existentielles Vorleben dessen, was Jüngerschaft bedeutet", geht[68]. Natürlich ist auffallend, daß die Botschaft Jesu hier als sein "Gebot" zusammengefaßt ist und zudem im Aorist formuliert wird: "was ich euch geboten habe". Doch das bedeutet: "Der Auferstandene und Erhöhte macht das Wort des irdischen Jesus für die Kirche auf Erden für alle Zeiten bis ans Ende der Welt verpflichtend ... Inhaltlich kann mit diesen Geboten Jesu nichts anderes gemeint sein als sein Ruf zu der Gerechtigkeit, die die der Schriftgelehrten und Pharisäer weit überragt, ohne die es keinen Eingang in die Himmelsherrschaft gibt. Das heißt zugleich: der in Gesetz und Propheten verkündigte, in Jesu Lehre vollmächtig ausgelegte und verwirklichte und im Liebesgebot zusammengefaßte Wille Gottes"[69].

V. 20b: Die Verheißung des unablässigen Beistandes beschließt den Textabschnitt. In der Formulierung ist diese Schlußwendung wieder ausgesprochen matthäisch, aber sachlich ist sie Bestandteil der Tradition, wie aus Mk 16,15f. oder Mt 18,20 hervorgeht. Erhöhung und bleibende Gegenwärtigkeit Jesu gehören für das urchristliche Verständnis zusammen. Schon die Begegnung mit den Elfen in V. 16–18a ist ein "Zeichen solcher Gegenwärtigkeit"[70]. Wie nah oder fern die "Vollendung des Äons" (συντέλεια τοῦ αἰῶνος) ist, wird nicht gesagt. Hier geht es weder um Naherwartung noch um Parusieverzögerung, sondern um das Nichtwissen jener "Stunde", wovon in Mt 24,36 die Rede war.

V.

Der Text Mt 28,16—20 ist, wie bereits die Verwendung urchristlicher Traditionen und die redaktionellen Eingriffe des Evangelisten zeigen, kein im modernen Sinn "historisch" verwertbares Überlieferungsstück[71]. Wer von der Frage ausgeht, ob und inwieweit in dieser Erzählung ein ursprüngliches Osterereignis dargestellt wird, oder wer Überlegungen anstellt, wie und in welcher Art der Auferstandene gesprochen hat, gelangt sehr schnell in Sackgassen[72]. Für die Urchristenheit waren Geschehen und Bedeutung so eng miteinander verbunden, daß entsprechend auch Bericht und Deutung unlösbar zusammengehören und keinen Rückgang auf das "bloße Ereignis" erlauben. Dennoch ist die Bezugnahme auf ein bestimmtes Geschehen nicht zufällig, sondern sachlich begründet und unerläßlich. Wie ein Geschehen nicht in seiner bloßen Faktizität, sondern in seiner ganzen Tragweite erfaßt und verstanden werden soll, so ist umgekehrt in der urchristlichen Überlieferung sehr bewußt berücksichtigt, woraus bestimmte Erkenntnisse und Wirkungen letztlich erwachsen sind.

Der vorliegende Textabschnitt erweist sich bei exegetischer Analyse in seiner Jetztgestalt als eine relativ späte "Komposition", in der theologisch wesentliche Bestandteile der Osterbotschaft und ältere Überlieferungselemente zusammengefaßt sind. Natürlich sind auch die Vorformen und Materialien nicht einfach "historisch" auswertbar, d.h. nicht unmittelbar in der Begegnung mit dem auferstandenen Jesus verankert, sondern sind durch einen Reflexions- und Modifikationsprozeß hindurchgegangen. Dennoch darf nicht behauptet werden, diese Elemente oder die hier vorliegende Komposition hätten mit der Osterwirklichkeit nichts zu tun. Wie die Überzeugung der Jünger, daß Jesus dem Tod entrissen worden ist, auf der Begegnung mit dem Auferstandenen beruht und Ausdruck eines Widerfahrnisses ist, so ist auch die Gewißheit seiner Erhöhung, seiner Gegenwärtigkeit und seines Beistandes im Ostergeschehen verankert. Und ebenso steht es mit dem Sendungsauftrag: Die österlichen Erscheinungen sind als neue, definitive Bevollmächtigung zur Verkündigung verstanden worden[73]. Wenn nun der Auferstandene an der Seite Gottes ist und von diesem die Herrschaft über Himmel und Erde übertragen bekam, dann muß Mission in weltweiter Dimension gesehen und durchgeführt werden. Mag gerade die letztgenannte Erkenntnis eines universalen Missionsauftrags erst schrittweise gewonnen worden sein[74], sie ist im Ostergeschehen selbst beschlossen und begründet. Denn nicht die vereinzelten universalen Ansätze in Jesu vorösterlichem Wirken haben dies schon verursacht[75], sondern, wie wir aus der frühen nachösterlichen Zeit wissen, von Ostern her ist dieser Auftrag in seinem vollen Umfang erfaßt worden.

So beruht die Darstellung von Mt 28,16—20 zwar weitgehend auf einer den Jüngern sukzessiv geschenkten Erkenntnis, aber es ist keine andere als die, die aufgrund des Osterereignisses selbst möglich und notwendig war, daher auch alsbald gereift ist und in einem insgesamt späten Text ihren abschließenden Niederschlag gefunden hat[76].

VI.

Was den Text Mt 28,16–20 besonders auszeichnet, ist seine universale Dimension. Das gilt für die Christologie ebenso wie für das hier vorausgesetzte Verständnis von Raum und Zeit, und es gilt schließlich für den weltweiten Dienst der Jünger.

Bei der Christologie ist nochmals auf die Nähe zu Phil 2,9–11 zu verweisen. Was dort als Bekenntnis der himmlischen, irdischen und unterirdischen Mächte proleptisch von der Gemeinde Jesu Christi im Lobpreis gefeiert wird, ist auch in Mt 28,16–20 das Ziel. Aber anstelle der im Hymnus vorweggenommenen Schau der endzeitlichen Vollendung geht es hier um die geschichtliche Wirklichkeit und die in Gang kommende Realisierung der Herrschaft des Erhöhten über die Welt. Als Herr über Himmel und Erde hat er sein Amt angetreten und führt es jetzt durch.

Der universalen Christologie entspricht die universale Sicht der geschaffenen Welt und aller Völker. Es geht um die Herrschaft des Erhöhten über Himmel *und* Erde. Was im Himmel schon geschehen ist, muß auf der ganzen Erde noch verwirklicht werden. Das drückt sich ebenso in der universalen zeitlichen Dimension aus. Der Blick wird nach rückwärts und nach vorwärts gewandt. Mit der Verleihung aller ἐξουσία wird dem Erhöhten die Schöpfermacht Gottes übertragen, so daß implizit auch auf die Geschichte seit Anbeginn der Welt Bezug genommen ist. Explizit geht es aber um das mit Jesu irdischer Geschichte beginnende Heilshandeln und um die Zeit zwischen Ostern und Parusie.

Anfang und Schluß des Vollmachtswortes gehören zusammen, es ist die Klammer, innerhalb deren dann die Aussagen über die Jünger Jesu stehen. Auch ihnen ist eine weltweite Aufgabe zugewiesen. Von der Kirche ist nicht ausdrücklich die Rede, wohl aber von dem Jüngersein; denn Kirche realisiert sich für Matthäus nicht anders als in der gelebten Jüngerschaft und der Jüngergemeinschaft. Darum gilt es, alle Völker "zu Jüngern zu machen", damit sie Anteil am Heil erhalten. In diesem Sinne gehören sie zur Kirche, der nach Mt 16,18f. verheißen ist, daß die Pforten der Hölle sie nicht überwältigen werden. Jüngersein ist Zeugesein; deshalb werden die Jünger vom auferstandenen Herrn ausgesandt. Mit der üblichen Bezeichnung "Missionsbefehl" ist dabei kaum das Richtige getroffen. Zwar geht es um einen Auftrag und eine nicht überhörbare Aufforderung, aber es handelt sich zugleich und vor allem um eine Ermächtigung. Wo Mission getrieben wird, wird die Botschaft des Evangeliums kundgetan, und was dort geschieht, erhält vom Herrn des Himmels und der Erde seine Legitimation. Mission ist menschlicher Dienst, aber nicht menschliches Werk. Mission ist der spezielle Dienst der Jünger, andere Menschen in die Nachfolge Jesu zu rufen und so "zu Jüngern zu machen". Wer zu Jesus gehört, hat die missionarische Aufgabe übernommen, ganz gleich, wie er im Einzelfall seinen Beitrag dazu leistet. Und das "Hingehen" hat zweifellos einen weltweiten Sinn, betrifft jedoch nicht einseitig die räumliche Perspektive. Es ist primär ein "Hingehen" zu anderen Menschen und bedeutet vor allem, daß alle Menschen und Völker in gleicher Weise am Heil Gottes partizipieren dürfen, daß es daher keinen Unterschied vor Gott geben kann und darf[77].

Die Eingliederung in die Jüngergemeinschaft erfolgt durch die Taufe. Diese geschieht im Namen des Vaters und des Sohnes und des Heiligen Geistes. Wer die Heilsbotschaft annimmt, wird aufgrund des Heilshandelns des unsichtbaren Vaters getauft, der sich den Menschen in Jesus Christus zugewandt hat und der seine Nähe und Hilfe durch den Heiligen Geist gewährt. Denn wie es der Vater ist, der dem Sohn die Macht über Himmel und Erde verleiht, wie der Sohn die Jünger zu seinem Dienst beauftragt, so ist es der Heilige Geist, der uns der lebendigen Gegenwart Gottes und Christi allezeit verbürgt und vergewissert. Wie immer es mit der Ausbildung des Trinitätsdogmas steht, in dem Aufeinanderbezogensein des Wirkens von Gott als Vater, Jesus Christus als dem von ihm erwählten Sohn und dem Heiligen Geist als der uns erfassenden und vergewissernden Gotteskraft beruht die Eigenart des urchristlichen Gottesglaubens. In diesem dreifachen Namen wird die Taufe vollzogen als "unauslöschliches Siegel"[78], dessen sich der Getaufte getrösten darf und das ihn zugleich verpflichtet.

Wer zur Gemeinschaft der Jünger gehört und als Jünger zum Zeugendienst gerufen ist, bedarf nun aber der ständigen Unterweisung in der Botschaft und Lehre Jesu. Denn Gegenwart und Zukunft werden erschlossen durch aktuelle Verkündigung in der Rückbindung an Jesu eigenes Wort. Er weist damit den Weg für jeden Glaubenden, für die Glaubensgemeinschaft und für den Zeugendienst, weil sein Wort nicht toter Buchstabe ist, sondern durch den Erhöhten selbst seine stets neue Kraft erweist. So wird Vergangenheit, Gegenwart und Zukunft in Ausrichtung auf den verstanden, der der wahre Herr der Geschichte und allen Lebens ist, auch der für Menschen noch ungewissen kommenden Zeitläufe[79].

Wenden wir abschließend nochmals einen Blick auf Gensichens Missionstheologie, so können seine wichtigen Aussagen über "Dimension und Intention" der Mission[80] von der Exegese des wichtigen neutestamentlichen Textes her nur bestätigt werden. Natürlich stellt die urchristliche Missionsbegründung oder gar dieser spezielle Textabschnitt nicht einfach eine "missionarische Magna Charta" dar[81], wohl aber geht es hier um einen Hinweis auf die bestimmende Mitte, wovon für das Verständnis von Mission alles abhängt. Nicht um ihres Befehlscharakters willen sind diese Worte des Auferstandenen verbindlich, sondern wegen der Bindung der Zeugen an die Selbstoffenbarung Jesu, der seinen eigenen Auftrag, den er vom Vater erhalten hat, weitergibt und alle, die in seiner Nachfolge stehen, in sein Wirken und seinen Dienst einbezieht. Hier leuchtet die theologische "Dimension" ebenso auf wie die konkrete "Intention": die Dimension des universalen göttlichen Heilswillens und Heilshandelns, verbunden mit der vom Menschen wahrzunehmenden Intention der Bezeugung des Evangeliums und des persönlichen Einsatzes für die Heilsbotschaft.

Anmerkungen

1. *H.W. Gensichen:* Glaube für die Welt. Theologische Aspekte der Mission, 1971, 14.
2. A.a.O. 21.42.
3. A.a.O. 51.53, vgl. auch 54: "Nur auf dieser Basis kann eine verantwortliche Theologie der Mission das leisten, was sie leisten soll: sowohl zwischen Theorie und Praxis als auch zwischen biblischer und gegenwärtiger Sendung so zu vermitteln, daß auch durch die gegenwärtige Sendung die transformierende Kraft des Evangeliums wirksam wird, die Welt durch den Gehorsam des Glaubens und auf neuen Glaubensgehorsam hin in das Ziel der kommenden neuen Schöpfung einbezogen werden kann."
4. Vgl. die Hauptteile des Werkes von *Gensichen:* Glaube für die Welt 55ff., 96ff., 163ff.
5. So z.B. *M. Kähler:* Der Menschensohn und seine Sendung an die Menschheit (1893, erweitert 1898), in: *ders.:* Schriften zur Christologie und Mission (ThBüch 42), 1971, 3–43, dort 25ff., 34ff.
6. Mit der nachfolgenden exegetischen Analyse soll die Interpretation des Textabschnittes weitergeführt und präzisiert werden, die ich zuerst vorgelegt habe in meinem Buch: Das Verständnis der Mission im Neuen Testament (WMANT 13), 1963 = 1965[2], 52–57. An seither erschienener Literatur sei vor allem erwähnt: *A. Vögtle:* Das christologische und ekklesiologische Anliegen von Mt 28,18–20 (1964), in: *ders.:* Das Evangelium und die Evangelien, 1971, 253–272; *G. Bornkamm:* Der Auferstandene und der Irdische, Mt 28,16–20 (1964), in: *G. Bornkamm – G. Barth – H.J. Held:* Überlieferung und Auslegung im Matthäusevangelium (WMANT 1), 1970[6] = 1975[7], 289–310; *J. Lange:* Das Erscheinen des Auferstandenen im Evangelium nach Mattäus. Eine traditions- und redaktionsgeschichtliche Untersuchung zu Mt 28,16–20 (fzb 11), 1973.
7. Letztlich gilt dies auch für Joh 20,1–10, nur der Lieblingsjünger stellt dort eine Ausnahme dar, weil er bereits aufgrund dessen, was er im Grab feststellt, zum Glauben kommt.
8. Vgl. Mt 28,6 par Mk 16,6; Lk 24,5b und Mt 28,7 par Mk 16,7.
9. So *O. Michel:* Der Abschluß des Matthäusevangeliums, EvTh 10 (1950/51) 16–26, dort 16.
10. Das geschieht in ähnlicher Weise in Joh 20,14–20 innerhalb der Erscheinung vor Maria Magdalena mit der Vermutung, der Leichnam Jesu sei umgebettet worden.
11. Darauf hat schon *Bornkamm,* a.a.O. 289, aufmerksam gemacht: "Die Abschlußerzählung des Matthäusevangeliums ist zugleich weniger und mehr als eine Ostererzählung."
12. Anders Paulus 1 Kor 15,5, wo in der zitierten Glaubensformel "die Zwölf" als einheitlicher Kreis angesehen werden, unabhängig von dessen Vollzähligkeit.
13. Vgl. Mt 2,2.8.11; 8,2; 9,18; 14,33; 15,25; 20,20.
14. Vgl. *Bornkamm,* a.a.O. 307ff.
15. Darauf hat mit Recht *Lange,* a.a.O. 168f., aufmerksam gemacht.
16. So *E. Lohmeyer:* "Mir ist gegeben alle Gewalt!" Eine Exegese von Mt 28,16–20, in: In memoriam Ernst Lohmeyer (hg. von W. Schmauch), 1951, 22–49, dort 23; vgl. auch *E. Lohmeyer – W. Schmauch:* Das Evangelium des Matthäus (KEK Sonderband), 1956, 414f.
17. Dies wird zutreffend von *Bornkamm,* a.a.O. 290, betont.
18. So z.B. Lk 24,13–35, vgl. bes. V. 16.30f.
19. Dies gilt für Lk 24,44–49 und Joh 20,19–23.
20. Hierbei handelt es sich um die Himmelfahrtserzählungen Lk 24,50–53; Apg 1,9–11; aber auch Joh 20,24–29 ist in diesem Zusammenhang zu erwähnen.
21. Vgl. dazu auch *E. Schweizer:* Das Evangelium nach Matthäus (NTD 2), 1973, 350f.
22. Trotz aller Besonderheiten ist hier durchaus von einer "Gattung" zu sprechen, weil die Tendenz, das Wort des Erhöhten in ein Wort des Irdischen oder des Auferstandenen zu fassen, auch sonst belegbar ist und sich in einer typischen formalen Gestaltung niederschlagen kann.

23. So *J. Jeremias:* Jesu Verheißung für die Völker, 1956, 32f.
24. Vgl. *Lohmeyer,* a.a.O. 33ff.; *Michel,* a.a.O. 22.
25. Dies wurde von *Vögtle,* a.a.O. 243ff., eingehend nachgewiesen; vgl. auch *W. Trilling:* Das wahre Israel. Studien zur Theologie des Matthäus (StANT 10), 1964[3], 21ff.
26. So *Lange,* a.a.O. 349ff. und 179ff. Er will den Text rein redaktionsgeschichtlich erklären. Ebenso *J.D. Kingsbury:* The Composition and Christology of Matt 28: 16—20, JBL 93 (1974) 573—584, der aber mit Recht auf die zentrale Funktion der Sohnes-Christologie bei Matthäus hinweist (28,19!).
27. Hierhin gehört vor allem der Versuch, in Mt 28,18b—20 Elemente eines "amtlichen Dekrets" und des "Wortes des göttlichen Selbsterweises" aus dem Alten Testament nachzuweisen, wie dies vorliegt bei *B.J. Malina:* The Literary Structure and Form of Matt. xxviii. 16—20, NTS 17 (1971/72) 87—103. Von 2 Chr 36,22f. (Edikt des Perserkönigs) her, worauf auch Malina Bezug genommen hat, wird die Textstruktur von Mt 28,18—20 erklärt bei *H. Frankemölle:* Jahwebund und Kirche Christi. Studien zur Form- und Traditionsgeschichte des "Evangeliums" nach Matthäus (NTA NF 10), 1974, 42—72. Ebensowenig überzeugend ist der Hinweis auf die alttestamentliche Gottesrede bei *Trilling,* a.a.O. 48ff., oder auf die alttestamentliche Botenformel bei *Schweizer,* a.a.O. 246.
28. Eine Entsprechung zu Mk 16,17f. fehlt. Vgl. dazu Teil III.
29. Dies geschieht unter Ergänzung des für Matthäus charakteristischen Gedankens der fortdauernden Lehre.
30. So *Bornkamm,* a.a.O. 292.
31. Gegen *Lange,* a.a.O. 170—174.
32. Vgl. *G. Barth:* Das Gesetzesverständnis des Evangelisten Matthäus (1960), in: *G. Bornkamm — G. Barth — H.J. Held:* Überlieferung und Auslegung im Matthäusevangelium (WMANT 1), 1975[7], 54—154, dort 123 mit Anm. 1; *H. Kasting:* Die Anfänge der urchristlichen Mission (BEvTh 55), 1969, 34f.
33. Vgl. *R. Bultmann:* Die Geschichte der synoptischen Tradition, 1931[2] = 1970[8], 171f., mit Ergänzungsheft 1971[4], 63f.
34. Auf die Offenbarungsvollmacht ist speziell auch in Mt 11,27b.c mit dem Motiv des gegenseitigen Erkennens von "Vater" und "Sohn" hingewiesen, sowie des Erkennens durch Menschen, soweit es ihnen durch den "Sohn" offenbart ist. Vgl. dazu meine Ausführungen in: Christologische Hoheitstitel (FRLANT 83), 1963 = 1974[4], 321—326.
35. Dazu vgl. *R. Schnackenburg:* Das Johannesevangelium I (HThK IV/1), 1973[3], 400ff.
36. Der entsprechende Versuch von *Lange,* a.a.O. 152ff., ist m.E. als gescheitert anzusehen.
37. Zu den verschiedenen Fassungen der Aussendungsrede in Mk 6,7—13//Lk 9,1—6, in Lk 10,1—16 und in Mt 10,5—42 und ihren überlieferungsgeschichtlichen Problemen verweise ich auf den Exkurs in meinem Buch: Verständnis der Mission, 33—36.
38. Zu den Problemen des sekundären Markusschlusses vgl. zuletzt: *R. Pesch:* Das Markusevangelium II (HThK II/2), 1977, 544—556; ferner *J. Hug:* La finale de l'évangile de Marc (Mc 16,9—20) (Etudes Bibliques), 1978, bes. 143ff., 217ff.
39. Vgl. meine Untersuchung von Mk 13,10 in: Verständnis der Mission, 57—63; zu Mt 24,14 vgl. *P. Stuhlmacher:* Das paulinische Evangelium I: Vorgeschichte (FRLANT 93), 1968, 238ff.
40. Unter keinen Umständen handelt es sich um eine spätere Interpolation. Dies wurde erstmals vertreten von *F.C. Conybeare:* The Eusebian Form of the Text Matth. 28,19, ZNW 2 (1901) 275—288ff. Dagegen eingehend *E. Riggenbach:* Der trinitarische Taufbefehl Mt 28,19 (BFchrTh VII/1), 1903; seinem Urteil folgen seither die meisten Exegeten. Der eingliedrige Eusebius-Text zeigt nur, daß das "Taufen im Namen Jesu" noch relativ lange gebräuchlich war und vereinzelt auch in Mt 28, 18—20 eindringen konnte. Zur Stelle vgl. noch *K. Kertelge:* Der sogenannte Taufbefehl Jesu (Mt 28,19), in: Zeichen des Glaubens. Studien zu Taufe und Firmung (Festschrift für Balthasar Fischer), 1972, 29—40.

41. Das Verbum kommt nur in Mt 13,52; 27,57 und 28,19 vor; aber es steht in direkter Beziehung zu dem vielfältigen und spezifischen Gebrauch von μαϑητής.

42. Vgl. dazu *Bornkamm*, a.a.O. 293ff., 297ff.: im Matthäusevangelium ist eine Frontstellung nicht nur gegen das pharisäische Judentum festzustellen, sondern auch gegen ein charismatisch orientiertes hellenistisches Christentum; deshalb sind Jüngerschaft und Lehre Jesu betont und fehlen die charismatischen Züge im Missionsbefehl.

43. Bei Mt 18,20 handelt es sich um eine frühe nachösterliche Tradition. Vgl. dazu *W. Trilling*, a.a.O. 41ff.; *W. Pesch:* Matthäus der Seelsorger (SBS 2), 1966, 43ff.; *Frankemölle*, a.a.O 27ff.

44. So *Michel*, a.a.O. 22.

45. Vgl. *Lohmeyer*, a.a.O. 22f.

46. Dazu sei verwiesen auf *H.E. Tödt:* Der Menschensohn in der synoptischen Überlieferung, 1959 = 1969[3], 258ff.

47. In diesem begrenzten Sinne ist *Lange*, a.a.O. 181ff., zuzustimmen.

48. *Bornkamm*, a.a.O. 290.

49. Die Bergpredigt ist insofern nach Matthäus Grundlage jeder christlichen Unterweisung.

50. Glaube und Zweifel sollen einander zwar ausschließen (Jak 1,6—8), aber nur der mit dem Zweifel ringende Glaube kann jenen letztlich überwinden (Mk 9,24; Röm 4, 19—21).

51. *Vögtle*, a.a.O. 262.

52. Vgl. *Michel*, a.a.O. 18f.

53. Vgl. *Trilling*, a.a.O. 25.

54. *A. Schlatter:* Der Evangelist Matthäus, 1929, 1963[6], 798.

55. So *G. Strecker:* Der Weg der Gerechtigkeit. Untersuchungen zur Theologie des Matthäus (FRLANT 82), 1962, 1971[3], 211.

56. *Vögtle*, a.a.O. 264.

57. *Kasting*, a.a.O. 135.

58. *Bornkamm*, a.a.O. 293f.

59. Vgl. die Unterscheidung der auf Erden sich befindenden ἐκκλησία und der transzendenten βασιλεία τῶν οὐρανῶν in Mt 16,18f.; dazu meine Studie: Die Petrusverheißung Mt 16,18f., in: *K. Kertelge (Hg.):* Das kirchliche Amt im Neuen Testament (WdF 439), 1977, 543—563, dort 554f.

60. βαπτίζοντες, nicht βαπτίσαντες (so nur B und D) ist mit der Mehrheit der Handschriften zu lesen.

61. Zur matthäischen Ekklesiologie sei besonders verwiesen auf *G. Bornkamm:* Enderwartung und Kirche im Matthäusevangelium (1960), in: *G. Bornkamm — G. Barth — H.J. Held:* Überlieferung und Auslegung im Matthäusevangelium (WMANT 1), 1975[7], 13—47; *Trilling*, a.a.O. 124ff., 212ff.; *E. Schweizer:* Matthäus und seine Gemeinde (SBS 71), 1974, bes. 9ff., 106ff., 138ff.; *Frankemölle*, a.a.O., bes. 42ff., 84ff., 191ff.; *G. Künzel:* Studien zum Gemeindeverständnis des Matthäus-Evangeliums (CThM A/10), 1978, bes. 102ff., 149ff.

62. Dazu ausführlich *Trilling*, a.a.O. 26ff. Keinesfalls handelt es sich um einen "Universalismus ohne Israel"; so *Lange*, a.a.O. 300ff.

63. Im einzelnen verweise ich auf meinen Aufsatz: Die Taufe im Neuen Testament, in: Calwer Predigthilfen/Taufe, 1976, 9—28; zur triadischen Taufformel vgl. *A. Harnack:* Entstehung und Entwicklung der Kirchenverfassung und des Kirchenrechts in den zwei ersten Jahrhunderten, 1910 (Nachdruck 1978), 187—198.

64. Erste Ansätze dazu lassen sich in Hebr 6,1—3 erkennen.

65. Vgl. *Trilling*, a.a.O. 36ff.; *Bornkamm:* Der Auferstandene, 301f. Wichtig ist bei Matthäus die klare Unterscheidung von κηρύσσειν und διδάσκειν, zweier Begriffe, die bei Markus synonym gebraucht werden.

66. Zum Verhältnis von Taufe und Paranäse vgl. meinen Aufsatz: Die Taufe, 16.

67. *Michel*, a.a.O. 24.

68. So *G. Baumbach:* Die Mission im Matthäus-Evangelium, ThLZ 92 (1967) 889—893, dort 892.

69. *Bornkamm*, a.a.O. 304, 305f.
70. *Lohmeyer*, a.a.O. 47.
71. Mit dieser Frage befaßt sich auch *U. Luck:* Herrenwort und Geschichte in Matth. 28,16—20, EvTh 27 (1967) 494—508.
72. Vgl. dazu *A. Vögtle — R. Pesch:* Wie kam es zum Osterglauben?, 1975.
73. Besonders deutlich wird dies bei Paulus, vor allem bei der Darstellung seiner eigenen Beauftragung in Gal 1,15f.
74. Dazu verweise ich nochmals auf mein Buch: Verständnis der Mission, 37ff., 43ff., 48ff.
75. Vgl. *Kasting,* a.a.O. 126; ferner *Gensichen,* a.a.O. 68f.
76. Wie *Thüsing* im Blick auf die vorösterliche Überlieferung vorgeschlagen hat, angesichts der vielfachen Schwierigkeiten mit den ipsissima verba und den ipsissima facta nach der ipsissima intentio Jesu zu fragen, so wäre auch im Blick auf das Ostergeschehen primär die ipsissima intentio der Selbstbezeugung Jesu zu klären. Vgl. *W. Thüsing — K. Rahner:* Christologie — systematisch und exegetisch (QuDisp 55), 1972, 182ff.
77. Vgl. dazu Texte wie 1 Kor 12,13; Gal 3,26—28; Kol 3,11.
78. In Anlehnung an den Titel des bekannten Romans von *Elisabeth Langgässer:* Das unauslöschliche Siegel, 1946.
79. Vgl. *A. Vögtle:* Was Ostern bedeutet, 1976[2], 101ff.
80. *Gensichen,* a.a.O. 80—95.
81. Ebd. 80.

Lothar Steiger
Schutzrede für Israel
Römer 9-11*

I.

Christliche Theologie hat sich heute zu fragen, was für ein Recht sie habe nach Auschwitz, das zum Symbol des Diabolischen und zum Inbegriff unsagbarer Leiden geworden ist: zugefügt von uns dem schutzlosen jüdischen Volk. Daß Theologie und Kirche sich erst so spät, nämlich nach über dreißig Jahren seit Beendigung des Krieges durch Auschwitz in Frage stellen lassen, hat nicht nur seinen Grund in dem alten Versäumnis, sondern auch mit der Erfahrung zu tun, die geschichtlich in Generationen gemacht wird. Damit das Stichwort "Theologie nach Auschwitz" nicht zur Redensart verderbe und die Erfahrung über das Versäumnis wirklich gemacht werde, muß die Kirchengeschichte im Blick auf ihr Verhältnis zum Judentum rückwärts gelesen und von dem Antijudaismus bis hinein in die neutestamentlichen Quellen kritisch Kenntnis genommen werden. War dieser Antijudaismus der Christen, historisch und menschlich betrachtet, allenfalls im ersten Jahrhundert, das heißt solange verständlich, wie die Gemeinde durch die Synagoge verfolgt worden ist, so ist es der gegenwärtigen Christenheit verboten, solche Äußerungen früherer Minderheiten, als in der Sache urchristlich, das heißt als kanonisch anzusehen oder auch nur unbewußt in theologischer und gottesdienstlicher Sprache zu gebrauchen. Wenn es dem Seher der Apokalypse angesichts erlittener Gefängnisse und furchtlosen Bekennermuts der Christen erlaubt gewesen sein sollte, gegenüber einem vielleicht nur angepaßten Judentum sehr überschwenglich von *des Satans Synagoge* (Apk 2,9; 3,9) zu sprechen: so würde wohl um so genauer das Epitheton des Satanischen auf unsere christliche Kirche passen, die sich seit jenem unglücklichen Rollentausch unter Konstantin nur zu oft und böse tätig und zuschauend an der Verfolgung des Juden in Minderheit und Fremde beteiligt hat. Die kritische Durchsicht des Neuen Testaments auf Antijudaismus hin ist heute eine Forderung. Die neutestamentliche Exegese steht mit ihr auf einem Neuland und vor einer ähnlich bedeutsamen Aufgabe, wie es vor dreißig Jahren die Frage der Entmythologisierung gewesen ist. Sie scheint das Grundexempel für ein Programm der Entideologisierung kirchlicher Überlieferung zu sein. Wie bei allen solchen neuen Forderungen, die in die Wissenschaft erst Eingang finden müssen, sind die ersten Schritte unsicher, zu zaghaft oder zu weitgehend, so daß ruhige Gewöhnung der Sache besser anstünde als Streit der Vorurteile. Doch auch letzterer gehört zum Gang der Wissenschaft hinzu, die sich bekanntlich nicht von selber, sondern durch Einsicht der Menschen fortbewegt.

Sucht man nun im Neuen Testament nach einem Text, der für das Geschäft der Entideologisierung Maßstab sein könnte, so weiß ich keinen besseren als die Kapitel 9–11 in dem Brief des Apostels Paulus an die Gemeinde zu Rom. Nicht als ob Paulus von dem antijüdischen Ressentiment seiner Umwelt immer frei geblieben wäre! In dem 1. Thessalonicherbrief dankt Paulus der dortigen Gemeinde dafür, daß sie seine Predigt nicht als Menschenwort, sondern als Wort Gottes aufgenommen habe, und fährt dann fort (1 Thess 2,14–16):

Damit seid ihr, liebe Brüder, den gleichen Weg geführt worden wie die Gemeinden Gottes in Judäa, die in Christus Jesus sind, denn ihr habt ebendasselbe erlitten von euren Landsleuten, was jene von den Juden.

Die haben den Herrn Jesus getötet und die Propheten und haben uns verfolgt und gefallen Gott nicht und sind allen Menschen feind.

Und auf daß sie das Maß ihrer Sünden erfüllen allewege, wehren sie uns, zu predigen den Heiden zu ihrem Heil. Aber der Zorn ist schon über sie gekommen zum Ende hin.

Dieser Text ist als solcher nicht kanonisch, sondern ist angewiesen darauf, daß man ihn sachkritisch verstehe. Paulus steht noch ganz unter den Anfangseindrücken seiner Mission unter den Völkern, die er gegen den Widerstand der Synagoge durchsetzen mußte. Ging es doch nicht um Missionierung von Heiden, die das Judentum auch kannte und betrieb und die im Christentum später genauso verstanden worden ist, nämlich als Ausbreitung einer Religionsgemeinschaft. Vielmehr war für Paulus durch Jesu Auferweckung von den Toten der Tag des Herrn, das Ende angebrochen, das heißt jenes von Israel im Bild der Zionswallfahrt ausgemalte Ereignis nun Wirklichkeit geworden, da Israel und nach ihm alle Völker die Herrlichkeit Gottes sehen und seine Gerechtigkeit erfahren werden. Die Sendung des Paulus ist also eschatologisch und für ihn zwangsläufig: mit Jesu Auferstehung ist der Zeitpunkt da, an dem den Heiden das Heil widerfährt: das ihnen also gepredigt werden muß. Die Sendung des Heils zu den Völkern ist für Paulus Kriterium dafür, daß Jesus Christus das eschatologische Heilsereignis, nämlich für Israel und die Welt ist. Was bisher nur den Juden galt, das gilt jetzt nicht nur auch den Heiden, sondern ist das Kriterium für die Erwählung der Juden: *Denn, liebe Brüder, von Gott geliebt, wir wissen, daß ihr erwählt seid* – sagt Paulus zu den gläubig gewordenen Heiden in Thessalonich (1 Thess 1,4).

Es ist klar: an diesem eschatologisch qualifizierten Sinn von Heidenmission hat die Synagoge Anstoß genommen. Wenn man Jesus nicht als den Messias und vom Tod durch Gott Erweckten anerkannte, war natürlich die Situation nicht gegeben, die zu einer solchen Predigt an die Heiden würde berechtigen können. Paulus reflektiert hier am Anfang die jüdische Ablehnung nicht weiter: er muß den ersten Schritt tun, der seine Arbeit und sein Denken völlig einnimmt, nämlich sich für die Botschaft vom Heil der Völker unter den Bedingungen des Widerstands Freiheit verschaffen. Das bringt Leidenserfahrungen mit sich, wie er auch von den Thessalonichern zu hören bekommt. Und in dem Zusammenhang erwähnt Paulus nun, daß die Gemeinden in Judäa von ihrer jüdischen Umgebung dasselbe erlitten hätten. Daß er sein eigenes Verfolgtwerden in eine

Reihe stellt mit der Tötung Jesu und der Propheten, mag im Mund eines Leidenden hingehen, zumal wenn er selber Jude ist. Doch wird sich dieser Topos
bald historisieren und zur antijudaistischen Waffe werden. Auf dieser Linie liegt
bereits der Apostel, der ganz unapostolisch die antike Invektive gegen das gott-
verlassene und menschenfeindliche Judentum an dieser Stelle in sein Vokabular aufnimmt. Nicht der theologische Umkehrschluß ist zu kritisieren, wonach die Juden in dem Maße ihr eigenes Zorngericht besorgen, wie sie die
Heilsbotschaft für die Heiden hindern, denn dies steht ja in Relation und ist
eine Frage der Wahrheit. Vielmehr schlägt hier zum ersten Mal im Neuen Testament etwas von jener geschichtlichen, sozialen, ja weltpolitischen Sanktion des
Judentums durch, was in damaliger Zeit relativ harmlos gewesen sein mag:
was aber nach jener grauenhaften Wirkungsgeschichte, die in der christlichen
Kirche folgte, und gänzlich von Auschwitz her zu wiederholen uns untersagt
ist. Paulus hat seine Stockschläge und Gefangennahme später nicht mehr so
legitimiert, sondern — wie man aus dem 2. Korintherbrief weiß — anders zu
verarbeiten gewußt: in einem tiefer angelegten Vergleich mit dem getöteten Jesus, dessen Schwachheit die allein überwindende und zum Ziel führende Stärke
ist. Verworfen und getötet hat ihn nicht eine Menschengruppe, die man dafür
sanktionieren könnte, sondern die Welt mit ihren Mächten schlechthin. Ja,
Christus ist durch Gottes Heilsplan allen zum Fluch geworden, um allen zum
Segen zu werden (Gal 3,13), der in der Freiheit der Gotteskindschaft steht.
Vom Kreuz ist im 1. Thessalonicherbrief noch nicht die Rede, das nun ins
Zentrum der paulinischen Theologie rückt.
Der Heidenapostel mußte nämlich erfahren, daß die Offenbarung Gottes in
Verborgenheit seiner Sendung die Macht der Dialektik verleiht, die vor dem
Scheitern bewahrt, die alle Gegensätze aufeinander bezieht: der Auferstandene
in der Umkehrung des Gekreuzigten ist fähig, aus Juden und Griechen, die als
die philosophisch stärksten die Völkerwelt vertreten: aus den gegensätzlichsten
Elementen also die hermeneutische Weltformel für die eschatologische Verständigung der Menschheit zu schmieden. Keine Hellenisierung des Juden und keine
Judaisierung des Griechen, was es beides längst gab, sondern eine Wahrheit, die
beide zugleich durch diese verbindet zu einer verbindlichen Wahrheit und doch
jeden in ihr als einzelnen und bestimmten, als Juden und Griechen, mit den je
eigenen Gaben und Traditionen freiläßt: dies nennt Paulus sein Evangelium.
In Christus Jesus, in dem Auferstandenen und in dem Getöteten, das heißt in
dem Gekreuzigten sind Jude und Grieche nicht einerlei, sondern einer (Gal
3,28) — und dürfen doch unterschieden bleiben (wie Mann und Frau), wenn
ihre Unterschiedlichkeit Ausdruck ihrer Freiheit ist und nicht eine den anderen
ausschließende Selbstverwirklichung, das heißt ihren Ruhm vor Gott, bedeutet.
Der Jude darf seine Halacha behalten, deren Inbegriff für Paulus die Beschnei-
dung ist, wenn er sie nicht dem heidnischen Bruder auferlegt. Der Grieche darf
seine Weisheit behalten, deren Inbegriff die Gnosis ist, wenn er sie unter die
Brechung der Liebe zu bringen versteht, die einen Toren oder Schwachen
auch einen ganzen Menschen sein läßt. Die Rechtfertigung des Sünders aus
Glauben ist nichts anderes als diese Durchkreuzung des solitären Menschen,

ist das mit Christus Durchkreuztsein des solidarischen, menschheitlichen Menschen.

Juden und Heiden (bzw. repräsentativ: und Griechen) ist der eschatologische hermeneutische, soziale und politische Grundsatz, an dem Paulus seine Sendung und seine Arbeit hat. An diesem Grundsatz Juden und Heiden, der kein additiver, sondern ein qualitativer ist: eben ein Prinzip, dessen Anfang das Ende enthalten muß: an diesem Grundsatz eschatologischer Erfahrung, die er gemacht hat an Jesus Christus, macht Paulus immer weitere und neue Erfahrungen über das Verhältnis, in dem Juden und Heiden zueinander stehen. So etwas wie eine kleine Erfahrungsgeschichte in nuce haben wir bereits gesehen. Im 1. Thessalonicherbrief muß Paulus seinen Grundsatz an der Freiheit zur Heidenmission gegenüber der Synagoge bewahrheiten. Im Galaterbrief muß er dieselbe Freiheit nach innen gegenüber dem Judenchristen als Freiheit des Heidenchristen vom Gesetz durch die Rechtfertigung aus Glauben verständlich machen. Im 1. Korintherbrief geschieht auf eine Weise das entsprechend Umgekehrte: Hier muß das Gewissen des Gesetzesfrommen, das am Verzehr von Götzenopferfleisch Anstoß nimmt, gegenüber einem frei gewordenen Heidenchristen durch die Liebe des Glaubens ins Recht gesetzt werden.

Im Römerbrief nun, den man in der Tat als Testament des Apostels bezeichnen kann, vollendet sich die paulinische Erfahrungsgeschichte, die mit dem Heil *für den Juden zuerst und für den Griechen* (Röm 1,16; 2,10) durch die Kraft Gottes in Gang gebracht worden ist, um die endzeitliche Gerechtigkeit zu offenbaren. In den ersten drei Kapiteln rechnet Paulus die Unentschuldbarkeit des Menschen dem Griechen sowohl als auch dem Juden vor. Angesichts der Offenbarung von Gottes Zorn, die der Vorschein und die Kehrseite der Heilsoffenbarung ist, sind Juden und Griechen als Sünder bereits solidarisch. Sie stehen unter dem Gericht eines und desselben Gottes, und zwar nicht aufgrund einer abstrakten Gemeinsamkeit von Monotheismus, sondern aufgrund dessen, daß der zum Endgericht kommende Gott Israels auch der Gott der Völker ist. *Oder ist Gott allein der Juden Gott? Ist er nicht auch der Heiden Gott? Ja freilich, auch der Heiden Gott* (Röm 3,29). Man hat bisher allein darauf abgehoben, daß Paulus dem Juden den im Gesetz begründeten Vorrang vor dem Heiden nehme, wenn er ihn unter dem Zorn Gottes dem heidnischen Sünder gleich gestellt sein läßt. Dies ist in der Tat die Absicht und verrät eine alte Wendung des Apostels (Gal 2,15): *Wir sind von Natur Juden und nicht Sünder aus den Heiden.* Das war schon eine unerhörte, auch für das Endgericht nicht erwartete Gleichstellung des Juden. Was aber die Exegese bislang nicht bewahrheitet hat, ist doch der andere Aspekt, der vielmehr die Konsequenz des einen ist: daß nämlich Paulus diese Solidarität mit dem sündigen Juden auch wirklich meint und folglich theologisch aufrechterhält. Wie der Heide unentschuldbar vor Gott sein, ist keine Preisgabe, sondern eine Bewahrung des Juden. Paulus hat mit dieser Sicht Abschied genommen von dem gängigen Topos des Missionskerygmas, wonach die Juden Jesus Christus getötet und verworfen haben und dafür selber getötet oder gar verworfen werden. Nach dem Motto: Die Weltgeschichte ist ihr Weltgericht. Daß die Zerstörung Jerusalems im Jahr 70 ein solches Gericht gewesen sein soll, wie die Evangelien kundtun, ist auf dieser Linie die bekannteste Interpretationsleistung, die um so bedenklicher wird, wenn sie zu der Behauptung führen muß, es habe die Großmacht Rom im Dienste Gottes, des Vaters Jesu Christi gestanden, als sie einen verzweifelten Freiheitsaufstand der Juden niederschlug. Wo die theologische Solidarität mit den Juden verlassen wurde, folgte alsbald die soziale und politische Preisgabe.

II.

Bleibt uns also zu fragen, wie Paulus mit der letzten und schwersten Erfahrung fertig wird, die er an der Bewahrheitung seines eschatologischen Grundsatzes *den Juden zuerst und auch den Griechen* noch machen mußte! Das war dem Apostel inzwischen klar geworden, daß seine Predigt vom Heil unter den Völkern kein einfaches Hinweisen und Vorzeigen der vor Augen liegenden Gerechtigkeit Gottes sein konnte. Wie seine Botschaft vom Auferweckten zum Wort vom Kreuz werden mußte, so wandelte sich seine Mission von einem Gehen zu den Heiden immer mehr zu einem leidenschaftlichen Suchen und Holen. Die Völker kamen nicht von selbst zum Berg Zion, man mußte sie gewinnen. Gewinnen aber war die Arbeit der Selbstentäußerung, die Christus an sich vollbracht hatte, um Paulus zu gewinnen. Die Botschaft vom Gekreuzigten gibt also den Auferweckten nicht preis, sondern hält ihn als den sich noch Entäußernden hier, der seinen Botschafter zur Nachahmung und Mimesis bringt. Paulus war kein leicht zu enttäuschender Missionar, als ihm, dem mit eschatologischer Leidenschaft an die Grenzen der Ökumene Aufbrechenden, gleichsam sich umwendend aufging, daß Israel nicht mitlief, das doch zuerst zum Berg Gottes kommen sollte: auf dem nun freilich das Kreuz stand. Wenn Israel ungläubig stillstand, machte Paulus dann nicht eine grandiose Bewegung ins Leere? Denn als sich Paulus und Barnabas mit den Jerusalemer Aposteln einigten, *daß wir unter den Heiden, sie aber unter den Juden predigten* (Gal 2,9), war jedenfalls für Paulus das Ganze von Juden und Heiden konstitutiv für die Arbeitsteilung, an die er sich bis zum Schluß gehalten hat. Der Heidenapostel war dabei und unterwegs, die ganze Ökumene einzuholen − aber davon, daß die Juden als ganz Israel zum Glauben bewegt würden, war nichts zu sehen! Auf dem Höhepunkt seiner Rede, die sich mit dieser Frage befaßt, kommt ihm wohl einmal der Gedanke, die Arbeitsteilung aufzugeben, um etwas für seine jüdischen Brüder zu sein. Aber er bleibt auf seinem Posten, weil die Antwort anders gefunden werden muß. *Euch Heiden aber sage ich: Weil ich der Heiden Apostel bin, will ich mein Amt preisen, ob ich wohl könnte die, welche meine Stammverwandten sind, zum Nacheifern reizen und ihrer etliche retten* (Röm 11,13f.). Nicht als ob Paulus die Rettung einzelner nichts bedeutet hätte! Das kann man ihm nicht nachsagen, der Juden und Griechen und den Schwachen einschließt, wenn er sagt: *Ich bin allen alles geworden, damit ich auf alle Weise etliche rette* (1 Kor 9,22). Sich unter die Bedingungen eines einzelnen kehren, um ihn zu gewinnen, ist ja die ganze Arbeit des Apostels, durch die er selber erst Anteil am Evangelium gewinnt (1 Kor 9,23). Einzelne

Juden wird er genug auch als Heidenapostel gewonnen haben. Auch würde man völlig fehlgreifen in der Meinung, Paulus habe den Jerusalemern vorwerfen wollen, sie hätten nicht genug getan, um Israel zu gewinnen – obwohl er das Selbstbewußtsein durchaus hatte, *viel mehr gearbeitet* zu haben *als sie alle* (1 Kor 15,10). Nein, es ist etwas anderes, was Paulus zutiefst bewegt, was ihn nicht in Ruhe läßt, bis er die Antwort wird gefunden haben: daß die Juden, seine Brüder, sich angesichts der offenbar gewordenen Gerechtigkeit Gottes nicht als Volk der Verheißung erweisen. Die Völker haben keine einigende Qualität und heißen selber nur so in Gegenüberstellung zu Israel. Deswegen sind Sendung und Sammlung bei ihnen notwendig, durch die sie jetzt ihre Erwählung erfahren. Aber Israel ist schon erwählt, bei ihm muß man das gekommene Ende nur predigen. Eine Mission an Israel wäre eine contradictio in adiecto, vielmehr hat Israel die Mission, das Volk der Endzeit für alle Völker zu sein. Deshalb ist Paulus ja zu den Heiden gegangen, nachdem er begriffen hatte, was dies bedeutet: daß er, *ein Israelit, von dem Geschlecht Abrahams, aus dem Stamme Benjamin* (Röm 11,1) zum Glauben an Jesus Christus als Ziel und Ende des Gesetzes (Röm 10,4) kam. Nur ein Jude konnte ein solches Selbstbewußtsein, ein Apostel für die Völker zu sein, entwickeln. Die Arbeitsteilung des Apostelkonvents war im Grunde für Paulus gar keine, sondern eine Regelung, die ihm die Freiheit ließ, das ungestört zu tun, was ein erwählter Jude jetzt tun mußte, wenn er denn wirklich die Konsequenz aus der Erwählung aller zog: nämlich ein Licht unter den Heiden sein. In dieser Folgerung war Paulus den Jerusalemern weit voraus. Er hatte alle Hände voll zu tun, ihnen die Neben- und Unterkonsequenzen zu erklären: damit befaßte sich der Konvent.

Nun, im Brief an die Römer, fällt ihm auf, wie weit er voraus und Israel zurück ist. Wäre ihm das nicht passiert – oder besser: müßte ihm das nicht passieren, der Römerbrief hätte mit Kapitel 8 der Lehre nach zu Ende sein und mit der Paränese von Kapitel 12 fortfahren können. Hatte Paulus doch den in der Sünde Solidarischen, Juden und Griechen, positiv aufgewiesen, wie groß und befreiend erst die Gotteskindschaft im Geist und die Bruderschaft der Christusebenbildlichkeit in einer neuen Schöpfung ist: daß sich um die Glaubenden damit der Kreis der Verheißung schließt. Von Ewigkeit her vorhergewußt und vorherbestimmt, dann berufen und gerechtgemacht und verherrlicht, das heißt einbezogen in den Glanz der endzeitlichen Offenbarungsherrlichkeit Gottes. In einer Klimax ohnegleichen hat der Apostel diesen universal zusammenschließenden Kreis gezogen (Röm 8,29f.), so daß er weiter und höher nicht anders kommen kann als durch einen Hymnus, der alles vergewissert und bestätigt: *Ist Gott für uns, wer mag wider uns sein ... Wer will die Auserwählten beschuldigen? ... Wer will verdammen? ... Wer will uns scheiden von der Liebe Gottes ...*

Doch dann passiert es, der ungeheure Stimmungsumschwung beim Apostel, denn die Fragen des Hymnus vergessen sich nicht und werden zu neu gestellten, wenn er an Israel denken muß. Da muß er selbst etwas dawider haben, wenn all die Gewißheitsfragen ungewiß machten sub specie Israel. Da kann der Hymnus erst wieder gesungen werden, wenn man fortfahren könnte: *O welch eine Tiefe des Reichtums, beides, der Weisheit und der Erkenntnis Gottes!* (Röm 11,33). Dann wäre Israel wohl wieder dabei, und man könnte zur Paränese übergehen. Doch vorerst bleiben Trauer und Schmerzen ununterbrochen im Herzen. Wer kann uns scheiden von der Liebe Gottes? *Ich selber möchte verflucht und von Christus geschieden sein meinen Brüdern zugut, die meine Stammverwandten sind nach dem Fleisch* (Röm 9,3). Vielleicht waren Röm 9–11 einmal eine Einheit für sich, aber in dem jetzigen Zusammenhang muß man so lesen und beziehen. Auch Gotteskindschaft und Herrlichkeit tauchen als Stichwörter von Kap. 8 wieder auf als ursprünglich seinen jüdischen Brüdern zugehörig, *die da sind von Israel, welchen die Kindschaft gehört und die Herrlichkeit und der Bund und das Gesetz und der Gottesdienst und die Verheißungen* (9,4). Freilich, Israel kommt das alles zu, denn es ist das erwählte Volk der Endzeit. Und in weiteren Relativsätzen, wie sie sonst nur in einem Hymnus vorkommen, in den dann auch der Schmerzenslobpreis Israels ausläuft, werden die Väter und die leibliche Herkunft Christi genannt: *denen die Väter gehören und aus denen der Christus stammt nach dem Fleisch. Der Gott, der über allem ist, sei gepriesen in Ewigkeit. Amen* (9,5). Der Wunsch des Apostels, um seiner Brüder willen verflucht zu sein, endet doxologisch! Darin drückt sich die Größe des schmerzlichen Widerspruchs aus, daß Israel mit diesen Gaben soll von Gott verworfen sein. Gott, der über allem ist, muß auch diesen Widerspruch übergreifen und auf den Schmerz des Heidenapostels eine Antwort wissen: auf diese seine Trauer, die zugleich ganz verwandtschaftlich empfindet und eschatologisch ist. Das Amen ist die Antizipation der Gewißheit, es werde eine Lösung dieser Frage geben. Will man die Antwort erkennen, zu der Paulus im folgenden geführt wird, muß man das genus seiner Rede, ihre Rhetorik und Dialektik verstehen lernen.

III.

Röm 9–11 ist der Form nach eine geschriebene Rede[1] und gehört gattungsmäßig zu den Gerichtsreden, hat aber zugleich Züge der Lobrede und der politischen Beratungsrede. Die Rede geht nämlich von einem Lobpreis Gottes aus und mündet wieder im Lob. Und sie wird in der ekklesia der Gottesdienstgemeinde vorgetragen, also auch wirklich gehalten, berät die Versammelten in ihrem öffentlichen Verhalten zum Juden. Im systematisch engeren Sinn stellt Röm 9–11 keine Anklage-, sondern eine Verteidigungsrede dar. Sie wird von Paulus vor Gericht gehalten, dessen Richter Gott ist, *der über allem, das heißt über der Sache und den Parteien, steht.* Inhaltlich ist Röm 9–11 mehr als eine Verteidigungsrede, denn sie verhandelt die Anklage mit, und zwar nicht nur in der Form, wie ein Schlußplädoyer auf alle vorgetragenen Anklagepunkte eingeht. Vielmehr spiegelt die Rede den Erkenntnisprozeß des Redners wider, in dem Maße zum Verteidiger wird, wie er zur Einsicht gelangt. Der Verteidiger weiß also nicht von vornherein, wie die Sache zu führen ist, sondern er wird von der Sache des Rechtsstreites selber geführt. Der Erkenntnisvorgang folgt der Verhandlung der Sache, deren Vorgang der Prozeß ist. Indem Paulus am

Ende seiner Rede zur Einsicht darüber gelangt, wie Gott in der Sache Israel geurteilt *hat*, wird der noëtische Prozeß nicht nur zum ontischen Prozeß, sondern auch zu einer von Gott selbst geführten Sache. In Röm 9–11 verbinden sich drei Elemente zu einer Rede, die sie zur wahren theologischen Rede bestimmen. *Einmal* übernimmt Paulus als Rahmen seiner Rede das Muster des vom Propheten für den Armen oder den Sünder geführten Rechtsstreites (⤎ ↖ ↰), in dem Jahwe, der Richter, selber – als Kläger oder Verteidiger – auftritt. Das muß man wissen und beachten. Die Verteidigung eines Sünders ist nämlich hier nicht der Beweis seiner Unschuld, sondern ein in Israel bestehender Rechtsstreit und Rechtsschutz eigener Art. *So kommt denn und laßt uns miteinander rechten, spricht der Herr. Wenn eure Sünde gleich blutrot ist, soll sie doch schneeweiß werden; und wenn sie gleich ist wie Scharlach, soll sie doch wie Wolle werden* (Jes 1,18). Wir haben mit Bedacht Röm 9–11 nicht eine Verteidigungsrede, sondern eine Schutzrede für Israel genannt. Wir werden sehen, daß dies zu Recht geschieht und im prophetischen Sinne *hochverursacht* ist.

Zweitens füllt Paulus den Rahmen der prophetischen Streitrede mit der Dialektik, das heißt mit der logisch argumentierenden Rede. Dies hat zwar in der Weisheit, wie das Buch Hiob zeigt, einen Vorgang, ist aber im strikten Sinn einer stringenten Beweisführung völlig neu, nämlich griechisch. Paulus hätte die Griechen nicht zu den Vertretern der Völker gemacht, wenn er ihre Weisheit der Dialektik nicht auch als repräsentativ erfahren hätte, das heißt nicht durch sie gebildet worden wäre. Freilich wird die Logik in die spezifische Stringenz des jüdischen Denkens eingeschmolzen und antithetisch in hohem Grad beziehungsreicher, das heißt dialektischer, gemacht. Das verdankt sich jüdischer Herkunft, z.B. das Schließen a minore ad maius, wie der Erfahrung des Kreuzes, die sich in ungeahnter und bisher nicht dagewesener Weise durch eine Logik der Umkehrungen und Entsprechungen zur Geltung bringt. Weil sich Paulus beim Argumentieren mit sich selber bespricht, das heißt sich überzeugen muß, wenn er einen anderen widerlegen will, ist seine Einstellung im Sinne Platos, das heißt wahrhaft dialektisch. Prophetischer Streit der Sache und philosophische Forderung konvergieren hier. Gleichwohl bleibt die paulinische Dialektik rednerisch im Unterschied zur platonischen, die sich von der Rhetorik abgelöst hat[2].

Das Rhetorische ist so das *dritte* Element, das Paulus bewahrt, um nicht nur mit sich im reinen zu sein im reinen Denken, sondern auch mit den anderen im sinnlichen Reich der Wahrheit. Das Rednerische ist nämlich in erster Linie die sinnlich-soziale und politische Verpflichtung des Gedankens[3]. Redend muß einer sein Recht vertreten auf der Straße, auf dem Markt und vor dem Richter, wenn man in Streit geriet und selber nicht einig wurde. Wer da nicht reden konnte, redete sich vielleicht um Kopf und Kragen. Die Umgangssprache verrät den alten Sitz im Leben, wenn wir eine Frage stellen und sagen, man müsse darüber urteilen, dies verhandeln, eine Sache besprechen. Auch die Logik urteilt und kommt zum Schluß – Gerichtssprache. Stubenhocker wie wir, die nicht mehr wie die Alten *vor* dem Haus wohnen, haben das Reden als Mittel der Selbstbehauptung völlig verlernt. Wir können nicht verstehen, warum der Beter im Psalter so viele Feinde hat und Gott bittet, er möge seine Sache führen. Ps 43,1: *Führe meine Sache* (und rette mich) *von einem lieblosen Volke.* Die Propheten, die öffentlich reden, treten redend für den Armen und den Schuldigen ein, dessen Sache sie vertreten. Das Handwerk der vertretenden Rede hat auch Paulus gelernt. Daß er die rhetorische Kunstlehre kunstvoll, das heißt frei von Künstlichkeit, und individuell zu handhaben versteht, nimmt ihr nicht, sondern erhöht ihre elementare Bedeutung.

Vor der Lieblosigkeit Israel zu retten, ist in der Tat der Anlaß seiner Rede. Ist Israel von Gottes Liebe geschieden? Schon redet man so: Paulus ahnt, von welcher Seite das lieblose Volk kommen könnte. Ausgerechnet die Heidenchristen, an die er sich in Kap. 11 wendet, um sie vor Überhebung zu warnen, könnten diese Rede im Munde führen ...

In dem kurzen Stück Röm 9,1–6 ist alles[4] enthalten, was zur Einleitung der Beweisführung gehört. Der Redner vor Gericht beteuert zuerst seine Glaubwürdigkeit: *Ich sage die Wahrheit in Christus und lüge nicht, wie mir Zeugnis gibt mein Gewissen in dem heiligen Geist* (9,1). Dann zeigt er, wie wir sahen, seine Ergriffenheit, die auch die innere Beteiligung des Richters zu bewirken sucht. Sein Eintreten für seinen Mandanten geht so weit, daß er an dessen Statt verurteilt werden möchte. Aus dem, was Paulus auf sich nimmt, kann der Hörer ohne Langeweile erschließen[5], was in bezug auf den Angeschuldigten die quaestio facti ist: Verdammtsein, Christuslossein. Als scheue sich Paulus, die Anschuldigung auszusprechen, hält er die Formulierung bis zum dritten Teil seiner Rede zurück, wo er die entscheidende Antwort gibt, nämlich auf die Frage der Anklage: *Hat denn Gott sein Volk verstoßen?* (11,1). Eine langatmige Hererzählung des Falles (narratio) spart sich der Redner[6], die Informationen wird er in einem Zuge mit der Beweisführung erteilen. Er kommt sogleich auf den Punkt seines Einspruchs und setzt sein sed contra: Israels Verheißungen usw. Da wird er ausführlich, detailliert, rhythmisch, leidenschaftlich. Nach dem Lob auf den Richter, dessen Wohlwollen durch Ansprechen richterlicher Hoheit suchend, kann Paulus mit dem eigentlichen Teil seiner Rede, nämlich mit der Beweisführung (argumentatio) beginnen. Die strittige Frage (quaestio iuris) wird unmittelbar aus dem vorangehenden sed contra dahin bestimmt, ob Gottes Wort hinfällig geworden sei, was man ja annehmen müßte, wenn Israels Verheißungen usw. nicht mehr gelten sollten. Damit beginnt der erste Durchgang der Dreikapitelrede (9,6), die insgesamt drei solcher Durchgänge hat. Die Einschnitte sind genau an der Wiederaufnahme der Vorrede zu erkennen. *Liebe Brüder, meines Herzens Wunsch ist, und ich flehe auch zu Gott für Israel, daß sie gerettet werden* (10,1). Und: *So sage ich nun: Hat denn Gott sein Volk verstoßen? Das sei ferne! Denn ich bin auch ein Israelit, von dem Geschlecht Abrahams, aus dem Stamm Benjamin* (11,1). Die Kapiteleinteilung des Textes deckt sich also mit der der Rede und ist gegen die Kommentatoren rhetorisch und dialektisch im Recht.

Zur Beweisführung selbst ist zu sagen, daß zu ihr außer dem Mittel der Logik Zeugnisse (testimonia), das heißt Indizien und Urkunden gehören. Die entnimmt Paulus selbstredend der Geschichte Israels und der Schrift. – Wir geben den Prozeß in den Grundzügen wieder:

1. Redeteil

Obwohl die Annahme, Gottes Wort, Israel gegeben, könne hinfällig geworden sein, von vornherein abzuweisen ist (9,6), bleibt der Widerspruch bestehen, daß Israel die Erfüllung und das Ziel, das heißt die Gerechtigkeit nicht erlangt hat (9,31). Kann der Widerspruch erklärt werden?

Ismael und Esau sind Zeugnisse dafür, daß Gottes Verheißungen nicht alle Abrahamsnachkommen einschließen: es gibt Begrenzungen und Verwerfungen (9,7–13).

Seinen Ratschluß über Heil und Unheil braucht Gott vor dem Menschen nicht zu rechtfertigen. Doch bei dieser harten Aussage bleibt Paulus nicht stehen[7]. Gottes Verwerfung dient noch der Offenbarung seiner Gnade und Herrlichkeit. Paulus kommt auf seinen Grundsatz zurück: *Das sind wir, die er berufen hat, nicht allein aus den Juden, sondern auch aus den Heiden* (9,24).

Die Verheißung als ganze bleibt, nur verteilt sie sich neu auf die dazuberufenen Heiden und den *Rest* Israels, wofür Zeugnisse aus Hosea und Jesaja beigebracht werden (9,24–25).

Die Antwort scheint gefunden, doch bleibt das Widersprüchliche am Leben und im Gespräch durch die Feststellung, aus der sich die Dialektik weiter entwickeln wird: *Die Heiden, die nicht haben nach der Gerechtigkeit getrachtet, haben die Gerechtigkeit erlangt ... Israel aber hat dem Gesetz der Gerechtigkeit nachgetrachtet und hat das Gesetz der Gerechtigkeit nicht erreicht* (9,30f.). Glaube auf der einen und Anstoßnehmen auf der anderen Seite, wie belegt wird, sind der Grund für diese Verkehrung.

2. Redeteil

Der Redner setzt neu an, um sein Motiv und Beweisziel in Erinnerung zu bringen: Israels Rettung. Er muß sich ordnen, um das Ziel nicht aus dem Blick zu verlieren, zu dem er unterwegs sein will. *Liebe Brüder* – so redet er die Geretteten an. Er läßt es nicht dabei, zu Gott zu flehen. Die Fürbitte muß weiter in Fürsprache hinein, aber zu der braucht es Erkenntnis.

Der Redner fährt im Gang der Sache fort: Wie trachteten seine Brüder aus Israel verkehrt nach der Gerechtigkeit? Paulus läßt ihren Eifer um Gott gelten, der gleichwohl unverständig sei (10,2). Inwiefern? Gerechtigkeit Gottes verheißt in jedem Fall, wie auch das Gesetz bezeugt, Leben. Leben heißt unmittelbar zu Gott sein, wie Mose sagt: *Das Wort ist dir nahe, in deinem Munde und deinem Herzen* (10,8). Das Gesetz, das obendrein ein Verwirklichen des Lebens durch Tun fordert, kann als Mittel die Unmittelbarkeit weder sein noch geben[8]. Das mögliche und freie Bekenntnis zu Christus, das auch die Heiden jetzt sprechen, ist das Ende des Gesetzes und dessen eigentliches Ziel: Leben. *Es ist hier kein Unterschied zwischen Juden und Griechen; es ist über sie allzumal der e i n e Herr, reich für alle, die ihn anrufen* (10,12). Wer den Namen Gottes anrufen kann, der wird gerettet, wie Joel beglaubigt (10,13). Glaube ist also die Freigabe des Gottesdienstes.

Kann Israel jetzt nicht auch so frei Gott anrufen? Die berühmte Kette von

Fragen rollt daraus ab: *Wie sollen sie aber den anrufen, an den sie nicht glauben? Wie sollen sie aber an den glauben, von dem sie nichts gehört haben? Wie sollen sie aber hören ohne Prediger? Wie sollen sie aber predigen, wenn sie nicht gesandt werden?* Ist das nicht eine Frage zuviel? Nein! Wie wir schon wissen, ist Israels Mission nicht, zum Glauben zu kommen, sondern die Sendung. Aber es kommt nur durch den Glauben zu seiner Sendung! Das Wort Christi (10,17) macht einem Beine und liebliche Füße, die die Boten der Befreiung tragen.

Daß Israel nicht hört, dafür gibt es prophetische Erfahrungen. Dennoch hätte Israel jetzt erkennen müssen, daß die Endzeit da ist. Nämlich es kommen die Völker zum Zion, wie Tritojesaja bezeugt. Aber der folgende Vers wird auch zitiert (Jes 65,2): daß Gott *den ganzen Tag* seine *Hände ausgestreckt* habe *nach dem Volk, das sich nichts sagen läßt und widerspricht.*

Es ist immer der ganze, unteilbare Widerspruch, der am Ende eines Rededurchgangs bleibt! Und gleichwohl hat sich der Prozeß weiter vorgearbeitet. Bildlich: bis zu den ausgestreckten Händen Gottes. Inhaltlich: Der Widerspruch hat sich auf die Bestimmung gebracht, daß man fragen muß, wie denn die Heiden dazu gelangt sind, daß Gott ihnen erschien, wenn denn Juden und Heiden in der Endzeit unauflöslich einander gehören?

3. Redeteil

Die quaestio iuris wird jetzt offen gestellt, das wird dem Apostel dadurch möglich, daß er sich in eigener Person als sed contra dagegenstellt. Eindringlicher kann man rhetorisch und dialektisch nicht verfahren – leiblich eintretende Vernunft, *logike latreia* (12,1). Was er in die Waagschale wirft, wiegt schwer: Herkunft aus hoher Abstammung, von Abraham und dem Glückssohn Benjamin. *So sage ich nun: Hat denn Gott sein Volk verstoßen? Das sei ferne! Denn ich bin auch Israelit, von dem Geschlecht Abrahams, aus dem Stamme Benjamin* (11,1).

Noch einmal versucht der Redner, den Widerspruch quantitierend einzuüben, die Qualität Volk freilich auf der Seite der Geretteten festhaltend, mag es auch in der Minderheit sein: wie die übrig gebliebenen 7000 bei Elia (11,2–4). So ist es auch heute und ist Gnadenwahl ohne Verdienst der Werke (11,5f.).

Aber der Widerspruch läßt sich so nicht festmachen. Wer *sein Volk* sagt, muß wieder *Israel* sagen. Dann ist der Widerspruch wieder da, und Israel steht auf der linken Seite: *Wie denn nun? Was Israel sucht, das erlangte es nicht; die Auserwählten aber erlangten es. Die andern sind verstockt* ... (11,7). Mag es auch dafür testimonia (11,8–10) geben, die Frage wird die Antwort weitertreiben zu einer besseren: ob denn das Israel der Erwählung unterschieden werden könne in Erwählte und solche, die verstockt *bleiben.*

Der Redner bringt die Dialektik bis dahin, aber geführt auf seiten der Juden nur, kann sie nicht weiterkommen. Israel als Ganzes, das sich nicht teilen läßt aber im Widerspruch mit sich ist, kann allein weitergedacht werden, wenn man es über sich hinaus auf ein Anderes bezieht, mit dem zusammen es ein größeres Ganzes bildet: nämlich auf die Heiden. Das Dialektische ist zu denken: daß Israels Verwerfung seine Rettung ist! Dies ist der spekulative Satz, zu dem der

Redner als Lösung gelangt. Man beachte Satz für Satz die neue Logik des Kreuzes, die auf Israel zuerst und auf die Völker Anwendung findet! Wie das Wort Gottes nicht hinfällig geworden ist (9,6), so ist Israels Fall zwar der Fall, aber kein leerer. *Sondern durch ihren Fall ist den Heiden das Heil widerfahren* – und Paulus fügt hier an, von der Neufassung dieses Widerspruchs überrascht und wieder vermittelnd: *auf daß Israel ihnen nacheifern sollte* (11,11). Aber schon im nächsten Versuch läßt er von dieser Rückkopplung ab, die ein Schritt zurück ins Quantitieren ist, er bleibt Apostel für die Heiden und muß nicht gegenüber Israel noch seinen Dank dazu haben. Im Gegenteil wird Israels vollständiges Gewonnensein dereinst noch etwas für die Heiden bedeuten. Man erkenne die Erhöhung der dialektischen Qualität! *Wenn aber schon ihr Fall der Welt Reichtum ist und ihr Schade ist der Heiden Reichtum geworden, wieviel mehr wird es Reichtum sein, wenn Israel in seiner ganzen Fülle gewonnen wird!* (11,12). Gewonnen wird Israel aber durch keinen Apostel (das muß man Gott überlassen!).

Worin der größere Reichtum besteht, wird in weiterer Potenz gesagt: *Denn wenn ihre Verwerfung der Welt Versöhnung ist, was wird ihre Annahme anderes sein als Leben aus den Toten!* (11,15). Bei der Logik dieses eigentümlichen Parallelismus membrorum mit seiner doppelten Dialektik von Antithetik und Synthetik müßte man gerne verweilen! Hier nur der Fortschritt: Erst mit Israels Annahme wird's für alle die Auferweckung vom Tode geben! Juden und Heiden sind ein Teig! Nur ein Jude kann dialektisch so beziehungsreich denken und dann so einfach auf die Vernunft des Teiges kommen: *Ist das Erste vom Teig heilig, so ist auch der ganze Teig heilig* (11,16). Paulus hat immer gesagt: *die Juden z u e r s t und auch die Griechen.* Nun sind aber offenbar die Heiden zuerst zum Heil der Versöhnung gelangt. Das ist Anlaß zu einer Abschweifung (Digression), um den Heidenchristen zu sagen, daß sie gleichwohl nicht die Wurzeln sind, die das Erste am Baum sind, sondern die Zweige. Mit dem Bild vom gepfropften Baum sagt er: Ihr Heiden seid zwar ontisch früher, aber ontologisch später. Vor Überhebung sei also gewarnt (11,17–24)! Dann strebt der Prozeß in wenigen, aber gedankenschweren Schritten seinem Ende entgegen. Die Verwarnten nennt er weiter *liebe Brüder: ihre Klugheit* ist so wenig stabil wie *Israels Blindheit,* was sie einander verbindet, ist ein *Geheimnis* göttlicher Dialektik. Die Fülle Israels, nach der ihr fragt, steht in Relation zu eurer eigenen! *Ich will euch, liebe Brüder, nicht verhehlen, dieses Geheimnis, auf daß ihr euch nicht auf eigene Klugheit verlaßt: Blindheit ist Israel zum Teil widerfahren solange, bis die Fülle der Heiden eingegangen ist, und alsdann wird das g a n z e Israel gerettet werden* – auch dafür testimonia (11,25f.)! Das Ganze und sein Teil ist auf beiden Seiten, auf seiten Israels *und* auf seiten der Heiden, und stehen untereinander in Beziehung. Da hat jeder mit sich zu tun.

Nicht Menschenfeinde sind die Juden, sondern verfeindet sind sie bei Gott *um euretwillen* – secundum evangelium. Aber Gottes Geliebte bleiben sie um der Väter willen – secundum electionem (11,28). So kommt der Widerspruch als Widerspruch mit sich ins reine, daß er beide Seiten, die Juden und die

Heiden, miteinander verstrickt: nicht zu einem Verhängnis, sondern zu einem Bund. Doch liegt die Verpflichtung bei den Heiden, denen die Judenfeindschaft der Welt gewiß nicht zugute kommt! Daß Israel nämlich bei Gott geliebt ist (gemäß der Väterverheißung), das will nach Paulus auch in die Jetztzeit hinein. In einer letzten dialektischen Aufgipfelung, die man textkritisch gelten lassen muß, kommt der Redner zu dem schützenden Schluß: Israel erfahre *jetzt* die Barmherzigkeit Gottes. Wer das nicht noch herausbringt, der hat nichts herausgebracht! Denn die Schutzrede müßte umschlagen in eine Hetzrede, die sich daran hängte, daß Juden doch Feinde sind und jetzt jedenfalls noch keine Barmherzigkeit verdienen. Aber es gibt ein doppeltes Jetzt bei Paulus am Ende seiner Schutzrede für Israel: eines, bevor er verstanden, und ein anderes, nachdem er verstanden hat, zu dem er vielmehr durch Rechtsstreit Gottes hinausgetrieben wurde auf kunstvoll dialektische Weise, nämlich so: *Gleicherweise wie ihr zuvor nicht habt an Gott geglaubt, nun aber Barmherzigkeit erlangt habt durch ihren Unglauben, so haben auch jene j e t z t nicht wollen glauben an die Barmherzigkeit, die euch widerfahren ist, damit auch sie j e t z t* [9] *Barmherzigkeit erlangen* (11,30f.).

Dann kommt es nicht auf den Glauben Israels an? Des Verteidigers Antwort: *Gott hat alle beschlossen unter den Unglauben, auf daß er sich aller erbarme* (11,32). Und Glauben hat man nicht anders. So bleibt die Solidarität des Sünders in allerhöchster Durchkreuzung und muß zum Lobpreis Gottes, des weisen und gnädigen Richters, führen.

O welch eine Tiefe des Reichtums, beides,
der Weisheit und der Erkenntnis Gottes!
Wie gar unbegreiflich sind seine Gerichte
und unerforschlich seine Wege!
Denn "wer hat des Herrn Sinn erkannt
oder wer ist sein Ratgeber gewesen?"
Oder "wer hat ihm etwas zuvor gegeben,
daß ihm werde wiedervergolten?"
Denn von ihm und durch ihn und zu ihm sind alle Dinge.
Ihm sei Ehre in Ewigkeit. Amen.

Konklusionen

1. Was die christliche Kirche (zu allen Zeiten und in allen ihren Konfessionen) versäumt hat, ist das, was Paulus zur *Einsicht* gebracht und als Apostel der Heiden den Heiden zur *Pflicht* gemacht hat: es müsse unter allen Umständen, das heißt aus Glauben, das ungläubige Israel geschützt werden. Zur Einsicht *in der Tat* verpflichtet sind die Heidenchristen, weil ihr Heil von den Juden herkommt und auf die Gemeinschaft mit den Juden zugeht. Ihr jetziges (Versöhnung) und ihr zukünftiges (Auferstehung) Heil hängt von dem Geschick der Juden ab.

2. Die christliche Kirche hat an Israel darüber hinaus keine Mission. Eine christliche Missionierung Israels ist seit Paulus theologisch und seit Auschwitz allgemein ethisch (kategorisch) unmöglich. Im Fall Israels ist zwischen missio Dei und missio hominum *streng* zu unterscheiden[10].

3. Israels Unglaube ist kein Gegenstand christlicher Dogmatik und Predigt, sondern Stoff für die Bewährung christlicher Ethik und Doxologie. Von dieser Unterscheidung her bestimmt sich, was Antijudaismus heißt, der für den Glauben der Heidenchristen niemals essentiell sein darf[11].

4. Eine Christenheit, die sich dogmatisch falsch als das wahre Israel oder als durch sich selber legitimierte Christentumsgeschichte verabsolutiert (von Israel, repräsentiert in den jetzt lebenden Juden), verliert ihr partitives Verhältnis zum Ganzen und somit zur Wirklichkeit und zur eigenen Wahrheit.

5. Ein Dialog zwischen Christen und Juden kann nicht dogmatisch geführt werden. Er muß vielmehr unter der Voraussetzung dessen, daß je der eine unter den Unglauben des anderen *beschlossen* ist, auf die gemeinsame, von Gott unterstellte, Erwählung hin ethisch für die Menschheit geführt und doxologisch als Gottesdienst der Endzeit gefeiert werden.

Anmerkungen

* Vortrag, gehalten an der Kirchlichen Hochschule Wuppertal (9.5.1979). – Ohne den Gedankenaustausch mit *Ekkehard Stegemann* wäre das Ganze so nicht zustande gekommen.

1. Man muß endlich damit aufhören, ungenau und pauschal von dem Diatribenstil des Paulus zu sprechen, wie es seit *R. Bultmann:* Der Stil der paulinischen Predigt und die kynisch-stoische Diatribe (1910) üblich geworden ist. Zum einen stellte Bultmann als Ergebnis fest, *daß der Eindruck der Verschiedenheit größer ist als der der Ähnlichkeit* (107); zum anderen hat er die eigentliche rhetorische Tradition der Antike in der Zeit des Paulus, wie sie etwa bei Quintilian ihren literarischen Niederschlag findet, aus dem Blick verloren, was der einseitigen "humanistischen" Bildung mit ihrem pseudoplatonischen Vorurteil gegen *alle* Rhetorik entsprach. Folglich wird auch die Rolle der Dialektik bei Paulus unterschätzt, ja geleugnet, wenngleich der Bultmann der existentialen Interpretation nicht mehr so redet: *Er gewinnt seine Sätze nicht auf gedanklichem Wege, sondern durch Erlebnis und Intuition* (68). Wie stark das Vorurteil gegen die Rhetorik ist, zeigt auch das Buch von *Hans-Dieter Betz:* Der Apostel Paulus und die sokratische Tradition. Eine exegetische Untersuchung zu seiner "Apologie" 2. Korinther 10–13 (1973) 15ff. Vgl. dagegen *Kristlieb Adloff:* Die Predigt als Plädoyer. Versuch einer homiletischen Ortsbestimmung, erarbeitet am Zweiten Korintherbrief (1971) § 3 Paulus als Rhetor, 17ff. Erste Ansätze exegetischer Rückgewinnung bei *Klaus Berger:* Exegese des Neuen Testaments (UTB 658) 1977, 42–53.

2. Wenngleich Plato der Rhetorik als Überredungskunst psychagogische Bedeutung zubilligt, wenn sie das Überzeugen durch Dialektik begleitet (Phaidros 260 d/ 261 a). Hier bleibt ein grundsätzliches Recht der Rhetorik in der Einsicht bewahrt, daß die anima rationalis als anima (pathe) sowohl der Dialektik als auch der Rhetorik bedarf, um als ganze zur Einsicht zu gelangen; bzw. daß Einsicht von der Art ist, daß es von ihr eine gedoppelte Kunstlehre geben muß.

3. *Denn wenn ich es auch für recht und gut halte, zuweilen in der Rede den Syllogismus*

57

*zu verwenden, so möchte ich doch keineswegs, daß die ganze Rede daraus bestehe
oder doch vollgepfropft sei mit einem Gefolge von Epicheiremen und Enthymemen.
Denn dann wird sie Dialogen und dialektischen Untersuchungen ähnlicher sein als den
Prozeßreden, die unsere Aufgaben sind, während doch zwischen beidem ein gewal-
tiger Unterschied besteht. Denn in den philosophischen Untersuchungen suchen
gebildete Menschen mit Gebildeten nach der Wahrheit ... wie sie sich ja auch selbst
sowohl die Rolle des Erfinders (der Beweisführung) als auch der Richter hierüber
zulegen ... Wir müssen unsere Rede nach dem Urteil anderer einrichten, ja wir müssen
dabei öfters vor ganz Ungebildeten und jedenfalls mit dieser Art Wissenschaft Unbekannten reden. Wenn wir solche Menschen nicht mit Unterhaltsamem anlocken, mit
Macht mitreißen und zuweilen mit Gefühlswirkungen in Verwirrung versetzen, können wir auch das, was gerecht und wahr ist, nicht festhalten* (Quintilian: Ausbildung
des Redners, deutsch-lateinisch, hg. und übersetzt von Helm. Rahn, Darmstadt 1972,
V 14,27—29, Teil I, 663).

4. *Quintilian* III 9,1; IV,1.
5. So muß man nicht sagen: *Merkwürdigerweise gibt Pls keinen Grund für seine Trauer
an* (*E. Käsemann:* An die Römer, HNT [3]1974, 249).
6. *Quintilian* IV, 2,4.
7. Dieser erste Versuch, den Widerspruch Israels an Israel behutsam einzuüben (im Fall
Ismael ist Israel noch gar nicht tangiert, in dem von Esau schon mehr!), darf nicht so
verstanden werden, als wolle Paulus grundsätzlich zwischen dem "empirisch-histori-
schen" und dem "eschatologischen Israel" unterscheiden: *Hier wird der Begriff Israel
aufgespalten* (*E. Dinkler:* Prädestination bei Paulus — Exegetische Bemerkungen zum
Römerbrief, 1957. In: Signum crucis. Aufsätze zum Neuen Testament und zur
Christlichen Archäologie, 249). Es geht Paulus nicht um den Begriff Israel, der zu
abstrahieren wäre vom wirklichen Israel. Vielmehr muß er den Widerspruch begreifen, daß das vorhandene Israel angesichts des Endes gleichwohl das erwählte ist.
Darüber hinaus läßt sich auf Röm 9 keine Prädestinationslehre bauen, da die Aussagen in einem Prozeß stehen, der auf Röm 11,32 zuläuft. Röm 9 als locus classicus
für eine allgemeine dogmatische Begründung im Sinne der reformierten Lehre (gemina
praedestinatio) fällt gänzlich hin.
8. Vgl. Gal 3,21.
9. Man erwartet — logisch eindimensional — die Entsprechung: wie "einst" zu "jetzt" —
so "jetzt" zu "dereinst". Aber die Zeit des Dereinst ist, angesichts der Endzeit jetzt,
Jetztzeit! Mithin ist der logische Sprung, doppelt reflektiert, sachgemäß; ist also diese
Lesart als die lectio difficilior zu behalten — gegenüber derjenigen sowohl, die das nyn
wegläßt, als auch derjenigen gegenüber, die es durch hysteron (später) ersetzt. Auch
die Bezeugung der Handschriften läßt dies zu.
10. Vgl. die hindeutenden Ausführungen bei *H.-W. Gensichen:* Glaube für die Welt. Theologische Aspekte der Mission (1971), 233ff.
11. *Wenn es zutrifft, daß die theologische Rezeption der antijudaistischen Motive des
Neuen Testaments zur Profilierung des eigenen Glaubens in jeder christlichen Gegenwart wichtig ist, dann sollte man eine entsprechende Behandlung dieser Probleme in
der Systematischen Theologie erwarten. Aber es gibt sie nicht* (R. Rendtorff: Die
neutestamentliche Wissenschaft und die Juden. Zur Diskussion zwischen David
Flusser und Ulrich Wilckens. EvTheol 36, 1976, 198f.).

Werner Bieder

Spiritus Sanctus Pro Mundi Vita

Der Heilige Geist ist in der Kirche Jesu Christi in vielfältiger Weise am Werk. Dies soll im folgenden unter fünf Gesichtspunkten so zur Darstellung kommen, daß der Dienst für das Leben der Welt in die Augen springt.

I. Die Dimension der Bekehrung

1. Damit, daß man gegen die Formen des groben und feinen *Bekehrungszwangs* polemisiert, ist man dem eigentlichen Problem der Bekehrung ausgewichen. Man sieht diesem Problem dann verheißungsvoll in die Augen, wenn man einsehen lernt, daß "sich bekehren" einen Akt meint, den vom Heiligen Geist *Befreite freiwillig* tätigen. Die Weichen wurden falsch gestellt, als man den befreienden Heiligen Geist durch den zwingenden Menschen ersetzte. So entstand eine Karikatur der Christianisierung, die den wahren Sachverhalt verhüllt. Man hat dann nicht mehr die Hinkehr Gottes, des Schöpfers, zur Welt als deren Erlöser im Auge, die als Grundlage jeder menschlichen Bekehrung gesehen werden muß[1] und bei der das "packende" Ereignis oder die stille Entfaltungskraft göttlichen Wachstums die Gaben sind, die die Aktion der Bekehrung auslösen[2].
2. Die Evangelien zeigen deutlich, wie Jesus sich immer wieder *einzelnen Menschen* zugewendet hat, um sie zu heilen, sie in seine Nachfolge und unter die Verheißung des Gottesreiches zu rufen. Aber im Lauf der Kirchengeschichte hat sich nun dieser einzelne in einem Heilsindividualismus eine unerlaubte Wichtigkeit zugemessen, die es dazu kommen ließ, daß der christliche Glaube sich zu einer Privatreligion verunstaltet hat. Diese Entwicklung war nur möglich, weil man außer acht ließ, daß der Heilige Geist zur *Gemeinschaft* der Gläubigen befreit, die im reziproken Dienst sich als "die neue Gesellschaft"[3] im Dienst an der Welt zu verstehen hat. So kommt der einzelne in der Entscheidungsfreiheit seines Glaubens nur in der Gemeinschaft der Gläubigen zum Tragen, um die drohende Versuchung der rein privaten Existenz zu übersteigen.
3. Wenn es auch bei der Christianisierung der einzelnen Menschen um eine Wandlung menschlichen *Innenlebens* geht, so darf doch dabei nicht übersehen werden, daß der Mensch eine *geist-leibliche Einheit* darstellt, die der "lebendig machende Geist" zustande bringt. Die religiöse Seelenkultur, die den Leib

vernachlässigt, ja, verachtet, entspricht so wenig dem Wirken des Heiligen Geistes wie die vitale Leibverherrlichung, die den Primat des menschlichen Geistes im Dienst des Heiligen Geistes leugnet. Der Heilige Geist treibt so zur Bejahung des ganzen Menschen, daß dieser sich mit Geist, Seele und Leib (1 Thess 5,23) in einem echten Dienst Gott und den Menschen zur Verfügung stellt.

II. Sein, Situation, Sendung

Mit der Wesensbestimmung der Mission als "ausstrahlendes Sein im Glauben" will man gegen einen überbordenden Missionsaktivismus polemisieren und dem hektischen pragmatischen Übereifer wehren. In der Tat kann man vom Johannesevangelium aus zu einem solchen Missionsverständnis gelangen. Denn hier wird auf das Bleiben im Glauben und in der Liebe Gewicht gelegt. Auch wenn die Sendung in Joh 20 mit dem neuschaffenden Werk des Heiligen Geistes in Zusammenhang gebracht wird (Joh 20,21f.), so liegt doch das Schwergewicht im Johannesevangelium auf dem, was die Gläubigen in ihrem Glauben, Lieben und Dienen sind. Der Slogan "Jeder Christ ein Missionar" ist gerade von da aus sehr gut zu verstehen. Christliche Existenz lebt ja von Anfang an durch die "Geistestaufe"[4].

1. Ist der Heilige Geist *der Leben schaffende Geist* (2 Kor 3,4), so heißt er doch zugleich und zu Recht der *creator,* um dessen Kommen die Gemeinde bittet ("veni creator spiritus"). Man kann den 3. Artikel des Glaubens nicht gegen den 1. Artikel ausspielen wollen. Der Gott, der durch seinen Geist Leben (Atem) gibt (Ps 104,30[5]), macht durch den Heiligen Geist Schöpfungskräfte mobil in neuem Dienst an der Welt. So läßt Gott die, die an der "neuen Schöpfung" teilhaben (2 Kor 5,17; Gal 6,15), die Einheit von Schöpfung und Erlösung antizipierend erfahren.

2. Der Heilige Geist, der neu schafft, will aber gleichzeitig Menschen "die Kraft der Hingabe" in der *"Durchführung bestimmter Aktionen"* erfahren lassen[6]. Neu geschaffene Menschen sind nicht Sönnchen, die bloß aufstrahlen oder ausstrahlen, sondern Menschen, die aus einem bestimmten Auftrag heraus im Interesse leidender Nächster sich senden lassen. Wie das gemeint ist, soll am Beispiel eines Stückes antiochenischer Missionsgeschichte gezeigt werden.

Nach dem Bericht der Apostelgeschichte wurden die Christen der Weltstadt Antiochia zum ersten Mal "Christen" genannt (Apg 11,26). Sie strahlten so mit ihrem christlichen Sein in ihre Umgebung aus, daß diese auf sie aufmerksam wurde. Dieses ihr christliches Sein konzentrierte sich dann in einer karitativen Aktion zugunsten der Hunger leidenden Brüder in Judäa (Apg 11,29). Es blieb aber nicht bei dieser Aktion "Brot für Brüder". Die Gemeinde sah sich vielmehr durch eine prophetische Weisung dazu veranlaßt, zwei Boten als Missionare auszusenden (Apg 13,1—3).

Was sich in dieser geschichtlichen Reihenfolge in Antiochia abgespielt hat (vom ausstrahlenden Sein zur ökumenischen Hilfstätigkeit und zur missionarischen Sendung in die Heidenwelt), kann nicht direkt kopiert oder aktualisiert werden. Doch haben wir gerade von diesem Text aus nach dem Verhältnis von Sein, Situation und Sendung zu fragen.

Ich stelle eine Variante zur Diskussion, die zeigt, wie unter neuen Umständen ein biblischer Text, der geschichtlich vermittelt worden ist, eine neue Anwendung finden kann. Was in Antiochia zuletzt kam, ist von der neueren Missionsgeschichte her[7] zuerst zu nennen: die Boten aus Europa und Nordamerika sind entsprechend Apg 13,1–3 zur Anbietung des Evangeliums ausgezogen. Heute sind "brüderliche Mitarbeiter" einheimischer Kirchen als westliche Boten oder Afrikaner und Asiaten in partnerschaftlichem Dienst in Europa dazu berufen, ihr christliches Sein im Dienst auszuleben. Als Zukunftsaufgabe wäre aber angesichts der immer universaler werdenden Gestalt der Welthungersnot[8] heute zu überlegen, ob nicht in viel umfassenderem Sinn von "brüderlichen Mitarbeitern" gesprochen werden muß: der Heilige Geist weckt, weil er als Schöpfergeist am Überleben der Welt interessiert ist, die verschiedenartigsten Menschen auf, sich der unter Hunger leidenden Menschen konkret anzunehmen[9].

3. Damit ist bereits ein weiterer Punkt angedeutet. Der Heilige Geist hat es darauf abgesehen, die zu konkreten Aktionen gerufenen Christen ihre jeweils erforderlichen Schritte des Glaubensgehorsams aus der jeweils neuen Situation heraus erfragen zu lassen. Der Heilige Geist weckt zur Praxis der legitimen Situationsethik auf. Die Formulierung in Apg 13,4 ("sie wurden vom Heiligen Geist entsendet") ist symptomatisch: Paulus und Barnabas wurden nicht mit einer gebundenen Marschroute oder mit dem Diktat einer Kirche oder Denomination auf die missionarische Wanderschaft geschickt. Ebenso kann die missionarische Kirche heute nicht so durch die Bibel gebunden sein, daß sie die scriptura sancta als numinöse Größe gegenüber einer nicht verstehenden Welt ins Feld führt[10], sondern daß sie unter gleichzeitiger Öffnung gegenüber dem, was ihr aus der Welt an Positivem entgegenkommt[11] zu einer Aktualisierung der heute neu zu vernehmenden und zu tätigenden guten Nachricht vorstößt, um so wie Paulus "des Evangeliums teilhaftig zu werden" (1 Kor 9,23). Der Kreativität Gottes, der die Heiden zum Leben des Glaubens weckt, entspricht ein kreatives Tun auf Seiten der erweckten Boten, die "geschaffen in Christus Jesus" sich in guten Werken ergehen (Eph 2,10).

So lassen sich die zur Mission erweckten Christen um der sie umgebenden Welt willen in immer wieder neue Situationen hineinführen, um den Sinn ihrer Sendung darin stets neu zu entdecken und so ihrem Sein als Christen in der Kooperation mit Nicht-Christen Gestalt und Form zu geben.

III. In der Reziprozität des Dienstes auf konkrete Überwindung des Bösen zu

Die vom Heiligen Geist inspirierte Sendung hat es mit Sammlung einer Gruppe zu tun. Man mag das im Anschluß an Paulus (1 Kor 3,6) "Kirchenpflanzung" (plantatio ecclesiae) nennen und diese Pflanzung dem Wildwuchs freimissionarischer Bemühungen entgegenstellen. Freilich läßt sich nun an der Kirchen- und Missionsgeschichte zeigen, wie die Kirche, wenn sie einmal ins Dasein getreten war, sich selber zu wichtig genommen hat, so daß es oft genug zu einem Ekklesiozentrismus gekommen ist. Immer dann, wenn sich solches ereignet, beginnt die Kirche, sich antimissionarisch zu gebärden und sucht das Werk des Heiligen

Geistes zu verhindern. Dieses Werk ist unter ekklesiologischem Gesichtspunkt in dreifacher Weise zu bedenken.

1. Der Heilige Geist geht darauf aus, *die falsche Alternative von Geist und Amt*, von Enthusiasmus und Organisation zu überwinden. Der Organisationskomplex ist dem Heiligen Geist fremd. Von ihm getrieben, werden Christen sich gewiß nicht mit einer organisatorischen Gestalt zufrieden geben, wohl aber sich intensiv mit ihr beschäftigen. Man wird sich nicht in eine vorgegebene veraltete Organisation einnisten, wird aber frei werden, brauchbare organisatorische Elemente zu verwenden, damit Menschen den Aufbau der Gemeinde im Dienst an der Welt in die Hand nehmen oder fortführen. Wird die *Struktur* der Gemeinde so immer neu überdacht und ins Leben gerufen, so wird am Gemeindeaufbau selber deutlich, wie die Gesellschaft, in deren Mitte die Gemeinde ihr Leben hat, eines ständigen Strukturwandels bedarf.

2. Der Heilige Geist befreit zur *gliedschaftlichen Reziprozität.* Was sich im Verlauf der Kirchengeschichte als Gegenüber, ja oft genug als Gegensatz zwischen Klerus und Laien herausgebildet hat, zeigt den Abfall von der geistlichen Reziprozität an, nach der verschiedenartige und verschieden begabte Menschen mit verschiedenen Verantwortlichkeiten aufeinander zugehen und sich in dieselbe Dienstgemeinschaft einweisen lassen. Die missionarische Gemeinde heute hat einer in Verlegenheit geratenen Welt vorzuleben, daß das wechselseitige Kleinwerden voreinander die große Voraussetzung ist, um die verschiedenartigen Kraftreserven in intensiven Dienstübungen einzusetzen. Das neue Missionszeitalter dürfte damit eröffnet werden, daß die Forderung nach dem Moratorium für Missionare *d a r u m* verstummt, weil im Nord/Süd- und im Ost/West-Dialog Betroffene einander so viel zu fragen und zu sagen haben, daß sie immer mehr lernen werden, aufeinander zuzugehen, um das befreiende Werk des Heiligen Geistes in ihrem wechselseitigen Dienst zu erfahren.

3. Der Heilige Geist stärkt die Liebe zum *Wort der Verheißung*, weil der, der enthusiastische Früchte zeitigt und das Zungenreden in Gang bringt, zwischen sich und dem Verstand keine Feindschaft gesetzt haben will. Er, der die Menschen zum geistigen Vernehmen befreit, will klare Prüfung der Geister und läßt die Unterscheidungsfähigkeit zwischen Gut und Böse wachsen und reifen (1 Kor 12,10; 14,15; Hebr 5,14; 1 Joh 4,1). Eben der Geist, der zusammenbringt und Gemeinschaft schafft (Apg 2,42), sichtet auch (Apg 2,12f.). Das *Sichtungswerk* des Geistes schafft aber keine dualistischen Endgültigkeiten (das Gleichnis vom Unkraut unter dem Weizen diene hier als Warnung!), sondern ruft zum Liegenlassen der weggewehten Spreu auf. Wer sich dem Sichtungswerk des Geistes aussetzt, wird der je und zu erkennenden, zu ertragenden[12], aber auch zu beseitigenden und zu überwindenden Leiden gewahr: er läßt sich zur Klarheit in der Erkenntnis des eindeutig Bösen so führen, daß er die Prüfungsaufgabe auf die Überwindung des Bösen hin nicht unterläßt (Röm 12,2.21) und auf dem Kampf gegen das Böse insistiert (Joh 20,23b).

Werden die organisatorischen Elemente dazu verwendet, die gliedschaftliche Reziprozität der Christen untereinander (unbeschadet der größeren oder kleineren Verantwortlichkeiten) mehr und mehr in Gang zu bringen, verdeutlichte Übel beim Namen zu nennen und deutlichen Fingerzeigen auf das Bessere hin zu folgen, so tritt die Kirche in Sicht, die nach dem Neuen Testament sich Kirche Jesu Christi nennen darf, die in der Orthopraxis ihre Orthodoxie zu leben wagt.

IV. Die Befreiung des Volkes

Wenn der Heilige Geist den Jesus vergegenwärtigt, der sich der Menge erbarmt, die keinen Hirten hat (Mt 9,36), so bekommen wir hier einen Fingerzeig, pneumatologisch-theologisch positiv dem Begriff des Volkes nachzudenken. Es legt sich offenbar nicht nahe, das "Volk" (ochlos) gegen das "Volk Gottes" (laos tou theou) ausspielen zu wollen. Die gängige Vorstellung von der "unentschiedenen Menge" gegenüber dem "entschiedenen Volk Gottes" muß auf ein Besseres hin überwunden werden. Hier stellen sich einige Fragen, die geklärt werden müssen.

1. Der Heilige Geist reinigt von romantischen Volksvorstellungen. Bruno Gutmanns Sicht vom "Volkskörper" diene als Beispiel[13]. Es ist zwar zu verstehen, daß ein Christ, der die europäische Zivilisation als Todfeind des einheimischen Volkskörpers erlebt und erlitten hat, zur Heiligung des Klan aufrufen kann, der "ein Organ von höchster Geistleiblichkeit ist, das auf Erden kein Gegenstück hat und niemals finden wird". Aber deswegen kann das Heil nicht einfach darin liegen, die "Stärkung der Volksorgane und deren Neubelebung" vorzunehmen[14] im Glauben daran, daß der Geist vertieft und veredelt. Seit Gutmanns Zeiten hat die Entwicklung unter den sich verselbständigenden Nationen in Afrika, Asien und Lateinamerika deutlich werden lassen, wie wenig in den "urtümlichen Bindungen" oder in den "zwischenmenschlichen Beziehungen das Reich Gottes gegenwärtig und für euch da ist" und wie wenig man ein Recht hat, vom Volksorgan als unberührte Schöpfung voll günstiger Disposition als einem "Selbstentgiftungsorgan" zu sprechen. Wenn ein Volk gegen das andere aufsteht und sich mehr und mehr in den Ländern der Dritten Welt bürgerkriegsähnliche Zustände herauszuentwickeln scheinen, wie kann hier vom "Volk" Heil erwartet werden?
2. Der Heilige Geist hat die Tendenz, aus dem Mikrobereich der Familie und dem Mesosektor der Nation in den Makrobereich der Menschheit hinauszuführen[15]. Er macht auf zwei Fehlentwicklungen aufmerksam:
a) angesichts der Zerstörung oder Untergrabung des Familienlebens im wachsenden Generationenkonflikt läge es nahe, zur Heiligung der Familie im Namen des Heiligen Geistes aufzurufen. Heiligung der Familie hat aber nur dann Sinn, wenn im Mikrobereich ein Verständnis aufbricht für die dem Reich Gottes erschlossene familia Dei, die es auf das Tun des Willens Gottes abgesehen hat (Mk 3,31–35).
b) angesichts der Vergiftung des "Volkskörpers" in den sich selber suchenden und sich entwickelnden Nationen läge es nahe, auf die Einheit des Volkes im Sinn der Nation hinzuweisen und diese Einheit (etwa von Eph 2 her)

als Frucht des Geistes anzustreben. Aber die Einheit des Volkes in der Überwindung verheerender Korruption und blutiger Auseinandersetzung ist nur dann pneumatologisch gerechtfertigt, wenn der Mesosektor für die die einzelne Nation übersteigende Verantwortung im Makrobereich zu erwachen beginnt, wenn also die Selbstbefreiung eines Volkes ein Schritt voran ist auf das internationale Forum der leidenden Menschheit zu.

3. Der Heilige Geist läßt das "Volk" im Sinn der universalen *"Menge"* in dem Sinn als die *leidende Menschheit* erkennen, daß sie Unterdrücker und Unterdrückte im selben Raumschiff Erde zusammensieht als Leute, die "die Freilassung der von terroristischen Himmelsmächten gefangenen Menschheit"[16] zu erstreben, zu erbeten und zu erarbeiten haben. Damit ist bereits angedeutet, daß das Stichwort "Befreiung des Volkes" nicht einseitig auf die Unterdrückten angewendet werden kann[17]. Alle sind als Gefangengehaltene zu heilen (Apg 10,38) und zu befreien. Der Heilige Geist macht darum auch frei zur Überwindung dualistischer Einseitigkeiten[18], für die man sich auf das Neue Testament berufen könnte. "Kinder der Bosheit" (Mt 13,38[19]) den "Kindern des Lichtes" (1 Thess 5,5) gegenüberzustellen, ergibt darum einen verhängnisvollen Gesichtspunkt, weil man so wachsend blind wird für *d a s* Böse, das erkannt und gemeinsam überwunden werden müßte (Röm 12,21).

4. Der Heilige Geist läßt die Gnade, die "allem Volk widerfahren ist"[20], nicht contra mundum impurum, sondern pro mundi vita wirksam werden. Das heißt: er läßt die *Gnade* als *Macht* verstehen, die *den Sünder zu heilvollen Taten aufrichtet*. Die heilsgeschichtliche Verwurzelung des biblischen Universalismus kann sich nicht so verfestigen, daß dabei die Fleischwerdung des Wortes zu einem Schibboleth wird gegen die, die durch gelebte Bruderliebe erreicht werden müßten[21]. Der Dienst der Kirche dem Volk gegenüber kann sich daher nie in patriarchalische Fürsorge verunstalten, sondern wird immer die Kooperationsbereitschaft gegenüber Verständnis- und Arbeitswilligen miteinschließen. Denn der Heilige Geist ist der sich vergegenwärtigende Christus, der Menschen frei macht, angesichts des großen Weltleids füreinander sich hinzugeben. Er will Menschen aus verschiedenen Völkern wieder neu sowohl auf die Stimme der Bibel als auch auf die Stimme der Fremden als auch auf die fragende Weisheit des Volkes hören lassen. Voneinander und füreinander können Kirche und Volk frei werden, daß sie miteinander sowohl auf das Evangelium als auch aufeinander zu hören anfangen. So bezeugen sie "die Befreiung des Volkes" und gestalten das "Volk Gottes" in der Aktion eines heilsamen Schrittes heraus.

V. Enthusiasmus und Vernünftigkeit in der Öffnung nach außen und nach innen

Die Pfingstkirchen haben der Christenheit von heute in Erinnerung gerufen, daß der Enthusiasmus ein unentbehrliches Lebenselement des christlichen Glaubens ist, das vom Heiligen Geist hervorgerufen wird. Paulus, der den Enthusiasmus des Glaubens aus eigener Erfahrung kannte (2 Kor 5,13a), warnt aber 1 Kor 14 vor den Gefahren des Enthusiasmus, die dann eintreten, wenn die "Geister der Propheten den Propheten nicht mehr untertan sind" (1 Kor 14,32). Dann tritt eine unheilvolle Verwechslung ein zwischen denen, die "sich wegtreiben lassen" (apagomenoi, 1 Kor 12,2), und denen, die "sich führen lassen (agomenoi, Röm 8,14). Die sich vom Enthusiasmus in unvernünftige Emotionen hineintreiben lassen, haben vergessen, daß die vom Heiligen Geist Getriebenen Menschen sind, die sich entschlossen haben, in eigener Vernünftigkeit am Sendungswerk Gottes in der Welt mitzutun. Der Heilige Geist läßt den Menschen durch Weckung seiner emotionalen, gedanklichen und willentlichen Fähigkeiten zu der vor Gott verantwortlichen Person werden. Dreierlei ist hier zu bedenken:

1. Der Heilige Geist eröffnet in seinem befreienden Werk eine *Gottesgeschichte mit dem einzelnen Menschen*, die auf die Gemeindegeschichte und auf die Weltgeschichte bezogen ist, aber eine eigene Spur verfolgt. Diese Gottesgeschichte mit dem Menschen darf keinem religiösen Exhibitionismus rufen, in der sich der bekehrende Mensch vor anderen selbstgefällig entfaltet ("wenn wir in Ekstase geraten, so geschieht es gegenüber Gott", 2 Kor 5,13a), ist aber ebenso wenig eine bloße Privatgeschichte, die den anderen überhaupt nichts angeht, sondern ein Geschehen, das der Welt in geleisteten Diensten sichtbar wird. Wer diese Geschichte erfährt, wird offen für die Gemeinde, für die Welt und für sich selber mit seinen Grenzen und seinen Möglichkeiten.

2. Der Heilige Geist befreit zur echten *Nüchternheit des Glaubens* und den aus ihr herausfließenden *vernünftigen Entscheidungen:* "Wenn wir unsere gesunden Sinne betätigen, in dieser Haltung das Unsrige tun und uns von vernünftigen Überlegungen leiten lassen"[22], wenn wir in aller Nüchternheit das rechte Maß einhalten, widersprechen wir nicht dem Enthusiasmus[23], sondern treten dafür ein, daß die vom Heiligen Geist in Anspruch genommene Vernunft in Aktion kommt. Erleuchtet der Heilige Geist, so erhellt er die vor uns liegende Landschaft so, daß praktische Wege in Sicht kommen, die begangen sein wollen. In diesem Sinn kann durchaus positiv von "Aufklärung" gesprochen werden. Zur Praxis auf diesem Weg gehört die feine Klugheit, "die gesetzten Grenzen nicht zu überschreiten" (Röm 12,3[24]), das heißt im modus vivendi mit anders gerichteten Mitarbeitern zu leben, nicht der Haltung jenes überpflichtigen Verantwortlichen zu verfallen, der meint, überall zum Rechten sehen zu müssen (1 Petr 4,15), und so auch nicht dem enthusiastischen Drang nachzugeben, mit einem angeblichen missionarischen Eifer überall hinzugehen.

3. Wenn sowohl dem Enthusiasmus als auch der Vernünftigkeit Raum gegeben wird, geschieht eine Öffnung nach außen und nach innen. Wenn der Heilige Geist den Menschen für die menschliche Gesellschaft öffnet und so von Haus aus gettofeindlich ist, so will er eine solche Öffnung nicht nur in regionaler Konkretion vorgenommen haben[25], sondern vor allem in Verbindung mit einer *Öffnung nach innen* verstanden wissen. Wenn die Wege nach innen verschüttet und versperrt sind, nützt kein progressiver Vormarsch auf der horizontalen

Ebene zur Erneuerung der menschlichen Gesellschaft etwas. "Wer die Folgen des Rufes von Christus bis zum Letzten auf sich nimmt, merkt, wie sich sein Innerstes grenzenlos weitet: ohne Selbstgefälligkeit wird er allen zuhören, die Not und Verzweiflung der Menschen mittragen können. Ohne sich zu verhärten, ohne dem Leiden gegenüber abzustumpfen, wird er mit den Jahren im Innersten unendlich weit."[26]

VI. Schlußfolgerungen

In den fünf Gesichtspunkten, die zur Darstellung kamen, wird folgender Gang sichtbar: der Heilige Geist läßt den Menschen in befreiter Freiwilligkeit (I.) den Weg in verschiedene Situationen hinein antreten, in denen er zur Erkenntnis seiner Sendung und zum ausstrahlenden Sein kommt (II.). Dabei erfährt er die Reziprozität des Dienstes und entdeckt dabei das zu überwindende Böse in konkreten, sich immer wieder neu offenbarenden Gestaltungen (III.). Er sieht sich mitten hineingestellt in das Volk der leidenden Menschheit, um über den Mikrobereich der Familie und den Mesosektor der Nation hinaus mit anderen zusammen zu bezeugen, daß Gottes Gnade die verschiedenartigsten Sünder zu heilvollen Taten aufrichtet (IV.). Er geht so in die Gottesgeschichte mit dem Menschen hinein, läßt die enthusiastischen Elemente seines christlichen Lebens in der Nüchternheit des Glaubens auf vernünftige Entscheidungen hin läutern und sieht sich in der Öffnung nach innen in die Weite der göttlichen Welt gestellt, in der Gottes "Atem" Tag um Tag ihm entgegenweht und aus ihm aushaucht (V.). So erfährt er den Spiritus sanctus pro mundi vita.

Damit ist aber zu Tage getreten, daß der Heilige Geist Jesus Christus dient und ihn zum Leuchten bringt. Jesus Christus hat in Gethsemane offenbar gemacht, daß er sich durch seinen Vater, mit dem er in inniger Verbindung lebte, zur Freiwilligkeit der Hingabe bis ans Kreuz bewegen ließ (I.). Er hat sich von der Zimmermannswerkstatt in Nazareth weg an den Jordan begeben, um in näherem Kontakt mit Johannes dem Täufer sich in die Situation seiner Berufung hineinführen zu lassen, um sich so über seine Sendung ins Klare zu kommen und so seine Mission im Volk Israel zu beginnen (II.). Als Menschensohn unter den erwählten Zwölfen hat er die Solidarität mit den Seinen *und* die Unterschiedenheit von ihnen[27] erfahren und als charismatischer Exorzist den Kampf gegen das Böse darum aufgenommen, weil er vom Heiligen Geist dazu angetrieben wurde und Gottes Herrschaft mit ihm selber herannahen fühlte (III.). In seinem partikularen Dienst in Israel hat er sich dem leidenden Volk gegenüber geöffnet und hat die Armen und Unterdrückten im Gnadenbereich seines Vaters zur verheißungsvollen Zukunft aufgerichtet (IV.). So hat er die Geschichte mit seinem Vater betend bis ans Ende am Kreuz durchschritten und hat, "lebendiggemacht durch den Geist" (1 Petr 3,18), sich als den "lebendig machenden Geist" (1 Kor 15,45) erwiesen. So ist er zum Herrn geworden (2 Kor 3,17), der mit dem Geist zusammen auf den Vater hin ausgerichtet bleibt, um mit ihm zusammen "das Leben der Welt" (Joh 6,51) stets im Auge zu haben.

Pneumatologie und Christologie gehören zusammen. Mit beiden suchen Christen, dem Gott nachzudenken, der in der Erneuerung seiner Schöpfung auf die Welt zugeht, um sie aus ihrem Unheil herauszureißen und Menschen seines Wohlgefallens, die guten Willens werden, daran zu beteiligen.

Anmerkungen

1. Vgl. *Rez. P. Aubin, S.J.*: Le problème de la "conversion", in: ThZ 1964, 64–68; EMM 1967, 93; EMZ 1970, 38f.; *W. Bieder:* Biblisch-theologische Besinnung über die Bekehrung (Mskpt.), 111 S.; Leitbild für die christliche Sendung heute (ZMi 1978,175): Christen "nehmen als Gemeinde und als Einzelne teil an der großen Mission Gottes in der Geschichte der Welt (an seinem *Handeln in Schöpfung, Versöhnung und Erlösung;* trinitarische Missio Dei)".
2. Das dynamische und das kontinuierliche Handeln des Heiligen Geistes gehören zusammen. Der Geist "packt" enthusiastisch mobil Gewordene, "wohnt" aber auch in denen, die ihn kontinuierlich walten lassen.
3. *Edward Schillebeeckx:* Christus und die Christen, Die Geschichte einer neuen Lebenspraxis, 1977, 543.
4. Vgl. *James D.G. Dunn:* Baptism in the Holy Spirit, 1970, 224–229. In seiner Auseinandersetzung mit dem katholischen Sakramentalismus, dem enthusiastischen Pfingstlertum und der klassischen, auf den Glauben fixierten protestantischen Einstellung muß sich Dunn fragen, ob er seinerseits mit der Definition der Geistestaufe einen besseren vierten Weg eröffnet hat. Ist Geistestaufe richtig umschrieben mit dem "Werk Gottes bei der conversion-initiation"? Versteht man sie so, so muß man zugleich im Auge behalten, daß eine solche "Initiation" den, der mit diesem Gotteswerk zu tun bekommt, zum Schöpfergeist zurückführt. Durch die göttliche Aktion der Geistestaufe wird der Mensch zur Einheit mit sich selber gebracht, der von Gott gut geschaffen wurde und zur Güte des Herrn wiedergeboren wird.
5. Bei der "schöpferischen Potenz" geht es nicht um ein vergangenes, einmaliges Schöpfungsgeschehen, sondern um Jahwes fortgesetztes Wirken durch seinen Geist (*H.-J. Kraus:* Psalmen, 1960, 714). Vgl. außerdem *P. Schwarzenau:* Der größere Gott, Christentum und Weltreligionen, 21: "Unser deutsches Wort 'Geist' hängt sprachgeschichtlich wohl mit dem altisländischen 'Geysir' zusammen, das jene heißen Quellen meint, die in Zeitabständen ihr Wasser aus der Tiefe hochwerfen. Im Sinn dieses Bildes ist der Geist etwas, das die Welt nicht nur in der Oberfläche registriert und von daher Veränderungen plant, sondern eine aus der Tiefe hervorbrechende Macht, die sich selbst aus der Tiefe des Seins, aus der sie stammt, zu erfassen und zu gestalten sucht."
6. *W. Bieder:* Pneumatologische Aspekte im Hebräerbrief, in: Neues Testament und Geschichte, Historisches Geschehen und Deutung im Neuen Testament, O. Cullmann zum 70. Geburtstag, 1972, 251, 253.
7. Vgl. *H.-W. Gensichen:* Missionsgeschichte der neueren Zeit, Die Kirche in ihrer Geschichte, 4 T., 1961.
8. Unter Claudius (41–54 n. Chr.) hat es eine Reihe von Hungersnöten in einzelnen Ländern des römischen Imperiums (48 Palästina, 48/49 Griechenland, 49/50 Rom) gegeben. Lukas ist die regionale Konkretheit der Hungersnot nur so wichtig, daß er darin das apokalyptische Zeichen einer Welthungersnot wahrnimmt, die Ende der 70er Jahre des 20. Jahrhunderts in greifbarere Nähe zu rücken scheint.
9. In seinem Buch "Christus und die Christen" wagt *Schillebeeckx,* den Satz zu begründen, daß Gott kein Leiden von Menschen will (a.a.O. 705–712), weil die Höhe

und Breite und Tiefe menschlichen Heils nach der Überwindung der Leiden ruft (712–725).

10. Wichtig wurde gegen Ende des 16. Jahrhunderts "die Autorität der Bibel, die als sakrosancte, numinose Urgröße abgesichert werden mußte, sollte sie als unanfechtbares Höchstmaß aller Wahrheit anerkannt bleiben" (W. Dantine: Der heilige und der unheilige Geist, Über die Erneuerung der Urteilsfähigkeit, 19). Wer unter dem Bann der Bibel als einer numinosen Größe steht, der ist um Orthodoxie und Wahrheit so besorgt, daß er die Selbsthilfe und die leidenden Menschen dabei vergißt (vgl. S. Ruiz: An der Seite der Armen Jahwes für das Recht der Indianer, ZMi 1978, 14).

11. Man beachte, daß Paulus, bevor er auf die wertvolle christliche Tradition verweist (Phil 4,9), alles das nennt, was durch Welt und Menschen hin bedenkenswert an die Christen herankommt (Phil 4,8).

12. Das "Ertragen einer Last" (ThWNT IV, 585, 41–43) wird durch den getätigt, der um das Bessere weiß, das heißt der die Ungerechtigkeit so erträgt, daß er der Gerechtigkeit lebt (1 Petr 2,19.24).

13. Von seinen Schriften sind zu nennen: Freies Menschentum aus ewigen Bindungen, 1928; Zwischen uns ist Gott; Christusleib und Nächstenschaft, 1931; Die Frau unter den Buschnegern, nach Beobachtungen unter den Dschaganegern im Kilimandscharo in Deutsch-Afrika, EMM 1924.

14. EMM 1924, 331–335.

15. Ich verdanke die Unterscheidung dieser drei Bereiche Schillebeeckx, a.a.O. 640.

16. Schillebeeckx, a.a.O. 205.

17. Vgl. das Wort der fünf Bischöfe aus dem Süden Perus, die gerade auf diese Seite des Befreiungsaspektes hinzuweisen suchen, ZMi 1978, 113–116.

18. Vgl. H.W. Huppenbauer: Der Mensch zwischen zwei Welten, 1959.

19. Mt 13,38 nach der Lutherübersetzung. Die Zürcher Übersetzung hat: "Söhne des Bösen", Pfäfflin: "Menschen, die dem Bösen verfallen sind", The New English Bible: "the children of the evil one".

20. Lk 2,10. Es ist zu fragen, ob das παντὶ τῷ λαῷ wirklich Israel meint und nicht vielmehr die Syrer recht haben, die die universale Intention bei Lukas im Text meinen herausspüren zu müssen, ThWNT IV, 52. Anm. 99, vgl. aber auch 50, 32–38 und ThWNT VI, 541.22f.: πᾶς ὁ λαός steht für πολλοί, aber doch wohl nicht identisch mit "Heilsvolk", wie Jeremias meint (541,35), denn die Geburt Jesu "hat Bedeutung für die ganze Welt" (ThWNT VI, 838,45). Wettstein fand einen Widerspruch zwischen den "Auserlesenen" (Lk 2,14) und "allem Volk". Man müßte den Satz Schrenks theologisch weiterbearbeiten: "Das Gesagte ist weder partikularistisch jüdisch noch universalistisch ohne heilsgeschichtliche Verwurzelung" (ThWNT II, 748,12f.), vielleicht von Martin Kähler aus (Der Menschensohn und seine Sendung an die Menschheit, in: Theologische Bücherei 42, Schriften zur Christologie und Mission, 3–43).

21. Vgl., was Dantine, a.a.O. 205–210 darüber im Zusammenhang mit 1 Joh 4 zu sagen hat.

22. 2 Kor 5,13b, vgl. ThWNT VII, 1094,12f.; 1096,8f.

23. Gegen Käsemann: Römerbrief 317.

24. Vgl. ThWNT VII, 1099,20.

25. Ein gutes Beispiel für die regionale Konkretion liefert der Bericht der Apostelgeschichte über die sogenannte erste Missionsreise des Paulus. Die Reise hat einen Anfang und ein Ende. Auf ihr kommt es zu Kontakten mit Vertretern der Gesellschaft in der griechisch-römischen Welt.

26. Meditation von Roger Schutz, Taizé, Ostermorgen 1978.

27. James D.G. Dunn: Jesus and the Spirit, New Testament Library, 1975, 38: Er spricht vom "sense of a distinctiveness in his relation to God, in which nevertheless his disciples could participate".

Gerhard Rosenkranz
Heidentum — Was ist das?

In seinem missionstheologischen Standardwerk "Glaube für die Welt" hat Hans-Werner Gensichen einen Abschnitt der "theologischen Bestimmung dessen, was mit dem Begriff 'Heidentum' wirklich gemeint ist", gewidmet[1]. Er geht davon aus, daß "Mission, die sich zwischen der Dimension des neuen Weltheils und der Intention der neuen Gerechtigkeit bewegt, ... ihr Aktionsziel darin (findet), daß Menschen zum Glauben kommen sollen, ... Menschen im Widerspruch zwischen Geschöpflichkeit und Sünde". Er erwähnt das herkömmliche Verständnis missionarischen Handelns als "Bekehrung der Heiden" und will "prüfen, ob und wieweit diese Begriffe noch dem entsprechen, was als verbindliche Zielsetzung der Mission gelten kann".
In einem kurzen geschichtlichen Überblick über die Verwendung des Wortes *Heiden* von seinem frühchristlichen Gebrauch bis zu seiner Infragestellung durch die Religionsgeschichte und seiner Beanstandung in der Dritten Welt kommt Gensichen zu der aus der Missionsgeschichte bekannten Feststellung, "daß für den gängigen abendländischen Sprachgebrauch das Heidentum zum Gegenbegriff der religiös-kulturellen Selbstgewißheit des corpus Christianum wurde, wobei die den Heiden beigelegte Rückständigkeit sowohl als kulturelle als auch als ethische und intellektuelle Inferiorität verstanden wurde". Nicht von ungefähr beruft er sich für die Ablehnung dieses Mißbrauchs auf den Theologen Richard Wilhelm, der aus seiner Kenntnis der chinesischen Kulturwelt heraus, in der er als Missionar tätig war, die Begriffe *Heide* und *Heidentum* als anthropologische Zweckbildungen zur Begründung der missionarischen Konversionspraxis verwarf. Gensichen stellt ihre Verwendung zur Diskussion, fügt aber hinzu, es könne niemals auf die "theologische Sachaussage über die 'condition humaine', die aus dem biblischen Rückbezug ... der damit gemeinten Sachverhalte zu erheben ist", verzichtet werden. Der Heide "(ist) von Gottes Heilsoffenbarung immer schon mitbestimmt". Die Offenheit des "ganze(n) Alte(n) Testament(s) auf die Erfüllung in Christus hin" hat dazu geführt, daß die in ihm und im "Judentum geltende Scheidung von *am* als dem Volk der Verheißung und *gojim* als Menschen außerhalb des Heilsvolkes" im Neuen Testament, "bei Paulus besonders anschaulich", zur "Scheidung zwischen Glaubenden und Nichtglaubenden" geworden ist. Die heilsgeschichtliche Sonderstellung Israels ist damit nicht aufgehoben, läßt sich jetzt aber "sozusagen nur durch einen 'Umweg über die Heiden' realisieren". Zu Ende ist "die Zeit der 'Geduld' Gottes", die "heilsgeschichtliche 'Kehre'" hat zu einer "neuen

Frontlinie" geführt, an der "sowohl die theologische als auch die anthropologische Struktur in biblischer Sicht nur dialektisch zu begreifen (ist)".

In *biblisch-theologischer* Sicht ist zum einen dem Heiden "die Wirklichkeit des lebendigen Gottes schon immer auf der Spur", zum anderen ist er der "Gewalt von Mächten" unterworfen, die zwar auch "als Geschöpfe letztlich von Gott her" sind, aber "als Gegenmacht gegen Gott walten". In *biblisch-anthropologischer* Sicht ist zum einen "auch den Heiden aus den Werken der Schöpfung offenbar, daß Gott der unsichtbare, ewige Schöpfer ist", auch "sie leben unter der göttlichen Rechtsordnung, die ihnen ... als total in Anspruch nehmender Gotteswille erkennbar ist", sie können das Gottesgesetz aufgrund seiner "Vergegenwärtigung im Gewissen, das die menschliche Existenz auf das letzte Urteil im kommenden Gottesgericht hin offen hält", erfüllen; zum anderen wird dem Heiden "das Gesetz, aus dem er leben sollte, zum Ankläger, weil er ... die ihm von Gott geöffnete Möglichkeit gegen Gott nutzt ... und, statt Gott Gott sein zu lassen, auf religiöse oder nichtreligiöse Weise sich selbst vor Gott ins Recht zu setzen sucht".

Gensichen folgert aus der Dialektik, daß das Verhältnis zwischen Christentum und Heidentum weder als Kontinuität noch als Diskontinuität zu bestimmen ist. Er spricht dem Heiden die Möglichkeit ab, sich aufgrund seiner Kenntnis Gottes und des göttlichen Willens selbst zu behaupten, sich "auf eine seiner heidnischen Existenz inhärente Kontinuität oder auch Diskontinuität im Verhältnis zu Gott" zurückzuziehen, "durch die er dem Richterspruch Gottes etwa meinte entgehen zu können". Ihm diese seine Situation vor Gott aufzudecken und ihm Gottes Heilsangebot zu verkündigen, ist der Auftrag der Mission. Sie mag dabei statt des allgemeinmenschlich belasteten Wortes *Heide* das allerdings "durch die Theorien von der 'anonymen Christlichkeit' ... und durch Kritik am möglicherweise diskriminierenden Charakter" fragwürdig gewordene Wort *Nichtchrist* verwenden; niemals aber darf sie, wie Gensichen nochmals betont, die "theologische Akzentuierung im Sinne des paulinischen Evangeliums" unterdrücken.

Grundlegend für den Wechsel vom Heidentum zum Christentum ist – damit kehrt Gensichen zu seiner eingangs ausgesprochenen Sicht des "Menschen im Widerspruch zwischen Geschöpflichkeit und Sünde" zurück – "der Bruch zwischen 'alter' und 'neuer' Existenz", der auch dann eine "Glaubensentscheidung des einzelnen" ist, wenn er ihn in seiner "Zugehörigkeit zur Gruppe" vornimmt, wie sie auch in der "von jenem 'heidnischen' Elend des Unglaubens immer wieder selbst gefährdet(en)" christlichen Gemeinde immer neu vom einzelnen zu vollziehen ist. Gensichen schließt mit dem Heiden und Christen gleicherweise fordernden Satz: "Der Glaube (bedeutet) nicht Rückversicherung bei einem Gott für die Frommen, sondern Rechtfertigung der Gottlosen."

Gegründet auf das Neue Testament, gestützt auf einschlägige Aussagen moderner systematischer Theologen und ausgerichtet auf eine sach- und zeitgemäße Begründung und Zielsetzung der Mission gibt Gensichen eine Bestimmung des Begriffs *Heidentum,* die theologisch in sich geschlossen ist. Hinzugefügt sei, daß das Neue Testament das Abstraktum *Heidentum* nicht kennt; es spricht im

Blick auf die Heiden in der Übernahme des von ihnen in der Septuaginta gebrauchten Wortes ἔϑνη von den *Völkern*. Eine Ausnahme bildet das Johannesevangelium; in ihm "(sind) die Juden in ihrer Gesamtverstockung als ... die böse
Welt und damit geradezu selbst als ἔϑνη anzusprechen"[2]. Nennt das Neue
Testament, was selten der Fall ist, den Heiden in der Einzahl, schwingt auch
dann mit, "was mit einem Vertreter der ἔϑνη als inneres Kennzeichen gegeben
ist"[3]: die Forderung persönlicher Entscheidung für das Heilsangebot Gottes.
Zweimal bedient sich Gensichen religionsgeschichtlicher Erkenntnisse. Er
verneint, daß "die biblischen Aussagen über die 'Heiden' religionsgeschichtlich
auf einen Nenner gebracht werden können", und nennt als Beispiel die Ver-
schiedenartigkeit der "Konfrontation Israels mit den Baalspriestern zur Zeit des
Elia" und der "Begegnung des Paulus mit den Anhängern des 'unbekannten
Gottes' in Athen". Wichtiger für unsere Untersuchung ist sein zweiter Hinweis,
daß die "Juden und Muslime ... in der Regel nicht als 'Heiden' bezeichnet
werden – ein letztes Erbe unzulänglicher Versuche, religionsgeschichtlich
relevante Unterscheidungen in theologische Kategorien zu überführen". Wir
fragen: Wie verhält sich zu dieser Feststellung seine Aussage, daß "das ganze
Alte Testament auf die Erfüllung in Christus hin offen ist"? Theologisch ist
sie berechtigt, aber zweifelsohne ist mit ihr eine "religionsgeschichtlich relevante" Gegebenheit, der israelitisch-jüdische Messiasglaube, christlich-theologisch in Anspruch genommen. Wie fragwürdig eine solche Aneignung bis hin
zur Verwendung des Begriffs "Erfüllung" in der christlichen Theologie geschehen ist, lassen wir auf sich beruhen[4]. Die von der Alten Kirche bezeichnenderweise immer nur in Auswahl benutzte Sammlung heiliger Schriften ist
der in tausend Jahren zusammengewachsene, heute noch gültige Kanon der
israelitisch-jüdischen Religion. In ihm "ist von Jesus Christus nicht die Rede,
das Alte Testament ist insofern Dokument einer vorchristlichen Religion"[5].
Die in seiner Übernahme liegende Entscheidung schließt "die Frage nach Jesus
als dem Christus und der Wahrheit des Wortes vom Kreuz" ein, ist also eine
"Glaubensentscheidung" und "geschieht im geschichtlichen Existieren des
Menschen selbst in seiner Bezogenheit auf den offenbaren Gott"[6].
Unsere religionsgeschichtlich-theologisch differenzierende Betrachtungsweise
des jüdischen und christlichen Anspruchs auf das Alte Testament drängt weiter
zur Bestimmung des Verhältnisses der beiden Religionen zueinander und ihrer
Sicht der außerhalb Stehenden. Beide entziehen sich in ihrer je eigenen Mitte –
das Judentum mit seinem Glauben an Jahwe "in seiner strengen Exklusivität
und Einzigkeit ... und mit seinem Totalanspruch und Totalzuspruch"[7], das
Christentum mit seinem Glauben an das universale Heilsangebot Gottes in
Christus – der wissenschaftlichen Befragbarkeit und Beschreibung; als theologisch in sich geschlossene Ganzheiten sind sie jedoch religionsphänomenologisch zu registrieren. In beiden "spricht sich das universal-menschliche Fragen
aus nach dem, was über den Menschen hinausgeht, ... nach Herkunft, Sinn,
Sein und Zukunft"[8]. Beide bezeichnen diejenigen, die sich ihrer Antwort
verweigern, als Heiden. In jeder von ihnen hat die Bezeichnung von ihrer Mitte
her geprägte Inhalte und Folgerungen: In der isrealitisch-jüdischen Bezeich-

nung liegt das Urteil über die Nichtzugehörigkeit zum erwählten Volk, das aber "schon im Alten Testament keine Endgültigkeit gegenüber der Verheißung der Offenbarung (hat)"[9]; die christliche Bezeichnung läßt die Menschen, "auch die Juden – auf ihre Weise – an der universalen Verschuldung vor Gott" (Gensichen) teilhaben und hält einem jeden zu jeder Zeit Gottes Versöhnung offen. Das Judentum hat, abgesehen von der regen Propaganda der hellenistischen Synagogen, in seiner Gewißheit der eschatologischen Sammlung und Einordnung der Heiden in das Gottesvolk durch Jahwe selten für seine Religion geworben. In ihrem Selbstverständnis als das ursprüngliche Gottesvolk verwerfen die Juden die christliche Mission. Daß Juden vereinzelt sie als Übermittlerin der Tora an die Heiden schon im Mittelalter (Maimonides) und noch in der Gegenwart respektiert haben, daß hervorragende Geister unter ihnen Jesus als ihren Bruder anerkennen, daß im Iran "Messianische Juden" an seine Wiederkunft als Messias ihres Volkes glauben, sind Randerscheinungen, die das jüdische Grundverständnis des Heidentums und seine Ausdehnung auf die Christen nicht berühren. Im Christentum entband der Glaube an das Ereignis der eschatologischen Gottesherrschaft auf Golgatha und an Ostern die Mission unter Juden und Heiden; als Mitarbeit an der missio Dei wurde sie zu einem Wesenselement der Kirche Christi. Der Anstoß dazu lag nicht erst in heilsgeschichtlichen Spekulationen der Jerusalemer Gemeinde, auch nicht in der Theologie des Paulus; er ging davon aus, daß Jesus selbst angesichts der angebrochenen Gottesherrschaft über seinen vorherrschenden Bußruf an Israel hinaus alle Menschen in seine Heilsverkündigung eingeschlossen hatte. Ihre synoptische Überlieferung ist in Einzelzügen oft widersprüchlich und läßt die Frage offen, wiewiet sie authentische Worte und Verhaltensweisen Jesu wiedergibt, wiewiet sie beide an alttestamentlichen Aussagen über die Heiden und ihre Zukunft ausrichtet; dennoch läßt sie erkennen, daß Jesus die Draußenstehenden nicht anders als die Erwählten – in welcher Rangfolge auch immer – als Anwärter der Gottesherrschaft angesprochen hat. Am eindringlichsten zeigen das seine Forderung der Feindesliebe (Mt 5,44f.) und ihre Verwirklichung durch ihn im Verkehr mit (jüdischen) Zöllnern und (nichtjüdischen) Heiden. Damit war der Mission der Kirche der Weg gewiesen, von dem sie sich nicht verhängnisvoller entfernen konnte als durch ihre Abirrung in Judenverfolgungen und Heidenkriege.

Es ist entmutigend zu sehen, daß zwei Religionen, die sich geschichtlich so nahe stehen, in einer Zeit, in der Völker und Religionen weltweit zu einer Lebensgemeinschaft gedrängt werden, in einer Distanz verharren, in der ihre Anhänger sich gegenseitig und die ihnen Fernstehenden als Heiden ansehen. Eine Hoffnung bleibt: Seit dem Ende des Zweiten Weltkrieges haben repräsentative Körperschaften beider Religionen, der Weltkirchenrat, der Vatikan und das Internationale Jüdische Komitee für interreligiöse Konsultationen Glaubensgespräche aufgenommen, die zwar mühsam verlaufen, aber erwarten lassen, daß durch sie nicht nur auf höchster Ebene Gegensätze abgebaut oder doch gemildert werden und der Wille zu gemeinsamem Handeln geweckt und gestärkt wird. Der Hinweis auf Analogien, die vornehmlich auf Übernahmen aus dem Judentum durch das Christentum zurückgehen, hilft ebensowenig weiter wie die beliebte Berufung auf den gemeinsamen Monotheismus – ein Begriff, der der Philosophie entstammt und formalistisch ist. Nur wenn es den beiden Teilhabern am Dialog gelingt, zu erkennen und zu bezeugen, daß ihr Eingottglaube in einer je eigenen Gotteserfahrung wurzelt, die sie der von Gott geschaffenen Welt und seinen um Frieden, Freiheit und Gerechtigkeit ringenden Menschenkindern verpflichtet, wird für sie der Weg zur Gemeinschaft miteinander und mit der Menschheit draußen frei. Glaubensgegensätze werden bleiben, aber sie verlieren ihre trennende Härte und verletzende Schärfe. Ein "Dialog in Gemeinschaft" wird möglich, wie ihn die Weltkirchenkonferenz in Nairobi 1975 ersehnte und die Konsultationen protestantischer, orthodoxer und katholischer Theologen im April 1977 in ihrer *Erklärung* unter die Frage stellte: "Wo finden wir in der Bibel Maßstäbe für unsere Haltung gegenüber Menschen anderer Religionen und Ideologien, die unsere gebotene Anerkennung der der Bibel von Christen aller Jahrhunderte zugesprochenen Autorität (wobei bestimmte Fragen zur Autorität des Alten Testaments für die christliche Kirche angemerkt werden müssen) sowie der Tatsache, daß unsere Gesprächspartner von ihren heiligen Büchern und Traditionen her andere Ausgangspunkte und Quellen haben, nicht ausschließen?"[10] Diese in Chiang Mai (Thailand) abgegebene Erklärung erhielt ihre zugespitzte Formulierung in der Gruppe, die sich dort mit dem Verhältnis von Judentum und Christentum befaßte: "Wir möchten näher darüber nachdenken, wie Juden und Christen gemeinsam und dennoch unterschiedlich an Gottes Sendung für seine Schöpfung im Blick auf das 'Geheiligt werde dein Name' teilnehmen."[11] Die Fragen der Praxis, die sich für sie ergaben, decken sich mit unseren Überlegungen im vorhergehenden. Der Christ, von seiner Rückfälligkeit in heidnisches Wesen bedroht, weiß sich im Vertrauen auf Gottes Versöhnung von Paulus angesprochen: "Da ist nicht Jude noch Grieche (sc. Heide) ...; denn ihr alle seid einer in Christus Jesus" (Gal 3,28).

Der christliche Begriff *Heidentum* verliert auch bei behutsamster Verwendung nichts von seiner theologischen Relevanz, wenn wir mit ihm an eine Religion herantreten, die nicht wie Judentum und Christentum in einer inhaltlich zwar differenzierenden, aber in ihrer personalen Grundintention übereinstimmenden Gotteserfahrung beruht. Das ist der *Buddhismus,* den wir nicht, wie es im Westen lange Zeit üblich war, als Philosophie, sondern, ohne seine bewundernswerten philosophischen Leistungen zu verkennen, als eine Erlösungsbotschaft ohne Gott verstehen. Unsere Frage lautet: Wie sieht er seine "heidnische" Umwelt und welches innere Gesetz bestimmt sein Verhalten zu ihr?

Im Tempel einer seiner vielen Sonderformen in Japan sitzen wir im Zimmes des Abtes auf den Matten den in sich versunkenen Mönchen gegenüber. Stille füllt den Raum und läßt uns zögern zu fragen. Fernher vom Tempelhof untermalt dumpfer Lärm das Schweigen. Der Abt merkt unsere Verlegenheit. "Fragen Sie nicht", kommt es leise über seine Lippen. "Was Sie wissen wollen, ist für uns Geheimnis. Niemand ist vom Nirvana ausgeschlossen; aus jeder Kohle kann ein Diamant werden." Das Geheimnis geht mit uns, als wir mit den Mönchen in die Menschenmassen draußen eintauchen und die weite Tempelhalle betreten, die noch in den Zen-Tempeln mit Buddha-, Bodhisattva- und Götterstatuen ausgestattet ist. Zahllose Andächtige murmeln vor den Altären ihre Gebete. Der Abt flüstert uns zu: "Dies ist die Wirklichkeit", und in seinen Worten schwingt eine verhaltene Ironie mit: "Die Wirklichkeit für euch, die Scheinwelt für uns, die wir 'ein Nichtgeborenes, Nichtgewordenes, Nichtgemachtes, Nichtverursachtes' hüten."

In Japan herrscht der Mahayana-Buddhismus vor. Seine vielen Lehrrichtungen verkünden alle auf je eigene Weise die Selbsterlösung aus der Kette der Wiedergeburten. Zur ihr ist jeder berufen und fähig. Gautama, der Shakya-Prinz, hat seine Geschichtlichkeit abgestreift; in seiner Erleuchtung hat er die Grenze zum ungeschaffenen, wahren Sein überschritten, ist sein Wesen zum Licht der allumfassenden Buddha-Natur geworden, die alle Lebewesen potentiell in sich tragen. Ihre Verwirklichung in meditativ erreichbarer Erleuchtung zerbricht die Bande der Vergänglichkeit und führt aus der Scheinwelt in das wahre Sein, in die Nichtwirklichkeit führt sie als in die wahre Wirklichkeit, in das der Ratio verschlossene, der Versenkung zugängliche Nirvana als das höchste Gut. Dies "Geheimnis" kann sich noch in seiner Vertiefung und Ausweitung, die es im Mahayana erfahren hat, auf den Buddha "berufen ... und (ist) als genuin buddhistisches Erbe anzusprechen"[12].

Schon die Pali-Texte des frühen Buddhismus sind reich an Kennzeichnungen derer, die keine Kenntnis der erlösenden Lehre des Buddha von den vier edlen Wahrheiten vom Leiden und von seiner Unterdrückung haben und nicht nach seinen Geboten leben. Sie sind in Unwissenheit und Sinnenlust verstrickt, dem Leiden und der Verzweiflung preisgegeben, von Leidenschaft, Haß und Hochmut verblendet, von unreinem Denken und der Neigung zu metaphysischen Spekulationen irregeleitet. Sie sind einfältige Toren, die "von dem Hang zu dem dünkelhaften Irrglauben an das 'Ich bin' " (Majjima-Nikaya 9 [11,80])[13] nicht loskommen oder vom Vollzug frommer Bräuche, die von Göttern und Menschen erdacht sind, ihr Heil erwarten. Sie alle irren von Dasein zu Dasein umher, sie sind auf dem Weg zur Hölle.

Das Mahayana, aufgeschlosen für Vorstellungen und Bräuche einheimischer Religionen, urteilt weniger scharf über Andersgläubige, wie es auch durch Einschaltung zahlloser Buddhas, Bodhisattvas, Götter und Heiliger als Heils- und Nothelfer den Weg zum Nirvana erleichtert hat. Doch auch in ihm ist die Grenzlinie gegenüber den Draußenstehenden vorhanden. Es fehlt ihnen "der Glaube", der "hinüber über den Weg des Mara" (sc. die Verkörperung der Sinnenlust und des Todes) auf "den Weg zur höchsten Erleuchtung" führt (Shantideva, Shiksasamuccaya 2f. [15,49]).

Mit seinen Verdikten hat der Buddhismus nicht das letzte Wort über die Irrgläubigen gesprochen. Wie das Christentum die Heiden in seine Erlösungsbotschaft einschließt, so hat der Buddha auf sein Verweilen im Nirvana zu seinen Lebzeiten verzichtet; er ist in die finstere Welt zurückgekehrt, um zum Heil aller Götter und Menschen "das Rad seiner Lehre ins Rollen zu bringen" (Vinayapitaka, Mahavagga I,6 [11,11]), zum Heil auch der "Asketen, Brah-

manen und Wandermönche anderer Sekten" in der Erwartung: "Selbst wenn sie
auch nur ein einziges Wort auffassen sollten, so dürfte ihnen dieses auf lange
Zeit zum Heil, zum Segen gereichen" (Samyutta-Nikaya 42,7 [11,13]).
Seinen Jüngern gab er den gleichen Predigtauftrag. Lange Zeit drang seine Lehre nicht
über seine Wirkungsstätte, die kleinen Königreiche Koshala und Magadha,
hinaus. Erst im 3. Jahrhundert v. Chr. verhalf König Ashoka ihr zur Ausbreitung in fast ganz Indien und einigen Nachbarländern. Er sah, wie er in seinen
Felsenedikten kundgab, in allen Menschen "seine Kinder" und riet, "die
Törichten, die viele und mannigfaltig nichtssagende und nutzlose Heilsbräuche
vollziehen", durch den vom Buddha gelehrten Heilsbrauch, der "seinen Zweck
in diesem Leben (erreicht) und endloses Verdienst im Jenseits bewirkt" (IX.
Felsenedikt Kalsi [11,150f.]), zu befreien.

In späteren Jahrhunderten hat sich der Buddhismus in beiderlei Gestalt von
Sri Lanka und Tibet bis nach Japan im Osten, von Vietnam bis nach Korea im
Norden ausgebreitet und das religiöse und kulturelle Leben in diesen weiten
Räumen aufs tiefste beeinflußt. In seinem Ursprungsland Indien ist er nahezu
erloschen, im Westen sind seine ernsthaften Anhänger auf kleine Kreise be-
grenzt geblieben; sein oft hybrider Gebrauch zu Meditationszwecken im
Westen heute ist eine Modeerscheinung. An Zusammenkünften überzeugter
Christen und Buddhisten zu klärender Aussprache fehlt es nicht. Aber es müssen
in ihnen "Barrieren, die ein volles gegenseitiges Verständnis zu verhindern
drohen, soweit wie möglich beseitigt werden. Daß das inzwischen geschehen
ist, läßt sich jedoch mit Fug bezweifeln"[14]. Die "Barrieren" gründen in jener
Tiefe, die sich uns als Mitte der beiden Religionen aufgetan hat. Mitte des
Buddhismus ist das Geheimnis des Nirvana, das auch auf der von ihm vielbe-
gangenen via negationis unaussagbar bleibt und sich nur dem der Buddhalehre
Beflissenen als Befreiung des Geistes und Herzens erschließt. Mitte des Christentums ist die Offenbarung des "anerkannterweise großen Geheimnisses der
Frömmigkeit": Jesus, in dessen Menschsein Gott die Welt mit sich versöhnt
hat (1 Tim 3,16). Beide Religionen überkreuzen einander, indem sie Glauben
fordern, der – es gibt keinen Buddhaglauben, wie es einen Christusglauben
gibt – in den Andersgläubigen "Irrgläubige" bzw. "Heiden" sieht. Dieses
Dilemma, das in den Wahrheitsansprüchen der beiden Religionen gründet,
begleitet unterschwellig den buddhistisch-christlichen Dialog. Theologisch ist
es nicht zu beseitigen: die Entscheidung eines einzelnen, seinen Glauben zu
wechseln, verlagert seinen Anteil an seiner Präsenz nur auf die andere Seite.
Dennoch bietet sich die Möglichkeit, daß sich Buddhisten und Christen nicht
nur in der Bereitschaft, sich zu verstehen und näher zu kommen, sondern auch
zum Dienst in der sie bedrängenden, selbst abgrundtief bedrängten Welt zu-
sammenfinden. Sie liegt in dem von ihren Religionen gelehrten Gebot der
Liebe, deren Begründung und Zielsetzung zwar auch wieder verschieden sind,
die aber den Antrieb zu gemeinsamem Handeln für Frieden, Freiheit und
Gerechtigkeit der Menschheit in sich birgt. Im Rückblick auf die von den
Zentren der beiden Religionen bis in ihre Abgrenzung gegenüber Andersgläubigen ausstrahlenden, aus dem Urquell des Menschlichen gespeisten Differen-

zen teilen wir die Verlegenheit und die Hoffnung, denen die christlichen Theologen in Chiang Mai in ihrer Untersuchung der christlich-buddhistischen Beziehungen Ausdruck gaben: "Wir verstehen noch nicht ganz alle Implikationen, Gelegenheiten und Verantwortlichkeiten des Lebens im Dialog. Aber viele von uns können sagen, daß der Heilige Geist selbst uns hierher gebracht hat und daß wir bereit sein müssen, mit seiner Hilfe den noch unbetretenen Weg zu ergründen, der vor uns liegt."[15]

Auch der *Islam* ist in das christlich-theologische Verständnis des Heidentums eingeschlossen. Versuche, ihn durch "Überführung religionsgeschichtlich relevanter Unterscheidungen in theologische Kategorien" (Gensichen) zwar als außerkirchlich, aber nicht als außerchristlich zu verstehen, sind theologisch illegitim und verletzten seine Identität. Er selbst grenzt sich scharf gegen alle ab, die nicht an Allah als den Einen und Einzigartigen Gott und an Muhammed, seinen Propheten, glauben: sie sind Ungläubige. Maßgebend dafür ist der Koran, die Sammlung der von Muhammed empfangenen und diktierten Offenbarungen der im Himmel befindlichen Urschrift. Er erschien bald nach dem Tode Muhammeds als heiliges Buch, das in seiner Form und seinem Inhalt unveränderlich und wortwörtlich zu verstehen ist. Am schärfsten verurteilte der Prophet die arabischen Götzendiener, aber auch über Juden und Christen fällte er harte Urteile. Daß er ihnen als "Leuten des Buches", mit deren Schriften der Koran im Stoff, nicht in seiner Darstellung manches gemeinsam hat, unter islamischer Oberhoheit die durch Vorbehalte eingeschränkte Ausübung ihrer Religion zubilligte, ändert nichts daran, daß er ihnen im Bann seines und in der Verwerfung ihres Glaubens vorwarf, sie hätten in ihren Schriften die göttliche Urschrift gefälscht. Wenn er von den Christen gelegentlich freundlicher als von den Juden sprach, so spielten dabei politische Erwägungen mit: Sie, die in und um Medina verstreut lebten, erschienen ihm weniger gefährlich und auch wohl seiner Botschaft zugänglicher als die ihm geschlossen opponierenden Juden. Das zeitgebundene Urteil Muhammeds über die Ungläubigen dehnte der Islam auf die Götzendiener und Schriftbesitzer aus, die er bei seiner Ausbreitung über Arabien hinaus antraf, wie er auch alle darin einschloß, die außerhalb seines Machtbereiches nicht in der "Welt des Islam" leben. Schärfer wurde sein Verhalten gegen die Christen seit der Zeit der Kreuzzüge. Wohl besitzen sie heute in den meisten islamischen Ländern die Staatsbürgerrechte, aber für das muslimische Selbstbewußtsein ist dies ein bisher nicht bewältigter Bruch der Schari'a. Es kommt noch immer zwischen Muslimen und Christen zu religiös-politischen Konflikten, die oft in Blutvergießen ausarten. Heute bemühen sich die Führer des Weltislams, ihn zu einigen, gegen den Abfall von Gläubigen zu sichern und die Gewinnung der Ungläubigen zu organisieren. Verhängnisvoll ist, daß sie dies aufgrund der von der Zeit überholten Koranauslegung tun; gelegentliche Versuche von im Westen ausgebildeten muslimischen Gelehrten, die heilige Schrift historisch-kritisch zu interpretieren, werden als unorthodox verworfen. Es ist erstaunlich, daß es in dieser Situation zu zahlreichen, von beiden Seiten angeregten Dialogen zwischen Muslimen und Christen gekommen ist und weiterhin kommen wird. Sie sind bisher über

Vorgespräche nicht hinausgekommen, haben aber zur Inangriffnahme gemeinsamer Aufgaben in der Welt geführt. Daß ihre Partner füreinander "Ungläubige" bzw. "Heiden" sind, ist in ihnen latent geblieben; würde es hörbar, ließe es sich nicht hinwegdiskutieren. Die Verfasser des Chiang-Mai-Gruppenberichtes über christlich-islamische Beziehungen richteten an beide Religionen Anfragen, die ihre Mitte berühren: sie erblickten darin, daß sich beide zu "Gottes Wirken in der Welt" bekennen, einen Impuls, "bessere Zusammenarbeit im Dialog ... zu suchen"[16].

Heidentum — was ist das? Wir haben die Frage an drei nach christlichem Urteil "heidnische" Religionen weitergegeben, nicht um in flächenhafte Vergleichskonstruktionen auszuweichen, sondern um von ihnen her den Durchblick durch die Möglichkeitsfülle von Selbstkritik und angemessenem Verhalten zu gewinnen, die der Begriff *Heidentum* für den Christen einschließt. Es ergab sich zweierlei: Auch in jenen Religionen erfolgt die Aussage über die, die ihnen nicht angehören, von ihrer Mitte her, und die Relation zu ihr bzw. ihre Abwesenheit von ihr wird von ihnen als Glaube bzw. als Irr- oder Unglaube bezeichnet. Was die beiden Bezeichnungen an letzten Zielinhalten und Erfahrungen enthalten, müssen sie selbst sagen. Das Christentum ist durch seine Abgrenzung vom Heidentum gefordert, immer neu und kritisch den Inhalt seiner Glaubensaussagen und des von ihnen aus verstandenen Unglaubens zu durchdenken. Wir nehmen die Forderung auf und gehen davon aus, daß Glaube und Unglaube, wo immer sie sich finden, zwar religionsphänomenologisch feststellbar, aber zutiefst in die Dimension existentiell-persönlicher Betroffenheit und Entscheidung eingebettet sind. Das Existentielle ist real. Seine Realität mag an einem Extremfall deutlich werden. Aus den traditionellen Religionen Afrikas und Asiens, auch aus modernen Neureligionen und Randgebieten der Hochreligionen wissen wir, daß Magie und Zauberkraft den Tod bewirken können. Die Psychiatrie hat ermittelt, daß nicht die angewandten Zaubermittel ihn verursachen, sondern daß er eine Folge des Glaubens an ihre Wirksamkeit ist. Der psychogene Tod, von dem sie spricht, ist für sie ein klinischer Fall. Für seine Vermeidung deutet sie eine Perspektive an, in der der Christ in ihm den Zusammenbruch seelisch unbehauster, in Hoffnungslosigkeit und Verzweiflung versunkener Menschen erblickt, die keine Bindung an ein letztes Absolutes, keinen Weg zu übermenschlicher Freiheit, keine Geborgenheit in Gott kennen. Was ihm die Wahrnehmung dieses makabren Sonderfalles als allgemeine Verpflichtung aufbürdet, ist die Bezeugung der befreienden Gegenwart Christi als "Kraft Gottes", die denen, die daran glauben, zum Heil dient (Röm 1,16), indem sie ihnen neues Menschsein, neue Lebensentwürfe und ihre Ausführung ermöglicht. Das ist eine existentielle, in steter Selbstprüfung zu verifizierende Heilsverkündung in Wort und Tat hinein in die existentielle Unheilssituation "heidnischer" Menschenbrüder. Für sie hat Paulus den Glauben mit der Hoffnung und Liebe zu einer eschatologischen Einheit verbunden (1 Kor 13,13): Der Glaube erhöht sich, seine menschliche Begrenzung überschreitend, zum Glauben, den Gott zugeteilt hat (Röm 12,3); menschliche Hoffnungslosigkeit erfährt als Gabe Gottes "ewigen Trost und gute Hoffnung aus Gnade" (2 Thess 2,16); die Liebe, "durch die der Glaube tätig ist" (Gal 5,6), wird mit der Gottesliebe identisch. In dieser Ewiges und Vergängliches verbindenden Bereitschaft zum Weltdienst tritt der Christ dem Heiden zur Seite. "In evangelischer Anrede greift die Gemeinde ... in vollem Bewußtsein dessen, was sie damit wagt, ... über die das nicht-christliche Menschenvolk von ihr selbst als dem erwählten und berufenden Volk Gottes unterscheidende Grenze *hinaus*, nimmt sie diese Grenze gerade damit ernst, daß sie die da draußen ... nicht als Juden oder Heiden, ... nicht in ihrem Irrglauben, Aberglauben und Unglauben, ... sondern als Volk der *christiani designati* ernst nimmt und anspricht ... Sie damit in den Stand des Glaubens und Gehorsams zu versetzen, ist Gottes Sache ... Kann die Gemeinde es diesen anderen Menschen nicht verschaffen, daß auch sie erkennen, was sie selbst erkennen darf, so kann und soll sie sie doch über alles bloße Aussagen und Erklären des Evangeliums hinaus mit aller Macht dazu *aufrufen*, sich für diese Erkenntnis *bereit* zu machen."[17]

Anmerkungen

1. 1971, 106–112. Die folgenden Zitate sind diesem Abschnitt entnommen.
2. G. *Kittel:* Theologisches Wörterbuch zum Neuen Testament, Bd. II. 1935, 368.
3. Ebd. 370.
4. Vgl. hierzu *A.H.J. Gunneweg:* Religion oder Offenbarung. Zum hermeneutischen Problem des Alten Testaments. Z.Th.K. 1977, 151–178.
5. Ebd. 177.
6. Ebd.
7. Ebd. 169.
8. Ebd. 175.
9. G. *Kittel,* a.a.O. 366.
10. M. *Mildenberger (Hg.):* Denkpause im Dialog, 1978, 60.
11. Ebd. 64.
12. H. *Waldenfels:* Absolutes Nichts, 1977, 11.
13. Die buddhistischen Zitate sind hier und im folgenden den als Teilbände des von A. *Bertholet* herausgegebenen "Religionsgeschichtlichen Lesebuches" erschienenen Heften 11 (M. *Winternitz:* Der ältere Buddhismus) und 15 (M. *Winternitz:* Der Mahayana-Buddhismus) entnommen. Die Ziffern in den eckigen Klammern bezeichnen das Heft und die Seitenzahl des Zitats.
14. H. *Waldenfels,* a.a.O. 155.
15. M. *Mildenberger (Hg.),* a.a.O. 74.
16. Ebd. 68. – Vgl. hierzu Christians meeting Muslims. WCC Papers on Ten Years of Christian-Muslim Dialogue. Weltkirchenrat, 1977.
17. K. *Barth:* Kirchliche Dogmatik, Bd. IV, 3. 1959, 978f.

Werner Kohler

Mission als Ruf zur Identität

Vergleichende Hinweise zum Missionsverständnis
im Zusammenhang mit Religionskritik und Buddhismus

Es gibt nichts Wichtigeres als die Mission. Denn in ihr geht es um die Bestimmung des Menschen, um den Sinn seines Daseins, um das Wozu seines Weges. In der Mission geht es um die Menschwerdung des Menschen, um die Aufhebung alles dessen, was wahrer Menschlichkeit im Wege ist. Es geht um die Aufhebung der menschheitlichen Entfremdung und gleichzeitig um die Identitätsfindung. Diese Sätze sollen im folgenden begründet werden. Sie setzen ein Verständnis der Mission voraus, das zu einem Neudenken dessen anregt, was in alter Tradition als Heidenmission oder gar als Judenmission und auch als Innere und Äußere Mission bezeichnet wird. Die Mission ist notwendig wegen der *Entfremdung* der Menschheit, der Völker, der Gesellschaft und der einzelnen. Ihre Funktion besteht darin, auf die *Aufhebung der Entfremdung* aufmerksam zu machen. Und ihr Ziel ist die Weggemeinschaft auf dem zu findenden (wahren) Weg zur *Identität*. Die folgenden drei Abschnitte handeln von der Entfremdung, von der Aufhebung der Entfremdung und von der Identität.

I. Entfremdung (Vorüberlegungen)

Um zu erkennen, daß Mission als Ruf zur Identität zur Aufhebung der Entfremdung führt, ist es einleitend nötig, die negative Voraussetzung der Mission, eben die Entfremdung des Menschen und der Menschheit, im Horizont des gegenwärtigen Sprachgebrauchs theologisch zu skizzieren. Es wird sich dabei am Schluß dieser Darstellung zeigen, daß es überaus fragwürdig ist, mit der Darstellung der negativen Voraussetzung der Mission einzusetzen. Wohl wird es im folgenden möglich sein, religionskritische und atheistische Stimmen zur tatsächlichen Entfremdung des Menschen im Blick auf die theologischen Stimmen darzustellen. Aber die wirkliche Einsicht in die Entfremdung ist jeweils nur dort möglich, wo die Entdeckung ihrer Überwindung sich ereignet hat. Diese Entdeckung konnte in pietistischer Tradition als "Bekehrung" bezeichnet werden. Und dennoch ist es angesichts der gegenwärtigen politisch und theologisch polarisierten "Standpunkte", die im allgemeinen wenig Interesse an der

Frage der Mission und der Identität des Menschen verraten und jedenfalls in der Regel keinen Zusammenhang zwischen beidem erblicken, angeraten, zuerst einige beachtliche Stimmen anzuhören, die beunruhigt sind von einer völkerweiten Entfremdung der Menschheit und nach deren Aufhebung suchen. In diesem Horizont wird dann allerdings die Mission der Kirchen auch für halb- und ganzblinde Theologen vielleicht doch von größter Dringlichkeit werden müssen. Mission allerdings in einem Verständnis und einer Praxis, die zu einem kritischen Überdenken des Theologiestudiums und der Kirche mindestens anregen müßte.

Jesus hat in Gleichnissen und Bildreden von dem Neuen gesprochen, das zur Aufhebung der Entfremdung führt. Auch die kerygmatischen Darstellungen seines Lebens, Leidens und Sterbens und der Nachfolgeversuche der Jüngerinnen und Jünger sind ein Versuch, auf die großen Möglichkeiten einer neuen Lebenstendenz mitten in einer entfremdeten Welt verbindlich aufmerksam zu machen. Aber gerade die Wirkungsgeschichte der Evangelien, man denke beispielsweise an die der Bergpredigt, zeigt, wie wenig wir in Kirche und Theologie dieses Neue verstehen, das zum Aufbruch aus der Entfremdung zur wahren Identität verführt. Es ist darum trotz allen Bedenken vorläufig geboten, zuerst einmal in der Sprache der Entfremdung von der Entfremdung zu sprechen.

Auffällig ist dabei die Einmütigkeit, in der die Entfremdung der Menschheit festgestellt wird. Sie ist um so beachtlicher, als das einmütige Urteil, daß die Menschheit in ihrer großen Mehrheit aus entfremdeten Menschen bestehe, von sehr verschiedenen Voraussetzungen her gefällt wird. Um zuerst nur einige Namen zu nennen, die das illustrieren: Erik H. Erikson und Sigmund Freud, beide vom gleichen psychoanalytischen Standpunkt aus, Friedrich Nietzsche als scharfer Psychologe und Religionskritiker, Karl Marx durch Analyse der Ökonomie – alle aus dem Leiden an einer weltweiten Entfremdung einig in der Kritik an den gegenwärtigen Verhältnissen und in der Suche nach einer Befreiung des Menschen im Horizont der Geschichte, der Menschheit und der einzelnen Völker. Und nun ganz anders und zu anderen Zeiten der Prinz aus Kapilavastu, Gautama Buddha; oder Männer wie Jesus und Paulus. Also einerseits hervorragende Vertreter der Religionskritik, andererseits Männer ner, auf die sich die Religion heute beruft. Alle sind sich aber darin gleich, daß sie unter der Entfremdung des Menschen und der Völker leiden und Wege zu ihrer Aufhebung suchen.

Erik H. Erikson sieht die Menschheit in Veränderungen, die sich sehr langsam oder dann äußerst rapide vollziehen. Die langsamsten sind die phylogenetischen und ontogenetischen Prozesse, die das Unbewußte der Menschheit regieren, die schnellsten Veränderungen stehen im Zusammenhang mit der technischen Beherrschung der Umwelt. Nach ihm ist es die Aufgabe des "seelenärztlichen Berufsstandes", in der Mitte zwischen den langsamsten und schnellsten Veränderungen zu wirken[1].

Erikson setzt sich mit der Identität einzelner Gruppen auseinander. Er prägt den Begriff "Pseudo-Spezies"[2], um anzuzeigen, daß ein falsches Bewußtsein zu einer falschen Unterteilung der *einen* Spezies Mensch geführt hat. Dieser Prozeß, der zu falschen Gruppierungen führt (beispielsweise durch Ideologien und Klassen), ist "in Zeiten der Gefahr und des Umbruchs" äußerst gefährlich, da er zur tödlichen Feindschaft gegen andere "Pseudo-Spezies" führt. Die Ausführungen von Erikson über die falschen Identitätsvorstellungen der Gruppen erinnern an die Worte des Paulus von den Griechen und Juden, Sklaven und Freien, die ein falsches Gruppendenken und -dasein in die Kehre rufen wollen.

Doch zurück zum entfremdeten Erkennen der Entfremdung. Der Hinweis auf Erikson muß im Zusammenhang mit Freud gesehen werden. Seine wichtigste religionskritische Schrift aus seiner Spätzeit[3] setzt sich bezeichnenderweise auch im menschheitlichen, geschichtlichen Kontext mit dem Problem des falschen Bewußtseins, mit dem Wahn, der die Massen der Menschen in Unfreiheit gefangen hält, auseinander.

"Während die Menschheit in der Beherrschung der Natur ständige Fortschritte gemacht hat und noch größere erwarten darf, ist ein ähnlicher Fortschritt in der Regelung der menschlichen Angelegenheiten nicht sicher festzustellen ..."[4]. Freud hofft: "Man sollte meinen, es müßte eine neue Regelung der menschlichen Beziehungen möglich sein."[5] Doch er stellt fest, daß mit der Tatsache zu rechnen ist, "daß bei allen Menschen destruktive, also antisoziale und antikulturelle Tendenzen vorhanden sind" und daß die Massen träge sind[6]. Er hofft auf "den Einfluß vorbildlicher Individuen", auf eine neue Erziehung von frühester Kindheit an, so daß neue Generationen entstehen, "liebevoll und zur Höchstschätzung des Denkens erzogen". Diese "werden den Zwang entbehren können und sich wenig von ihren Führern unterscheiden"[7]. Es braucht nicht betont zu werden, daß gerade die christliche Religion in den Augen Freuds dazu beigetragen hat, die Völker in infantilen Wahnvorstellungen gefangen zu halten. Für ihn ist alles, was mit dem Vater-Gott zusammenhängt, Zeichen des Wahns, Ausdruck des Infantilismus. Er erwartet also nicht etwa vom Christentum eine Aufhebung der Entfremdung, hält aber das "große Kulturexperiment" ... "in dem weiten Land zwischen Europa und Asien" im Auge[8]. Drei Jahre später kann er zu diesem "Experiment" der Menschenerziehung sagen: "Die Kommunisten glauben, den Weg zur Erlösung vom Übel gefunden zu haben. Der Mensch ist eindeutig gut, seinem Nächsten wohlgesinnt, aber die Einrichtung des privaten Eigentums hat seine Natur verdorben. Besitz an privaten Gütern gibt dem einen die Macht und damit die Versuchung, den Nächsten zu mißhandeln; der vom Besitz Ausgeschlossene muß sich in Feindseligkeit gegen den Unterdrücker auflehnen. Wenn man das Privateigentum aufhebt, alle Güter gemeinsam macht und alle Menschen an deren Genuß teilnehmen läßt, werden Übelwollen und Feindseligkeit unter den Menschen verschwinden ..."[9]. In einer wichtigen autobiographischen Anmerkung verweist Freud auf seine jungen Jahre, wo er "das Elend der Armut verkostet, die Gleichgiltigkeit und den Hochmut der Besitzenden erfahren hat", um dann von psychologischer Seite her das Naturverständnis des Kommunismus in Frage zu stellen. Im Text kritisiert er die psychologische Voraussetzung der marxistischen Entfremdungstheorie: " ... seine psychologische Voraussetzung vermag ich als haltlose Illusion zu erkennen. Mit der Aufhebung des Privateigentums entzieht man der menschlichen Aggressionslust eines ihrer Werkzeuge, gewiß ein starkes, und gewiß nicht das stärkste."[10] Diese wenigen Hinweise, leider nicht mit den wichtigen religionskritischen Beobachtungen Freuds verbunden, mögen genügen, um zu erkennen, daß auch Freud in einem weltweiten Horizont auf der Suche nach einem Befreiungsweg, einem psychoanalytisch-pädagogischen, die Entfremdung der Menschheit feststellt. Übrigens sei nebenbei bemerkt, daß Freuds Freund Romain Rolland auf die Behandlung der Religion als Illusion Einspruch erhob[11], so daß Freud ausnahmsweise modifizieren kann: "In meiner Schrift 'Die Zukunft einer Illusion' handelte es sich weit weniger um die tiefsten Quellen des religiösen Gefühls, als vielmehr um das, was der gemeine Mann unter seiner Religion versteht ..."[12].

Ohne das Verständnis seiner Entfremdungstheorie kann weder Karl Marx noch der Kommunismus verstanden werden. Nach Marx vollzieht sich in der falschen, im gegenwärtigen Stadium der Geschichte vorherrschenden Arbeits-Struktur die Selbstentfremdung des Menschen, so daß wir noch in der "Vorgeschichte der Menschheit" leben, und es ist das Ziel von Marx und des Kommunismus, in eine Geschichtsepoche der "Wiederherstellung des Menschen" zu finden[13]. Auch bei Marx ist es gerade die (christliche) Religion, die am deutlichsten die Entfremdung des Menschen anzeigt. Der Mensch sucht im Himmel einen Übermenschen und findet den Widerschein seiner selbst. Er wird nun "nicht mehr geneigt sein, nur den Schein seiner selbst, nur den Unmenschen zu finden, wo er seine wahre Wirklichkeit sucht und suchen muß"[14]. Die Entfremdung ist nach Marx so stark, daß sie sich als Entfremdung der Tätigkeit und der Weltbeziehungen bis in die individuelle Existenz auswirkt. Der Mensch ist seinem eigenen Leib, er ist "von dem Menschen" entfremdet[15].

Friedrich Nietzsche sieht ganz anders als Marx oder Freud im Christentum sozusagen die Ursache zur décadence des Menschen. Sein Kampf gegen das Christentum ist nicht ein Kampf gegen die Religion Jesu. Entfremdung ist durch den Gründer des Christentums, durch Paulus eingeleitet[16]. Das Christentum hat zu einem negativen Weltverhältnis geführt durch seine falsche Moral. Damit ist die Welt unerträglich geworden[17]. Nietzsche will nun nicht die Welt nur neu interpretieren, er will sich auch nicht damit begnügen, den Menschen neu "im Hinüber" als Übermenschen zu verstehen. Verstehen heißt für ihn: überwinden[18]. – Diese wenigen und unzureichenden Hinweise tönen an, daß auch bei Nietzsche der Mensch in seinem gegenwärtigen Stadium der Geschichte als ein entfremdeter, als ein zu überwindender verstanden wird.

II. Aufhebung der Entfremdung

So verschieden die religionskritischen und atheistischen Verständnisse der Entfremdung in Sprache und Inhalt sind, gemeinsam ist ihnen die Feststellung, daß der vorfindliche, gängige Mensch weltweit noch nicht der wahre, wirkliche Mensch ist, der er sein könnte und müßte. Ferner, daß die Aufhebung der Entfremdung nicht nur eine Sache des einzelnen Menschen, sondern eine Angelegenheit der Menschheit, der Völker, der Gesellschaft ist. Gemeinsam ist auch den Erwähnten, daß sie Wege zur Aufhebung der erkannten Entfremdung suchen und darin so etwas wie ihre Mission erkennen.

Auch bei der Darstellung des religiösen Verständnisses der Entfremdung und insbesondere ihrer Aufhebung ist in diesem Rahmen Beschränkung notwendig. Die Hinweise beschränken sich hier auf Buddha, Jesus und Paulus. Ihr Entfremdungsverständnis[19] soll nur sehr kurz im Zusammenhang des Verständnisses der Aufhebung der Entfremdung erwähnt werden.

Der historische Buddha ruft auf einen neuen Weg, auf den achtgliedrigen Pfad, auf den Weg der Mitte zwischen lebensverneinender Askese und falsch verstandener, disziplinloser Freiheit. Der Weg Buddhas führt zur Aufhebung des Leidens. Vorausgesetzt wird also, daß die Menschheit leidet. Ihr Leiden wird ausführlich geschildert als falsche Beziehungen zur Welt des Menschen. Der Pali-Kanon gibt zahlreiche Beispiele dafür, wie der historische Buddha im Umgang mit seinen Zeitgenossen versuchte, die Zeitgenossen aus der Entfremdung herauszurufen. So kann er im berühmten Elefantengleichnis die Intellektuellen und die Priester seiner Zeit, die er gerade beim Diskutieren im Park trifft, mit Blindgeborenen vergleichen. Sein Ärger über die Gebildeten und über die Priesterkaste erinnert an Jesus und seine Worte über die "blinden Blindenführer". In einer anderen Strömung des Buddhismus, wie sie vorzüglich im berühmten Lotus-Sutra zur Sprache kommt, werden die Menschen mit spielenden Kindern verglichen, die sich nicht aus dem brennenden Haus retten lassen wollen, oder mit Kranken, die sich für gesund halten und keinen Arzt brauchen.

Auch der Buddhismus kennt zu verschiedenen Zeiten und in seinen zahlreichen Strömungen verschiedene Deutungen Buddhas und seines Weges. Wir begnügen uns mit einem Hinweis auf den Zen-Buddhismus, der in seiner Meditations-Sprache ab und zu an die Evangelien erinnert (in aller Verschiedenheit!). Der Zen-Buddhismus geht davon aus, daß der gängige Mensch Tod und eine Art neue Geburt benötigt. Er will damit sagen, daß das übliche Leben der Menschen nicht verdient, als wirkliches Leben bezeichnet zu werden. Der Mensch muß den "großen Tod" sterben, um zum wahren, "großen Leben" zu erwachen. Er muß erkennen, daß das übliche, gängige Ich ein Schein-Ich ist, das fälschlicherweise meint, im Mittelpunkt zu stehen. Dieses Ich muß sterben, damit das wahre Selbst zum Leben erwachen kann. Die Überwindung der Entfremdung muß also bei jedem Menschen einzeln stattfinden. Sie wird sich aber gerade darin erweisen, daß der einzelne sich nun nicht mehr als einzelnen mißversteht, sondern dazu erwacht, sich in der transzendierenden Interrelation und Interdependenz mit allen Wesen aller Zeiten zu entdecken und wahrzunehmen.

Jesus setzt wie erwähnt die Blindheit besonders der "Elite" seines Volkes voraus. Auch er vergleicht die Menschen mit Kranken. Und gerade die besonders anstößigen Worte Jesu, die wegen ihrer Ungewöhnlichkeit und "Fremdheit" vermutlich echt sind, deuten an, daß Jesus die Verhältnisse in Familie, Religion und Politik für verkehrt hielt. So konnte er einem jungen Mann, der vor seinem Eintritt in den Jüngerkreis noch den Vater begraben wollte, sagen: "Laßt die Toten ihre Toten begraben." Jedenfalls ist sicher, daß für ihn die übliche Lebensweise kein Leben war.

Einmütig ist die synoptische Überlieferung des Rufes zur Umkehr, zum Umdenken des üblichen Denkens. So setzt auch Jesus einen neuen, anderen Weg voraus.

Entscheidend ist dabei die Motivation. Sie setzt *nicht* in erster Linie Erkenntnis eigener Sünde und Frustration voraus, wenn auch Jesus gerade die Verlorenen, die Ausgestoßenen, die Verachteten, die Hilflosen, die Unmöglichen in erster Linie suchte und um sich hatte. Die Motivation aber seines Rufes zur Wende, zur Kehre ist bei ihm das Kommen eines Neuen, einer neuen Herrschaft. *Ihr* soll man sich zuwenden. Aus der Zuwendung zum "Reich Gottes" wird Veränderung der Wegrichtung, der Lebenstendenz — wandelt sich die Existenz.

Neue Herrschaftsverhältnisse sind bei Paulus das Motiv zum Existenzwandel. Es ist auffällig, wie wenig Paulus Kenntnisse der Überlieferung von Jesu Wort und Werk verrät. Der Begriff der Umkehr spielt bei ihm eine sehr geringe Rolle. Sie ist nach ihm durch die Güte Gottes motiviert[20]. Doch Paulus spricht eben in anderen Bezügen und verwendet eine andere Sprache. Er wartet weniger auf das "Reich Gottes" als auf den Durchbruch des wahren Herrn, auf das Kommen des Kyrios, und erwartet von den Christen jetzt und hier die Anpassung an die durch Jesus Christus eingeleiteten neuen Herrschaftsverhältnisse. Eine neue Zeit hat begonnen, die alte Zeit ist im Vergehen, an sie soll man sich nicht mehr anpassen. So schildert Paulus die Entfremdung der Menschheit[21] wie Jesus im Blick auf ein Neues, auf ein Kommendes. Bei ihm hat dies bereits einen konkreten geschichtlichen Namen: Jesus Christus ist für Paulus das Motiv zur Aufhebung der Entfremdung. Er ist das Motiv zum Glauben, der zu einem neuen Dasein führt, zu einer großen Neuexistenz.

Nicht neue ökonomische Verhältnisse, nicht eine neue Pädagogik, auch nicht der Einfluß elitärer Menschen oder eine Aufdeckung des Unbewußten führen in den genannten religiösen Traditionen zur Entdeckung der Entfremdung und deren Aufhebung. Allemal findet eine Entdeckung der wahren Wirklichkeit statt, die zu einem neuen, echten Weltbezug und Menschenbezug führt, so daß dann die Entfremdung in ihren verschiedenen Formen erkannt wird und ein Kampf um neue ökonomische, pädagogische, kurz: um wahre menschliche Verhältnisse beginnt.

III. Identität

Die Findung der Identität ist mit einem Existenzwandel verbunden. Das Sprechen von Entfremdung wird erst im Vollzug der Identitätsfindung "einleuchtend", beachtlich ist darum die Hilflosigkeit der Sprache, in der sich die bis in die Muttersprache hinein wirkende Entfremdung widerspiegelt.

Der Zen-Buddhismus geht von der Voraussetzung aus, daß die gängige menschliche Sprache, welche es auch immer sei, nicht in der Lage sei, die Entfremdung, ihre Aufhebung und die neue Identität "zur Sprache zu bringen". Er spricht darum von der "wortlosen Sprache" und beruft sich auf die "schriftlose Tradition". Und dennoch gibt es eine breite schriftliche Zen-Tradition, die in Anekdoten, Bildern und Gleichnissen, vor allem in einer quer zum üblichen Denken und Sprechen und Verhalten liegenden Meta-Sprache, das neue Wirkliche anzeigt und das alte Falsche entlarvt. Ich denke hier an die auch in Nord-Amerika und Europa bekannt gewordenen Koan. Diese "Quer-Sprache" soll zum Sterben des alten, nicht wahrhaftig lebenden Menschen und zur Geburt eines neuen Daseins herausfordern. Identität kann also auch hier nicht durch die Veränderung der Verhältnisse oder durch eine neue Bildung oder Pädagogik "gemacht" werden. Sie ist Sache jedes einzelnen Menschen und gleichzeitig Angelegenheit ausnahmslos aller Menschen, aller Völker.

Das gleiche gilt für die "Mission" des Jesus und des Paulus und damit eben der Christenheit, so verschieden auch Ursprung und Wirkungsgeschichte der beiden Religionen sind. Auch bei Jesus und bei Paulus geht es um ein Sterben der üblichen Existenzweise, um eine totale Tendenzwende. Am anschaulichsten ist die neue Existenz umschrieben mit den kerygmatischen Darstellungen des Lebens und Sterbens Jesu. Die neue Tendenz, die in der wahren Identität sich als neue Existenz zeigt, kann angesichts der vier Evangelien mit dem Satz, der aber nun im Kontext der Evangelien verstanden werden muß, zusammengefaßt werden: wer sein Leben verliert, findet es! Identitätsfindung geht also durch Verlust hindurch. Neue Identität zeigt sich negativ im Verlust des üblichen Lebens, im Leiden am üblichen Leben, das zu einem neuen Leben führt.

Eigenartigerweise, das kann hier nur skizziert werden, zeigt sich im Buddhismus wie auch in der neutestamentlichen Überlieferung das neue Leben in Verbindung mit dem Leiden. Die Passion Jesu muß in diesem Zusammenhang ihrer weittragenden Bedeutung neu verstanden werden. Jesus als der Verlierer verliert sein Leben im Leiden und Sterben für die Verlorenen. Und die Seinen folgen ihm darin nach. Kirche ist immer (bis zur Erfüllung aller Geschichte) leidende Kirche. Neue Existenz ist leidende Existenz.

Betont muß werden, daß es sich nicht um ein blindes Leiden handelt oder gar um masochistische oder sadistische Leidensbezüge. Das Leiden ist im Gegenteil Zeichen des Aufwachens, der Befreiung von der Blindheit entfremdeter Existenz. Der die Identität Findende ist dem wahren Dasein und den wahren Weltbezügen auf die Spur gekommen: er durchschaut die falschen Bezüge zum Eigentum, zum Geld, — vor allem die falschen mitmenschlichen Bezüge, und ist nun offen für den Mitmenschen und seine ökonomischen, politischen, gesellschaftlichen und vor allem auch für die leiblichen und psychischen Krankheiten.

Die Wege des Buddha wie die des Jesus und des Paulus sind geprägt von dieser

Befreiung für die Leiden der Welt und motiviert durch den Willen, in völliger Hingabe der Existenz für die Menschen und für die Welt zur Nachfolge zu rufen.

Es ist aus dieser Skizze deutlich geworden, daß im Buddhismus und Christentum wie auch bei den genannten Atheisten ein bei allen gewaltigen Verschiedenheiten sehr zu beachtender Konsensus darüber besteht, daß die Menschheit als leidende Menschheit neue Wege braucht zur Befreiung, zur Findung wirklicher Menschlichkeit. Allemal wurde das Problem im weltweiten, völkerbezogenen Rahmen gesehen. Und allemal handelt es sich um Menschen, die zu verschiedenen Zeiten und an verschiedenen Orten unter der Entfremdung der Menschheit leiden und ihre Lebensaufgabe darin sehen, einen Aus-Weg zu lehren und zu praktizieren. Allemal handelt es sich um eine Mission, negativ motiviert durch die Erkenntnis der Entfremdung und durch das Leiden unter ihr, positiv in der Zielsetzung: Menschwerdung des Menschen.

Eindeutig ist, daß bei allen aufgewiesenen "Parallelen" gewaltige Unterschiede bestehen im Wirklichkeitsverständnis. Die Mission im Neuen Testament ist jedenfalls eindeutig in neuen Herrschaftsverhältnissen begründet, die durch das Kommen Jesu Christi eingeleitet sind. Seinetwegen tönt der Ruf zur Tendenzwende, besteht die Möglichkeit zum Existenzwandel, ist ein Neuverständnis der Identität möglich, das die wichtigen Fragen zweitrangig macht, wie ein Grieche Grieche und ein Jude Jude sein soll, ein Japaner Japaner und ein Deutscher deutsch, angesichts der Erkenntnis, daß die wahre Identität durch den Verlust der gängigen, weltweit üblichen falschen Lebenstendenz gewonnen wird.

Es gibt Identitäten und die Identität, sekundäre Identitäten und eine primäre, eine Grund-Identität. Gerade dann, wenn die wichtigste menschliche Frage nach der fundamentalen, primären Identität ernstgenommen wird, finden die sekundären Identitäten aufmerksame, liebevolle Beachtung. Um die Grund-Identität des Menschen geht es, wie die obigen Hinweise zeigen, sowohl bei den Religionskritikern wie auch den maßgebenden Vertretern der großen Religionen. Die indische Tradition und in ihr besonders kritisch der Buddhismus sprechen dabei ganz bewußt bis zu den modernen neo-buddhistischen Bewegungen und dem äußerst kritischen Zen-Buddhismus vom falschen Ich und vom wahren Selbst. Die jüdischen und christlichen Traditionen sind in dieser Sache verschieden. Aber auch bei Jesus und Paulus wird ganz deutlich, daß es sich beim Ruf in die Umkehr oder bei der Verkündigung des neuen Herrn um eine totale Existenzwende handelt.

Käsemann betont in seinem Römerbriefkommentar wiederholt, daß dieser Existenzwandel bei Paulus als Herrschaftswechsel zu verstehen sei. Um den Aufruf, sich neuen Herrschaftsverhältnissen "anzupassen", handelt es sich sowohl, wenn Jesus den Ruf zur Umkehr mit dem Kommen der Basileia begründet, als auch dort, wo Paulus vom Herrn oder vom neuen Äon spricht. Auch bei ihm geht es um "Anpassung" an das Neue, man denke nur an die Mahnung in Röm 12, sich nicht den Verhaltensmustern, dem Schema des alten Äons anzupassen. In diesem Zusammenhang müssen auch Worte vom Gekreuzigt-und-Begraben-Werden mit Christus verstanden werden oder die berühmte, gerade auch bei den japanischen Zen-Buddhisten beliebte, befreiende Feststellung: "So lebe nun nicht mehr ich, sondern Christus lebt in mir." Um die Grund-Identität geht es in den genannten Religionen, um die Findung einer neuen Identität, eines neuen Selbst. Diese unterscheidet sich von allen Identitäten als die primäre. Daß es dann auch noch wichtig ist herauszufinden, was ein guter Grieche und Jude ist, oder ein Deutscher usw., ist sicher sehr wichtig. Denn die primäre Identität führt durch ihre fortwährende Findung zu einem besseren, befreienden Verständnis aller Bezüge, die zur Identität eines Volkes, einer Gesellschaft, einer Familie und eines einzelnen in ihrer Varietät gehören mögen. Diese und die zahlreichen anderen (kulturellen, beruflichen ...) Bezüge werden aber erst dann auf rechte Weise gebührend ernst genommen, wenn die Grund-Identität realisiert wird. Und diese ist letztlich für alle die eine. Zu ihr sind alle durch ihr Dasein ausnahmslos geladen. Darum ist der Ruf der Mission trotz aller Entfremdung (auch der Christen und ihrer Missionare) als Einladung zu einem anderen Leben in allem Ernst eine Einladung zum Fest der Zuwendungen.

Anmerkungen

1. Lebensgeschichte und historischer Augenblick, 1977, 274.
2. Ebd. 182ff.
3. *S. Freud:* Die Zukunft einer Illusion, 1927.
4. Fischer-TB 6054, 87.
5. Ebd.
6. Ebd.
7. Ebd. 88.
8. Ebd. 89.
9. Das Unbehagen in der Kultur, Fischer-TB 6043, 103.
10. Ebd. 103.
11. Ebd. 65 und Anm. 1.
12. Ebd. 72.
13. *H. Barth:* Wahrheit und Ideologie, 1974, 140ff., 151.
14. MEW 1, 378.
15. MEW, Ergänzungsband, Schriften bis 1844, I, 517.
16. Vgl. *J. Salaquarda:* Nietzsches Kritik am Christentum, in: Radikale Mitte, Bd. 18, 1975, und u.a. der Antichrist, in: Nietzsche Studien Bd. 2, 1973, 91ff.
17. *Salaquarda,* a.a.O. 1973, 121.
18. Ebd. 136.
19. Der *Begriff* Entfremdung wird von ihnen nicht gebraucht.
20. Röm 2.
21. In seiner Schilderung sind die Heiden und Juden typisch für jeden Menschen. Vgl. dazu *Käsemann:* Kommentar zum Römerbrief.

Zweiter Teil
Missionarischer Glaube in der Geschichte

Ulrich Schoen
Die Kirche der Berber
Über die mutmaßlichen Gründe ihres Aussterbens

Zweierlei Arten von Kirchenruinen sind im Maghreb (das heißt in Nordwestafrika) anzutreffen: sie zeugen vom zweimaligen Tod der Kirche in diesem Land. Die einen sind noch ganz frisch. Es sind die traurigen Überreste der Algerienfranzosen nach ihrem Exodus zu Ende des algerischen Unabhängigkeitskrieges. Die anderen sind alt. Sie kommen zum Vorschein, wenn Baugrund ausgehoben wird oder wenn bei Entwicklungsprojekten tiefgründig gepflügt wird. Wer als Christ vor diesen Resten steht, der fragt sich: "Les églises aussi sont-elles mortelles?"[1], und er fragt sich, wie wir es heute besser machen können bei der zu begründenden "dritten Kirche" im Maghreb[2]. Denn die Todeskeime in unseren Kirchen und Missionen sollen bekämpft werden. Oder in einer düsteren Stunde — in der es am Mut zum Bessermachen-Wollen fehlt — taucht die Frage auf: "Der Menschensohn, wenn er kommt, wird er dann den Glauben finden auf Erden?" (Lk 18,8). Wenn aber der Glaube fehlt, dann ist Mission unmöglich, und der Missionsauftrag "Glaube für die Welt" ist nicht durchzuführen[3]. Der Maghreb ist nicht der einzige Ort, an dem die Kirche ausstarb. Wir denken hier etwa an die heutige Türkei, wo einst Kernlande der Christenheit lagen, oder an die Kirche in Nubien. Auch von der großen "Kirche des Ostens", der sogenannten nestorianischen Kirche, die von der Ostgrenze des Römischen Reiches bis nach Indien und China reichte, sind heute nur noch ganz kleine — wenn auch lebendige — Reste übrig[4]. Angesichts dieser zweierlei Kirchenruinen drängt sich eine erste, einfache Antwort auf: "Beide sind an eine Kolonisationsperiode gebunden, die jungen an die französische, die alten an die römische. Die Kirche war also jeweils eine ausländische Sache. Sie ist nicht einheimisch geworden, sie hat ihre "indigenization" nicht geschafft!" Für die "zweite Kirche", die der Franzosenzeit, trifft diese vorschnelle Antwort zu. Sie war eine ausländische Kirche, die fast nichts von ihrem innersten Wesen auf ihre muslimische Umwelt ausgestrahlt hat. Für die "erste Kirche", die, die in der Römerzeit begonnen hat, ist diese globale Antwort falsch. Sie war zwar die Kirche der Römer, aber sie war auch die Kirche der Berber, so wie die Kirche am Nil vor allem die Kirche der Kopten und nicht nur die der Griechen war. Warum also ist die Kirche der Berber gestorben, während die der Kopten heute noch lebt? Diesem Rätsel, über das sich schon viele den Kopf zerbrochen haben, soll hier nachgegangen werden, ohne den Anspruch zu erheben, es zu lösen. Die bekannten geschichtlichen Fakten können hier nur zusammenfassend ins Gedächtnis gerufen werden (Teil 1). Die umfangreiche Literatur über dieses Thema, über archäologische Befunde und Inschriften, über Geschichtswerke antiker und mittelalterlicher römischer und arabischer Autoren u.a.m. darf nicht darüber hinwegtäuschen, daß der größte Teil der Geschichte Nordwestafrikas und seiner Kirche für uns im Dunkel liegt. Wer das verborgene Leben dieser vergangenen Christenheit erhellen will, ist auf Konjekturen angewiesen[5]. Der Schwerpunkt der Arbeit soll auf der Diskussion der verschiedenen zur Lösung des Rätsels immer wieder vorgebrachten Argumente liegen (Teil 2). Das Abwägen der Argumente in ihrem Für und Wider wird uns etwas vorsichtiger werden lassen bei der Beantwortung von Fragen wie "War die Kirche NW-Afrikas ein 'Fremdkörper' im Lande der Berber oder war sie 'die Kirche der Berber', das heißt eine Volkskirche?''. Abschließend sollen einige missionstheologische Konsequenzen angedeutet werden, wie im Maghreb trotz des Todes der Kirche "Glaube für die Welt" möglich ist.

Teil 1

Der geographische Rahmen

Nicht nur humangeographisch, sondern auch geologisch und klimatisch ist NW-Afrika durch eine doppelte Zugehörigkeit gekennzeichnet: es ist sowohl Teil des Mittelmeerraumes als auch Teil Afrikas[6]. Dabei ist das heutige NW-Afrika nur das jüngste Glied einer Kette von sich gegenseitig ablösenden Landschaften, deren unterschiedliche Beschaffenheit von Paläogeographie und Paläoklimatologie beschrieben werden[7]. So ist auch das NW-Westafrika der alten Kirche nicht mehr das heutige. Eine wichtige Veränderung ist dabei folgende: Den nur zehntausend Jahren seit dem Ende der letzten Eiszeit in Europa entspricht in NW-Afrika derselbe Zeitraum seit dem Ende des letzten Pluvials. Während der anderthalb Jahrtausende, die seit der Blütezeit der alten Kirche vergangen sind, hat deshalb die Regenmenge beträchtlich abgenommen. Der Raubbau, den Römer und andere Bewohner NW-Afrikas an den Wäldern des Atlas-, des Rif-, des Tell- und des Aures-Gebirges getrieben haben, hat diesen Vorgang zwar verstärkt, am großklimatischen Wechsel hätte aber auch eine behutsame Waldwirtschaft nichts ändern können: die Wüste ist vorgerückt, die Vegetationsbrücke, die zwischen dem tropischen Afrika und NW-Afrika bestanden hat (von der die berühmten prähistorischen Felszeichnungen in den Gebirgen der Sahara zeugen), ist abgeschnitten, das Kamel hat den Elefanten ersetzt. Die gefürchtete Versteppung bzw. Verwüstung (desertification) NW-Afrikas kann also nicht der "Nomadenreligion Islam" in die Schuhe geschoben werden[8]. Vielmehr haben schon vor der Ankunft des Islam Kamelnomaden, insbesondere die berberische Gruppe der Zenata, die Konsequenz aus dem langsamen Klimawechsel gezogen. Die christlichen Berber gehörten aber vor allem zur Gruppe der ackerbauenden Sanhadscha, die unter den Einfällen nomadischer Berber aus dem Süden zu leiden hatten. Wir stehen hier vor einem zu einem allgemeinen Phänomen gehörigen Einzelfall: die Christenheit scheint sich bei ihrer

Ausbreitung nomadischen Gesellschaftsformen besonders schlecht angepaßt zu haben. Auch berühmte Ausnahmen wie die langwährende christliche Präsenz unter den mongolischen Reitervölkern ändern nichts an dieser Tatsache.

Koloniale Wellen über dem Land der Berber

I. Bevor die Abfolge der Kulturen und Nationen ins Gedächtnis gerufen wird, die seit mehr als 3000 Jahren über die schöne – dreiseitig vom Meer, im Süden vom 'Meer' der Sahara begrenzte – Insel hinweggegangen sind oder zumindest ihre Ränder und Ebenen berührt haben, müßte die Ausgangsgröße "Berber" in von außen her unbeeinflußter Reinform dargestellt werden. Dies ist jedoch ein kaum durchführbares Unterfangen, denn die Größe "Berber an sich" ist schwer zu fassen, dermaßen haben diese stolzen Inselbewohner, die sich selbst "Imasiren" (und nicht Berber, was Barbaren heißt) nennen, Einflüsse erlitten, die von den Kolonisatoren kamen, gegen die sie sich wehrten. Die Tragik einer solchen schwierigen Identitätsfindung, die auch das Positive am Fremden sieht, aber dennoch angesichts des herrischen Verhaltens des Eindringlings immer wieder auf das Eigene zurückgeworfen wird, drückt sich aus in der Figur des "ewigen Jugurtha"[9]. Der historische Jugurtha, nach dem sich dieses Symbol benennt, war hin und her gerissen zwischen den Werten seiner Heimat und denen der römischen Kultur. Dennoch können die "Berber", wenn auch nicht rassisch, so doch sprachlich als deutlich umgrenzte Einheit von unter sich recht ähnlichen Dialekten erfaßt werden, von denen jedoch keiner jemals zu einer über die anderen Dialekte dominierenden Schriftsprache geworden ist. Eine umfangreiche "mündliche Literatur" – heute von Berberologen schriftlich herausgegeben – bestehend aus geschichtlichen Berichten, Sagen, Märchen, Rechtssammlungen u.a.m. gehört zum Kulturgut dieses Volkes[10]. Jede der eingewanderten Kulturen mußte eine schwierige "Ehe" eingehen mit den besonderen Lebens- und Gesellschaftsformen dieses Volkes, das – gewaltsam durch Fremdheit aufgeschlossen – immer wieder zu alter und doch neuer Eigenheit gelangt. Die traditionelle ("heidnische") Religion der Berber hat sich dabei in zahlreichen stark veränderten Elementen in der Volksfrömmigkeit durchgehalten, und zwar unter der Decke der "offiziellen" punischen, jüdischen, christlichen oder islamischen Religion. Es sei hier z.B. an die komplizierte Symbiose erinnert, die das berberische Gewohnheitsrecht, zu dem teilweise auch mutterrechtliche Formen gehören, mit dem islamischen religiösen Recht, der "shari'a", einzugehen hat. –

Eine besondere Schwierigkeit ergibt sich aus der Frage, inwieweit in das "Faktum Berber" auch diejenigen Randzonen einzubeziehen sind, aus denen das wichtigste Kriterium des Berbertums, nämlich die "Berberophonie" verschwunden ist. Wir wissen, daß schon seit der Phönizier-Zeit Berber des heutigen Tunesien und Ost-Algeriens so stark punisiert, dann latinisiert und schließlich arabisiert worden sind, daß sie ihre Sprache verloren bzw. sie absichtlich verdrängt haben, um Anteil zu erhalten an den Vorteilen der herrschenden kolonialen Schicht. Inwieweit also war Monika, wenn sie mit ihrem Sohn Augustin lateinisch sprach, dennoch für diesen eine Vermittlerin berberischer Kultur und Religiosität?

Alle Aussagen über "den Charakter der Nordafrikaner" sind von daher zu nuancieren. Inwieweit ist es charakteristisch für die Kirche Nordafrikas, wenn folgende Eigenschaften Tertullians hervorgehoben werden: "Kein Ausgleich, sondern Entscheidung, Rebellion und Spott"[11]? Häufig wird auch darauf hingewiesen, daß ein gewisser ethischer Puritanismus und Rigorismus sich in Nordafrika durchhält. Er zeigte sich als Donatismus, später dann (im Islam) als Kharedschismus und Malekitismus[12].

II. Die erste große Welle fremder Kultur im Licht der uns bekannten Geschichte war die der Phönizier. Sie beherrschten nahezu ein Jahrtausend lang die Küsten des Berberlandes[13]. Wie weit ihre Ausbreitung tatsächlich reichte und wie tief sie kulturell ins Innere des Landes vordrangen, darüber sind sich die Gelehrten nicht einig. Die Aussagekraft archäologischer Funde ist begrenzt[14]. Auch die Länge der Fortdauer des punischen Einflusses nach dem Fall Karthagos im Jahre 146 v. Chr. ist umstritten. Im Gefolge von E. Renan, St. Gsell und E.F. Gautier war die Meinung vertreten, erst das Arabische habe das Punische in NW-Afrika abgelöst. Heute neigt man eher dazu, zu glauben, daß es sich um das Berberische handelte, wenn Quellen etwa aus der Zeit Augustins davon sprechen, daß die Nicht-Lateinisierten (und insbesondere auch die Donatisten) "punisch" gesprochen hätten[15]. A. Laroui hält "bis zum Beweis des Gegenteils" Karthago für "ein Schiff, das vor der Küste Afrikas vor Anker gegangen ist ..., das aber keineswegs auf das Leben der Menschen des Maghreb den indirekten aber totalen Einfluß ausgeübt hat, den man ihm allzuleicht zuschreibt"[16].

In diesem Zusammenhang kann über Bischof Valerius von Hippo und seinen Priester Augustinus folgende Geschichte berichtet werden: Beide reisen über Land und hören einen Bauern "saluth" rufen. Der Sprache der Afrikaner unkundig, lassen sie sich übersetzen und hören, daß dieses Wort "drei" bedeutet. Voller Bewunderung des Heilsplans Gottes ruft Augustin: "Jedesmal, wenn ein Punier lateinisch redet und 'Salus' (= Heil) sagt, dann sagt er auch 'drei'. Denn in der Dreifaltigkeit ist das Heil begründet!" Für Augustin lebt das Volk auf dem Lande von Hippo im Vorhof der Wahrheit. Diese aber ist die katholische, die lateinische. Sie nimmt selbst die Sprache des einfachen Volkes in ihren Dienst, um sich zu manifestieren ...[17].

Für unsere Frage nach der Sprache der Landbevölkerung beweist jedoch diese Episode gar nichts. Denn das phönizische (das heißt semitische) "saluth" kann sehr wohl, zusammen mit den anderen Zahlwörtern, als Fremdwort im (hamito-semitischen) Berberischen verwendet worden sein, so wie auch heute die Berber auf Arabisch zählen.

Die Analyse des berberischen Wortschatzes ergibt jedenfalls, daß nur sehr wenig Punisches bis heute in der berberischen Sprache erhalten ist[18]. Die Frage der Fortdauer des Punischen ist deshalb von Wichtigkeit, weil immer wieder behauptet wird, die dadurch stattgefundene Semitisierung habe die Affinität der Berber gegenüber dem Judentum und dann gegenüber dem Islam erhöht, jenen zwei Religionen, denen es auf die Dauer besser gelungen ist als dem Christentum, die Seele der NW-Afrikaner zu erobern. Im Rahmen dieser Behauptung heißt es dann, das Christentum dagegen sei der römischen Welt zutiefst verhaftet gewesen[19]. Jedenfalls war die "jüdisch-berberische Solidarität" in NW-Afrika eine wichtige Tatsache; das Judentum war dort fast "omnipräsent"[20].

II. Die zweite Welle fremder Kultur war die der Römer. Für unser Thema ist sie besonders wichtig. Denn mit dem Römischen kam das Christentum nach NW-Afrika. Lateinisch war die Schriftsprache der Kirche dort, die jahrhundertelang das geistige Zentrum der westlichen Christenheit war. Lateinisch haben die großen afrikanischen Kirchenväter geschrieben und wohl auch gedacht: Tertullian, Cyprian, Augustin[21]. Lateinische Quellen berichten uns von NW-Afrika und seiner Kirche[22]. Von daher unterläuft leicht der Fehler, das römische NW-Afrika mit dem damaligen NW-Afrika überhaupt gleichzusetzen. Dies wäre ebenso falsch (und für einen Franzosen bzw. Maghreber revoltierend), als wenn ein deutscher Autor unter dem Titel "Geschichte Frankreichs zu Ende des 19. Jahrhunderts" nur die Geschichte von Elsaß-Lothringen behandeln würde[23]. Wir dürfen das "vergessene Afrika" nicht vergessen: das "römische Afrika" umfaßte selbst während seiner größten Ausdehnung mit seiner Küste von Leptis Magna (Lebda) bis Tingi (Tanger) weniger als die Hälfte des gesamten Gebietes. In der Zeit nach Diokletian, der Zeit der größten Macht Roms, war es nur noch ein Viertel: das Gebiet um das heutige Algier, das heutige Ostalgerien und Tunesien, sowie der tripolitanische Küstenstreifen[24]. Das römische Kolonialunternehmen war weit davon entfernt, das gesamte Innere des Landes durchdrungen zu haben. Darüber hinaus verharrten weite Bereiche innerhalb der Grenzen der römischen Herrschaft – insbesondere die Gebirgsmassive – in stolzer Quasi-Unabhängigkeit. Hier liegt ein entscheidender Unterschied gegenüber dem keltischen Gallien, von dem – historisch nicht ganz unrichtig – die Asterix-Bücher unserer Jugend berichten, daß nur ein einziges Dorf in der fernen Bretagne von den Römern nicht unterworfen worden war. Im Rahmen dieser Nicht-Unterwerfung vor allem innerhalb, dann aber auch außerhalb des römischen NW-Afrika spielt die Bewegung des Donatismus eine bedeutende Rolle. Sie hat drei Beweggründe: 1. die Lauheit der katholischen Kirche, 2. die Fremdheit der römischen Kultur, 3. die Ungerechtigkeit des römischen Kolonialsystems. Die Untersuchungen über den Donatismus geben diesen drei Gründen unterschiedliches Gewicht. So betonen die einen, daß der Donatismus gegenüber der Staatskirche vom prophetischen Geist der Zeit der Verfolgungen und der Märtyrer weiterhin getrieben sein wollte[25]. Die anderen dagegen zeigen den berberischen Charakter des Donatismus[26] oder aber seine sozialrevolutionären Elemente[27]. Die Rolle, die Augustin bei der Unterdrückung des Donatismus durch die römische Staatsgewalt gespielt hat, ist für unser Thema besonders beunruhigend. Denn diese Bewegung war ja eine Art von Volkskirche, die dabei war, geboren zu werden. Ihre "Abtreibung" hat aber sicher etwas mit dem Verschwinden des Christentums aus NW-Afrika zu tun[28]. Die Zeit der lateinisch-römischen Herrschaft dauerte über ein halbes Jahrtausend, ihre Wirkung ging aber letztlich kaum tiefer als die der phönizischen Kultur und endete mit einem Mißerfolg. Die christliche

Kirche hat zwar den Untergang der römischen Herrschaft überstanden, ist aber dann doch ausgestorben. Unsere Frage ist, ob dieses Verschwinden mit dem allmählichen Versickern der "römischen Welle" wesensmäßig zusammenhängt, die über den Maghreb hinwegging[29].

Die geringe Zahl von lateinischen Fremdwörtern im Berberischen weist darauf hin, wie wenig Spuren diese Jahrhunderte lateinischer Herrschaft hinterlassen haben[30]. Ein Andenken (abgesehen von Ruinen, die Touristen besuchen), ist der julianische Kalender, den nicht nur die berberisch, sondern auch die arabisch sprechende Landbevölkerung NW-Afrikas bis heute beibehalten hat, denn Ackerbauern ziehen den christlichen Sonnenkalender dem islamischen Mondkalender vor.

IV. Augustin starb in einer von den Wandalen belagerten Stadt. 20 Jahre vorher hatte er wesentlich dazu beigetragen, daß der römische Staat meinte, dem Donatismus den Todesstoß versetzen zu können. Zwanzig Jahre hatten jedoch nicht ausgereicht, dieses Vorhaben durchzuführen und — nach der Augustinschen Auslegung von Lk 14,23 — die Häretiker dazu zu zwingen, in die Mutterkirche zurückzukehren. Die hundertjährige Wandalenzeit (von 430 bis 533) ließ die katholische Kirche die Funktion des Donatismus übernehmen: kompromißloser Widerstand gegen die Unterdrückung durch eine als häretisch betrachtete Staatskirche. Der Arianismus jedoch trat mit dem universalen Anspruch "non vero christiani" auf[31]. Kaum war aber die Wandalenherrschaft zusammengebrochen und die römische Staatskirche wieder hergestellt — diesmal unter byzantinischem Vorzeichen —, als auch der Donatismus neues Lebensrecht erhielt und wieder aufwallte[32]. Durch das Auftreten des Arianismus war eine dritte christliche Konfession in der nordwestafrikanischen Szene erschienen. Eine jede von ihnen betrachtete sich als die wahre Kirche. Wenn es also um die Frage des Aussterbens der Kirche geht, dann sollte besser vom Aussterben der Kirchen geredet werden. Denn eine jede von ihnen war eine Welt für sich, die eigenen Regeln des Lebens und Sterbens gehorchte[33]. Mit der Invasion der Byzantiner nach 533 trat eine weitere kirchliche Gruppe auf den Plan: die griechischen "Römer". Sie waren ihrerseits des öfteren politisch und kirchlich gespalten in Kaisertreue und Dissidenten[34]. Für den später auftretenden Islam wurde es so schwer gemacht, den Wahrheitsanspruch der Kirchen ernst zu nehmen. Sie spürten vielmehr, wie recht der Koran hat, wenn er sagt, daß Gott selber die Christen mit Zerspaltung bestraft, weil sie der Botschaft Jesu untreu geworden sind. Das Wandalenreich umfaßte nur noch in etwa das heutige Tunesien und östlichste Algerien. Auch die Herrschaft der Byzantiner beschränkte sich im wesentlichen auf diesen Raum. Das "vergessene Afrika" war so wieder um ein Stück größer geworden. Diese der Herrschaft der Berberfürsten anheimfallenden Gebiete nennt Courtois das "aufgegebene Afrika". Dort kehrte das nur oberflächlich Latinisierte wieder zu seinem Ursprung zurück. Das Schrumpfen des lateinisch-wandalisch-byzantinischen Afrikas brachte eine Abnahme der Zahl der Bischofssitze mit sich, wie aus den uns verfügbaren Quellen hervorzugehen scheint[35]. Dennoch war damit wohl kaum ein wirklicher Rückgang des christlichen Glaubens verbunden. Es gab sogar

96

Perioden missionarischer Ausbreitung, wobei eine jede der kirchlichen Gruppen ihre eigene Mission betrieb: Byzantiner, lateinische Katholiken, Donatisten und Arianer. Angesichts der geringen schriftlichen Quellen ist jedoch wenig Eindeutiges über den Umfang und Erfolg dieser Missionen auszusagen. Die Flucht vor Unterdrückung förderte außerdem die Ausbreitung des Christentums bis weit hinein ins Gebiet des berberischen "vergessenen Afrika": Katholiken und Donatisten verlassen den arianischen wandalischen Staat, Donatisten und Arianer fliehen vor dem byzantinischen Staat und seiner Staatskirche. Nach demselben Prinzip hat sich auch das Judentum in Nordafrika bis weit in die Sahara-Oasen hinein ausgebreitet.

V. Auf das "byzantinische Jahrhundert" folgt das "arabische Jahrhundert" (649–741). Die Eroberung war mühsam. Erhebungen der Berber brachten schwere Rückschläge. Die bekanntesten Anführer dieses Widerstandes waren *Koseila* und *Kahena*. Koseila war Christ und verbündete sich mit den Byzantinern; von Kahena, der legendären Priesterfürstin, heißt es, sie sei Jüdin gewesen. Beide waren Stammesfürsten aus dem Aures-Gebirge in der ehemaligen römischen Provinz Numidien. Als zu Beginn des 8. Jahrhunderts die arabische Herrschaft endlich über ganz NW-Westafrika etabliert zu sein schien und ein Heer über Spanien bis nach Frankreich vorstoßen konnte (Poitiers 732), brach in seinem Rücken explosionsartig der Aufstand der Berber aus, der zu guter Letzt die Herrschaftszone der Kalifen von Damaskus und dann der von Baghdad auf das kleine Gebiet der alten byzantinischen Provinz im heutigen Tunesien zurückdrängte. Es entstanden allenthalben selbständige Berber-Fürstentümer. NW-Afrika war – nachdem fünf koloniale Wellen über es hinweggegangen waren – selbständig geworden. Die letzte Welle hatte die Religion mitgebracht, die das Herz der Berber gewinnen sollte: NW-Afrika wurde in verhältnismäßig kurzer Zeit zum "Maghreb", das heißt zum "fernen Westen" der islamischen Welt. Nicht im Namen des Christentums oder des Donatismus war der letzte große Aufstand gegen die fremden Herrscher ausgebrochen, sondern im Namen des Islam, im Namen der "importierten Fremdreligion". In der Mitte des 8. Jahrhunderts war es die puritanische Reformbewegung des Kharedschismus, die den Widerstand beseelte. Zu Beginn des 10. Jahrhunderts trat der Westen unter dem Zeichen des Schiismus gegen den laxen und häretischen Osten an. Zwei Jahrhunderte später war es die eschatologische Erneuerungsbewegung der Almohaden unter ihrem messianischen Führer *Ibn Tumert*, die schließlich zu einem großen, ganz NW-Afrika und einen Teil Spaniens umfassenden Reich führte.

Die Jahrhunderte der Einheimischwerdung des Islam in NW-Afrika werden oft "die dunklen Jahrhunderte" genannt, und zwar vor allem deswegen, weil die Quellen, die uns über diese Zeit Auskunft geben, nur spärlich fließen oder von späteren Autoren stammen[36]. "Dunkel" werden sie aber auch deswegen genannt, weil die Islamisierung des Maghreb ein für Westliche im Grunde unverständlicher und unheimlicher Vorgang ist, den man am liebsten ignorieren würde[37]. Hilfswissenschaften wie die Hadith-Forschung und sozio-ökonomische Untersuchungen können uns helfen, das Leben ein wenig zu erhellen das die Christen des Maghreb fünf Jahrhunderte lang bis zu ihrem Verschwin den zusammen mit ihren muslimischen Nachbarn geführt haben[38]. Aufs Ganze gesehen berichten die Quellen viel mehr über das Entstehen des NW-afrikani schen Christentums als über sein Verschwinden! Da eine wirkliche Abnahme des Christentums vor der Ankunft des Islam nicht zwingend nachgewiesen werden kann (der Islam traf auf mehrheitlich christliche Bevölkerungsgrup pen!), ist es tatsächlich so, daß "Islamisierung", "Tod der Kirche" und "dunkle Jahrhunderte" in etwa zusammenfallende Größen sind.

Bevor wir die Argumente durchgehen, die für das Verschwinden der Christenheit in NW Afrika vorgebracht werden können, sollen kurz die verschiedenen Bevölkerungsgruppen angedeutet werden, mit denen es der ankommende Islam zu tun hatte:

1. Herrscher. Ein Vergleich zwischen Berbern und Kelten drängt sich auf: Beide sind schon weitgehend christianisiert, als über sie mächtige Völker von außen her einbrechen Die Germanen sind schon Christen oder werden es bald. Die Araber dagegen bringen eine neue Religion, den Islam. Auch NW-Afrika hatte einen Ansatz zu einer "keltischen" Ent wicklung: wenn die germanischen Wandalen Katholiken geworden wären, sich der römi schen Kultur stärker geöffnet und eine Dynastie von Dauer gebildet hätten ... Sie blieben jedoch Fremde, ähnlich wie später die byzantinischen und arabischen Gouverneure. Unter einheimischen berberischen Dynastien dagegen schlägt schließlich der Islam Wurzel[39].

2. Ägypter. Ab 640 hatten koptische Flüchtlinge aus Ägypten die konfessionelle Palette des Maghreb noch weiter bereichert. Sie sind Monophysiten, auch sie betreiben Prosely thismus und Mission. Der Islam kennt sie aus dem Osten und nennt sie "Jakobiten"[40].

3. Byzantiner. Von den Muslimen "Rûm" (das heißt Römer) genannt, gelten sie für diese als Quintessenz der Art von Christen , die sich nicht als "protegierte Minderheit" in das "Haus des Islam" einordnen lassen (so wie beispielsweise die Kopten in Ägypten) sondern militärischen Widerstand leisten. Ihre Überlebenschancen hängen vom Erfolg dieses militärischen Widerstandes ab.

4. Lateiner. Besonders in den Städten gibt es lateinischsprachige Bevölkerungsteile. Ihr Fortbestehen über mehrere Jahrhunderte hinweg ist im Gebiet des heutigen Tunesien nachgewiesen. Sie sind entweder Nachfahren der römischen Siedler oder ganz lateinisierte Berber. Sie werden von den Muslimen als "Rûm" mit den Byzantinern in einen Sack geworfen. Viele von ihnen wandern − ähnlich den Byzantinern und den Ägyptern − in christliche Länder aus, denen sie kulturell näher stehen als ihrem eigenen Land, das unter dem Islam sich zu arabisieren beginnt[41].

5. Lateinisierte. Lateinisierte Berber gibt es in allen Intensitätsstufen. Sie reichen von Lateinischen als Umgangssprache bis zu Resten des Lateinischen im liturgischen und christlichen Sprachgebrauch. Sie leben vor allem in den Städten des Ostens, reichen aber auch bis in einige Städte des Westens, so z.B. Fes. Die Muslimem bezeichnen sie als "Afâ riq" (das heißt Leute der römischen Provinz Ifriqiyya und ihresgleichen). Sie identifizieren sie nicht eo ipso mit den Christen − obwohl sie in der Mehrzahl Christen sind − und unter scheiden sie auch von den "Rûm". Ihr Verschwinden spielt sich ab zwischen den zwei Polen (a) Emigration und (b) Reberberisierung bzw. Arabisierung und Islamisierung.

6. Berber. Sie stellen die Masse der Bevölkerung − besonders der ländlichen. Es gibt Christen unter ihnen, ja sogar christliche Stämme mit christlichen Führern. Über den Um fang dieser z.T. donatistischen und vielleicht auch arianischen Berberchristenheit wissen wir heute fast nichts. Auch viele Juden gibt es unter den Berbern, vielleicht sogar mehr als Christen. Vor allem aber bewahrt die traditionelle berberische Religion eine starke Posi tion. Viele von ihnen treten direkt vom Heidentum zum Islam über, und zwar zur kharee

dschitischen Konfession[42]. Zwei Fakten müssen hier festgehalten werden: (a) Bei den Berbern, denen die Zukunft des Maghreb gehört, ist die Position des Christentums verhältnismäßig schwach, (b) unter der Decke der verschiedenen angenommenen, von außen kommenden Religionen hält sich vieles durch von den Bräuchen und der Spiritualität der traditionellen nordafrikanischen Berberreligion[43].

Auch nach dem Verschwinden der einheimischen Christen ist das Christentum im Maghreb weiterhin präsent unter den verschiedensten Formen: Kaufleute in den portugiesischen, spanischen und italienischen Kolonien an der Küste, Söldner der muslimischen Fürsten mit ihren ihnen offiziell zugestandenen Militärgeistlichen, die auch Zivile versorgen, Sklaven und diese auslösende Ordensleute, Missionare und Märtyrer, wie die Brüder des *Franziskus* von Assisi in Marokko und Raimund *Lullus* ... Gebiete wie Andalusien, die Balearen, Sizilien und Malta mit arabischsprechenden Bevölkerungsteilen bilden hierbei Sprachbrücken[44]. Mit dem Auftreten des britischen und vor allem des französischen Kolonialismus im 19. Jahrhundert verstärkt sich die christliche Präsenz. Ja, diese "zweite Kirche" kann sich sogar für die "neue Kirche Afrikas" halten. Über ihren totalen Mißerfolg kann an dieser Stelle nicht berichtet werden[45].

Teil 2

Das Für und Wider der Argumente

These 1 *"geringe Verbreitung"*: Bei weitem nicht ganz NW-Afrika wurde vom Christentum erfaßt. Insbesondere die Gebirgsmassive des Zentrums (Kabylei) und des Westens (Hoher und Mittlerer Atlas, Rif) sowie die Sahara blieben außerhalb des christlichen Bereichs. Die Kirche war nie *die* Kirche *der* Berber, das heißt aller Berber. Auch die Donatisten waren nicht *die* Berberchristen. Sie waren vielmehr eine Antithese, die innerhalb der römischen Sphäre durch Lateinisierung und Proletarisierung erwachsen war[46]. Heidnische Berber fielen immer wieder von außen kommend ins christliche Berberland ein[47]. Wenn aber nicht das ganze Land eines Volkes zum heiligen Land dieses Volkes und seiner Religion wird, dann sind seine Überlebenschancen gering. Die Kirchen bei den Persern und bei den Mongolen können hier als Beispiel dienen.

Gegenargumente: Numidien mit seinem Aures-Gebirge war groß und bedeutend genug, um eine Volkskirche zu tragen. Da außerdem die Berber nie eine sprachliche und politische Einheit gebildet haben (sondern vielmehr ein Nebeneinander von Ähnlichgearteten), hätte sehr wohl eine in sich einheitliche Teilmenge dieser großen Menge zu einer dauerhaften Volkskirche werden können. Beispiel sind hier die Batakchristen: nur etwa die Hälfte des Batakvolkes wurde zu Christen, die andere Hälfte wurde islamisch[48].

These 2 *"geringe Dauer"*: Rom war nicht lange genug im Maghreb, um das Christentum zu einer Religion von Dauer werden zu lassen, sagt *Ibn Khaldun*[49]. Das Argument dieses berühmten Autors aus dem 14. Jahrhundert hat seinen Wert: im Vergleich zu der Dauer des phönizischen und des arabisch-islamischen Einflusses (1000 bzw. 1300 Jahre) hatte das mit den Römern gekommene Christentum nur etwa ein halbes Jahrtausend, um sich auszubreiten (ca. 150 bis 650). Im Inneren des Landes, wohin die christliche Mission erst später kam, war diese Zeit noch wesentlich kürzer. Die Einheimischwerdung einer fremden Religion ist aber ein sich über Jahrhunderte hinziehender Vorgang, so wie etwa die Islamisierung Schwarzafrikas.

Gegenargumente: 500 Jahre sind eine lange Zeit. Sie hätten es dem Christentum ermöglichen können, noch vor der Ankunft des Islam (der die Ausbreitung unterbindet) sich eine solide Basis zu verschaffen. Mehr als 300 Jahre war das Christentum sogar Staatsreligion. Kaum ein Jahrhundert während westliche Missionen "immunisierten" zahlreiche schwarzafrikanische Völker im 19./20. Jahrhundert gegen die Ausbreitung des Islam. Andererseits schützt auch das Alter einer Christenheit diese nicht vor dem Untergang, was etwa die Kirchen in Kleinasien und in Nubien zeigen, die nahezu ein Jahrtausend gedauert haben.

These 3 *"mangelnde Anpassung an gesellschaftlichen Wandel":* Das Christentum war bei den Städtern und den Ackerbauern zuhause. Es gelang ihm nur schlecht, bei Viehzüchtern, Nomaden und Reitervölkern heimisch zu werden. Solche Lebensformen wurden aber notwendig im Zuge der weiträumigen klimatisch bedingten Versteppung Nordafrikas. Die traditionelle berberische Religion, das Judentum und besonders der Islam paßten sich diesem Wandel besser an. Das Christentum hat den "Übergang vom Elefanten zum Kamel nicht verkraftet".

Gegenargument: Der Muslim ist nicht der den Ackerbauern verachtende nomadische Viehzüchter, als der er immer wieder dargestellt wird[50]. Der Islam ist in zwei Städten geboren, von denen die eine (Mekka) vor allem Händler, die andere (Medina) vor allem Ackerbauern beherbergte. Bei seiner Ausbreitung wurde er unter Städtern, Ackerbauern und Viehzüchtern heimisch. Wenn auch die islamische Umma als eine Art von Überhöhung der arabischen Stammesstruktur mehr Sinn für den Wert "Volk Gottes" als für "Geotheologie" hat, so ist doch der Ackerbauern am Herzen liegende Wert "Land Gottes" im Islam keineswegs abwesend.

These 4 *"kein Friede im Land":* Damit der Heilswille Gottes für alle Menschen sich ausbreiten kann, sollen die Christen für ein friedliches und ruhiges Leben im Lande beten (2 Tim 2,2ff.). Nun gelang es aber der "pax romana" in NW-Afrika besonders schlecht, sich durchzusetzen. Einbrüche von außen, Aufstände von innen, ständiges Schrumpfen des römischen Bereiches, all das verhinderte ein ruhiges Wachsen der Kirche[51].

Gegenargument: Das Evangelium konnte für seine Ausbreitung auf die pax romana verzichten! Auch heute noch können Kriegs- und Krisenzeiten sehr wohl geistliche Erneuerung und missionarische Aktion bewirken (z.B. der Bürgerkrieg im Libanon seit 1975).

100

These 5 *"keine Volkskirche"*: Das Zentrum der afrikanischen Kirche war das Gebiet des heutigen Tunesien. Dieser Raum hat sich aber schon zur Zeit der Punier zu entberberisieren begonnen, um sich dann weiter zu lateinisieren und gräzisieren. Diese Zone der kulturellen Interpenetration und des "Levantinismus" (auch heute noch ist Tunesien "anders" als Algerien und Marokko!) ging so für die berberische Volkskirche verloren, die das Bollwerk einer überlebenden Christenheit hätte werden können. Ihr Bereich blieb so auf Numidien, das heißt das heutige östlichste Algerien, beschränkt. Der im Vergleich zu ganz NW-Afrika sowieso schon kleine christliche Raum kam auf diese Weise nicht dazu, einen einheitlichen Block zu bilden.

Gegenargumente: (a) Auch "levantinische" Kirchen können sehr gut überleben. Ein Beispiel hierfür sind die griechisch-orthodoxen Christen im arabischen Raum. Diese Nachkommen der griechischen Kolonisation sind heute die der arabischen Welt am besten angepaßten Christen. (b) der Verlust der akkulturierten katholischen Randzonen beeinträchtigte die berberische Volkskirche wenig. Sie besaß in Numidien eine starke völkische und ländliche Basis und hatte im Donatismus das religiöse Banner gefunden, unter dem sie ihre Identität finden und verteidigen konnte (Frend). Außerdem erstreckten sich das Berberchristentum und der Donatismus nach Westen weit über Numidien hinaus (z.B. christliches Berberreich von Tiaret). Das Verschwinden des Christentums in den akkulturierten Randzonen ist nur mit dem Eingehen der griechisch-orthodoxen Kirche in Ägypten zu vergleichen, die Berberchristen dagegen entsprechen den Kopten[52]. Jene hatten, wie diese, genügend Voraussetzungen, um zu überleben. (c) Selbst das Entstehen einer Volkskirche (wie etwa bei den Kopten, den Syrern und den Armeniern) schützt diese nicht eo ipso vor dem Untergang. Dies zeigen die Kirchen in Kleinasien.

These 6 *"keine eigene Bibel"*: Im spätrömischen Imperium erhoben sich lokale Kulturen gegen die herrschende Kultur der zentralen Macht: wie in NW-Afrika so auch in Ägypten und in Syrien. Der christliche Glaube initiierte, stärkte oder legitimierte diese Ausbrüche des Regionalismus. Und doch kann die Kirche der Berber nicht so ohne weiteres mit der der Kopten zusammen gesehen werden. Denn es war innerhalb einer Welt von "Rûm" und lateinisierten und verstädterten Berbern, auf der gemeinsamen sprachlichen Basis des Vulgärlatein, daß sich Donatisten und Katholiken gegenüberstanden. Das Bild von einer ländlichen und donatistischen Berberchristenheit in Numidien ist eine Verzeichnung (Brown gegen Frend)[53]. Wenn auch das Kirchenvolk der Donatisten berberisch sprach, so hielt doch der Klerus am Latein als offizieller Kirchensprache fest (in Ägypten dagegen pflegte er das Koptische!). Es entstand in der Kirche der Berber keine berberische Bibel und keine berberische Literatur. Wer die tiefe Verehrung erlebt hat, die im armenischen Volk z.B. der ersten Übersetzung der Bibel und der daraus entstandenen armenischen christlichen Literatur und Liturgie zukommt, der kann die Abwesenheit einer Berberbibel mit Recht für einen Mangel an Einheimischwerdung der Kirche halten und darin einen Hauptgrund für das Nichtüberleben dieser Kirche sehen[54]. Er sieht den Tod der Berberkirche dann im Zusammenhang mit dem Tod der Phrygierkirche, in der das fremde Griechisch herrschte und in der es zu keiner eigenen Bibelübersetzung kam.

Gegenargumente: Eine solche These (die Vertretern der modernen Bibelgesellschaften besonders leicht in den Sinn kommt) verkennt die Rolle des gesprochenen Wortes und der mündlichen Literatur, die über die Jahrtausende hinweg bis heute die Schätze der berberischen Kultur tradiert. Lateinische Inschriften z.B. beim christlichen Stamm der Baqata (nahe Volubilis im heutigen Marokko) geben keinerlei Anhaltspunkte, um über die "Fremdheit" der Kirche dort ein Urteil zu fällen. Die Tatsache, daß nie ein Berberdialekt auf Kosten eines anderen zur "Schriftsprache" erhoben worden ist, machte zwar die Verwendung des Lateinischen notwendig, sagt aber nichts darüber aus, daß das Christentum Berbern nicht zu einer neuen und eigenen kulturellen Identität verholfen habe. Es ist nicht undenkbar, daß die arabische Schriftsprache das Lateinische nach und nach ersetzt hätte, ohne daß dabei die Identität der Kirche wesentlich verändert worden wäre.

These 7 *"nur oberflächliche Christianisierung"*: Immer wieder wird behauptet, die Kirche im Maghreb sei deshalb verendet, weil der christliche Glaube dort nicht bis in die Tiefe der Gemüter gedrungen sei. Das alte Heidentum habe sich unter der Decke des Christentums erhalten. Der rigoristische, gesetzliche Charakter der NW-afrikanischen Kirche stehe dem Judentum näher als dem wahren Christentum[55]. Diese Gesetzlichkeit sei durch den fortdauernden phönizisch-semitischen Einfluß verstärkt worden und habe so die Affinität gegenüber dem Judentum – das sich in NW-Afrika stark verbreitete – und gegenüber dem Islam erhöht. Dem eigentlichen Christentum, das in NW-Afrika im Gewande der römischen Kultur erschienen ist, habe sich das Herz des Maghreb nie wirklich erschlossen[56]. Auch das Fehlen des Mönchtums bei den Donatisten sei ein Zeichen mangelnder geistlicher Tiefe[57].

Gegenargumente: Die Tatsache, daß alte Bräuche neu interpretiert wurden, daß z.B. Kultmahlzeiten auf heiligen Hügeln zu Eucharistiefeiern über Märtyrergräbern wurden, besagt kaum etwas über eine Fortdauer des Heidentums und die Oberflächlichkeit des christlichen Glaubens. Werturteilen hinsichtlich "Gesetzlichkeit", die christlichen Brüdern und Schwestern das wahre Christsein absprechen, haftet ein antijüdischer und antikatholischer "lutheranischer" Geruch an. Sind sie nicht eine Sünde gegen den Heiligen Geist (vgl. 1 Kor 12,3)? Ähnliche Urteile wurden übrigens und werden immer noch über die koptische, die syrische und die armenische Kirche gefällt, ohne daß ein solcher "unchristlicher" Charakterzug diese Kirchen daran gehindert hätte, bis heute in geistlicher Frische zu überleben!

These 8 *"Selbstzerfleischung"*: Hier geht es um die innerkirchlichen Gründe, um die Krankheit der Kirche, die – schon lange vor der Ankunft des Islam –

die Kräfte der Kirche hat abnehmen lassen[58]. Die Abnahme der Zahl der Bistümer ist ein eindrückliches Faktum, das durch die Verfolgung von Christen durch Christen erklärt werden kann. Vor allem die gewaltsame Zerstörung des Donatismus sei "der Anfang vom Ende" gewesen[59]. Wichtig ist hierbei nicht nur die zahlenmäßige Abnahme, sondern vor allem auch die Unterdrückung einer Bewegung, in der die Identität eines Volkes zum Ausdruck kommt. Der Vergleich mit der phrygischen Kirche liegt nahe: auf die Unterdrückung des Montanismus folgte dort, im 3. Jahrhundert, die eines Aufflackerns alter Frömmigkeit im Gewand der phrygischen Sprache[60]; daß der Nordafrikaner Tertullian zum Montanisten wurde, mag hier als Symbol gelten. Die Selbstzerfleischung ließ nicht nur die Zahl der Christen und die Substanz des Christentums schwinden, sondern auch dessen Glaubwürdigkeit: der Erfolg des Islam könnte durch den Ekel erklärt werden, den Christen und Nichtchristen vor diesen inneren Streitigkeiten empfunden haben, der Islam sei ihnen wie eine neue christliche Konfession oder gar wie eine Reformbewegung erschienen, der man gerne anhängt[61].

Gegenargumente: (a) Die Abnahme der Zahl der Bistümer bedeutet nicht unbedingt eine Abnahme der Zahl der Christen. Im Gegenteil: Verfolgungen – wie z.B. die durch die arianische Staatskirche – stärken den Glauben. (b) für eine endgültige Zerstörung des Donatismus ist die Zeit von 405 bzw. 411 (Honorius-Edikt und Konzil von Karthago) bis 430 (Ende der römischen Herrschaft) viel zu kurz. Die spärlichen Informationen über den Donatismus seit 430 dürfen nicht dazu verleiten, ihn für nicht-existent zu halten. (c) Auch anderswo waren die Christen zerstritten, die Kirchen sind daran nicht gestorben (z.B. die zahlreichen konfessionell gespaltenen Kirchen im islamischen Mittleren Osten).

These 9 *"Ausrottung durch den Islam"*: Die Protektion von Juden und Christen wegen ihrer Eigenschaft als "Leute der Schrift" (das heißt Teilhaber an der Offenbarung) ist im Islam nicht überall dieselbe, ist nicht universales Gesetz. In seiner Peripherie – wie z.B. im Maghreb, seinem "fernen Westen" – zeigt sich der Islam unduldsamer als in seinem Zentrum[62]. Hinzu kommt, daß die Christen (und die Juden) sich dem Islam gegenüber nicht überall gleich verhalten. Hier akzeptiert der Christ seinen Status als Protegierter (dhimmi) des Islam (der Kopte z.B.), dort setzt er auf die Karte der Protektion von außen, durch einen Feind des Islam (der Armenier auf die Kreuzfahrer, der Nestorianer auf die Mongolen, der Maronit auf den französischen Kolonialismus ...). Anderswo wiederum suchen christliche Reiche sich aus eigener Kraft militärisch gegen den Islam zu verteidigen: Äthiopien fährt dabei gut, das christliche Nubien geht dabei unter. Nun haben aber die "Rûm" NW-Afrikas des öfteren Protektion durch Starke von außen gesucht: bei den Byzantinern zur Zeit der arabischen Eroberung, bei den Normannen Siziliens zur Zeit der Almohaden. Beide Male haben sie dabei politisch auf die falsche Karte gesetzt und so selbst Vergeltungsaktionen von Seiten der Muslimen provoziert. Außerdem haben die

Christen des Maghreb – zusammen mit seinen übrigen Bewohnern – unter den besonderen Bedingungen ihrer peripheren Existenz gelitten, so etwa unter den Raubzügen der Beni Hillal, die von den Fatimiden Ägyptens in den fernen Westen abgelenkt wurden.

Gegenargumente: (a) Da der Islam sich Juden und Christen gegenüber grundsätzlich gleich verhält (und beide, wenn auch in unterschiedlichem Umfang, am militärischen Widerstand beteiligt waren), hätten, wenn die These 9 zutrifft, beide Religionen verschwinden müssen. Das Judentum hat aber überlebt, bis auch es – im Zuge des zionistischen Exodus – schließlich fast völlig aus dem Maghreb verschwand. (b) Trotz regionaler Unterschiede ist grundsätzlich die Sicherheit des "dhimmi" immer und überall im Islam garantiert. (c) Nicht alle Christen des Maghreb waren "Rûm", nicht alle beteiligten sich am militärischen Widerstand. (d) Obwohl sie politisch des öfteren auf die falsche Karte gesetzt haben, überlebten z.B. die Armenier als bewaffnetes christliches Volk.

These 10 *"Isolierung":* Es heißt manchmal, die Kirche sei im Maghreb deshalb ausgestorben, weil sie den Kontakt mit der weltweiten Gemeinschaft der Kirche verloren habe[63].

Gegenargumente: Isolierung hindert nicht das Überleben der Kirche (z.B. in Äthiopien und in Indien), ja, sie kann dieses sogar fördern (die Kopten z.B. überlebten vor allem im Süden Ägyptens, dort, wo sie "ab vom Schuß" waren; im Norden war ihr Rückgang viel stärker[64]). Das Selbstbewußtsein der Donatisten, die wahre christliche Tradition (und vielleicht auch die wahre berberische Identität) zu bewahren, wäre eine gute Voraussetzung gewesen, um mit Hilfe einer solchen Inselmentalität ebenso zu überleben wie Kopten, Jakobiten und Maroniten.

Ergebnisse und Konsequenzen

Das Abwägen der 10 Thesen nach ihrem Gewicht und dem ihrer Gegenargumente führt zu folgenden Ergebnissen – die notwendigerweise stark vereinfachend sind und nicht frei von der Subjektivität dessen, der abwägt:

These 1: *beschränkter Raum: Gewichtig.* Weniger als die Hälfte des NW-afrikanischen Raumes war nur christianisiert. Der Schwerpunkt der Christenheit lag im römischen Gebiet und unter der lateinisierten Bevölkerung.

These 2: *zu geringe Dauer:* Gewichtig nur für die Gebiete, in die das Christentum erst spät kam, das heißt vor allem für den Bereich außerhalb der römischen Herrschaft.

These 3: *mangelnde Anpassung: Sehr gewichtig.* Die Kirche ist an einen bestimmten gesellschaftlichen Kontext gebunden. Es fällt ihr schwer, dem gesellschaftlichen Wechsel zu folgen. Vergleich: Im 19./20. Jahrhundert verharrt die Kirche im bäuerlichen und bürgerlichen Bereich, während sie in der durch die Industrialisierung entstehenden Arbeiterklasse eine Fremde bleibt.

These 4: *kein Friede*: Fällt nicht ins Gewicht.

These 5: *keine Volkskirche: Gewichtig.* Nach Abzug der akkulturierten Randzone verbleibt zwar ein vorwiegend ländlicher berberisch-volkskirchlicher Block, er ist aber verhältnismäßig klein.

These 6: *keine eigene Bibel: Gewichtig.* Im Herzen des Landes weicht zwar die Fremdheit der Römerkirche der Eigenheit der Berberkirche, sie ist aber in fataler Weise an die fremde lateinische Fassade gebunden.

These 7: *Oberflächlichkeit:* Wenig gewichtig. Fällt mit These 2 zusammen. In manchen Bereichen hatte das Christentum nicht genug Zeit, um "durch und durch zu gehen" und Heidnisches zu verdrängen.

These 8: *Selbstzerfleischung: Gewichtig.* Abnahme an Zahl der Christen, vor allem aber an Substanz und Glaubwürdigkeit des Christentums.

These 9: *Ausrottung: Gewichtig.* Grundsätzlich keine Verfolgung der Christen durch den Islam. Islam toleriert Juden und Christen, die islamische Oberhoheit anerkennen. Juden überlebten im Maghreb in großer Zahl. Verschwinden der Christen deshalb, weil sie auf die falsche politische Karte setzten: Friede durch militärische Sicherheit und Schutz durch Mächtige von außen, anstatt Sicherheit durch Friede mit den Muslimen!

These 10: *Isolierung:* Fällt nicht ins Gewicht.

Unsere Auswertung der Ergebnisse konnte das Rätsel des Todes der ersten Kirche in NW-Afrika nicht lösen. Wir konnten höchstens durch die Beseitigung einiger zu einfacher Antworten den Kern des Rätsels näher umreißen. Sicher ist es nicht nur *eine* Antwort, die das Rätsel löst, sondern die Häufung verschiedener, an sich banaler und von anderswoher bekannter Faktoren[65]. Jeder dieser Faktoren hat für jede der verschiedenen Kirchen NW-Afrikas sein spezifisches Gewicht. Es gibt also noch viel weniger *eine* Antwort auf das Rätsel des Verschwindens *der* Kirche im Maghreb[66].
Im Blick auf die missionstheologischen Konsequenzen kann immerhin auf folgendes aufmerksam gemacht werden: Es scheint immer irgendwie um das Wachstum und die Erhaltung einer Volkskirche zu gehen (Thesen 1, 2, 5 und 8). Um den gesellschaftlichen Wandel überstehen zu können, muß sie alle Bereiche eines Volkes durchtränken, und sie muß bei ihren politischen Optionen weise handeln und eine glückliche Hand haben (Thesen 3 und 9). Die

Schwierigkeiten der Verkündigung des Evangeliums angesichts einer Volkskirche sind bekannt. Das Evangelium ruft den Menschen aus seinem Volk heraus, zerstört seine theologisch nicht haltbaren Verklebungen mit diesem Volk und schickt ihn in ein neues, trans-nationales Volk hinein. Im Maghreb heute stehen wir vor einer Serie von Mißerfolgen der Mission. Die Volkskirche ist gestorben, oder sie konnte niemals recht aufkommen. Eine Neugründung durch Mission ist nicht geglückt. Konvertierung von Individuen oder Grüppchen, wie dies fundamentalistische Mission im Maghreb seit einem Jahrhundert betreibt, führt nicht zur Gründung der Kirche im Maghreb, sondern zur Emigration und zur Integration in andere volkskirchliche Bereiche[67]. Was also tun für das Leben des Glaubens angesichts des kommenden Menschensohns, um dem Missionsauftrag treu zu sein? Sollen wir weiterhin versuchen, das einpflanzen zu wollen, was die Verkündigung des Evangeliums hinterher wieder auszureißen hat?

Die "dritte Kirche" im Maghreb heute ist eine multinationale und multikonfessionelle Präsenz von ausländischen Christen: Entwicklungshelfer, Angehörige diplomatischer und wirtschaftlicher Vertretungen, Ehepartner Einheimischer, Touristen usw. Die verschiedenen Kirchen des Maghreb heute, ihre Pastoren, Priester und Bischöfe, sind dankbar dafür, diese Ausländer auf ihre Heimatkirchen hin ansprechen zu können. Über die individuelle Seelsorge hinaus – die von Ausländern an Ausländern geschieht – ereignet sich dabei immer wieder wahre Öffnung gegenüber dem Lande selbst und seinen Bewohnern mit ihren menschlichen, kulturellen, wirtschaftlichen und religiösen Grundfragen[68]. Muslime und Christen treten dabei miteinander in Dialog. Nicht den unverbindlichen, am Kaminfeuer evangelischer und katholischer Akademien, sondern den verbindlichen, an der Schwelle zum Jenseitigen, angesichts dessen, der da kommt, den der eine den "Herrn des Tages des Gerichts" (malik-jaum-id-dīn) (Sure 1) und der andere den "Menschensohn" nennt. Zwei unterschiedlich Glaubende ringen dabei um *den* Glauben. Beide gehen dabei davon aus, daß der wahre Glaube, wenn auch verdunkelt durch Irrtum, beim anderen gegenwärtig ist. Der eine hält den anderen, allein durch die Tatsache seines Menschseins, für eine Art von "anonymen Muslim", der andere weiß, daß – wenn er mit dem einen spricht – der Immanuel auch bei dem Muslim ganz da ist. Durch solche Hinweise auf meist im Verborgenen Geschehendes soll nicht eine – scheinbar "missionslose" – Praxis legitimiert werden. Vielmehr soll unser Suchen nach neuen Wegen stimuliert werden.

Anmerkungen

1. H. *Legrand:* Les églises aussi sont-elles mortelles? in: Bible et Terre Sainte, 119, 1970, 21–22.
2. Als ich im Maghreb lebte und mit christlichen Brüdern und Schwestern immer wieder neu vor die Frage gestellt wurde, welche Form in einem Lande, in dem die Kirche zweimal gestorben war, die christliche Präsenz annehmen soll, da konnten wir uns nur vorzustellen versuchen, wie diese Berberkirche ausgesehen haben mag. Keine

heutige Berberkirche gab Anhaltspunkte für eine Extrapolation der Gedanken zurück in die Vergangenheit. Heute lebt der Verfasser im Libanon. Dort gibt die Mentalität der christlichen Bevölkerung sehr wohl solche Anhaltspunkte: besteht nicht eine Verwandtschaft zwischen den Maroniten heute und den Donatisten damals, die beide meinen bzw. meinten, das wahre Christentum zu verteidigen, und zwar nicht nur gegenüber den Nichtchristen, sondern vor allem auch gegenüber der lax und abfällig gewordenen übrigen Christenheit?

3. *H.-W. Gensichen:* Glaube für die Welt. Theologische Aspekte der Mission, 1971.
4. *L.E. Browne:* The eclipse of Christianity in Asia, 1933.
5. Zu empfehlende zusammenfassende Schriften: *Ch.-A. Julien:* Histoire de l'Afrique du Nord, 2 Bde., 1951/52 und 1964. — *F. Hauchecorne:* Chrétiens et Musulmans au Maghreb. Bergers et Mages, 1963. — *A. Ayache:* Histoire ancienne de l'Afrique du Nord, 1964. — *A. Laroui:* L'histoire du Maghreb — un essai de synthèse, 1970. — *J.N. Abun-Nasr:* A History of the Maghrib, 1971.
6. *R. Furon:* Géologie de l'Afrique. — *Th. Büttner:* Geschichte Afrikas, 1976. — *R. und M. Cornevin:* Histoire de l'Afrique, 1964.
7. Zusammenfassung einschlägiger Literatur in: *U. Schoen:* Contribution à la connaissance des minéraux argileux dans le sol marocain. Les Cahiers de la Recherche Agronomique au Maroc 26, 1969 (= Habilitationsschrift, Landw. Fak. Göttingen 1966).
8. *X. de Planhol:* Les fondements géographiques de l'histoire de l'Islam. Flammarion, Paris 1968. — *E.F. Gautier:* Le passé de l'Afrique du Nord, 1927, 1937 und 1952.
9. *J. Amrouche:* L'éternel Jugurtha — propositions sur le génie africain, in: l'Arche 1946, 58—70. — *U. Schoen:* Determination und Freiheit im arabischen Denken heute, 1976. — *J. Berque:* 125 ans de sociologie maghrébine, in: Annales 1956, 296—324.
10. Es gibt zwar eine Menge von Einzelveröffentlichungen über die verschiedenen Berberdialekte, über Werke der berberischen Dichtung, Musik und bildenden Kunst, aber es gibt kaum Gesamtdarstellungen. Das 1957 zuerst erschienene Büchlein von *G.H. Bousquet* (Les Berbères, Reihe "Que sais-je?" Nr. 718, Paris) wird in Ermangelung eines besseren immer wieder gelesen und neu aufgelegt. Es steckt voller kolonialistischer Vorurteile. Die Wohltaten der römischen Kolonisierung werden mit denen der französischen parallelisiert. Bousquet schreibt den Mißerfolg der römischen (und der französischen) "Zivilisierung" nicht der schlechten Qualität des Kneters zu (der ja anderswo Großes geleistet hat, z.B. in Gallien oder in Spanien), sondern der schlechten Qualität des Teiges, der in seiner Verbohrtheit "Nein" zum Kneter sagt. Für Bousquet ist denn auch das Scheitern der Kirche in NW-Afrika identisch mit dem Scheitern der römischen Kultur dort. Eine reichhaltige Berber-Bibliographie findet sich bei *A. Basset:* La langue berbère (in der Reihe "afrikanische Sprachen"), 1969. Ein eindrucksvolles Monument berberischen Denkens sind die Gedichte von *Si Mohand,* hg. zuerst von *M. Ferraoun,* dann von *M. Maameri.* Die Sammlung der mündlichen berberischen Literatur wurde und wird von den Weißen Vätern unternommen. Die berühmteste Darstellung der berberischen Geschichte und der ihr innewohnenden Tragik ist die *Ibn Khaldoun's,* des einsamen Denkers aus dem 14. Jahrhundert.
11. *H. von Campenhausen:* Lateinische Kirchenväter, 1960, 13 und 21.
12. Dies ist eines der Leitmotive des Buches von *Hauchecorne,* a.a.O.
13. *St. Gsell:* Histoire ancienne de l'Afrique du Nord, 8 Bde., 1913—1928. — *A. Di Vita:* Les phéniciens de l'occident, in: *W. Ward (ed.):* The rôle of the phoenicians in the interaction of mediterranean civilizations, 1968, 77—98.
14. *P. Cintas:* Contribution à l'étude de l'expansion carthaginoise au Maroc, 1954.
15. Punisch als Sprache der Donatisten: *W. Thümmel:* Zur Beurteilung des Donatismus. Diss. Halle 1893. — *K. Holl,* in: *H.-W. Gensichen (Hg.):* Kirchengeschichte als Missionsgeschichte, Bd. I, 393. Widerlegung dieser Meinung: *Ch. Courtois:* Saint Augustin et le problème de la survivance du punique, in: Rev. Africaine, 1950, 272ff.
16. *A. Laroui,* a.a.O. 44.

107

17. Zit. nach P. *Brown:* Religion and Society in the Age of Saint Augustine, 1972, 285 und nach *Gautier,* a.a.O. 128.
18. *Mündl. Mitt. Dr. Weipert,* Inst. der Deut. Morgenländ. Ges. in Beirut.
19. *M. Simon:* Le judaîsme berbère dans l'Afrique ancienne, in: Recherches d'Histoire Judéo-Chrétienne, 1962, 83.
20. *Bousquet,* a.a.O. 39.
21. *H. von Campenhausen,* a.a.O., 12ff., 37ff., 151ff. und 185—194.
22. *P. Monceaux:* Histoire littéraire de l'Afrique chrétienne depuis les origines jusqu'à l'invasion vandale. 7 Bde., 1901—1923.
23. *Bousquet,* a.a.O. 37.
24. *Ch. Courtois:* Les vandales et l'Afrique, 1955, 90 und 325ff.
25. *R.A. Knox:* Enthousiasm — a chapter in the history of religion, 1950, 56ff.
26. *W.H.C. Frend:* The Donatist Church, a movement of protest in Roman North Africa, 1952 und 1971. Eine kritische Auseinandersetzung mit dem grundlegenden Buch Frend's: *E. Tengström:* Donatisten und Katholiken — soziale, wirtschaftliche und politische Aspekte einer nordafrikanischen Kirchenspaltung, 1964. Zusammenfassung der Diskussion um Frend's Buch: *R.A. Markus:* Christianity and dissent in roman North Africa: changing perspectives in recent work, in: *D. Baker (Hg.):* Schism, heresy and religious protest, 1972, 21—36.
27. *Th. Büttner und E. Werner:* Circumcellionen und Adamiten, zwei Formen mittelalterlicher Häresie, 1959. — *H.J. Diesner:* Spätantike Widerstandsbewegungen: das Circumcellionentum. Byzant. Arbeit DDR, *1,* 1957, 106—112. — *Ders.:* Kirche und Staat im spätrömischen Reich, 1963. — Zum "dritten Grund" siehe auch: *J.P. Brisson:* Autonomisme et christianisme dans l'Afrique romaine de Septime Sévère à l'invasion vandale (Thèse 1955), 1958.
28. *W.N. Heggoy:* Did Saint Augustine kill the Church in North Africa?, in: Journ. S. Paul School Theol., 1967, 39:45. — *F. Gontard:* Der schwarze und der weiße Christus, 1963 (Augustin wird als Afrikaner vereinnahmt.). — *A. Mazouni:* Culture et enseignement en Algérie et au Maghreb, 1969, 73 und 137 (gegen eine solche Vereinnahmung: Augustin war *lateinischer* Kirchenvater!).
29. Für *Bousquet* (a.a.O. 37) ist die Antwort klar (s. Anm. 10). Für uns, die wir ihm nicht folgen, bleibt die Frage, ob die Volkskirche, die dabei war, geboren zu werden, wirklich eine Volkskirche der Berber war oder nicht doch eher eine Art latino-berberischer Antithese innerhalb des römischen Bereichs.
30. *H. Schuchardt:* Die romanischen Lehnwörter im Berberischen, Kais. Ak. Wiss. Wien, Bd. 4, 1918.
31. *M. Meslin:* Les ariens d'Occident, 1967, 335—430, 325.
32. *R.A. Markus:* Donatism: the last phase, in: *C.W. Dugmore und Ch. Duggan (eds.):* Studies in Church History, *1,* 1964, 118—126.
33. Der Vergleich mit den Christen des heutigen Nahen Ostens drängt sich auf: sollten sie jemals hier verschwinden, so wird man auf keinen Fall vom Verschwinden *der* Kirche im Nahen Osten reden können.
34. *Dureau de la Malle:* L'Algérie, histoires de guerres des romains, des byzantins et des vandales, 1852 (Übersetzung des Geschichtswerkes von Prokopius). — *Ch. Diehl:* L'Afrique byzantine — histoire de la domination byzantine en Afrique (533—709), 1896 (Burt Franklin, New York, Nachdruck, o.J.). — *J. Mesnage:* Le Christianisme en Afrique: déclin et extinction, 1915. — *Ch. Courtois:* Les vandales et l'Afrique, a.a.O.
35. *J. Corbon:* Réflexions sur la mort d'une église, in: Proche-Orient Chrétien, 1958, 197—226.
36. Für eine Aufzählung der uns verfügbaren Quellen, insb. der arabischen, siehe *J. Corbon,* a.a.O.
37. *E.F. Gautier:* L'islamisation de l'Afrique du Nord: les siècles obscurs du Maghreb, 1927. Die 1952 nachgedruckte zweite Auflage von 1937 trägt den abgeschwächten Titel "Le passé de l'Afrique du Nord — les siècles obscurs". Das unbewußte Verlan-

gen, zu ignorieren, bewirkt auch ein "telescoping": man schiebt die 13 Jahrhunderte islamischer Geschichte zusammen und bedenkt nicht, *wie* lange sie waren und *was* alles in dieser Zeit geschehen ist. Eine ähnliche Erscheinung zeigt sich bei manchen westlichen Darstellungen der Geschichte Palästinas: sie reden fast nicht von den langen Jahrhunderten zwischen der Eroberung durch die Araber und dem Beginn der zionistischen Einwanderung. Zu den letzten fünf Jahrhunderten christlicher Geschichte im Maghreb siehe auch: *W. Seston:* Sur les derniers temps du christianisme en Afrique, in: Mélanges de l'Ecole Franç. de Rome, 1936, 101–124.

38. *R.M. Speight:* Attitudes towards christians as revealed in the musnad of al-Tayalisi, in: The Muslim World, 1973, 249–268. — *Ders.:* Témoignage des sources musulmanes sur la présence chrétienne au Maghreb de 26–647 à 184–800, in: IBLA (Inst. Belles Lettres Arabes, Tunis), 1972, 73–96. — *M. Speight:* The place of the Christians in the ninth century North Africa, according to Muslim sources. Islamochristiana, 1978, 47–65. — *C. Cahen:* L'évolution sociale du monde musulman jusqu'au XIIème siècle face à celle du monde chrétien, in: Cahiers de Civilisation Médiévale *4* und *5*, 451–463 und 37–51.

39. Briefliche Verbindung des Papstes mit islamischen Herrschern: *Ch. Courtois:* Grégoire VII et l'Afrique du Nord, in: R.H. 1945, 97 und 193.

40. *Hochecorne,* a.a.O. 44.

41. "Auswanderung" hätte in Teil 2 gesondert als "These" aufgeführt werden können. Sie gehört jedenfalls, implizit, zu These 3 (Mangelnde Anpassung), zu These 5 (Keine Volkskirche) und zu These 9 (Ausrottung durch den Islam). — Die Tendenz der Lateinisierten zur Emigration kann mit den Juden des Maghreb im 19. und 20. Jahrhundert verglichen werden: obwohl echte Maghreber, wandert die Mehrzahl von ihnen aus, weil sie besonders stark durch französischen Kolonialismus und Zionismus akkulturiert worden sind.

42. *Hochecorne,* a.a.O. 55.

43. Wallfahrten zu Heiligengräbern auf Hügeln ("Marabu-Hügel") halten sich bis heute durch. Die in ihnen ruhenden heiligen Männer und Frauen sind Muslimen, Juden, Christen oder Heiden.

44. *J.-L. L'Africain (Leo Africanus):* Description de l'Afrique. Übers. und hg. von *A. Epaulard,* 1956. — *Ch. Penz:* Les captifs français du Maroc au XVIIème siècle (1577–1699), 1944. — *Hochecorne,* a.a.O. 57ff.

45. *A. Pons:* La nouvelle Eglise d'Afrique ou Le Catholicisme en Algérie, en Tunisie et au Maroc depuis 1830, 1930. Eine Skizze dieser Periode in: *U. Schoen:* Das Ereignis und die Antworten. — Jean Faure's christliches Leben und Denken in islamischem Kontext (1907–1967) und die Frage nach einer Theologie der Religionen heute. Fachbereich 02, Universität Mainz, 1978, 118ff.

46. Als — vielleicht untypisches — Beispiel gilt hier der donatistische Bischof Macrobius, der nicht "punisch" (das heißt berberisch) sprechen konnte. *Gautier,* a.a.O. (1952) 125.

47. *Campenhausen,* a.a.O. 48.

48. *J. Pardede:* Die Batakchristen auf Nordsumatra und ihr Verhältnis zu den Muslimen. Diss. FB Ev. Theol. Mainz, 1975.

49. *Gautier,* a.a.O. 97ff.

50. *Gautier,* a.a.O. 100 und 105ff.

51. *Corbon,* a.a.O.

52. *Frend,* a.a.O. 334.

53. *P. Brown:* Christianity and local culture in late roman Africa, in: Journ. of Roman Studies, 1968, 85–95.

54. *W. Freytag:* Die Lehre der Kirchengeschichte Nordafrikas für die heutige Mission, in: Luth. Rundschau 1954, 319–327. — *Ders.:* Der Islam als Beispiel einer nachchristlichen Religion, in: Reden und Aufsätze, Bd. II, 53–63.

55. *Hochecorne,* a.a.O. — *Campenhausen,* a.a.O. 36, 48, 185.

56. *Gautier,* a.a.O. 118ff. und 144.

109

57. *Knox*, a.a.O. 64, und *Legrand*, a.a.O. 22.
58. *Corbon*, a.a.O. 199.
59. *Campenhausen*, a.a.O. 194.
60. P. *Brown:* Religion and Society, a.a.O. 289.
61. *Legrand*, a.a.O. 22. – J. *Brignon, A. Amine et al.:* Histoire du Maroc, 1967, 51.
62. *Corbon*, a.a.O. 212, 218 und 221.
63. *Corbon*, a.a.O. 209, und *Laroui*, a.a.O.
64. K. *Bailey*, mündl. Mitt.
65. Dies ist die Schlußfolgerung Corbon's.
66. Vergleiche das unterschiedliche Verhalten der Christen im Libanonkrieg seit 1975; siehe hierzu auch Anm. 33.
67. U. *Schoen:* Das Ereignis und die Antworten, a.a.O.
68. Siehe hierzu etwa den Hirtenbrief des Bischofs von Oran, *Henri Teissier:* "1978 en Oranie: vivre dans la foi la nouvelle situation".
Dieser Artikel wird außerdem veröffentlicht in Theological Review (NEST, Beirut, Libanon, P.O.B. 117424) unter dem Titel "The Death of a Church: remarks on the presumed reasons for the disappearance of the 'First Church' in North West Africa" (1979).
Für Hilfe und Kritik dankt der Verfasser C. Amos, K. Bailey, J. Corbon, J.M. Fiey, M. Speight, H. Teissier und R. Weipert.

C.F. Hallencreutz

Two-way-traffic — a necessary dimension in Church History

I.

In his missiology H.-W. Gensichen explores the relationship of intention and dimension in the Church's Mission. Pursuing his argument I suggest that two-way-traffic within the Church's Mission on six continents necessarily belongs to the missionary dimension of the Church. Two-way-traffic provides both a framework and a basis for joint action for mission and shared expression of the Church's missionary intention.

However, though two-way-traffic in mission is a long-awaited-for missionary objective it seems to be difficult to realize, due to administrative routines and traditional attitudes at the giving end. In order to facilitate healthy ecumenical sharing of resources we may — more than what hitherto has been the case — in studies of missionary developments during present and preceding epochs recognize the extensive two-way-traffic which is implied in the impact which experiences of missionary interactions with local realities on the field have made on images, attitudes and world-views of respective Churches and missions and via them on the general public in respective countries. Though we should not hide away practical and patriarcalistic attitudes, we should not overlook how such interactions often encouraged widening horizons in the home-churches, which made the ground ripe for mutuality and exchange in mission.

In this paper which I greatfully submit in honour of H.-W. Gensichen I will illustrate this point by discussing the impact which missionary experiences of contemporary Chinese developments made on the emerging Evangelical Revival in Sweden. I will focus on Carl Olof Rosenius' interest in the Taiping Revolution, which is largely overlooked in the history of Swedish missions.

The impact of Rosenius on the Evangelical Revival in Sweden from 1842 on — and increasingly also on religious developments in other Nordic countries — has been widely recognized in general Church History. However there is not yet a complete study neither of his general contribution nor of his effects on Nordic missions. That is why his surprising interest in the Taiping Revolution has not, so far, been properly assessed. Even so this interest is one significant evidence of two-way-traffic in the sense of creative impact of missionary experiences "abroad" on important ecclesiastical developments "at home".

111

II.

In the history of Swedish missions, too, China was in the forefront at the middle of the 19th century. The Nanking treaties and emerging possibilities of trans-atlantic markets were recognized in Sweden, too, during a period of internal agrarian reform and incipient industrialization. Carl Gützlaff's visions of an early evangelization of the Chinese mainland by Chinese co-workers caught the imagination of many. That is not least true for P. Fjellstedt who had served the Church Missionary Society both in Cottayam and in Smyrna. From the mid-1840's he became an energetic champion of World Mission in parochial Sweden.

These developments co-incided with exciting changes within the Church of Sweden. 1842, thus, was a decisive year in Swedish Church and Mission history. Aggressive criticism of George Scott, a Methodist preacher in Stockholm, had forced this evangelical activist to leave Sweden. Maintaining his contacts with Scott, Rosenius, still a youngster of 26, emerged as the leader of the incipient evangelical revival. At the same time he became editor of *Pietisten*, an edifying monthly, as well as of *Missions-Tidning*, the mouthpiece of the Swedish Missionary Society. Rosenius, thus, presented himself both as a profound and gifted lay-preacher and as a well-informed missionary spokesman. His influence transgressed the membership of evangelical groups in Stockholm!

In studies of Rosenius' role in Swedish Church and Mission history his contribution as the editor of *Missions-Tidning* has not been sufficiently appreciated. This helps to explain, why his interest in Taiping has been overlooked.

However, within an impressively varied international coverage of missionary developments, Rosenius from 1842 devoted a particular interest to Chinese problems. During a first phase his interest is combined with an attempt at a balanced view of Gützlaff's missionary programme. From 1852 Rosenius' China-reporting focusses on the emerging Taiping movement. His first explicit reference to these new developments in China is in the form of a comment on a personal letter from Theodor Hamberg, his friend and "chorist" of the evangelical party in Stockholm, who from 1847 served under the Basle Evangelical Mission in Hongkong.

At first Rosenius' attitude to the emerging Taiping Revolution is attentively awaiting. He sees what is happening in Kwangsi as something new in Chinese history. In a theological jargon he adds that "if the spirit of the Lord is moving over it he will bring unto a new creation".

Later on Rosenius' position vis à vis the Taiping movement becomes more and more specific. He does not limit himself to Hamberg's information only. In addition he makes use of informations on Chinese developments as they are presented in German and British missionary magazins. He also quotes the first account by Western writers on the Taiping movement, a report from Nanking by Yvan and Callery in French diplomatic services. He also is acquainted with W.H. Medhurst's translations of Taiping tracts from 1853.

Rosenius' relationship with Theodor Hamberg, thus, encouraged an autonomous interest in the Taiping Revolution during a period of social and religious change in Sweden. With his relationships to Gützlaff to whom he occupied an increasingly critical position and his involvement in a missionary outreach among the Hakka in Southeastern China, Hamberg occupied a position which from May 1852 gave him opportunities to get significant insights into the first phase of the Taiping movement. In addition to general informations on new developments in Kwangsi and Kwangtung he devoted himself to the interaction of religious revival and social protest both in the personal development of Hun Hsiu-chuan, the Taiping leader, and in the history of *Pai Shang Ti Hui* (the Society of God worshippers) which gradually became *Taiping Tien Kuo* and represented an alternative revolutionary rule in Nanking from 1853[2].

From May 1852 Hamberg, thus, maintained faithful relations with Hung Jin-kan a close relative of the Taiping leader. They first met in Hongkong and their contacts were further developed when they met anew in Pakot, Northwest of Hongkong, in 1853. Hung Jin-kan shared his insights into early Taiping developments and Hamberg gave Hung Jin-kan cathechetical training. Before they had to leave Pakot in November 1853 Hung actually received baptism from Hamberg[3].

Basing his account of Hung Jin-kan's reports and other material which was available in Hongkong, Hamberg presented his study on the religious development of Hung Hsiu-chuan and the early development of the Taiping movement which has become a classic[4]. However, Hamberg was struck by dysentery and died in May 1854. Thus, these interactions between Hung and Hamberg were terminated and Hamberg was never able to respond favourably to a Taiping call to go to Nanking.

Since Hamberg had passed away Rosenius seems to have been particularly challenged by the position of Issachar Roberts[5]. In 1847 this independent American missionary entertained Hung Hsiu-chuan and Hung Jin-kan in Kanton and contacts were resumed between Hung Hsiu-ch'uan and Roberts in 1849[6]. In December 1854 Rosenius suggests that Roberts is the only person who can exert a creative influence on Hung Hsiu-chuan. He is excited with Hung's invitation to Roberts to come to Nanking and assist in their programme of religious education. Rosenius even translates into Swedish Hung's letters of invitation. Though he found these somewhat optimistic he also comments on Roberts' proposals for ecumenical missionary co-operation with the Taipings through annual conferences in Nanking.

In order to make his readers better acquainted with the Taipings Rosenius also presented translations of official texts from their movement. Thus, he published in Swedish translation the catechetical affirmation of Christian belief which was in use in Nanking as well as an explanation of the Ten Commandments. He also comments on the way in which Christianity is practiced in areas under Taiping rule and on the attitude of the movement to local missions.

II.

Rosenius, however, did not limit himself merely to reporting on the Taiping revolution. He also ventured an interpretation of his own of this movement.

There are missiological, political and theological perspectives which informs his attitude.

Rosenius' main missiological perspective correspondends with a current theological interpretation of history. He includes China within a general view of God achieving his purposes in World History. He sees such factors, which favour the extension of Christianity, as evidences of this theology of history, though he does not immediately identify colonial expansion, which, in fact, may provide "open doors" for Christian missions, as proper means to achieve that end. Actually Rosenius expresses himself very critically of commercial interests in the opium trade as a driving force in the official British involvement in China. Applying his missiological perspective on Chinese developments he rather takes an attentively awaiting attitude to the Taiping movement as a possible means, whereby divine objectives are realized in contemporary Chinese history.

Rosenius specifies this missiological interpretation by adding a political perspective. He is not able to advance an all-inclusive political analysis of the Chinese situation. However, he expresses himself very critically both of the domination of the present Manchu regime, which he admits is a foreign government, and with prevailing Mandarin elitism and anti-Western attitudes. Assessing the Taiping critique of such forces, Rosenius shares Hamberg's view that Taiping Tien Kuo is a just cause.

However, Rosenius qualifies this assessment of the Taiping revolution by spelling out a theological interpretation and critique of Taiping religiosity He emphasises the role which the Bible plays within the movement. He recognizes its iconoclastic attitudes to Confucian and Buddhist practices and notes with interest Christian elements in Taiping liturgy and devotion. At the same time Rosenius raises some critical questions. He criticizes the absolutistic ideas involved in the identification of Hung Hsiu-chuan as Taiping wang or divinely appointed king in the alternative celestial empire. According to Rosenius this imperial ideology corresponded with the absolutism of the Ching emperor. Accordingly he questions the implications of Hung Hsiu-chuan' messianic claim as "Jesus' younger brother", though he modifies his critique on this point in view of continued linguistic analyses of the terminology of the movement. However, Rosenius remains critical of what he sees as belief in an authoritative source outside of Scriptural tradition as a possible implication in Hung's reference to visionary experience. At this point Rosenius seems to occupy a more critical attitude than Hamberg, who in his account of early Taiping developments does not venture a theological critic of Hung Hsiu-chuan's visionary experience of a divine calling[7].

IV.

However, developments within the Taiping revolution were not without its problems. The official Maoist interpretation of the movement which it see as "the first great high tide of the revolution in the history of modern China" does not deny "strategic blunders" in the expansion of the movement after the

114

liberation of Nanking. Nor does it hide away increasing tensions in the Taiping leadership and aristocratic attitudes on the part of Hung Hsiu-chuan[8]. This interpretation corresponds with other assessments.

Even so the significant turn of events is the termination of the second Opium War and the treaties of Tientsin from 1858. Until then Britain and France did not take side in the Chinese civil war, though Nanking was within their commercial sphere of interests. After 1858 they decided to support Peking and strengthened the Imperial forces. External pressures on *Taiping Tien Kuo* increased and from 1864 the disintegrating movement was crushed. Having managed to reach Nanking in 1859 Hung Jin-kan failed in reorganizing the Taiping leadership and in his attempts to establish friendly relations with foreign commercial interests[9].

From a more specific missionary perspective, too, the treaties of Tientsin introduced a change. Extraterritorial rights with Britain as a specific guarantee power were recognized to Protestant missions in agreement with treaties with Russia and France as regards Orthodox and Catholic missions. Thus, Chinese Christians related to recognized missions were separated from the Taipings, who as belonging to an indigenous Chinese movement fall outside of the treaty.

These developments affected Protestant missionary assessments of the Taiping Revolution in a more critical direction. I. Roberts, who actually served in Nanking from October 1860 to January 1862, thus, gave a very critical report of his stay in the Taiping headquarters[10].

Also during this period Rosenius pursued his interest in the Taiping Revolution, though he qualified his theological interpretation of developments. He did not deny internal problems of leadership, nor did he overlook the implications of increased French and British support for Imperialist policies vis à vis the alternative Taiping regime. In view of the general change of attitude to the Taiping Revolution among Protestant missionaries, however, Rosenius maintained a surprisingly critical positive assessment of the movement, though he sharpened his theological critique and adjusted his political assessment of the movement to the new situation after the Treaties of Tientsin.

Rosenius was critical of Britain's involvement in the Second Opium War, though in 1857 he anticipated that one outcome might be that China would be "more open to the Gospel". He also noted with interest attempts by Protestant missionaries in discussions with the British chief negotiator, Lord Elgin, to safeguard similar rights for protection of Protestant Christians which had been granted Orthodox Christians in treaties with Russia and Roman Catholics in treaties with France. Rosenius was, thus, aware of the fact that political and legal developments since 1858 actually enforced a separation of the Taipings on the one hand and Roman Catholics and Protestants who were related to recognized missions on the other.

Assessing the continued development of the Taiping revolution in this situation Rosenius maintained his recognition of its theological significance with reference to the role of Bible study in the movement, its Protestant ethics and

115

devotional practices. At the same time he noted the disruption of leadership of the movement, also since Hung Jin-kan had moved to Nanking. He was critical of what he understood as increasingly autocratic attitudes in Hung Hsiu-chuan's position after the defeat of Yung Hsin-ching in 1856.

Interpreting these developments Rosenius further explored his critique of the idea of *Taiping wang* as "Jesus' young brother". He did not find this imperial ideology in accord with Christian belief in Jesus Christ as "the only begotten son of the Father". Rosenius suggested that this theological weakness reflected shortcomings in Biblical interpretation within the Taiping movement and that it had serious repercussions on the deterioration of leadership within the movement.

This theological critique affected Rosenius' missiological and political view of the Taiping revolution in a new situation. Rosenius maintained his theological general view of historical processes and he continued to apply this perspective on Chinese developments and the Taiping revolution. However, he added a new dimension to his interpretation. He recognized that the Taiping movement had opened doors for the Gospel in areas under revolutionary rule, but he qualified this affirmation by suggesting that the Taiping revolution was an expression of divine judgement on "idolatrous practices" in traditional China. In this way Rosenius maintained that the Taiping critique of oppressive structures in Chinese society was justified, though he was increasingly critical of the way in which the Taiping leadership administered the revolution.

Rosenius did not explore at length the implications of the active British and French support to the Imperial forces after the treaties of Tientsin, though he did not give it his explicit support. However, he pursued his view of divine judgement and asked whether the increased pressure on the Taipings was an expression of the judgement of God on certain developments within the Taiping movement. At the same time Rosenius maintained his call for prayer for the Taipings. But he did not raise the question, which emerged during a later phase in the revolutionary history of modern China: whether developments in China implied a judgement on Western missions for not having adequately served the Chinese people[11].

V.

In the introduction to this essay I suggested that a fresh look into the impact which missionary experiences of interaction with local developments "on the field" may have had on the growth of images and attitudes within supporting agencies "at home" and *via* them on the general public may provide fresh perspectives on the possibility and need of two-way-traffic in mission. Indirectly there has already been a significant "two-way-impact" in traditional missionary relationships, which have affected the horizons and attitudes of supporting agencies to a greater extent than what we usually tend to recognize[12].

The case of Rosenius and the impact of missionary interactions with the Taiping Revolution on his leadership of the evangelical revival in Stockholm is worth further study. There is one paradox here. For a number of reasons the

116

Swedish Evangelical Mission which became the particular guardian of the heritage from Rosenius, since the evangelical revival split during the 1850s in one Lutheran and one Baptist branch became particularly involved in Ethiopia and initiated particular, longstanding Swedish-Ethiopian relations. As a separate organisation the SEM never involved itself in China-mission[13].

However, the missionary involvement in China, which Rosenius informed was preserved among evangelical groups in Stockholm. One significant agent in this regard is the Women's Association for the Evangelization in China. This association was started after Gützlaff's visit to Stockholm in 1850, though Hamberg — and Rosenius — managed very early to draw its attention to the Hakka mission and the emerging Taiping Revolution. It preserved this interest in China also after 1862 and maintained contacts with Hamberg's successor, R. Lechler. Actually a member of this association, Augusta Nordfeldt, who sympathized with the Baptist cause, devoted herself to the mission in China and married Lechler, though she died soon after her arrival in Hongkong[14].

The Women's Association for the Evangelization in China, thus, preserved the missionary involvement in China until the renewed interest in China developed during the second evangelical revival. This continuity, in fact, helps us to explain certain features in the way in which the new China Missions developed from the 1880s[15].

To illustrate the width and flexibility in early phases of the missionary movement as well as the surprising "two-way-impact" which missionary relationships "abroad" had on Church development "at home" is, I admit, not the most urgent task in contemporary missionary research. But I suggest that such studies can encourage us today to overcome obsolete missionary attitudes and institutional hang-ups and find new expressions for the necessary two-way-traffic in the Church's mission on six continents.

Notes

1. On the general background, see further C.F. Hallencreutz: Swedish Missions, 1968.
2. On Taiping developments, see further F. Michel: The Taiping Revolution; History and Documents, I—III, 1966—1971. — Cf. also W. Öhler: Die Taiping-Bewegung, Geschichte eines chinesisch-christlichen Gottesreiches, 1923.
3. Cf. C.F. Hallencreutz: A Swedish Source on Taiping Religiosity, in: The Church in a Changing Society; Report of CIHEC Conference, in Uppsala, 17—21 August 1977, 1978. On Hung Jin-kan's biography see further E. Boardman: Christian Influence upon the Ideology of the Taiping Rebellion 1851—1864, 1952.
4. T. Hamberg: The visions of Hung Siu-tshuen and the Origin of the Kwan-Si Insurrection, Hongkong 1854. Cf. 2nd ed. by G.E. Pearce, 1855, with a slightly adjusted title: The Chinese Rebel Chief Hung-Sin-Tshuen and the Origin of the Kwang-Si Insurrection, 1885. Cf. Hamberg in EMM 1854, 146ff. See also documentation on Taiping, in: EMM 1861—1863.
5. The following interpretation of Rosenius' attitude to and interpretation of the Taiping revolution is based on Rosenius' material in: Missions-Tidning from 1854—1862.

117

6. On Roberts, see for instance, *K.S. Latourette:* A History of Christian Missions in China, 1929, 293ff. Cf. also Hamberg 1855, 47 and 61.
7. On Hamberg's missionary general view, see further *C.F. Hallencreutz* in: The Church in a Changing Society, 479ff.
8. Cf. The Taiping Revolution, 1976, 55ff., 73–80 and 171–178.
9. Cf. op. cit. 87–94, on Hung Jin-kan's New Guide to Government.
10. Cf. *K.S. Latourette,* op. cit. 293ff.
11. Cf. *D.M. Paton:* The Christian Mission and the Judgement of God, 1953.
12. In general historical studies *J.K. Fairbank* has emphasised the significance of such interactions as a valid area of research, cf. *idem:* China Perceived, 1974, 266.
13. On the role of SEM in the pre-history of the Evangelical Church Mekane Yesus and the Evangelical Church of Eritrea, see *G. Arén:* Evangelical Pioneers in Ethiopia, 1978.
14. Cf. *K.B. Westman:* Ur Kvinnornas arbete för missionen, in: Svensk Missionstidskrift 1936 1, 39ff. – In Missions-Tidning 1854: 9, 69ff., A. Nordfeldt-Lechler's first and last report from Hongkong is published. On R. Lechler, see further *W. Schlatter:* R. Lechler. Ein Lebensbild aus der Basler Mission in China, 1911.
15. Cf. *H. Schlyter:* Der China-Missionar Karl Gützlaff und seine Heimatbasis, 1976, 126ff.

Herwig Wagner

Die geistliche Heimat
von Christian Keyßer

Zur Frage des theologischen Profils eines immer noch umstrittenen deutschen Pioniermissionars

Es hat sich eingebürgert, soweit man die neuere deutsche Missonstätigkeit geschichtlich betrachtet, die beiden Namen Bruno Gutmann (1876–1966) und Christian Keyßer (1877–1961) in einem Atemzug zu nennen. In der Tat haben sie missionstheologisch vieles gemeinsam. Beide waren sie Pioniermissionare der reflektierenden Generation, der eine in Ostafrika, der andere in Neuguinea, wo sie sich betont den Fragen des Gemeindeaufbaus und -wachstums zuwandten. Insoweit war es auch unausbleiblich, daß sie sich beide der ekklesiologischen Problematik stellen mußten. Genau an diesem Punkt verfielen sie auch beide gemeinsam dem Scherbengericht über die neuere deutsche Missionswissenschaft durch den Holländer J.Ch. Hoekendijk. In einem Nachtrag von 1966 zur deutschen Ausgabe seiner im Krieg geschriebenen holländischen Dissertation kennzeichnet Hoekendijk in großer Ehrlichkeit die Situation, in der seinerzeit seine Arbeit entstanden ist[1] und relativiert damit auch manches von dem damals mit heimlicher Leidenschaft Geschriebenen. Der Jubilar, dem dieser Beitrag gewidmet ist, hat das Verdienst, sich bald nach Erscheinen der holländischen Dissertation als einer der ersten nicht unmittelbar Betroffenen zu Hoekendijks Arbeit kritisch geäußert zu haben[2]. Damals war noch nicht klar, welchen Weg Hoekendijk später über seine Kritik an der deutschen Missionswissenschaft hinaus ekklesiologisch nehmen würde. Daß Kirchwerdung in der Mission ihren Platz hat und deswegen theologisch reflektiert werden muß, diese Aufgabe – so H.-W. Gensichen – sollte auch Hoekendijks scharfe Kritik nicht verdecken. Ihm ging es damals bei seinem ersten Gesprächsgang mit Hoekendijk nicht darum, "allzulange bei Einzelausstellungen an Hoekendijks Darstellung und Bewertung deutscher Missionstheologien (zu) verweilen"[3]. Freilich hat gerade jene Kritik aus Holland das Bild der deutschen Mission in der ersten Hälfte dieses Jahrhunderts allzusehr vereinfacht und dabei zwei so einfallsreiche und originelle Praktiker wie Bruno Gutmann und Christian Keyßer einfach unter dem Verdikt "völkischer Mission" auf den gleichen Nenner gebracht. Die Nomenklatur "volksorganische Missionsmethode" für Gutmann und "volkspädagogische Missionsmethode" für Keyßer sind dann nur Variationen des einen Themas, das Hoekendijk erkannt zu haben glaubt. Es gehört zur Fairneß geschichtlicher Darstellung, gegebenenfalls Verkrustungen, die sich über solchen Gestalten gebildet haben, wieder abzulösen und das besondere Profil erneut herauszuarbeiten und sichtbar werden zu lassen. Das theologische Lebenswerk Christian Keyßers ist bisher auffällig wenig bearbeitet worden[4]. Um so nachhaltiger wirkt Hoekendijks Darstellung in seiner genannten Arbeit. Nach 30 Jahren, die seit jener Erstveröffentlichung in holländischer Sprache vergangen sind, ist nicht nur das Kirchenkampfpathos des Autors verflogen[5]; auch das Erscheinen der Autobiographie Christian Keyßers[6] und der Abstand von den politischen Ereignissen der Nachkriegszeit dürften mehr Durchblick und Gerechtigkeit in der Charakterisierung einer so vielschichtigen Persönlichkeit wie der hier zu behandelnden ermöglichen.

1. Seine Anfänge

Im Jahre 1977 wurde im bayerischen Raum und verständlicherweise besonders in seiner oberfränkischen Heimat des 100. Geburtstages von Christian Keyßer des öfteren gedacht. Dabei kam in auffallender Weise seine sonst wenig beachtete geistliche Beheimatung in der dortigen Erweckungsbewegung zum Vorschein. Es waren vor allem die Gemeinschaftskreise im Frankenwald, die sich des bedeutenden Sohnes ihrer Heimat erinnerten; dabei handelte es sich offensichtlich nicht um einen Versuch, eine geschichtliche Größe nachträglich für eine kirchliche oder kirchenpolitische Gruppierung zu vereinnahmen. Keyßer selbst hat in seiner Autobiographie deutlich an mehreren Stellen auf diese seine geistliche Beheimatung hingewiesen. So die kurzen Bemerkungen über seine Schulzeit in Nürnberg und wie er Zugang zum dortigen CVJM fand. Ganz eindeutig in diese Richtung weist sein Berufungserlebnis zum Missionar am 9. Oktober 1894, oder die Notiz, daß er in täglicher Bibellese die Bibel mehr als 25mal von Anfang bis zum Ende durchgelesen habe[7]. In dieser geistlichen und frömmigkeitsmäßigen Haltung durchlief Keyßer das Neuendettelsauer Missionsseminar, und so begann er auch seine Arbeit in Neuguinea. Zunächst deutete nichts auf einen Unterschied von der herkömmlichen Art oder auf eine grundsätzliche Änderung in Missionsauffassung und -methode hin.

" 'Predigen Sie nichts als den gekreuzigten Christus!', dieser treue Rat eines von mir hochverehrten Pfarrers war bei mir auf guten Boden gefallen. Ich predigte Christus und suchte ihn den Heiden vor Augen zu malen, als wäre er unter ihnen gekreuzigt. Aber ich fand kein Verständnis ... Ich arbeitete, wie sich's gehörte, mit Wort und Sakrament. Aber wenige Jahre nach der Gemeindegründung schon begann ich mit immer steigender Deutlichkeit zu erkennen, daß es mit der Lebendigkeit abwärts gehe. Der anfängliche frische Eifer erkaltete immer mehr, je höher die Zahl der Getauften stieg. Mitmissionare rieten zu mehr Wort und Sakrament, zu treuerem Gebet. Ich befolgte die wohlgemeinten Ratschläge. Aber besser wurde nichts, im Gegenteil, es ging ohne Frage weiter abwärts ... "[8]

So schreibr Keyßer kurz nach seiner Rückkehr nach Deutschland über seine frustrierenden Anfänge in Neuguinea.
In seinen vielen Schriften hat Keyßer selten von seiner eigenen Frömmigkeit

gesprochen. Vielleicht lag es an der "Herbheit des Oberfranken"[9], daß er sein Herz nicht auf der Zunge trug. Er selbst wußte offenbar auch darum. In seinem nach fränkischer Sitte für die Beerdigung selbst aufgezeichneten Lebenslauf bittet er um Verzeihung für seine große Zurückhaltung. "Es geschah aus Schüchternheit und Scheu"[10]. Ja, er konnte sich manchmal sogar in einer Art Anti-Frömmigkeit gefallen[11]. Handfest wetterte er zuweilen gegen "alles äußerliche geistliche Gehabe" in den Christengemeinden und ebenso gegen alles "geistliche Getöne der Missionare"[12]. Wenn seine Amtsbrüder von Wort und Sakrament und geistlicher Speise redeten, womit man der Müdigkeit und Lauheit in den jungen Christengemeinden begegnen müßte, dann konnte Keyßer auf bewußten Gegenkurs gehen und betont von "Erziehung zur Arbeit" reden, konnte er sich bewußt rationaler Beweisführung bedienen und zurückhöhnen: "noch mehr geistliche Speise! Häufigeres Abendmahl! Nur zu! Die Wirkung werden wir sehen"[13].

Doch solche Stellen verdecken in der komplizierten Persönlichkeit Christian Keyßers seine tiefinnerliche und einfach-fromme Grundstruktur. Er war und blieb sein Leben lang ein Mann pietistisch-gemeinschaftlicher Prägung. Die Zeugnisse von Menschen, die mit ihm persönlichen Umgang hatten, stimmen darin auffallend überein. Impulsive Äußerungen in seiner oftmals hitzigen und schroffen Art können den Grundzug seiner persönlichen Frömmigkeit nicht zudecken. Sein Lebenslauf schließt mit den Sätzen:

"Ich kann nur sagen: ich verdanke alles, was ich bin und habe, unserem Herrn Jesus Christus und seiner Gnade. Was wäre ich ohne ihn? Wie hätte ich leben können ohne ihn? Wie könnte ich ohne ihn sterben? Weil aber oftmals der Geist zwar willig, das Fleisch aber schwach ist, so kann ich am Ende meines Erdenlebens nur die Bitte des Zöllners nachsprechen: 'Gott sei mir Sünder gnädig'."[14]

2. Seine grundlegende missionarische Entdeckung

Keyßer kam so gut oder schlecht vorbereitet in die Missionsarbeit wie seine Mitseminaristen von Neuendettelsau oder Barmen. Auf ethnologische und soziologische Ausbildung legte man in jener Zeit keinen Wert; ja es fehlte, zumal für Neuguinea, an jeglicher Vorarbeit. In dieser Hinsicht unterschied er sich nicht von seinen Mitmissionaren.

Doch an Ort und Stelle ging Keyßer dann seinen eigenen Weg. Begünstigt durch den Umstand, daß er zunächst nur für den Schulunterricht von Missionarskindern (!) verwendet wurde, hatte er die freie Zeit, bzw. nahm er jede Gelegenheit wahr, sich weiter umzusehen. Nicht um zu predigen, sondern um Kontakte mit den Leuten aufzunehmen, ihre Sprache, ihr Leben, ihre Arbeit, ihre Verhaltensweisen kennenzulernen, ging er in die Dörfer, unterhielt sich mit den Männern, ging mit ihnen jagen, blieb, soweit es seine Unterrichtsverpflichtungen zuließen, bei ihnen über Nacht. Er schien von unersättlicher Wißbegier. Stück für Stück lernte er so den ganzen Codex von einheimischem

121

Recht und Sitte kennen, ihre Lebensweise als Gruppe, die ganze religiöse Verflochtenheit, wie er es auszudrücken pflegte, "papuanischen Heidentums": Feld- und Erntesegen, Liebes- und Todeszauber, Ahnenfurcht und Ahnenverpflichtung, Mythen und Heroenerzählungen, Kosmologien und Ursprungssagen. Keyßers Missionserzählungen, von denen sein Schriftenverzeichnis neben den bekannten Büchern eine große Zahl in Form von Kleinschrifttum aufweist, sind voll von wertvollen ethnologischen Beobachtungen[15]. Selbst das von ihm zusammengetragene Wörterbuch der Kâte-Sprache stellt eine Fundgrube völkerkundlicher Einzelfakten dar[16].

Für Christian Keyßer freilich standen diese Erkenntnisse in engstem Zusammenhang mit dem Verkündigungsauftrag, dem er sich in allem, was er tat, verpflichtet wußte. So sehr er sich auch um das Verständnis der fremden Kultur bemühte, es war bei ihm stets ausgerichtet auf die gezielte und relevante Evangeliumspredigt unter den Menschen Neuguineas. Es gibt bei Keyßer keinerlei Anzeichen dafür, daß sich bei ihm das völkerkundliche Interesse je hätte verselbständigen wollen. Nach seiner Rückkehr nach Deutschland hat Keyßer weit über den Kreis der christlichen Missionsfreunde hinaus in vielen Vorträgen von seiner Tätigkeit in Neuguinea berichtet. Immerhin galt damals die Tropeninsel noch als terra incognita. Es ist ein beredtes Zeugnis für die Einheitlichkeit seiner großen Entdeckung, daß er vor christlichen Freundeskreisen nicht seine Hochachtung vor der einheimischen neuguineischen Kultur und vor säkularer Bildungszuhörerschaft nicht sein Eintreten für Recht und Pflicht der christlichen Mission verschwiegen hat. Er war ein beredter Anwalt der Mission und ihr leidenschaftlicher Apologet; aber nie ist er darüber zum Propagandisten einer abendländischen Kulturmission geworden.

Wo Christian Keyßer bekannt ist, da ist es um seiner neuen, kühnen, erfinderischen Methoden willen: Stammesbekehrung anstelle von Einzelbekehrungen, Aufbau von Gemeinden unter weitgehender Beachtung vorfindlicher Sozialstrukturen, Pflege einheimischen Kulturguts in Gottesdienst und Verkündigung, frühzeitige Übertragung aller wichtigen Funktionen in der christlichen Gemeinde auf einheimische Führer, Indienstnahme der Neugetauften für die eigenständige Mission der Gemeinde[17]. Hier ist Keyßer für eine ganze Generation von Missionaren bahnbrechend geworden und hat damit die später entstehende lutherische Kirche Neuguineas geprägt. Nicht zu Unrecht wird er unter die Gestalten gerechnet, die der neueren deutschen Missionswissenschaft wesentliche Impulse und Einsichten vermittelt haben. Der Hauptanstoß ging dabei von seiner unkonventionellen missionarischen Praxis aus. Darin hat sich weitgehend durchgesetzt.

3. Seine theologische Verarbeitung

Christian Keyßers Leben weist einen tiefen Bruch auf. Infolge politischer Verwicklungen[18] wurde er von der australischen Regierung gezwungen, als einziger Neuendettelsauer Missionar nach Ende des Ersten Weltkrieges in die Heimat zurückzukehren. Seine Mission berief ihn dann 1922 zum Missionsinspektor und Lehrer am Missionsseminar. In den nun folgenden Jahrzehnten seines Lebens hatte er reichlich Gelegenheit, als Lehrer und viel beanspruchter Vortragender seine eigene Tätigkeit darzustellen und zu reflektieren. Wie unsäglich schwer ihm die aus politischen Gründen erzwungene Rückkehr nach Deutschland geworden ist, ist noch in seiner Autobiographie zu spüren: "Warum muß gerade ich entwurzelt werden? Ich, der stärker an der Mission hängt und tiefer mit ihr verbunden ist als mancher andere? ... Entwurzelt glaube ich in der Luft zu schweben", so lautet ein dort mitgeteilter Eintrag aus seinem Tagebuch von 1921. "Im gewohnten Gleis könnte ich vielleicht noch etwas leisten; jetzt aber muß ich mich vollständig umstellen, muß umdenken, umlernen"[19].

Nun sollte nicht übersehen werden, daß die Nachwelt Christian Keyßer eigentlich nur nach den schriftlichen Aufzeichnungen aus seiner zweiten Tätigkeitsperiode kennt[20]. Seine neuen Tätigkeiten als Missionsinspektor der Neuendettelsauer Mission und als Lehrer am Missionsseminar zwangen ihn auch zu reflektieren, wovon er am liebsten nur erzählt hätte[21]. Hoekendijk hat sich in seiner genannten Arbeit die Mühe gemacht, die wichtigsten Artikel Keyßers aufzuspüren, die der theologischen Reflexion gewidmet sind. Sein Ergebnis ist allerdings wenig schmeichelhaft. Das überall mitschwingende "Lokalkolorit" wird anerkannt; auch, daß Keyßer, etwa im Unterschied zu B. Gutmann, seine Erfahrungen kaum abstrahiert hat. So blieb er "vor dem Spiel mit den göttlichen Ordnungen bewahrt". Doch im gleichen Atemzug bescheinigt ihm Hoekendijk eine "arglose Naivität" und eine "gewisse Robustheit, die das Gegenteil ... ist von jeder subtilen Unterscheidung"[22]. Schon vorher hatte W. Holsten Keyßers Schriftgebrauch analysiert und war zu einem ähnlich "robusten" Ergebnis gekommen[23]. Am stärksten freilich schlägt in Hoekendijks Kritik zu Buch, daß Keyßer das Wort "Volk" von der nationalen Bewegung aufgenommen und in seiner theologischen Reflexion hinfort "aus dieser Allianz ... sich nicht mehr (hat) lösen können". Hier meint nun Hoekendijk, die Spur gefunden zu haben, der er dann auch methodisch nachging, nämlich "wie der Weg von der Sattelberger Gemeindeordnung[24] zum Nationalsozialismus verlief"[25]. Die inkriminierten Stationen heißen: kollektive Volksstruktur, organologisches Denken, Ethnopathos, Enteschatologisierung, Volkstumspflege, Volkspädagogie[26]; im größeren Zusammenhang gesehen war es "eine ausgesprochen 'bürgerliche' Sicht von Mensch und Gesellschaft, wobei natürlich ein gehöriger Schuß westlichen – oder einfach nationalen – Überlegenheitsbewußtseins nicht fehlte"[27].

Dieser Vorwurf wiegt schwer, und das nicht nur in politischer Hinsicht. Den unmittelbaren politischen Anwürfen hat Keyßer in seiner Autobiographie in restloser Ehrlichkeit und mit einer fast naiv anmutenden politischen Arglosigkeit den eigentlichen Stachel genommen. Nicht die dort in vollem Wortlaut abgedruckten Entnazifizierungsdokumente sind das Entscheidende, sondern sein eigenes Bekenntnis "ich war zu feige – Gott sei mir Sünder gnädig"[28]. Doch schon die Charakterisierung des Nationalsozialismus, wie Keyßer ihn sah, berechtigt zu der Frage, ob man mit so gehaltenen Augen eine Schwenkung "vom Sattelberg zum Nationalsozialismus hin" machen konnte; mehr noch, ob dies überhaupt ein konsequenter Weg gewesen wäre. Hoekendijk folgerte, wie ein systematisch denkender Mensch zu tun pflegt, aus den häufig vorkommenden Worten wie Volk, Volkstum, Volks-Organismus, völkisches Kollektiv, Volkserziehung, die innere Verwandtschaft zum völkischen Denken in der nationalen Bewegung, das geradlinig zu den Kernsätzen nationalsozialistischer Volks- und Rassenideologie hinführte. Aber war Keyßer wirklich ein so klar systematisch denkender Theologe?

Sowohl seine pietistisch-erweckliche Herkunft als auch das unmittelbare Erleben und Verstehen, wie die biblische Botschaft unabhängig von gewohnten Denk- und Verkündigungskategorien in einer ganz fremden Kultur aufgenommen worden ist und Wurzeln geschlagen hat, diese beiden biographisch bedingten Stationen seines Lebens sprechen gegen eine vorwiegend rational einsichtige und systematisch folgerichtige Begründung des theologischen Weges von Christian Keyßer. Hoekendijk selbst weist darauf hin, in welch großem Maß Keyßer Erfahrungstheologe war:

"Nachdem Keyßer mit eigenen Augen gesehen hatte, wie dies (die Volksmissionierung) in Neuguinea geschah, biß er sich so in diesen Erfahrungen fest, daß nun jeder kritische Einwand mit bemerkenswerter Leichtigkeit weggefegt wird. Er weiß die Tatsachen auf seiner Seite und verschanzt sich jetzt dahinter."[29]

So wenig das auch für den Bibeltheologen Keyßer spricht, er selbst muß sich so ähnlich gesehen haben:

"Ach, Herr Professor, falls Sie diese Zeilen je zu Gesicht bekommen sollten, ich bin doch kein Theologe, sondern ein einfacher Missionar. Es geht mir nicht um Theologie und Theorie, sondern einfach darum, daß die Menschen, und im besonderen die Heiden, etwas vom lebendigen Christus erleben. Ferner darum, daß lebendige Gemeinden und Kirchen entstehen, wie Gott sie verlangt, Gemeinden, die ein Licht sind, das in der Welt zur Ehre Gottes und zum Heil der verlorenen Menschen leuchtet."[30]

So antwortete er auf den Einwand, in seiner "Theologie" spiele der gekreuzigte und auferstandene Christus keine Rolle.

Das sind nicht nur Töne aus einem müde und defensiv gewordenen Ruhestand. Auf dem Höhepunkt seiner Lehrtätigkeit ließ er 1936 den für den internen Gebrauch gedachten "Leitfaden für Missionare"[31] im Druck erscheinen. Provokativ heißt es dort:

"Gehe nicht von der Lehre, sondern vom Leben aus! Biete nicht die christliche Lehre, mag sie dogmatisch noch so einwandfrei sein! Stelle vielmehr Gott ins Leben hinein! Verwechsle überhaupt niemals die Lehre von Gott mit Gott selber! Die Lehre von Gott bleibt im Kopf; Gott selber wirkt sich im Leben aus."[32]

Oder noch mehr reflektierend:

"Das Christentum ist grundsätzlich mehr als Religion, es ist Religion plus Leben, Menschliches plus Göttliches. Wer dies nicht erkennt, wird weder den Tatsachen der Geschichte noch der Mission gerecht."[33]

124

Wie so viele der programmatischen Äußerungen Keyßers ist auch dieser Satz wenig präzise und läßt sich nach verschiedenen Richtungen hin auslegen. Der Tenor aber seiner erwecklich grundierten Erfahrungstheologie ist deutlich. Eine weitere Überlegung kommt hinzu. Keyßer hatte bei seiner Rückkehr nach Deutschland eine riesige Barriere persönlicher Art zu überwinden. Es hatte ihn während seiner ganzen Zeit in Neuguinea "nie, wirklich nie, in die Heimat zurückverlangt. Ich war bestrebt, den Papuas etwas vorzuleben und wünschte, ihnen auch einmal, so es Gott gefallen sollte, etwas vorsterben zu dürfen"[34]. Man mag diese Entschlossenheit bewundern oder auch für überheblich halten; an seiner persönlichen Einstellung und Ehrlichkeit zu zweifeln, besteht absolut kein Grund. So war es also ein aus seiner Bahn Geworfener, der 1922 die Berufung zum Lehrer am Missionsseminar erhielt. Es entspricht ganz und gar seiner vorher skizzierten erwecklichen Erfahrungstheologie, daß er nun im Unterricht und darüber hinaus in seinen Gemeindevorträgen versuchte, seine in Neuguinea gemachten Erfahrungen in der neuen Arbeit fruchtbar werden zu lassen.

Was er in seiner Pionierzeit zunächst nur geahnt und dann intuitiv aufgegriffen hatte, wollte er einer neuen Missionarsgeneration methodisch-grundsätzlich und praktisch weitergeben. Die nachfolgende Generation von Neuguinea-Missionaren, Georg Vicedom, Hermann Strauß, Wilhelm Bergmann, um nur einige Namen zu nennen, sind seine getreuen Schüler geworden.

Des weiteren hatte er einen Kommunikationsprozeß in Gang zu bringen, nicht nur mit den Gemeinden seiner bayerischen Heimatkirche, sondern auch mit einer weiteren, der Mission durchaus nicht immer wohl gesonnenen Öffentlichkeit. Neben seinem Anliegen, "zu erzählen, was Gott unter Papua-Heiden getan" hatte, mußte er aber hier argumentieren, seine Erfahrung in neue Kategorien kleiden, sich auch einer gewissen Bildungssprache befleißigen, um sich verständlich zu machen. Der apologetische Ton in vielen seiner Aufsätze ist unüberhörbar. Er paßt nur zu gut ins allgemeine Bild.

Daneben gibt es aber Züge, die nicht passen wollen. Vielfach und in verschiedenen Zusammenhängen hat sich Keyßer zum Thema Volk und Kirche, Volkstum und Gemeindeaufbau geäußert. Auch Hoekendijk bemerkte seine terminologischen Inkonsequenzen[35]. Die Worte Volkstum, Sitte, Eingeborenenrecht kann er so unterschiedslos gebrauchen wie die Begriffe Volk, Art, Artgemäßheit, Rasse. Seine vielseitigen Äußerungen zu diesem Thema lassen sich bei genauerem Hinsehen nicht auf einen Nenner bringen. Seine Hochachtung vor der vorgefundenen Kultur, "Eingeborenen"-Sitte und -Anstand will nicht zu seinem gelegentlich herablassend-überlegenen Ton kolonialen Kulturbewußtseins passen, noch seine Betonung der Führungs- und Erziehungsrolle des Missionars zu seinem Zutrauen, daß die neuentstandenen Gemeinden auch selbständige Gemeindeverantwortung übernehmen könnten. Gerade im letzteren Punkt war er in deutlichen Gegensatz zu vielen seiner Missionarskollegen geraten, die die jungen Christengemeinden unentwegt betreuen und geistlich gängeln wollten. Die sogenannte Gehilfenmission, das ist die Aussendung selbständiger Evangelisten durch die Gemeinden und deren geistliche Verantwortung für ihre Sendlinge, wäre ohne solches Vertrauen in die Selbständigkeit der Gemeinden nicht möglich gewesen. Besonders augenfällig ist die Differenz, daß er, der angeblich eine DC-Theologie vertrat, das Alte Testament besonders hoch schätzte. Das Volk Israel war für Keyßer geradezu heilsgeschichtliches Paradigma für die Gestalt der christlichen Gemeinde[36].

Wenn solche Diskrepanzen mehr sind als Zeichen eines ungeordneten, unsystematischen Denkens, dann liegt der Schluß nahe, daß sich Christian Keyßer in seiner zweiten Lebensphase, also nach seiner Rückkehr nach Deutschland, geläufiger Denk- und Ausdrucksformen bedient hat, mit denen er jedoch seine eigenen Schwierigkeiten hatte. Gerade in dem Prozeß der Kommunikation mit einer ihm zunächst fremd gewordenen (und vielleicht immer fremd gebliebenen) deutschen Bildungswelt hat er sich in ein weltanschauliches und auch theologisches Korsett pressen lassen, das ihm zuweilen die Luft abzuschnüren drohte. Dieser Vorgang wird von seinem Herkommen und aus der unerwarteten neuen Situation, in der er als Lehrender seine Erfahrungen als Pioniermissionar weitergeben sollte, wenigstens teilweise verständlich. Keyßer war nicht der systematische Denker, der stets präzise reflektiert hätte. Am Anfang seines Denkens stand die überwältigende Erfahrung, wie ein Stamm nach dem anderen sich der christlichen Botschaft öffnete. Weil er darin Gottes eigenes Tun sah, hatte sein Berichten für ihn theologische Qualität.

4. Verifikationen

Der hier unternommene Versuch zur theologischen Aufschlüsselung des Lebenswerkes von Christian Keyßer meint, von seiner geistlichen Beheimatung in der Erweckungsbewegung des Frankenwaldes ausgehen zu sollen, und nicht nach dem Muster seines großen Kritikers Hoekendijk von seiner romantisch neulutherischen Prägung im Neuendettelsauer Missionsseminar und einer dementsprechenden Theologie der Ordnungen. Diese Züge sind demnach als sekundäre Ausdrucksformen einer grundlegend erwecklichen Erfahrungstheologie zu werten. Dafür gibt es eine doppelte Verifikation.

a) Die Church Growth School Donald McGavrans

Genannte prominente evangelikale Schule amerikanischer Missionstheologie und -strategie ist anscheinend immer noch dabei, Christian Keyßer zu entdecken[37]. Doch hier kommt es weniger auf die nachträgliche Kontaktaufnahme als solche an, als vielmehr auf inhaltliche Übereinstimmungen. Obwohl die kirchliche Herkunft bei McGavran und Chr. Keyßer sehr verschieden ist[38] war der Ausgangspunkt für McGavrans enorm fruchtbare Forschungstätigkeit dieselbe wie bei Keyßer, nämlich die überraschende Entdeckung, daß es nicht nur (orthodox-pietistische) Einzelbekehrung, sondern auch Bekehrung von Gruppen gibt. Was bei McGavran methodische Konsequenz war, ging bei

Keyßer voraus, nämlich das Interesse am Umfeld der missionarischen Verkündigung. Hatte Keyßer vor 80 Jahren, gestützt nur auf seine persönliche Wißbegierde, Realitätssinn und eine gute Portion Unbekümmertheit mehr ahnend und intuitiv sich völkerkundlichen Forschungen als Voraussetzung für eine relevante Verkündigung und den darauffolgenden Gemeindeaufbau zugewandt, so konnte die Church Growth School sich denselben Fragen mit der Akribie von in zwei Generationen gesammelten methodischen Erkenntnissen zuwenden und mit einem Team von wissenschaftlich versierten Mitarbeitern. In einem Punkt sind sich aber Keyßer und die McGavran-Schule gleich: Für sie ist "Anthropology" reine Hilfswissenschaft für das missionarische Handeln der Kirche, sei es in Strategie oder in der anzuwendenden Methode[39].

Noch frappierender ist die Parallelität an einer zweiten Stelle. Schon Keyßer war es klar geworden, daß er mit seiner bewußt auf die Gruppe als ganze ausgerichteten Arbeitsmethode zwei Stadien in dem Prozeß der christlichen Erneuerung würde in Kauf nehmen müssen. Immer wieder hämmert er es ein: "Erst Belebung, dann Belehrung." "Hat man Erweckte, so muß man sie erziehen." "(Gruppen)Bekehrung kommt erst nach dem allgemeinen Aufwachen."[40] Die Begrifflichkeit wechselt, wie so häufig bei Keyßer, aber der Zweischritt ist unverkennbar.

Er geht sogar noch darüber hinaus, wenn er kurz nach seiner Rückkehr nach Deutschland, noch ganz von seiner missionarischen Tätigkeit ausgehend, schreibt:

"Nach meiner Erfahrung kann der Missionar beruhigt sein, wenn seine Pfleglinge nicht gleich oder auch später nicht alle das Zentrum des Christentums ergreifen. Es gibt allerlei Stufen. Gottes Geist selbst wird helfen, in ihnen Sünden- wie Heilserkenntnis zu vertiefen. Gewiß wird es nach Jesu Wort stets Unkraut unter dem Weizen geben, gewiß dringen sehr viele nicht bis zum Zentrum des Christentums vor; aber auf die Gnade Jesu wollen auch sie sterben."[41]

Stößt man sich nicht an gewissen sprachlichen Ausdrücken seiner Zeit, dann kann man hier bei Christian Keyßer die nachmals berühmt gewordene volkskirchliche Missionsstrategie McGavrans entdecken, in der jener ebenso deutlich zwei Schritte der Missionierung unterscheidet: Discipling and Perfecting[42]. Die unterschiedliche Begrifflichkeit bei Keyßer und die (wie immer originellen) sprachlichen Neuschöpfungen McGavrans weisen darauf hin, daß hier unabhängig voneinander und von ganz unterschiedlichen theologischen Traditionen her im Abstand von 50 Jahren dasselbe gedacht worden ist.

Diese Parallele McGavrans zu Christian Keyßer ist nicht aus Prestigegründen wichtig, um etwa Keyßer als Vorwegnahme der Church Growth School herauszustellen. Volkskirchliches Gedankengut ist, besonders wenn es bei deutschen Lutheranern auftaucht, immer gleich ideologieverdächtig. Und Christian Keyßer ist kräftig in den völkischen Sog seiner Zeit geraten. Die Church Growth School ist hier nicht anfällig. Auch sind die Arbeitsmethoden inzwischen so verfeinert worden, daß man in der Literatur der Church Growth School klarer darstellen kann, was Keyßer mehr intuitiv erfaßt hat und meinte.

Die Terminologie McGavrans ist umfassender und angemessener, weil ideologisch unbelastet: Discipling and Perfecting. Genau darum ging es auch Keyßer; er sagte dafür Aufwecken und Erziehen. Es erscheint von daher als ein gravierender Schwachpunkt in der Hoekendijkschen Keyßer-Kritik, daß er über der "volkspädagogischen" Linie den Aspekt der Bekehrung fast gänzlich verschwinden läßt. Es ist hier nicht der Ort, darüber Gedanken anzustellen, warum Hoekendijk das so sieht. Das Gesamtbild von Keyßers Schrifttum rechtfertigt jedenfalls diese Einseitigkeit seines Kritikers nicht. Was ist mit solcher historischer Parallelisierung gewonnen? Die Nähe Christian Keyßers zu einem Bannerträger der modernen Evangelikalen ist für viele Missiologen keineswegs eine theologische Empfehlung. Sei dem auch so; die geistliche Verwandtschaft der Erweckungskreise im Frankenwald mit den amerikanischen Evangelikalen ist jedenfalls größer als die zu Kolonialismus und Führerideologie. Es gilt, Maßstäbe der Interpretation zu finden.

b) Die erwecklich-evangelistische Leidenschaft

Christian Keyßer ist, soweit er in die Missionstheologie eingegangen ist, eigentlich nur als Neuguinea-Missionar bekannt. Seine Bücher sind als Missionserzählungen zu Erfolgen in den christlichen Gemeinden geworden. Seine mehr reflektierenden kleinen Aufsätze wenden sich der Missionsmethode und Fragen des volkskirchlichen Gemeindeaufbaus zu. Seine ureigenste evangelistische Leidenschaft fällt aber dabei fast überall zwischen den Rastern durch. Von 1922 an hat Keyßer als Missionsinspektor der Neuendettelsauer Mission unermüdlich die Gemeinden in Bayern und darüber hinaus bereist. Er hat in höchst ansprechender Weise von dem zu berichten gewußt, was er in Neuguinea erlebt hat. Darin lag sicherlich ein gut Teil seiner Beliebtheit als Vortragender. Aber das war nicht alles. Mit seinen Neuguineaberichten wollte er seine spezielle Missionserfahrung fruchtbar machen für die Erweckung echten geistlichen Lebens in den deutschen Gemeinden. Es galt, die schlafenden Gemeindeglieder in der Heimat zu wecken; und wieder kommt der Praktiker, der Aktivist vom Sattelberg zum Vorschein: deswegen muß man ihnen Aufgaben stellen, Ziele zeigen, Gaben wecken und entdecken.

"Das ist ja das Entsetzliche in der Heimat, daß die Gemeinden gar kein Ziel haben, höchstens dies, daß sie 'in stiller Ruhe und gutem Frieden, wie Christen gebührt, ihr Leben vollstrecken mögen'. Was lebt, muß sich aber bewegen, muß wirken und schaffen und wachsen."[43]

In solchen Passagen kann dann der Neuguineabericht zur Nebensache werden und die Erweckung der heimatlichen Gemeindeglieder das Hauptinteresse beanspruchen. Der Übergang von der Mission zur Evangelisation, vom Neuguineabericht zum aktuellen Aufruf an die Heimatgemeinde, wird nicht einmal als Übergang empfunden. Beides fließt für ihn aus ein und derselben Quelle. In seinen größeren Büchern (die ja auch nur Zusammenfügungen von mehr oder weniger zusammengehörenden Einzelstücken sind) fehlt dieser erbauliche Zug[44] nicht, wie auch die meisten seiner als Kleinschrifttum erschienenen Missionserzählungen eben diesen Zweck verfolgen. Der schon mehrmals angezogene "Leitfaden für Missionare" läßt, gerade weil er als Arbeitsanleitung für das "Aufwecken und Erziehen" gedacht ist, in seinem zweiten Teil kaum noch eine Trennung von "draußen" und "daheim"[45] zu. Das gilt nicht nur für die Sätze und Abschnitte, in denen ausdrücklich die "Heimatkirche" angesprochen wird[46], sondern durchgehend. Seine Kritik an den Arbeitsmethoden der Amtsbrüder und dem geistlichen Zustand der heimatlichen Gemeinden ist unüberhörbar.

Man ist geneigt zu fragen, inwiefern das mehr ist als querulante Besserwisserei eines Mannes, der sich normalerweise als Außenseiter fühlte. Mag Keyßer zuweilen auch als solcher empfunden worden sein, die Gründe für seine Kritik und seine Ermahnungen liegen tiefer, im Theologischen.

"Alle (nämlich die Theologen) theologisieren, aber sie gestalten das Leben der Kirche nicht. Sie dozieren, aber sie reformieren nicht. In der Mission kommt alles auf Leben und wirkliche, umgestaltende Kraft an (1. Kor 4,20). Weil wir uns in der Heimat nur immer um Theologie und Lehre, nicht aber um Gottes Wirklichkeit und lebendige Kraft mühen, darum die ganze Kläglichkeit und Schwäche der Kirche. Trotz aller guten Lehre herrscht weithin der Tod."

So schrieb Keyßer im Jahre 1943 in einem Brief an den Doktoranden J. C. Hoekendijk[47]. Es ist zu wenig, wenn man in solchen dezidiert kritischen Äußerungen nur "den Pragmatiker" sieht, wie Hoekendijk diese Briefstelle einleitete. Hinter seinem "daheim" wie "draußen" festzustellenden Aktivismus und einem Drängen auf den "Beweis von Kraft" und Mächtigkeit[48] steht ein unerschütterliches Vertrauen in die verändernde Kraft des Heiligen Geistes. Geist ist nicht "geistliches Getöne" oder "Übergeistlichkeit", wofür Keyßer nur beißende Kritik übrig hatte[49]. Zwar spricht er expressis verbis auffallend wenig vom Heiligen Geist; auch in der oben zitierten Briefstelle taucht die Vokabel nicht auf. Dafür steht: Leben, verändernde, umgestaltende Kraft, Gotteswirklichkeit. In seinen früheren Schriften heißt es einfach "Christentum". Das ist mitnichten abträglich; Christentum ist für Keyßer gleichbedeutend mit: Gestalteter Glaube; Neue Wirklichkeit; Verändertes Leben. Das alles ist sichtbar, spürbar, erfahrbar, beschreibbar. Die Menge von Keyßers Schrifttum ist doch in einer Intention nichts anderes als eine lebendige Beschreibung dessen, was Gott durch das Evangelium unter den Menschen in Neuguinea gewirkt hat: Leben aus der Kraft des Geistes[50].

Diesem Hinweis auf sein unerschütterliches Geistvertrauen entspricht es dann auch, wenn er, dem man Methodik mehr als sonst einem Neuguinea-Missionar nachsagt, ja der sich selbst genüßlich in handfesten methodischen Anweisungen ergehen konnte, einmal in völligem Widerspruch dazu feststellte: "Meine Methode ist, keine zu haben, sondern mich von den Umständen und Möglichkeiten weitgehend inspirieren zu lassen"[51]. Auch hier untertreibt Keyßer wieder einmal, wie so oft; denn er wollte ja kaum von Ziellosigkeit reden, sondern gut erwecklich von "Führung und Erfahrung". Beides aber sind Worte gelebter Pneumatologie.

5. Seine kirchliche Bedeutung

Muß Christian Keyßer eine umstrittene Pioniergestalt der neueren deutschen Mission bleiben? Die Schatten, die durch Hoekendijks Analyse der deutschen Missionswissenschaft auch auf Keyßer gefallen sind, waren zu einem nicht geringen Teil von den Betroffenen selbst gewirkt. Insofern ist von den besonnenen Worten des Jubilars in seinem Habilitationsvortrag von 1950 nichts abzubrechen, daß in Hoekendijks Kritik "hilfreiches Verstehen am Werk ist"[52]. Zu hinterfragen ist Hoekendijk allerdings darin, ob das Gesamtnetzwerk, in das er auch Christian Keyßer in den knappen 13 Seiten seiner Darstellung einordnet den ganzen Mann wirklich zutreffend zeichnet. Das Etikett "volkspädagogische Methode" hat Schule gemacht; darin war Hoekendijk erfolgreich. Aber kann e wirklich übernommen werden? So schlüssig sich Hoekendijks Analyse, Würdi gung und Kritik auch liest, sie wird dem ganzen Christian Keyßer nicht gerecht ja sie tut ihm Unrecht. Mag es für den einen Leser Ehrenrettung bedeuten wenn hier auf Keyßers geistliche Beheimatung im pietistisch-erwecklichen Erbe Oberfrankens hingewiesen wird; für den anderen ist es vielleicht eher eine Randstellenzuweisung. Es geht um mehr, es geht um das theologische Profil Für die evangelische Kirche in Bayern war es sicherlich ein Segen, daß in Christian Keyßer ein Mann der Erweckung engagiert für das "Aufwecken und Erziehen" von landeskirchlichen Gemeinden eingetreten ist. Hier ist schon vor einem halben Jahrhundert Mission und Evangelisation, ist erweckliches Erbe und volks- bzw. landeskirchliche Verpflichtung ineinander geflossen. Es war ein sachgemäßer Beitrag, wenn seine Heimatkirche anläßlich des 100. Geburts tages ihres bedeutenden Pioniermissionars wieder begonnen hat, sich mit dem geistlichen Erbe der Erweckung in ihrer Mitte zu beschäftigen.

Anmerkungen

1. *J. C. Hoekendijk:* Kirche und Volk in der deutschen Missionswissenschaft, 1967 Anhang: Zur Frage einer missionarischen Existenz (1966), 301ff.: "Habent sua fat libelli".
2. *H.-W. Gensichen:* Grundfragen der Kirchwerdung in der Mission. Zum Gespräch mit J.C. Hoekendijk. (Habilitationsvortrag, gehalten vor der Theologischen Fakultät de Universität Göttingen am 13. Juli 1950) in: EMZ 1951, 33ff.
3. A.a.O. 33.
4. *F. Eppelein:* Chr. Keyßer — ein Gefolgsmann Martin Luthers und Wilhelm Löhes? in Festschrift zum 70. Geburtstag von Dr. Christian Keyßer (Jahrbuch für Mission 194 und 50 der Bayerischen Missionskonferenz, hg. von *Wilhelm und Walter Ruf*), 9ff. – *G. Vicedom:* Verzeichnis der Schriften von Christian Keyßer, ebd. 111ff. – *W.A Krige:* Die probleem van eiesoortige kerkvorming by Christian Keyßer (Dissertation) 1954. – Daneben mehr hausinterne Veröffentlichungen: *A. Metzner:* Christia

Keyßer — ein Missionar, in: Die Kirche wächst in aller Welt, Handreichung für den kirchengeschichtlichen Unterricht, hg. von *W. Ruf*, 1969, 116ff. — *W. Fugmann:* Christian Keyßer — sein Leben und sein Werk. Zu seinem 100. Geburtstag am 7.3. 1977, in: Concordia, Sondernummer Juli 1977. — *W. Fugmann/H. Wagner:* Von Gott erzählen. Das Leben Christian Keyßers, 1978.

5. So er selbst, a.a.O. 307.
6. *Christian Keyßer:* "Das bin bloß ich". Lebenserinnerungen. Aus dem Nachlaß, hg. von W. Fugmann, 1966.
7. A.a.O. 13, 14, 170.
8. Einige missionarische Erfahrungen auf dem Gebiete von Kirche und Amt, in: Kadners Jahrbuch f. d. evang. luth. Landeskirche in Bayern, 1922, 52ff.
9. Nachruf (H. Neumeyer), Archiv Neuendettelsau Nr. 274/4.
10. Concordia 138, 1962, 5.
11. Etwas über den Aufbau einer Volkskirche in Neuguinea, in: Unsere Erfahrung, 1922, 47.
12. Leitfaden für Missionare, hier zitiert nach dem Erstdruck 1936, 1.
13. Feldbericht vom 22.11.1911, zitiert bei *G. Pilhofer:* Geschichte der Neuendettelsauer Mission in Neuguinea, Bd. 1, 1961, 235f.
14. A.a.O. (Anm. 10).
15. Weiteres umfangreiches Forschungsmaterial liegt in noch unveröffentlichten Aufzeichnungen im Neuendettelsauer Archiv.
16. Wörterbuch der Kâte-Sprache. Beiheft zur Zeitschrift für Eingeborenen-Sprachen Nr. 7, 1925. Besonders sein früher Beitrag "Aus dem Leben der Kai-Leute" in: *R Neuhauss:* Deutsch-Neuguinea Bd. III, 1911, 3ff.
17. Neben den in Anm. 4 genannten Titeln siehe auch den Artikel von *G. Vicedom* über Chr. Keyßer in: *St. Neill, N.-P. Moritzen, E. Schrupp (Hg.):* Lexikon zur Weltmission, 1975, 278f.
18. Näheres in seiner Autobiographie (Anm. 6) Kap. 15. Ferner: *H. Detzner:* Vier Jahre unter Kannibalen, 1920. — *P. Biskup, H. Detzner:* New Guinea's First Coast Watcher, in: The Journal of the Papua & New Guinea Society Vol. 2. No. 1, 5ff.
19. A.a.O. Anm. 6, 140.
20. Neben seinem in Anm. 16 genannten Beitrag zum Neuhauss'schen Sammelwerk sind nur noch drei weitere Zeitschriftenbeiträge bekannt, davon zwei geographischer Thematik.
21. In: Unsere Erfahrung, 1922, 30: Er möchte einfach davon reden, "was wir Missionare draußen getan haben". In ähnlicher Richtung auch AMZ 1923, 210. Die Erzählform, "was Gott unter Papua-Heiden Großes gewirkt hat", war Keyßers beliebtestes und mit Erfolg gehandhabtes Genre.
22. A.a.O. 179.
23. *W. Holsten:* Christian Keyßers Schriftgebrauch, in: Ders.: Das Evangelium und die Völker, 1939, 125ff.
24. Gemeint ist eine in den Jahren 1910/11 von Keyßer angeregte und von den Sattelberg-Dörfern eingeführte "Arbeitsordnung" der Christen: die ersten drei Tage jeder Woche gemeinsame Arbeit unter der Aufsicht zweier "songangs" (Aufseher). Später wurde diese Ordnung noch durch "Zuchtmaßnahmen" der Dorfgemeinschaften untereinander ergänzt. Keyßer hat diese Sattelberger Arbeitsordnung, wie sie später genannt wurde, beschrieben: Mission und Volkserziehung. Ein Beispiel aus der Praxis, in: Beiblatt zur Allg. Missions-Zeitschrift Nr. 2, 1913, 17ff.
25. *Hoekendijk*, a.a.O. 179f.
26. Ebd. 180, 185, 187, 188.
27. Ebd. Anhang 303.
28. Autobiographie, bes. Kap. 21. Zitat S. 162. Siehe dazu insgesamt *F.W. Kantzenbach:* Das Neuendettelsauer Missionswerk und die Anfänge des Kirchenkampfes, in: Zeitschr. f. bayer. Kirchengeschichte 1971, 227ff.
29. *Hoekendijk*, a.a.O. 179.

30. Autobiographie, 163.
31. Siehe Anm. 12. Wieder abgedruckt in seinem Buch "Eine Papuagemeinde", 2. Aufl 1950, 317ff. und in: *Fugmann/Wagner: Von Gott erzählen* (Anm. 4). Zum leichteren Auffinden der zitierten Stellen sind die Sätze hier durchnumeriert (so nicht im Original).
32. Ebd. 2. Abschn., Satz 26.
33. Zeitwende 1930, 559. Ähnlich Allg. Ev. Luth. Kirchenzeitung 1931, 539.
34. Autobiographie 140.
35. A.a.O. 178.
36. Siehe dazu besonders seine kleine Schrift "Altes Testament und die heutige Zeit" 1934. Auch *Hoekendijk* hat diese Linie deutlich herausgearbeitet, a.a.O., 183ff. jedoch die offenkundige Unstimmigkeit mit der Theologie der Deutschen Christen nie weiter reflektiert.
37. Die ersten persönlichen Kontaktaufnahmen haben nachweislich schon 1969/70 stattgefunden. Eine entsprechende Veröffentlichung bzw. eine Übersetzung ins Englische ist noch in Vorbereitung.
38. *McGavran* gehört zur typisch amerikanischen freikirchlichen Szene. Er selbst ist ordinierter Pfarrer der Disciples of Christ.
39. Den Beweis im einzelnen zu führen, hieße, die gesamte Church Growth Literatur zu zitieren. Vgl. den Schlußabschnitt The Message of this Book, (Ziff. 5) in dem repräsentativen Sammelband *D.A. McGavran (Ed.): Church Growth and Christian Mission*, 1965, 239. Die des öfteren geäußerte Kritik an einer vorschnellen und methodisch zu wenig bedachten Übernahme von Ergebnissen der Anthropologie in die Missionswissenschaft trifft Keyßer sicher ebenso, auch wenn er als Pionier auf diesem Gebiet Neuland betreten hat.
40. Wörtliche Zitate aus: Unsere Erfahrung, 1922, 30ff. Ähnlich an vielen anderen Stellen.
41. EMZ 1923, 251.
42. Erstmals in: The Bridges of God. A Study in the Strategy of Missions, 1955 (hier zitiert nach der 3. US-Auflage, 1975) 13ff.
43. Leitfaden, Abschn. 4, Satz 63.
44. Genau genommen müßte man solche Partien "evangelistisch-erwecklich" nennen.
45. Diese standortbezogenen westlich geprägten Ausdrücke werden hier im Wissen um ihre Unzulänglichkeit dennoch gebraucht, weil sie dem Sprachgebrauch Keyßers entstammen und gleichzeitig von ihm selbst außer Kraft gesetzt worden sind.
46. Als Belege siehe die Sätze 63, 69, 74, 79, 90, 110, 123, 124, 126, 129, 133, 135.
47. *Hoekendijk*, a.a.O. 178.
48. So *Hoekendijk* ebd. mit Recht. Dieser Zug geht bei Keyßer bis in den Gebrauch der Kâte-Sprache in selbstverfaßten Kirchenliedern, ja bis hin zur jungenhaften Freude am Schießgewehr und dem Auftrumpfen gegenüber den gewiß nicht minder großsprecherischen Häuptlingen. Siehe Autobiographie, 39, 42 u.ö.
49. Siehe Anm. 11 und 12.
50. Das Kâte-Wort für Evangelium heißt "miti". Darin schwingt beides mit, das gepredigte und gehörte Wort und ebenso das neue, umgestaltete Leben. Keyßer hätte Miti auch mit "Christentum" übersetzen können in dem o.g. Sinn: Leben aus der Kraft des Geistes.
51. Freimund Wochenblatt 1928, 205.
52. A.a.O. 33.

Friedrich Heyer

St. Chrischona in Äthiopien

Im Juli 1977 war das sich über ein Jahr hinziehende Übergabeverfahren der Institutionen von St. Chrischona an die äthiopischen Regierungsstellen abgeschlossen. Grund für die Einstellung der Arbeit der Pilgermission war wie in vielen analogen Fällen das kritische Verhältnis zu äthiopischen Mitarbeitern, die, von der Revolutionsideologie erfaßt, die Institutionen der Mission "umfunktionierten". Die Labor Law Proclamation der Provisorischen Militärregierung (Derg) von 1975 machte eine Kündigung von Missionsangestellten nahezu unmöglich. Fanden sich im äthiopischen Arbeitsstab solche, die der christlichen Intention einer Anstalt nicht länger dienen wollten, aber, als man ihnen zu kündigen suchte, den Arbeitsgerichtsprozeß gegen ihren Arbeitgeber gewannen, so befanden sich diese erst recht in dominierender Position. Im Falle St. Chrischona gründeten die über 80 von der Mission bezahlten Mitarbeiter ohne Wissen der Missionare eine von der Regierung begünstigte Gewerkschaft. Die zunächst Zögernden wurden solange gedrängt, bis auch sie sich einverstanden erklärten. Einzig der Schulleiter Ato Mammo blieb fest. Das hatte für ihn die Folge, daß er seinen Dienst aufgeben mußte. Der Feldleiter Friess erklärt sich das Verhalten der äthiopischen Mitarbeiter damit, daß diese, aus ihrem traditionellen Lebenskreis ausgestoßen, aus Angehörigen der verschiedensten Stämme kunterbunt zusammengewürfelt, in dem von der Mission bestimmten Lebensstil ihren Daseinsraum und ihre Existenzsicherung gefunden hatten, aber unter der Isolation vom Leben des äthiopischen Volkes insgeheim litten. Mit der Gründung der Gewerkschaft, die ihnen erleichtert war, weil eine wahre Christusbekehrung mehr vorgespielt als erfahren war, meinten sie, die gegenüber dem allgemeinen Leben isolierende Wand durchbrechen zu können.

Dem Missionsvorstand in Basel schien die Übergabe des bisherigen Missionseigentums an die äthiopische Regierung als die einzige Lösung. Acht Schulen, darunter die große Schule in Addis Abeba für 500 Schüler und vier unter dem Kemantenstamm in Begemder, zwei Kliniken, die täglich bis zu 140 Patienten versorgten, zwei Missionsstationen, die im Süden des Landes (Addis Brhan und Hole) lagen, wurden übergeben, die Einrichtungen der Missionsstationen an die lokalen Kebele (Kolchosen). Schwester Verena und Schwester Rose mußten heimlich ihre Stationen verlassen, anders wären sie nicht herausgekommen. St. Chrischona bezahlte noch im Übergabejahr, ohne Einfluß auf die Institutionen zu nehmen, dreiviertel der Angestelltengehälter. Der Feldleiter, Prediger

133

Emmanuel Friess, der sich in den Verhandlungen mit den Regierungsstellen bewährte, erlangte als letzter das Ausreisevisum aus dem Land, dem er 16 Jahre gedient hatte.

Damit fand eine Arbeit in Äthiopien ein Ende, die zwar nicht der Kapazität nach die größte war, aber die geschichtsträchtigste und sicher auch – in ihrem Verzicht auf Bildung eigener Gemeinden – eine besonders typische.

Samuel Gobats Pionierleistung

Die Ansätze zur Äthiopienmission aus dem Wurzelgrund der Deutschen Christentumsgesellschaft in Basel waren älter als die Gründung der St. Chrischona-Pilgermission auf dem Berg oberhalb der Stadt. Nachdem sich die Deutsche Christentumsgesellschaft (1783) in Basel einen Vorort für ihre 40 Mitgliedsgruppen geschaffen hatte, dauerte es nicht lange, bis die Baseler (1798) in die in England aufkommende evangelikale Missionsbewegung hineingerissen wurden, die zur Gründung der Church Missionary Society (CMS) in London führte[1]. Als der schwäbische Kanzlist Christian Friedrich Spittler zum Sekretär der Gesellschaft bestellt war – ein Mann, unermüdlich im Gründen von Anstalten –, schuf er 1815, von Anstößen aus England bewegt, die eigene Baseler Missionsgesellschaft, die 1829 zwei ihrer Zöglinge – Christian Kugler und Samuel Gobat – der CMS zur Aufnahme einer Mission in Äthiopien zur Verfügung stellte.

Mit der Landung Kuglers und Gobats am 28. Dezember 1829 in Massaua begann die protestantische Mission in Äthiopien – der erste Missionsansatz der neueren Missionsgeschichte in diesem Lande überhaupt. Als Kugler an einer Wunde, die er sich bei einer Rhinozerosjagd beibrachte, dahinsiechte, holte sich Gobat neue Mitarbeiter aus Europa und gelangte nach Adua, der Hauptstadt der Provinz Tigre.

Die Missionare stellten ihre Arbeit darauf ab, das äthiopische Christentum auf Biblizismus zu reduzieren und in diesem Vorgang von seinen tradierten "Irrtümern" zu reinigen. Gobat suchte den Ansatz dazu in der Konstituierung von Kleinkreisen in seiner äthiopischen Umgebung. Er berichtet von seinem Verfahren während seiner ersten Reise nach Gondar: "Nach dem Fastenessen meiner Reisegefährten (ich fastete aus Grundsatz nicht) lud ich einige der Mitreisenden ein, zu mir zu kommen und mir zuzuhören, während ich ihnen aus der Schrift vorlas. Fünf oder sechs kamen und waren sehr aufmerksam."

Der in Äthiopien erfahrene englische Generalkonsul in Ägypten Salt hatte Gobat davor gewarnt, "die Irrtümer und Vorurteile der Abessinier anzugreifen wie die Verdienstlichkeit des Fastens, das Gebet zu den Heiligen und Engeln, besonders der Jungfrau Maria und dem Erzengel Michael". Salts Warnung hielt nicht lange vor. Gobat berichtete: "Ich enthielt mich zuerst irgendwelcher Anspielungen. Ich wollte (den Äthiopiern) nicht Anstoß geben, hoffte vielmehr, sie würden, da sie Ehrfurcht vor dem Worte Gottes hatten, bei zunehmender Bekanntschaft mit demselben ihre Irrtümer von selbst einsehen. Nach und nach stellten mir meine Zuhörer Fragen. Dies gab mir Gelegenheit, ihre Aufmerksamkeit auf das Werk der Erlösung durch Jesum Christum, die Rechtfertigung des schuldbeladenen sündhaften Menschen ... zu richten. Auf diese Weise wurde ich gedrungen, gegen ihre Lieblingsirrtümer zu protestieren."[2] Die Äthiopier reagierten auf die biblizistischen Argumente aus den Voraussetzungen ihres traditionellen Tergum. Gobat berichtet: "Häufig beschwichtigte sie ein Wort der Schrift augenblicklich bei unseren Unterredungen, selbst wenn es ihren Lieblingsideen entgegen ging, denn nie würde es einem Abessinier einfallen, dem Wort Gottes zu widersprechen." Doch am folgenden Tage stellten sich die Äthiopier "mit einem anderen Bibelspruch, der demjenigen, den ich angeführt hatte, zu widersprechen schien", erneut ein. "Ihr Zweck war einzig der, eine Auslegung der beiden Stellen zu hören und inwiefern sie sich vereinigen ließen." Das heißt, die Äthiopier suchten, gemäß ihrer Tergummethode, das Mastarek, die biblische Harmonisierung[3].

Trotz ihrer manifesten Kritik an Heiligen- und Marienverehrung und dem Bruch der Fastenordnung wurden die Missionare von der einheimischen Kirche gut aufgenommen. Der Mönchsführer, Etchage Filpos in Gondar, entrüstete sich nur bei der Behauptung, Maria sei sündig und das Zölibatsgelübde sei Unrecht.

1838 wurden die Missionare des Landes verwiesen[4]. Vielleicht sprach dabei die Ankunft der Brüder d'Abbadie mit, die katholischen Einfluß ausübten, vielleicht aber auch die freundschaftliche Beziehung der Missionare zu dem Fürsten von Tigre, Saba Gadis, der damals politisch scheiterte.

Der zweite Ansatz
in der Herrschaftszeit des Kaisers Tewodros

Seit Samuel Gobat 1846 Inhaber des von der anglikanischen Kirche gemeinsam mit dem preußischen Könige gestifteten evangelischen Bischofstuhles von Jerusalem geworden war, begleitete er — analog der russischen geistlichen Mission im Heiligen Land — von hier aus die äthiopische Szene. 1852 erbat er sich bei einem Besuch bei Spittler in Basel neue Missionare für Äthiopien. Als er sich mit seiner Familie in Beuggen zur Erholung befand, schrieb er noch einmal, wie wichtig eine tüchtige Vorbereitung der Missionare sei. Er selbst werde dazu sein möglichstes tun. Isenberg fing schon in Basel mit dem Erteilen von Unterricht im Amharischen an. Im übrigen wurde verabredet, die künftigen Äthiopienmissionare im Jerusalemer "Brüderhaus" unter Gobats Hand weiterzubilden. Gobat traute es sich zu, die Finanzierung des Unternehmens in England sicherzustellen.

Spittler war um so mehr für Gobats Ansinnen offen, weil er gerade in Kornthal bei der Taufe des Galla-Mädchens Fatmeh Pate gestanden hatte und dieses Kind in rührendem Vertrauen in allen ihren Briefen an die Paten bat, doch ihrer armen Landsleute zu gedenken[5]. Die neuen Missionare nahm Spittler diesmal nicht aus dem Bestand der Basler Mission, sondern aus der Pilgermission St. Chrischona. 1840 war Spittlers Auge auf das zerfallene gotische Kirchlein auf dem Berg oberhalb Basels gefallen, das der frühchristlichen Heiligen St. Chrischona geweiht war — eine Ruine, in der nur Schmuggler Unterkunft suchten, die aus der Schweiz nach Baden herüberwechselten. Ein benachbarter Bauer nutzte den verödeten Raum als Stroh- und Holzschuppen. Kaum war die Erlaubnis der Baseler Regierung für die Nutzung des Raums erlangt, begann Spittler, hier einen neuen Typ von Missionaren auszubilden, Handwerker, die im Stil des damaligen Gesellenwanderns sich überall in der Welt ansässig machen sollten, wo Zeugen für Gott nötig waren. "Kirchenschiff und Chor wurden mit einem Bretterboden belegt, die Fensterhöhlen mit Scheiben versehen." Im Kirchtum wurde jedes Kämmerlein als Zimmer für Lehrer benutzt. Unter dem Dach wurden drei Säle eingerichtet, zwei als Schlafsäle, einer als Lehrsaal. Hier wurden die Pilgermissionare Martin Flad, Waldmeier und Mayer, ehe sie zu Bischof Gobat nach Jerusalem gingen, erzogen.

Mit Absicht enthielt Gobat den Missionaren die Ordination vor. Sie sollten keine kirchlichen Amtshandlungen vollziehen und damit die äthiopische Kirchenordnung stören können. Ihre Tätigkeit sollte auf Bibelverbreitung eingeschränkt sein[6].

Dr. Krapf, der gerade an der Küste Kenyas einen neuen Zugang zu Galla-Gebieten suchte, war aufgrund der Erfahrungen, die er in Äthiopien gemacht hatte, den neuen Plänen gegenüber skeptisch, stellte sich aber bald selber zur Verfügung. Seine Schadenfreude war nicht gering, als er beim Marsch ins Landesinnere den Weg des katholischen Missionars de Jacobis kreuzte, der just vor 17 Jahren in Äthiopien eingezogen war, als die Protestanten der CMS ausgetrieben wurden, jetzt aber selber des Landes verwiesen war. Der koptische Abuna Salama begrüßte die Ankömmlinge am 19. April 1855 in Debra Tabor noch vor Kaiser Tewodros. Er ließ kein Mißverständnis darüber aufkommen, daß lediglich säkulare Aspekte, nämlich der Nutzen der handwerklichen Fähigkeiten der Pilgermissionare, das Motiv für deren Aufnahme sei. Die Konzeption, durch Beteiligung von Äthiopiern am handwerklichen Betrieb eine evangelische Laienkommunität zu bilden, die Ausstrahlungskraft gewönne, mußte vom ersten Tag an unrealisierbar erscheinen. Das war der Grund der alsbaldigen Zerspaltung der Missionarsgruppe, da die einen dennoch handwerklich in des Kaisers Dienst traten, dabei auch das völlige Vertrauen des Tewodros gewannen, so sehr, daß der Kaiser mit ihnen speiste und mit ihnen zusammen die orthodoxe Eucharistie nahm[7] — die anderen aber von handwerklicher Arbeit Abstand nahmen und zur Methode direkter Verkündigung und zur Schularbeit zurückkehrten.

Tewodros nutzte die Brüder für seine Waffenfabrikation. Noch zeigen die Äthiopier in Gofat, eine gute Reitstunde von Debra Tabor entfernt, dem Hügel benachbart, auf dem die Tukuls des Kaisers, des Abun und des Etchage standen, am Bachlauf die Mauerreste der Eisengießerei der Missionare, in der sie zahlreiche Kanonen gossen, die der Kaiser zu seiner Festung Maqdala schaffen ließ. Hier in Gofat tafelten die Missionare in Tewodro's guten Zeiten mit dem Kaiser.

Sofern die Missionare nicht im Handwerk nützlich sein wollten, wurde ih-

Einsatz auf Falascha-Mission abgelenkt. Dabei stellte der koptische Abuna Salama die Bedingung, wenn etwa Falascha bekehrt würden, müßten sie in der abessinischen Kirche getauft werden[8]. Die Tatsache, daß sich die Bekehrten aber nicht bei der Orthodoxie einfanden, wurde später Anlaß zum Streit[9].

Durch die unter den Falascha einsetzende amharische Bibelverbreitung wurde "ein Sauerteig angesetzt, der auch das christliche Volk durchdrang"[10].

Die Einführung des amharischen Übersetzungstextes (unter Auslassung der im Protestantismus für apokryph angesehenen Bücher) stellt eine bleibende Einwirkung von St. Chrischona in Äthiopien dar[11].

Bereits Samuel Gobat hatte einige Kamellasten Bibeln ins Land gebracht. Als sie vom Zoll beschlagnahmt wurden, half ihm der Etchage zur Auslieferung. Gobat berichtet: "Dies bot mir eine gute Gelegenheit, ihm einige meiner Bücher anzubieten — es waren die vier Evangelien, die Apostelgeschichte und der Brief an die Römer, die er noch nie in amharischer Übersetzung gelesen hatte ... Als der Etchage seine Billigung ausgesprochen hatte, gab ich ihm sechs Exemplare und bat ihn, dieselben unter die Häupter der berühmtesten Kirchen nebst einigen Worten der Empfehlung zu verteilen, worauf er sogleich einging."[12]

Für die alte literarische Kultur Äthiopiens waren freilich die Missionare blind. Die Ge'ez-Homilien des Chrysostomus werteten sie als "Menschenwerk". Missionar Krapf, der eine Kollektion von 111 äthiopischen Manuskripten nach Europa sandte, besaß keine Vorstellung von ihrem Quellenwert. Als Flad 1870 in Metemma von der Vernichtung reicher äthiopischer Bücherschätze, vor allem von Heiligenlegenden, beim Feldzug des Generals Napier erfuhr, entfuhr ihm der Stoßseufzer: "Was ein Segen für jenes Land! Anstatt ihrer alten geistlosen Literatur brachte ich ihnen jetzt das Wort Gottes, das nie leer zurückkommt."

Der Gegensatz zwischen den Vertretern der beiden Tendenzen unter den Missionaren verschärfte sich, als 1860 der aus dem deutschen Judentum stammende Konvertit Rev. Stern im Auftrag einer anglikanischen Judenmission in Äthiopien auftauchte. Stern gründete im Zentrum der äthiopischen Juden, der Falascha, die Station Dschenda, in welcher der Pilgermissionar Martin Flad bald 50 Bekehrte sammeln konnte und eine gleiche Zahl von Kindern in seiner Falascha-Schule. Der Dissens unter den Missionaren hatte peinliche Folgen: Bischof Gobat entfremdete sich gegenüber seinen Pilgermissionaren am Kaiserhof, weil er der Idee Sterns folgte. Die Hofmissionare wiederum höhlten das Vertrauensverhältnis, das zwischen dem Kaiser und Stern aufgekeimt war und sich nützlich hätte erweisen können, aus. Als Stern bei einem zweiten Besuch Äthiopiens Ende 1862 und einem ganzen Jahr der Mitarbeit in Dschenda ein enges Verhältnis zum Abun fand, der dem Kaiser jedoch feindlich entgegenstand, führte das schließlich dazu, daß Tewodros Sterns Diener totprügeln und ihn in Ketten werfen ließ[13]. Um auf die englische Königin (bei der er sich als ebenbürtig anerkannt und durch Entsendung von Handwerkern unterstützt sehen wollte) Druck auszuüben, ordnete Tewodros die Verhaftung aller Missionare an[14]. Erst der englische Ostersieg unter Lord Napier 1868 befreite sie. Pfarrer Blumhardt in Bad Boll gehörte damals zu denen, die in Europa regelmäßig für die gefangenen Äthiopienmissionare beteten. "Hast du dem wüsten Kerl von einem König, dem Theodorus auch vergeben?" fragte er Frau Flad bei einem späteren Treffen. Und als diese antwortete: "Noch nicht ganz", rief er: "Laß ihn los, der wird jetzt in der Hölle gepeinigt"[15].

Unter den Kaisern Yohannes IV. und Menilek II.

Mit der Tragödie von Maqdala war die Mission der Pilgermissionare von St. Chrischona keineswegs abgeschlossen. Wir besitzen das Tagebuch der Brüder Mayer und Bender, die nun abgesandt wurden, für die Zeit vom 23. Februar bis 31. Juli 1869. Es berichtet vom Ärger mit den Trägern und Führern auf dem Weg nach Adua, von der Begegnung mit dem Lokalherrscher von Tigre, Ras Kassa, der infolge der Übernahme der britischen Waffen des Lord Napier der mächtigste Regent Äthiopiens geworden war und bald als Kaiser Yohannes IV. den Thron besteigen sollte, von der Ankunft des neuen, vom koptischen Patriarchat in Kairo entsandten Metropoliten – abuna Athanasius – und von der ersten Anwendung neuer missionarischer Praktik[16]. Die Missionare nutzen zur Kontaktaufnahme mit dem Fürsten einen "Balderaba" – eine typische Institution der alten äthiopischen Gesellschaft: Ein Hochgestellter bezeichnet einen Mittelsmann (Balderaba), dessen sich der Bittsteller bedienen muß, um an den Herren heranzukommen. Man fügt sich in das äthiopische Audienz-protokoll: (Der Dedjazmatch) "sagte uns guten Morgen und hieß uns sitzen. Nachdem wir drei Stunden in der heißen Sonne gesessen hatten, mahnte uns jemand, aufzustehen. Der Regent sagte Adieu. Das war alles, was er mit uns redete". Spätere Audienzen verliefen ähnlich. Offensichtlich war der Regent von anderer Seite über die Europäer informiert, wollte ihre Mission geschehen lassen, ohne sie öffentlich zu genehmigen.

Bei einer Audienz gab es eine Ausnahme. Der Regent, der sich sicherlich an die einstige Metallgießerei der Pilgermissionare erinnerte, in der sich Kaiser Te-wodros seine Riesenkanone hatte gießen lassen, verlangte unvermittelt: "Bis wann habt ihr eine Glocke fertig?" Die Missionare wichen aus. Es sei eine zu schwere Arbeit, beanspruche so viele Kräfte, übersteige ihre Kenntnisse. Sie seien nur bereit, den Leuten zu zeigen, wie ein Schmelzofen gebaut wird. Damit war deutlich, daß die neue Missionarsgeneration nicht die ursprüngliche Praktik, sich als Handwerker nützlich zu machen, fortsetzen wollte. Die Miß-stimmung des Regenten konnte durch den Arzt Dr. Schimber aufgefangen werden, der eine Glocke aus Europa zu bestellen versprach.

Am 13. Juni zeigten mehrere Kanonenschüsse an, daß das neue hierarchische Haupt der äthiopischen Kirche in der Hafenstadt Massaua angekommen sei. Bald traf, von einem langen Zug von Priestern, Mönchen und Soldaten einge-holt, abuna Athanasius in Adua ein. Schon am folgenden Tage gewährte er den Missionaren eine Audienz, bei der er die in der orthodoxen Tradition oft wiederholten ökumenischen Liebenswürdigkeiten von sich gab: Christus sei für alle da, Paulus lehre, daß wir nicht sagen sollen, wir seien christlich, kephisch. Das Kennzeichen der wahren Christen sei die Liebe. Wer diese habe, sei sein Bruder. Am Nachmittag, in Begleitung des Regenten auf dem Marktplatz, waren auch andere Töne zu hören: "Der alte Markus-Glaube ist mein Glaube." Durch die Ankunft des Metropoliten war die Situation der Missionare schwieriger geworden, denn in seiner ägyptischen Heimat hatte dieser Hierarch die koptische Reaktion gegen die presbyterianische Mission der Amerikaner miterlebt. Seine Einstellung gegenüber der protestantischen Mission war dadurch von vornherein fixiert. "Die Abessinier sollen abessinische Christen werden und nicht Protestanten wie so viele Kopten in Ägypten", erklärte er.

Der Abun griff in seiner ersten Verlautbarung auf dem Marktplatz den schon traditionellen Kampf der koptischen Metropoliten gegen die in Äthiopien für honorig geltende Polygamie auf. "Die Polygamie", so rief er, "ist aufgehoben. Wer in derselben lebt und nicht in kirchliche Ehe tritt, ist im Bann." Das traf unmittelbar die Soldaten des Dedjazmatch Kassa, die, von ihren Frauen getrennt, sich mit Konkubinen verbunden hatten. So kamen zahlreiche Soldaten zum Regenten und erklärten: "Wenn die Sache so ist, daß wir keine Konkubinen halten dürfen, so verabschiede uns, damit wir auf unseren Ländereien, wo unsere Frauen sind, leben können und dort in ordentlicher Ehe Feldbau treiben. Unsere Frauen können wir nicht ins Lager nehmen, und ohne Frauen wollen wir nicht leben." Für Kassa stand viel auf dem Spiel, denn auf der Überlegenheit seiner Armee beruhte seine Hoffnung, den Kaiserthron zu gewinnen. So bewegte er den Abun zur Rücknahme des Bannfluchs. Die Missionare, die dieses Hin und Her erlebten, solidarisierten sich mit den Kritikern unter den Äthiopiern, die fragten: "Darf man so mit der Religion spielen? Er hat das Gebot Christi verworfen. Hat je ein Gesandter so seinen Herren verachtet?"

Die Pilgermissionare konnten an Freundschaften anknüpfen, die die Brüder der vorherigen Missionarsgeneration gestiftet hatten. Man trifft Aleqa Saneb, der von Flad gewonnen war[17], und zieht ihn zu den "regelmäßigen Andachten" heran, die Mayer morgens und abends mit seinem Personal hält. Man besucht den greisenhaften Kaiser Yohannes von Gondar, der sich gern an Samuel Gobat erinnert, man zieht den alten abba Wolde Mikael als Lehrer im Leseunterricht für die Schularbeit heran, die Benders Aufgabe ist. Man wandert 1 1/2 Stunden zum Kloster des abba Garima, um den dortigen Abt Mamher Saferu, einen alten Freund der Mission, der bald von seinen mißtrauischen Mönchen als Europäerfreund denunziert wird, aufzusuchen.

Die Eigentümerin des Hauses, in dem Mayer wohnte, Woizaro Worqit, hatte den Missionaren geraten: "Da jetzt unser Abun kommt, von welchem ich sicher weiß, daß er euch haßt, so warne ich Sie, daß Sie sich ruhig verhalten, keine Bücher mehr austeilen, niemanden mehr lehren, bis zwei Monate vorüber sind. Der Regent wird in der ersten Liebe ... auf seinen Vorschlag, euch aus dem Lande zu jagen, eingehen, was durch zeitweiliges Stillschweigen vermieden werden kann. Befolgen Sie meinen Rat, ich suche Ihr Bestes." Die Missionare konnten darauf nicht eingehen.

Mit größerer Intensität, als es in der vorherigen Missionsgeschichte zu spüren war, betonten sie das Volkssprachenprinzip für Bibellektüre und Gottesdienst. Als beste Methode, für die Volkssprachenbibel Zutrauen zu erwecken, erwies sich die Praxis, die Besucher verifizieren zu lassen, daß der amharische Text genau den gleichen Inhalt wiedergab wie der Ge'ez-Text. So berichtete Mayer von einem Debtera aus Quërata, daß ihm "die Augen aufgegangen" seien. "Dieser Gelehrte betrachtete die amharischen Bibeln noch immer als etwas Fremdes, bis er heute durch Aleqa Saneb, der ihm ein Äthiopisches gab und ihm dann Amharisch vorlas, überzeugt wurde, daß der Inhalt ganz derselbe sei, worüber er sich höchst verwunderte und seinen bisherigen Unverstand unerklärlich fand."

Zwei junge Galla, die Mayer aufsuchten, stellte er dazu an, dem Aleqa Şaneb bei der Übersetzung des NT in die Galla-Sprache zu helfen.

Missionar Mayer brachte das neu in die Tigre-Sprache übersetzte Evangelium dem Abt Saferu vom Kloster des abba Garima. Er wollte das Urteil der Mönche darüber hören. Mamher Saferu, der darüber zu klagen hatte, daß ihm beim Sturm der Engländer auf Maqdala seine amharische Bibel verlorengegangen sei, mißtraute dem neuen Text. Mayer versuchte, ihm begreiflich zu machen, "daß für Tigrisch-Redende das Tigrische und für Amharisch-Redende das Amharische öffentlich in den Kirchen eingeführt werden sollte, damit das Volk das Wort Gottes in der Landessprache hören könnte wie durch den Herold des Königs Worte". Darauf der Abt: Es kann nur geschehen, wenn es ein starker König einführt.

Die Hauptstadt von Tigre war ohne Zweifel der richtige Platz, um das tigrinische Testament einzuführen. So nutzte Mayer seinen Freund, den Silberarbeiter Worqu, dessen Frau eine nahe Verwandte der Regenten war, und schob dem Herrscher von Tigre auf diesem Umwege den tigrinischen Bibeltext zu.

Dem Debtera aus Quërata am Tana-See, der zu Besuch weilte und dem Bruder Mayer gelegentlich aus 1 Tim 3 nachwies, daß auch Bischöfe heiraten dürften, gab der Missionar Anweisung, wie er es in Quërata in der Sprachenfrage halten solle: "Er solle mit jedermann davon reden, daß das Evangelium in der amharischen Sprache in der Kirche gelesen werden müsse, damit es das Volk höre." Freilich erwiderte der Debtera, das wäre ganz gut, "allein unser Volk geht eben nicht von seiner Gewohnheit ab". Der Missionar meinte: "Nach und nach werde das Volk umgestimmt werden." — Wenn man auf die heutige Praxis sieht, wenigstens die Lektionen im Gottesdienst in der Volkssprache zu lesen, so muß man zugestehen, daß Bruder Mayer das Zukünftige voraussah.

Asatch Wolde Mikael besaß eine so großartige historische Bildung, daß er den Missionaren erklären konnte, daß bis zum 16. Jahrhundert die biblischen und patristischen Ge'ez-Texte auch in der Ge'ez-Sprache kommentiert worden seien, dann aber vom königlichen Hof aus das Amharische für den Kommentar angeordnet worden sei. Nie aber sei eine andere Volkssprache wie Tigre oder Agaw für die Kommentierung verwandt worden. Daher verstünden alle Gelehrten in Tigre Amharisch, und die Tigre-Sprache sei als Sprache der Ungebildeten verachtet. Das war also der Grund, warum man das Tigre-Testament nicht wollte.

Als Mayer den Abun in Addi Abun, dem abun-eigenen Dorf bei Adua, besuchte, war das Volkssprachenprinzip sein Gesprächsthema: "Wir suchten darauf hinzuarbeiten, daß er die amharische Bibel im Lande einführe, daß sie öffentlich in der Kirche gelesen werde. Er sagte ja dazu, allein es schien uns, daß er die Wichtigkeit der Sache noch nicht recht verstehe." Zur Missionspraktik Mayers gehörte der Empfang von Besuchern, denen man einen Bibeltext zum Vorlesen gab, möglichst einen volkssprachlichen, um dann mit dem Gast darüber zu diskutieren. Aber 1872 in Ankober hört man Mayer auch einmal stöhnen: "Die Besucher nehmen mir viel Zeit weg. Leider kommen sie nicht, um Wahrheit zu suchen, so daß es manchmal schwer, ja kaum möglich ist, über religiöse Gegenstände zu reden." Öfters macht sich Mayer auf, seinerseits Kranke zu besuchen.

Man merkte auch in Äthiopien, daß St. Chrischona jetzt (seit 1868) in Rappard einen neuen Direktor hatte, der zwar als Gobats Schwiegersohn und als derjenige, der von Alexandria aus die "Apostelstraße" nach Äthiopien einzurichten gehabt hatte, nicht ohne Beziehungen zu diesem Lande war, sich aber andererseits der in England aufgewallten "Heiligungsbewegung" des Josef Smith angeschlossen hatte. Durch seine Missionare wurden nun Impulse der Heiligungsbewegung in Äthiopien, wo ihre Forderungen zum Moralstandard schlecht paßten, wirksam. Bruder Mayer urteilt über die abessinischen Christen, "sie bekennen Christus nur mit dem Munde, nicht mit dem Wandel", und, was die 80 Mönche des Klosters Abba Garima anlangt, übernimmt er die Klage des Abtes, die Mönche schlüpften nur zum Zwecke des Lebensunterhalts, um die reiche Pfründe zu nutzen, im Kloster unter. Auch sagt er über diesen Konvent: "Es herrscht hier großer Heiligenschein mit großer Unwissenheit." Da die Missionare von der britischen Gesellschaft CMS angestellt waren, konnten sie nach dem Sieg der englischen Waffen über Kaiser Tewodros und bei der guten Zusammenarbeit der englischen Dienste mit dem Herrscher von Tigre als gut geschützt gelten. Doch die Missionare sahen sich oft von orthodoxer kirchlicher Seite her verkannt. Asatch Wolde Mikael informierte sie über die "Eifersucht" der äthiopischen Priesterschaft sowohl gegen katholische wie evangelische Missionare. Die Priester hätten seinerzeit ausgesprengt, "Isenberg genieße das hl. Abendmahl mit Hasenfleisch statt mit Brot und nehme statt Wein Kaffee".

Nachdem der Fürst von Tigre als Yohannes IV. den Kaiserthron bestiegen hatte, war jedem Ausgreifen der protestantischen Mission auf den orthodoxen Volksteil ein Riegel vorgeschoben. Am 24. Januar 1874 schrieb Yohannes an Flad: "Seit der Zeit des römischen Kaisers Konstantin und der abessinischen Könige Abreha und Asbeha haben die Äthiopier außer den Kopten keinen anderen Lehrer des Glaubens. In unserem Lande haben wir viele Priester und Gelehrte, welche uns unterrichten." Mit diesem Hinweis war den evangelischen Abendländern jede Schularbeit untersagt[18].

Auch in der Rezeption der volkssprachlich übersetzten Bibel drohten jetzt Rückschläge. Der Abuna Qasis, Beichtvater des früheren Metropoliten Salama, exkommunizierte diejenigen Äthiopier, die Bibeln angenommen hatten. Erst auf

Vorstellung von äthiopischen Christen, die mit den Missionaren in Verbindung standen, milderte er sein Urteil ab[19]. Als Yohannes Flad am 5. April 1874 empfing, quittierte er die Mitteilung des Missionars, die Bibelgesellschaft verbreite die hl. Schrift in 300 Sprachen, mit finsterem Gesicht: "Wir haben unsere Bibel in Ge'ez. Wir lieben Eure amharischen Bücher nicht."[20] Einen äthiopischen Priester aus Simra, der das Volkssprachenprinzip auf protestantische Anregung weiter anwandte, ließ der Abun, als er angeklagt wurde, zwei Monate bei Wasser und Kollo (geröstete Erbsen — Fastenspeise) in Ketten schmieden und verlangte Widerruf[21]. Der Abun zeigte immerhin Interesse für den zweisprachigen Psalter (in Ge'ez und Amharisch) und regte seinerseits an, die britische Bibelgesellschaft möge auch zweisprachige NT und Vollbibeln mit Parallelstellen drucken[22].

Rechtzeitig hatte sich Mayer aus Tigre, ja aus dem ganzen von Yohannes IV. beherrschten Reich nach Schoa, dem Gebiet Menileks, umorientiert. Ende Juli 1870 war die Erlaubnis des Baseler Komitees bei ihm eingetroffen, Menileks Einladung anzunehmen und zunächst einmal "eine Kolportage-Reise" nach Schoa zu unternehmen. Als Fernziel leuchtete die Mission unter den 8 Millionen Galla auf. Dazu wurde denn J. Mayer mit dem bereits in Ägypten erfahrenen J. Greiner am 2. Advent 1871 in St. Chrischona verabschiedet[23].

Die Reise zu Menilek verlief nicht ohne Abenteuer. Der Herrscher der Jedschu-Dynastie, die nach des Tewodros Zusammenbruch wieder eine gewisse Bedeutung zurückgewonnen hatte — Ras Ali, von den Engländern von den Ketten befreit —, fing die Europäer ab und bemächtigte sich ihres für ihn wertvollen Gepäcks. An die Lokalherren hatte der Ras Weisung gegeben: "Erfindet irgendeine Anklage, wenn der Europäer kommt, nehmt unter irgendeinem Vorwand sein Gepäck in Beschlag und bringt ihn verhaftet zu mir." In Waldea, der Hauptstadt von Jedschu, kam die List des Fürsten zur Ausführung, und im Heerlager des Ras Ali Beru, dem hochgelegenen Bodäk, wurde der Prozeß mit der Anklage eröffnet: "Ihr habt des Ras Sklaven gestohlen." Erst auf eine Intervention Menileks kam die kleine Kolonne, allerdings stark ausgeplündert, wieder frei.

Bei der ersten Audienz, die Menilek den Missionaren gewährte (19. Juni), gab der König "vollkommene Erlaubnis zu einer Galla-Mission". Vorerst sollten die Missionare nach Ankober, der früheren Residenz Menileks, gehen. Hier konnte Mayer wenigstens mit denjenigen Galla, die zur Überbringung der ihnen auferlegten Abgaben nach Ankober kamen, Sprachversuche anstellen. Mit Hilfe eines doppelsprachigen Mädchens vermittelte Mayer Lukastexte an die Besucher. Jedoch hinderte die bei den Galla verbreitete "Furcht vor dem Buch". "Sie meinten, das Buch sei ein Zauber und bringe ihnen etwas bei." Erst 1880 kamen die Missionare dem "Sehnen", eine Galla-Mission begründen zu können, nahe. Der König wies ihnen einen Platz, Bali genannt, im Galla-Lande als Lehen an, also auch zu weltlichen Verwaltung und zum Einziehen von Abgaben aus der Bevölkerung zu ihrem Lebensunterhalt. Im Januar 1881 erfolgte die Übersiedlung mit den Familienangehörigen in sieben schwierigen Transporttagen. Damit war eine Mission an Nichtorthodoxen etabliert.

In der Missionsmethodik trat jetzt die Schularbeit in den Vordergrund: "Gute Schulen sind hier bei dem gänzlich ununterrichteten Galla-Volk die zunächst notwendigste und lohnendste Missionsarbeit, wodurch man auch vor den Anfeindungen der bestehenden Kirche am besten gesichert ist." Jetzt zeigte es sich, wie wertvoll es war, einen der in St. Chrischona erzogenen jungen Äthiopier, Gabra Mikael, im Team von Bali zu haben.

Schon war im Galla-Gebiet, gestützt auf eingewanderte Schoaner, eine abessinische Kirche gegründet, und auf des Königs Befehl hatten sich die heidnischen Galla ohne Widerstand taufen lassen. An der dabei angewandten Missionsmethode übt der Pilgermissionar aus St. Chrischona herbe Kritik: "Die Priester weisen (die Galla) an, die vielen Fast- und Festtage zu beachten, was teilweise geschieht. Im übrigen können sie ruhig nach ihrer heidnischen väterlichen Sitte leben, weiter unterrichtet werden sie von den Priestern nicht."

Für Chrischona-Aktivitäten in Äthiopien bot sich in der Nach-Maqdala-Periode noch ein zweiter Ansatz. Die Missionare Flad und Krapf hatten nach ihrer Befreiung durch die Engländer bei ihrer Rückkehr nach Europa begabte Äthiopier zur Ausbildung mitgenommen. Dadurch, daß Samuel Gobat weitere aus Jerusalem nachschleuste, erhöhte sich ihre Zahl auf rund 20. Im Waisenhaus von Weinheim, das dem mit St. Chrischona eng verbundenen Dekan Ledderhose unterstand, erhielten die jungen Äthiopier ersten Deutschunterricht, damit sie den Seminarkursen in St. Chrischona folgen konnten.

Das war die Zeit, wo die Kolonie Kornthal bei Stuttgart, die (1819) gegründet war, um die exoduswilligen Schwaben im Land zu behalten, immer aber einen eschatologisch motivierten Aktivismus lebendig erhalten hatte, unter der Wegweisung von S.K. Kapff den engsten Kontakt mit Christentumsgesellschaft und St. Chrischona hielt. So wurde manche Aktivität für Äthiopien von St. Chrischona nach Kornthal ausgelagert. Hier lebten nach der Rückkehr aus der äthiopischen Gefangenschaft Flad und Dr. Krapf. Ihnen wurden junge Äthiopier zur Hilfe bei Übersetzungsarbeiten ausgeborgt. So übersetzte der junge Aragawi für Dr. Krapf das "Herzbüchlein" ins Amharische, das später so viel Gutes wirkte[24]. Im Sommer 1885 half Aragawi dem Martin Flad, eine Revision der zweisprachigen (Ge'ez und Amharisch) Ausgabe des NT und der Psalmen, deren Text ursprünglich von einem Mönch aus Godjam erstellt war, durchzuführen.

Martin Flad war derjenige der Altmissionare, der sich für den Einsatz der in Chrischona ausgebildeten Äthiopier besonders verantwortlich fühlte. Mehrmals machte sich Flad selber zu Besuchen nach Äthiopien auf: so 1870 und 1874. Bei seinem ersten Besuch versperrte ihm der westabessinische Lokalherrscher, der keine Ausländer im Lande sehen wollte, den Zugang. Flad konnte nur 1 1/2 Monate lang vom Grenzort Metemma aus durch Briefe, durch die Verteilung der 13 Kamellasten mitgebrachter Bibeln, Psalter und Herzbüchlein und durch den Empfang von Besuchen nach Äthiopien hineinwirken. "Oh, daß wir eine Anzahl demütige, gründlich bekehrte junge Abessinier hätten!, die wir durch den Westen (Äthiopiens) hindurch auf 24 verschiedenen Orten unter den Christen als Evangelisten stationieren könnten! Was würde das anders sein als Leben von den Toten!"

143

Es versteht sich, daß Flad, der unter den Falascha gewirkt hatte, besonders in der Falascha-Mission eingeborene Missionare tätig sehen wollte. Durch Briefe herbeigerufen, verbrachten einige Falascha-Proselyten zwei Wochen bei Flad in Metemma. Unter ihnen war Debtera Beru, in dem Flad ein "auserwähltes Rüstzeug" sah. Er schrieb: "Debtera Beru habe ich definitiv als Evangelist und leitendes Haupt der getauften Falascha angestellt. So bleibt die Evangelisierung Abessiniens diesen Eingeborenen überlassen." Dem Debtera Beru wurden später die von Chrischona ausgesandten Aragawi und Sanbatu zugeordnet.

Für die Falascha-Mission hielt der Abun unter den alten Bedingungen die Schleusen offen und stellte die dort tätigen Äthiopier von der Steuer frei[25]. In diesem Punkte folgte ihm Yohannes IV. Er erklärte Flad: "Als Nachkomme Abrahams liebe ich die Falascha. Ich werde sie noch mehr lieben und schützen, wenn sie Christen werden." Der Kaiser suchte, die Vorteile einer europäischen Falascha-Mission zu nutzen, den europäisierenden Zivilisationseffekt dabei jedoch auszuschließen. Die von Flad in die Arbeit gestellten Äthiopier herrschte er an: "Wenn Ihr wieder vor mich kommt, erscheint barfuß! Wir Äthiopier tragen keine Schuhe."[26]

Aus einem Bericht Sanbatus vom November 1875 kann man den Dienst dieses Chrischona-Zöglings unter den Falascha kennenlernen: "Sonntags nach dem Frühstück ordne ich die Schule her für den Gottesdienst. Nachdem die Ochsenhäute und Strohmatten zum Sitzen auf dem Boden ausgebreitet und die Gebetbücher und NT bereitgelegt sind, nehme ich die große Glocke ... Auch viele koptische abyssinische Christen kommen. Nach dem Gebet lesen wir immer ein Kapitel der Reihe nach. Jeder, der lesen kann, liest einen Vers, so oft die Reihe an ihn kommt ... (Dann) redet Aragawi oder Debtera Beru über einen Abschnitt. Hie und da reden mehrere." Bezeichnend an diesem Bericht ist, daß – entgegen der orthodoxen Sitte – vor dem Gottesdienst gefrühstückt wird. Aus dem Bericht Sanbatus läßt sich auch ersehen, daß die Falascha-Schule der Missionare klassenweise Unterricht erteilt – eine Neueinführung gegenüber der äthiopischen Tradition, die nur Einzelunterricht kennt.

Die Einfälle der Derwische des Mahdi aus dem Sudan störten die Missionare. Doch im September 1894 drückte Flad die Hoffnung aus, daß Aragawi und seine Brüder, die sich nach Debra Tabor in Sicherheit gebracht hatten, nach der Regenzeit in ihre Heimat Dembea wieder zurückkehren und die früheren Stationen wieder aufbauen könnten.

Einer der äthiopischen Chrischona-Zöglinge wurde als einzelner Evangelist auf ein orthodoxes Milieu angesetzt: Wolde Selassie. Seine Biographie zeigt folgende interessante Daten: Waldebba-Mönch, auf der Zema-Schule von Gondar weitergebildet, dann Tabot-Träger bei des Tewodros Kriegszügen, dabei so erschrocken über des Kaisers Grausamkeiten, daß er zu seinen Eltern ins unzugängliche Bergland Semien flüchtete. Der Plan einer Jerusalem-Wallfahrt kam zunächst nicht zur Ausführung, da dem Pilger die Geldmittel bereits im äthiopischen Grenzland Hamasin ausgehen. So übernahm er in dieser Landschaft eine blühende Kirchenschule, deren Lehrer gerade gestorben war. Als 1870 ein Eseltreiber eine Kiste amharischer Bibeln bei der Kirchenschule ablädt –

offensichtlich eine Lieferung aus dem Bestand von Flad, den dieser nicht hatte
ins Land einführen können –, verachtet man in diesem orthodoxen Milieu den
protestantischen Import. Doch während einer Erkrankung griff Wolde Selassie
nach der amharischen Bibel, ist davon aufs tiefste berührt und läßt sich auf
den "Ferenj" hinweisen, der in Adua hause. So kommt Wolde Selassie mit
Missionar Mayer in Kontakt. Wo er jetzt den Pilgerplan nach Jerusalem aus-
führt, kann er einen Empfehlungsbrief Mayers an Bischof Gobat mitnehmen.
Gobat aber sandte Wolde Selassie nach St. Chrischona, als Besucher von dort in
der Heiligen Stadt einen Geldbetrag zur Finanzierung eines solchen Unternehmens zur Hand haben. 1874 wurde Wolde Selassie nach Äthiopien zurückge-
andt, und zwar wieder zu seiner alten Schule in Hamasin, bei deren orthodoxen Schülern er in hohem Ansehen stand.

Als Flad am 5. April 1874 zur Audienz beim Negus vordrang, wurde unter
Beiziehung des Abun entschieden, daß weiße Missionare zwar nicht wieder ins
Land einreisen dürften, doch den äthiopischen Evangelisten die Arbeit erlaubt
werde, solange sie nichts der koptischen Kirche Widriges lehrten. So vertraten
über Jahrzehnte hinweg nur eingeborene Kräfte die Idee St. Chrischonas[27].

Phase nach dem Zweiten Weltkrieg

Die CMS suchte, nach dem Zweiten Weltkrieg ihre Arbeit in Äthiopien wieder
aufzunehmen[28]. Rev. F.G. Payne fühlte sich beim Besuch einer Ausstellung der
Judenmission zu den Falascha hingezogen. Unter den damaligen Verhältnissen
war es für ihn nicht leicht, ins Land zu gelangen. Es glückte ihm, sich für zwei
Jahre als Chaplain der englischen Truppen, die in Äthiopien standen, anstellen
zu lassen. So konnte er in den Jahren 1946 bis 1948 die äthiopische Situation
studieren und die amharische Sprache erlernen. 1948 begegnete er dem unter
den Falascha wirkenden Evangelisten Aleqa Fetene in Dschenda. Bei näherer
Prüfung ergab sich aber, daß Dschenda nicht mehr als Zentrum der unbekehr-
ten Falascha gelten sollte, sondern viel eher Dabat, die Hauptstadt von Wog-
era, 120 km nordwärts. Während der Zeit der italienischen Besetzung des
Landes hatten die Italiener hier ein großes Landwirtschaftsgebiet organisiert, das die Stadt Gondar zu versorgen hatte, die Ente Romagna[29]. So wählte
Payne eine in schönen Pflanzungen gelegene italienische Farm, die jetzt unge-
nutzt war, als seine Hauptstation. Mutter und Schwester halfen ihm.

Doch die englische Missionsgesellschaft geriet in Finanzschwierigkeiten. Payne
war klar, daß eine Erweiterung der Arbeit nur bei Erschließung neuer Geld-
quellen möglich war. Daß Rev. Payne sich während seines ersten Heimaturlaubs
mit der Tochter Flads verheiratete, gab ihm Gelegenheit, sich deshalb mit
St. Chrischona in Verbindung zu setzen. Dies lag nahe, zumal bisher alle
Falascha-Missionare von St. Chrischona gestellt waren. St. Chrischona bildete
nun ein Komitee mit Prediger Friess an der Spitze, das sich zur Aufgabe machte, Missionare und Geld nach Äthiopien zu schicken. Schwester Lina Lerner,
die vor dem Einrücken der Italiener zusammen mit P. Schmidt und Schwester

Martha Woike eine kurze Zeit in Äthiopien gewirkt hatte, stellte sich wieder zur Verfügung. Mit ihr reiste Bruder Werner Sidler, der schon lange eine Berufung für Äthiopien gefühlt hatte. Seit August 1952 arbeitete das neue Team in Dabat zusammen: Payne als Leiter der Bibelschule, Sidler verantwortlich für Elementarschule und Internat, Schwester Lina in der Klinik.
Seit Ende 1953 zeigte ein schneller Wechsel im Missionspersonal, das St. Chrischona in Dabat mitarbeiten ließ, daß die Situation konfliktgeladen war. Das Grundproblem, das sich stellte, war in der Überzeugung von St. Chrischona zu sehen, daß man ein eigenes Recht auf eine Arbeit in Äthiopien besaß und nicht alle Fragen vom englischen Komitee zu entscheiden seien. Flickversuche führten nur zu immer größerer Spannung auf dem Missionsfeld, bis im August 1959 Werner Sidler aus der Gemeinschaft ausbrach und damit die eigene Aktivität St. Chrischonas begann[30].

Anmerkungen

1. E. *Staehelin:* Die Deutsche Christentumsgesellschaft in der Zeit von der Erweckung bis zur Gegenwart, 1974, Nr. 10.
2. S. *Gobat:* Evang. Bischof in Jerusalem. Sein Leben u. Wirken, 1884, 134
3. Ebd. 143.
4. Krapf und Gobats früherer Gehilfe Isenberg versuchten zwar in den Jahren 1837–1842, eine Mission in Schoa zu begründen, doch ein missionsgegnerische Intervention der orthodoxen Geistlichkeit in der damaligen Residenz Ankober nötigte König Sahle Selassie, die Missionare abzuweisen. Vgl. C.W. *Isenberg:* Abessinien und die evangelische Mission. Erlebnisse, Bd. II, 1844, 151.
5. Das Jerusalemer Brüderhaus, auf Anregung von Strauß (dem späteren Berliner Hofprediger und Gründer des Jerusalemvereins, der im engen Einvernehmen mit Spittler schon 1841 seine Aufklärungsreise nach Jerusalem unternommen hatte) gegründet war Ausgangspunkt des späteren Schnellerschen Waisenhauses. H. *Rappard:* 50 Jahre der Pilgermission auf St. Chrischona, 1890, 113ff.
6. *Gobat,* a.a.O. 372.
7. D. *Crummey:* Priests and Politicians. Protestant and Catholic Missions in orthodox Ethiopia 1830–1868, 1972, 116ff. Die Missionare Mayer und Waldmeier heirateten Äthiopierinnen.
8. M. *Flad:* Ein Leben für Abessinien, 1936², 66.
9. Ebd. 33.
10. Ebd. 10 und 167.
11. Flad berichtet Sept. 1894 aus Kornthal nach St. Chrischona, eine Nachricht von Aleqa Worqe aus Asmara weitergebend, daß Aragawi mit 5 Maultierlasten Bibeln in Debra Tabor angekommen sei. "Durch die Güte des obersten Zollbeamten (Sohn eines seinerzeit im Lande reisenden Engländers) brauchte er keinen Zoll zu zahlen.'
12. *Gobat,* a.a.O. 22 und 124.
13. *Crummey,* a.a.O. 130ff. Stern hatte sich vor Entsetzen in den Finger gebissen. Das heißt aber in Äthiopien: Ich schwöre dir Rache. Dies ließ den Kaiser ins Rasen geraten.
14. *Flad,* a.a.O. 61. Im November 1863 brachen 3000 äthiopische Soldaten in Dschenda ein, zerstörten die Station und beschlagnahmten Schriften und Briefe. *Sidler,* a.a.O. Anm. 27. 101.
15. *Flad,* a.a.O. 162.

16. Mitteilungen aus der Korrespondenz der Pilgermission aus St. Chrischona bei Basel 1869.
17. *M. Flad:* Zwölf Jahre in Abessinien, 1887, 157.
18. *M. Flad:* Ein Leben für Abessinien, 172.
19. Ebd. 167.
20. Ebd. 179.
21. Ebd. 178.
22. Ebd. 201.
23. Mitteilungen aus der Korrespondenz der Pilgermission, Dez. 1872.
24. In den 80er Jahren weist ein Debtera den Missionaren ein altes Herzbüchlein, das er 1874 erlangte, vor: "Dies Büchlein ist mein tägliches Brot, mein Ratgeber, meine Wegzehrung." 1886 bezeugt Aragawi: "Dies Büchlein ist für viele ein Führer zur Buße geworden."
25. *Flad,* a.a.O. 178.
26. Ebd. 179.
27. *W. Sidler:* Mission in der Krise, 1968. Flad gelangte noch dreimal bis zur Landesgrenze, nämlich in 1880, 1890, 1894.
28. Am 12. April 1923 hatte Martin Flads Sohn sich in Dschenda mit dem ergrauten Aragawi getroffen. Beide waren zum 50. St. Chrischona-Jubiläum gereist und hatten dort einen neuen Impuls für eine Mission in Äthiopien ausgelöst. So waren 1927 Heintze und Bauer, die sich gründlich vorbereitet hatten, nach Dschenda gefahren. Als der italienisch-äthiopische Krieg ausbrach, wurden die weißen Missionare aber schon wieder ausgewiesen. Nur der Äthiopier Aleqa Fetene konnte die Arbeit allein fortsetzen. *Sidler,* a.a.O. 107.
29. *Alberto Sbacchi:* Italian Colonialism in Ethiopia 1936—1940, University of Illinois 1975, 223.
30. Die St. Chrischona-Missionare wollten ursprünglich zur Sudan Interior-Mission, der größten Mission im Land, überwechseln. Die Regierung riet jedoch zu eigener Arbeit. Diese konstituierte sich am Stadtrand von Addis Abeba im März 1961. *Sidler,* a.a.O. 114.

Dritter Teil
Missionarischer Glaube im Dialog

Claus Westermann

Die Zukunft der Religionen

Der Titel ist nicht im Sinn einer Prognose, sondern im Sinn von Fragen gemeint, die der Orientierung dienen sollen. Ich richte diese Fragen an meinen
verehrten Kollegen als Religionswissenschaftler zum Gruß zu seinem 65. Geburtstag, in dankbarer Erinnerung an die Jahre gemeinsamer Arbeit an der
Heidelberger Theologischen Fakultät, − mit dem Wunsch nach einem inten-
iveren Gespräch zwischen Theologie und Religionswissenschaft.

In meiner ersten Frage geht es um die Grundlage für ein Gespräch. Das, was wir
Religion nennen, gibt es nicht nur in den Religionsgemeinschaften verschieden-
ter Art, es gibt sie vielmehr in drei Kreisen. Der mittlere dieser Kreise ist die
Religionsgemeinschaft, die Kirche, das Volk Gottes, oder wie sie sich sonst
nennt. Religion aber gibt es außerdem in einem inneren Kreis, wir können sie
die persönliche Frömmigkeit nennen, und in einem äußeren Kreis, bedingt
durch die einfache Tatsache, daß es die Religionen, soweit wir die Menschheitsgeschichte kennen, im Plural gibt. In der christlichen Religion ist wie in
vielen anderen bisher das Verhältnis der Religionen zur Welt wie auch das der
Religionen zueinander allein vom mittleren Kreis her bestimmt worden. Die
Frage ist, ob es dabei bleiben soll und dabei bleiben kann. Für die christliche
Religion spiegelt sich diese Frage in der anderen, ob die Bibel der Christenheit
das Neue Testament allein ist oder das Alte und das Neue zusammen. Ist es das
Neue Testament allein oder ist das Alte dem Neuen so untergeordnet, daß es
kein eigenes Wort zu sagen hat, dann gibt es nur den inneren Kreis. Es kann
dann weder eine persönliche Frömmigkeit geben, die nicht identisch wäre mit
der Religion der christlichen Kirche bzw. einer der christlichen Kirchen, noch
kann es dann irgendeine positive Beziehung zwischen der christlichen und
anderen Religionen geben. Formuliert man das so, daß die christliche Religion
die Offenbarung und alle anderen Religionen dieses nicht seien, dann ergibt
sich die Schwierigkeit, daß es diese allen Religionen entgegengesetzte 'Offenbarung' der christlichen Wahrheit praktisch nur im Plural gibt, nämlich als eine
Mehrzahl von christlichen Religionen. Das aber ist gerade das Kriterium für den
dritten, äußeren Kreis, daß es Religionen nur im Plural gibt.
Ist aber die Bibel der Christenheit das Alte und das Neue Testament zusammen,
so sieht es anders aus. In ihm nämlich kommen die drei Kreise zu einem deutlichen und eindeutigen Ausdruck. Es hat Religion gegeben, bevor Israel Jahwe,

151

seinem Gott, begegnet ist. Sie hat einen Anteil am Alten Testament. Bei meine Beschäftigung mit den Vätergeschichten hat es mich immer wieder erstaun und fasziniert, daß Abraham, Isaak und Jakob die Väter Israels werden konn ten, obwohl sie Jahwe nicht kannten. Gewiß ist der Gott der Väter mit den Gott Israels fest verbunden worden, insbesondere durch das Motiv von Ver heißung und Erfüllung; aber es gibt doch deutliche Unterschiede. Ich nenne nu zwei Punkte, in denen sich die Religion der Väter von der des Volkes Israe unterscheidet. In der Religion der Väter ist das Vertrauen so beherrschend, daß Konflikte zwischen Gott und den Menschen ganz zurücktreten. Sünde gege Gott und Strafe Gottes fehlen fast ganz. Und der andere Punkt: Die Väter geschichten kennen keine Religionspolemik. Die Gruppen der Väter sind zu klein, als daß es eine Konkurrenz zwischen der Väterreligion und anderer Religionen geben könnte. Die Väterreligion oder Familienreligion hat aber mi den Vätern nicht aufgehört; sie hatte ihre Nachwirkungen in der Zeit de Volksreligion, die sich an vielen Stellen zeigen. In der Geschichte der christ lichen Kirche zeigt sich der Unterschied zwischen der persönlichen und de Religion der Kirche besonders an einem Punkt. Die Lehre der Kirche ist vo ihrem Entstehen an bis zur Gegenwart allermeist im Bereich der professionelle Theologen geblieben und hat nicht bis zu den einfachen Gemeindegliedern i ihren Häusern gereicht. Die Lehrstreitigkeiten werden und wurden zwische den Theologen in ihren Schulen ausgetragen; nur in seltenen, besonderer Fällen werden die Gemeindeglieder in ihren Häusern davon berührt. Es hat abe immer persönliche Religion gegeben, die nicht unbedingt von der Theologie de Kirche abhängig war, das zeigen die Gesangbücher.

Für den äußeren Kreis ist in erster Linie auf die biblische Urgeschichte hinzu weisen. Die Bibel beginnt mit einem Handeln Gottes an *allen* Menschen und a der *ganzen* Welt. Der Schöpfer segnet seine Schöpfung; alles Lebendige segne er, ohne Unterschied. In diesem Segen des Schöpfers ist das Wachsen de Menschheit begründet, das Wachsen in die Tiefe der Zeit (Gen 5) und das Wach sen über die Fläche der Erde hin (Gen 10). Wenn dazu in der Völkertafe Gen 10 das Sich-Gliedern der Menschheit in Völker gehört, so steht dies in de Sicht der Urgeschichte in einem positiven Licht. Daß die Trennung in Völke auch einen negativen Aspekt haben kann, zeigt Gen 11,1–9; aber der positiv Aspekt bleibt bestehen. Das Sich-Gliedern der Menschheit in Völker aber is vom Sich-Gliedern in Religionen begleitet, sofern die Religionen Volksreligio nen sind. Da es in der Antike Völker ohne Religionen nicht gab, gilt das für di ganze Menschheit. Im Entstehen der Völker und ihrer Religionen hat der Seger des Schöpfers gewirkt.

Damit aber müßte auch in den in Religionen der Völker gegliederten vieler verschiedenartigen Religionen etwas Gemeinsames bleiben, was in der Verschie denartigkeit nicht völlig aufgeht. Dem entspricht es in erstaunlicher Weise, daß die mit Gen 10 und 11 abschließende Urgeschichte Gen 1–11 aus Elementer erwachsen ist, die über die gesamte Breite der Religionen der Erde und in de gesamten Tiefe der Religionsgeschichte zu finden sind. Alle diese Element haben es mit dem Menschen und der Welt im ganzen zu tun. Die Tatsache, da diese Motive der Weltschöpfung, der Menschenschöpfung, der Flut und des Turmbaus, der Grenzen und der Möglichkeiten des Menschen und andere nicht einer Religion, sondern den Religionen angehören, ist von der Deutung und der jeweiligen Einordnung dieser Motive unabhängig. Es wird für die Zukunft der Religionen viel davon abhängen, ob diese Tatsache in ihrer Bedeutung wieder erkannt wird.

Diese vielen Religionen gemeinsamen Elemente des Urgeschehens werden in der veränderten gegenwärtigen Weltlage insofern wieder wichtig, als aus ihnen, insbesondere aus dem Geschaffensein des Menschen zum Bilde Gottes, sowie aus dem Geschaffensein des Menschen zusammen mit seinem Lebensraum, den Lebensmitteln, der Arbeit und der Gemeinschaft, aus den der Menschheit gemeinsamen Elementen des Gerichtsvorganges, zu dem die Verteidigung des Angeklagten gehört, die Menschenrechte theologisch begründet werden können. Solange die christliche Theologie sich nur mit dem mittleren Kreis beschäftigt hat, ist sie auf die Frage der Menschenrechte gar nicht gestoßen. Andererseits könnten alle Religionen, für die der Mensch ein Geschöpf Gottes ist, an diesem Punkt zusammenwirken.

Damit komme ich zu der ersten Frage zurück: Können wir für die Zukunft eine gemeinsame Grundlage darin gewinnen, daß sich Religion in drei Kreisen bewegt und nicht nur in einem? Die bisherige christliche Theologie ist darin einseitig gewesen, daß sie das Wirken Gottes so weitgehend auf den mittleren Kreis bezog, daß der äußere und der innere Kreis kaum berücksichtigt wurden.

II.

Eine zweite Frage in die Zukunft der Religionen hinein ist die nach dem Verhältnis der Religionen zueinander. Dabei gehe ich noch einmal von Gen 10 aus. Das Kapitel stellt die Völker zumeist als nebeneinander wohnend dar, nachdem sie sich über die Erde hin ausgebreitet haben. Aber es ist auch vom Errichten von Reichen die Rede (V. 8–12), das durch Eroberungen möglich wird. Es ist nur angedeutet, daß zum Nebeneinander der Völker der Völkerkrieg gehört. Vom Völkerkrieg aber ist die Volksreligion mitbetroffen. Kriege werden für die Götter des Volkes oder im Namen des Volksgottes geführt, von der frühesten Vorzeit bis in das 20. Jahrhundert hinein. Vom Sieg wie von der Niederlage des Volkes waren die Religionen mitbetroffen. Davon nicht abzulösen ist der geistige Kampf, die Religionsbekämpfung oder Religionspolemik. Wenn ich recht sehe, steht sie in einem Zusammenhang mit der Gemeinschaftsform des seßhaften Volkes. So wie zum Nebeneinander der seßhaften Völker der Völkerkrieg gehört, so die Religionspolemik zu der seßhaften Form von Religionsgemeinschaften. Das wäre religionsgeschichtlich nachzuprüfen; es trifft zu für die Religion Israels. Bei den wandernden Gruppen am Anfang gibt es keine Religionspolemik. Dann setzt sie mit aller Macht ein mit dem Deuteronomium. Mit dem Seßhaftwerden beginnt die Gefährdung der eigenen Religion durch die Religion der umwohnenden schon seßhaften Völker, in diesem Fall der Kanaanäer. Deren Religion wird der rigorose Kampf angesagt, wie es das Banngebot und die Todesstrafe für die Abtrünnigen im Dtn zeigt. Mit dem politischen Zusammenbruch wandelt sich hier etwas. Nicht grundsätzlich und nicht auf der ganzen Linie; aber es gibt Zeichen, wie Jeremias Aufforderung zur Fürbitte für die bisherigen Feinde (Jer 29) an die Exilierten und die Einladung Deuterojesajas an "die Entronnenen der Völker" (Jes 45,20). — Wenn es zutrifft, daß die Einstellung zu anderen Religionen sich wandeln kann im Zusammenhang mit geschichtlichen Wandlungen, dann wäre zu fragen, was dies für die Zukunft der Religionen zu bedeuten hätte. Dabei ist vorausgesetzt: Die unbedingte Treue zur eigenen Religion muß nicht notwendig mit der Polemik gegen andere Religionen verbunden sein.

Der wichtigste Wandel besteht für uns darin, daß einmal alle Völker mehr oder weniger von ihren Religionen bestimmt waren, daß aber in der gegenwärtigen Welt die Religionen im Gesamtleben der Völker nur noch ein schmaler Sektor sind. Wenn in diesem schmalen Sektor Religionen einander bekämpfen, tragen sie nur dazu bei, daß dieser Sektor noch schmaler wird. Die Bekämpfung einer Religion durch eine andere ist in dieser Situation fragwürdig geworden. Vielleicht darf man daraus folgern, daß in der Zukunft nur noch eine Art der Konkurrenz zwischen Religionen sinnvoll ist: daß jede mit äußerster Intensität das zu verwirklichen sich bemüht, was sie sein will. Es ist besser, wenn eine Religion durch sich selbst überzeugt als durch Polemik gegen andere Religionen.

Dazu kommt das andere: Die Religionen sind einander auf dem schmalen Sektor so nahe gerückt, daß eine Religion in Kenntnis der anderen im Stande sein muß, im Gespräch, das diese Kenntnis voraussetzt, zu sagen, was sie ist und was sie sein will. Das volle, unbedingte Bejahen der eigenen Religion war einmal möglich und war einmal zu verantworten ohne jegliche Kenntnis anderer Religionen. Heute ist es im Zeitalter der weltweiten Kommunikation so nicht mehr möglich und nicht mehr zu verantworten. Die Theologie einer Religion wie z.B. die christliche Theologie kann nicht mehr ohne ein Fragen nach den anderen Religionen und ein Gespräch mit ihnen bleiben. Bei diesem Kenntnisnehmen von anderen Religionen wird sich in der Zukunft ein Wandel anbahnen, der sich aus der neuen Situation im Verhältnis der Religionen zueinander von selbst ergeben wird. Von der abendländischen Theologie her ist es uns zu selbstverständlich, das Schwergewicht des Vergleichs darauf zu legen, was wir über Gott denken und was die anderen über Gott denken. Bei solchem Vergleich kommt es kaum jemals über das Konstatieren von Gegensätzen hinaus. Aus der gegenwärtigen Situation tritt eine andere Frage in den Vordergrund: Was geschieht in dieser Religion und was in der anderen zwischen Gott und Mensch? — Ich nahm vor kurzem an einem Gespräch zwischen moslemischen und christlichen Theologen teil. Als man über den Monotheismus und die Trinitätslehre sprach, erwies sich ein Gespräch als fruchtlos; als man über das Gebet sprach, war Gemeinsames da, das ein Gespräch ermöglichte.

III.
Eine dritte Frage in die Zukunft der Religion hinein ist die nach dem Verhältnis der Religion zur Welt. Die Religionen waren einmal für alle Daseinsbereiche

bestimmend. In diesem Stadium war eine Abwendung von der Welt, eine Weltverneinung oder eine Weltflucht gar nicht möglich. So gibt es auch im Alten Testament etwas wie Weltverneinung oder Weltflucht nicht. Die Welt ist Gottes Schöpfung; sie verneinen, hieße den Schöpfer verneinen. Eine negative Beurteilung beginnt erst in der Apokalyptik, am äußersten Rande oder außerhalb des Alten Testaments. Es ist zu fragen, ob hier und in Teilen des Neuen Testaments das negative Beurteilen der Welt dadurch bedingt ist, daß damals schon "die Welt" sich weitgehend der Religion entzogen hatte, also säkularisiert war. Dann könnte die Abkehr von der Welt eine zeitlich bedingte notwendige Folge von Säkularisationsprozessen sein, wie das ähnlich auch beim Pietismus der Fall ist. Um dies zu klären, wäre eine weiträumige Untersuchung des Weltbegriffs im Neuen Testament im Horizont des Alten Testaments und der Religionsgeschichte nötig. Es könnte sich daraus ergeben, daß die negative Beurteilung der Welt mit dem jetzt absehbaren Abschluß des Säkularisierungsprozesses sich zu einer anderen Beziehung der Religion zur Welt wandeln müßte: dem Dasein der Religion *für* die Welt. Damit aber die Religionen dieser Aufgabe gewachsen sind, die sie zum Teil ja schon erkannt haben, müßte sich manches wandeln. Wenn es mit solchem Dienen ernst gemeint ist, dann müssen die Religionen es aufgeben, um ihrer selbst willen da sein zu wollen.

Zur Frage nach dem Verhältnis der Religionen zur Welt gehört die Frage nach dem Verhältnis der Religionen zur Macht. Auch diese Frage kann nicht geschichtslos, kann nicht prinzipiell beantwortet werden. Die Verbindung der Religion mit der Macht hat ihren notwendigen geschichtlichen Ort und hat ihre geschichtliche Bedeutung gehabt. Ihre wirksamste und am weitesten reichende war das sakrale Königtum in seinen verschiedenen Ausprägungen von den primitiven Kulturen an bis in die Neuzeit. Die Verbindung der Religion mit der Macht hat auch im Alten Testament eine besondere Ausprägung in den Befreiungskämpfen der Richterzeit gefunden, die im Namen Gottes, genauer durch die vom 'Geist Jahwes' erfaßten charismatischen Führer, durchgeführt wurden. Eroberungskämpfe dagegen sind nicht in gleicher Weise im Namen Jahwes geführt worden. Dann aber war im Alten Testament ein entscheidender Wendepunkt die Ablösung des Rettens Gottes von der politischen Macht, wie sie bei Deuterojesaja dargestellt wird. Er kündigt Israel die Rettung aus dem Exil an, die keine Restauration der politischen Macht Israels bringen wird. Diese Wende ist im nachexilischen Israel nicht von allen angenommen worden, bei vielen lebte nach dem Exil die Hoffnung auf eine Wiederherstellung der politischen Macht wieder auf, wie das auch die Evangelien des Neuen Testaments zeigen. Jedoch die in Christus verkündete und mit seinem Kommen angebrochene endgültige Rettung Gottes lag in der Linie Deuterojesajas: "Mein Reich ist nicht von dieser Welt." Sie hätte eine Kirche ermöglicht, die eine dienende Kirche ohne jeden Machtanspruch sein will.

Die Kirche des Abendlandes aber wurde von Konstantin an in eine Bahn gedrängt, die einen Rückschritt hinter Deuterojesaja bedeutete, sofern sie eigene Macht erstrebte und bejahte. Auch wenn dieser Rückschritt damals unvermeidlich war, so heißt das doch nicht, daß er dauernd gültig bleiben müßte. Für die

Zukunft hat die Kirche nur noch die Möglichkeit einer auf eigene Macht verzichtenden Existenz. Aber es handelt sich hier um eine Wende, die wahrscheinlich für die Religionen im ganzen gilt. Der religiöse Staat und der heilige Krieg, auch wenn es sie noch gibt, haben keine Zukunft mehr.

Zum Verhältnis der Religionen zur Welt gehört das Wechselverhältnis von Kultur und Religion. Es hat nie eine Religion gegeben, die nicht in einer Fülle von Kultureinflüssen den Einwirkungen der Welt offen gewesen wäre. Das kann hier nicht entfaltet werden. Einer der wichtigsten Einflüsse war die Übernahme der Erfindung der Schrift in den Gebrauch sehr vieler Religionen, in einem späteren Stadium die Übernahme der Buchdruckerkunst, in einem späteren die Benutzung der modernen Technik in den Religionen, vom Telefon bis zum Flugzeug. Man kann schlecht die Technik verdammen, wenn man dazu eine Schreibmaschine benutzt. Hier wäre weiter zu fragen, welche Wandlungen die Übernahme kultureller Elemente in den Religionen für diese bedeutet hat und bedeutet, was sie in ihnen bewirkt hat; auf die Zukunft hin ist zu fragen, was die starke und unaufhaltbare Tendenz zu einer über die ganze Erde hin gleichen Zivilisation für die Zukunft der Religionen bedeutet.

IV.

Eine letzte Frage nach der Zukunft der Religionen ist die nach der Beziehung des Unwandelbaren zum Wandelbaren in ihnen. Sie gehört notwendig zur Religion. Keine Religion ist unwandelbar, obwohl jede Religion die Tendenz zum Unwandelbaren hat ("semper, ubique, ab omnibus"). Es wäre eine Geschichte der Religionen unter dem Gesichtspunkt des Verhältnisses der konstanten zu den variablen Elementen in ihnen zu erarbeiten. Weil die Religionen der Geschichte angehören, können sie sich aus Wandlungen nie ganz heraushalten. Das zeigen unleugbar die Begriffe der Reform oder Reformation und ihre Notwendigkeit, ob im Alten Testament, in der Kirchengeschichte, im Islam. Einseitig jedoch sind diese Begriffe darin, daß sie den falschen Eindruck erwecken, als gäbe es in den Religionen Wandlungen nur als Rückwendungen, Wendungen zurück zu den Ursprüngen. Aber die Religionen stehen immer in einer Relation zu den übrigen Daseinsbereichen, sie wandeln sich mit ihnen oder in Beziehung auf sie. Ein Beispiel kann das zeigen. Von der Kraft oder der Macht eines Gottes, von seiner Herrschaft in Schöpfung und Geschichte wurde in einer Welt gesprochen, in der die Möglichkeiten des Menschen relativ begrenzt waren. In einer Welt, in der die Möglichkeiten des Menschen gewaltig gewachsen sind, in der die Wirkungsmöglichkeiten des Menschen über die ganze Welt hin und in den Weltraum hinein reichen, klingen und wirken die Worte von der Kraft und Macht Gottes anders, ob man das will oder nicht.

Wandlungen im Bereich der menschlichen Kultur haben eingreifende Wandlungen in den Religionen bewirkt, wie z.B. die Erfindung der Schrift die Buchreligionen erst ermöglichte. Aber auch schon die Sprache als solche wandelt sich, und die Sprache ist ein Wesensbestandteil jeder Religion. Auch wenn eine Religion, um die Konstanz zu wahren, eine nicht mehr lebende sakrale Sprache annimmt, wandelt sich doch die Relation dieser nicht mehr lebenden zu den

Gegenwartssprachen. Es wäre, um diesem Wandel nachzugehen, zu fragen: Welche Elemente der Religion waren und sind besonders von politischen Entwicklungen betroffen, welche von wirtschaftlich-sozialen, welche von den Entwicklungen in Wissenschaft und Technik? Es wäre dann auch in umgekehrter Richtung zu fragen: Welche Elemente der Religion sind in einen dieser Daseinsbereiche abgewandert: So könnte man z.b. fragen, ob der Absolutheitsanspruch der Religionen hinübergewandert ist in einen Absolutheitsanspruch der Wissenschaften.

Würde man der Beziehung des Wandelbaren zum Unwandelbaren in den Religionen weiter nachgehen, so würde sich herausstellen, daß einige der besonders konstanten Elemente, die sich bisher am längsten gehalten haben, mehrere oder viele Religionen miteinander verbinden und auf etwas diesen Religionen Gemeinsames hinweisen. Dazu gehört einmal die der seßhaften Lebensweise entsprechende Gottesdienstform, in der die Menschen aus ihren Häusern zu bestimmter Zeit an einem bestimmten Ort zum 'Gotteshaus' gehen, dort miteinander einen 'Gottesdienst' begehen, der von einem Beauftragten geleistet wird, und darauf wieder in ihre Häuser zurückgehen. Mit diesem Gottesdienst der seßhaften Lebensweise hängt der Segen zusammen, der eine viele Kirchen und viele Religionen verbindende Funktion hat; er gehört zu den besonders konstanten Elementen. Angesichts dieses Tatbestandes ist zu beachten, daß der im Gottesdienst gesprochene Fluch gegen Feinde der Religion oder Andersgläubige nicht in gleicher Weise zu den konstanten Elementen gehört. Ein anderes besonders konstantes Element ist das Gebet. Es verbindet die persönliche Frömmigkeit (den inneren Kreis) mit dem Gottesdienst der Kirche (dem mittleren Kreis), aber auch mit sehr vielen Religionen (dem äußeren Kreis). Daß zu der Konstanten des Gebetes das Variable seiner Wandlungsmöglichkeiten gehört, zeigt die Geschichte des Gebets im Alten Testament. Die bisher genannten und viele andere Konstanten (in zeitlicher wie in räumlicher Hinsicht) stehen fest, sie können konstatiert werden. Die Frage ist nur, wie die einzelnen Religionen und ihre Vertreter sich zu ihnen stellen. Für die Zukunft der Religionen wird viel davon abhängen, ob sich hier etwas wandelt. Bisher war das Erkennen und Aufzeigen solcher Konstanten Sache von Fachleuten, insbesondere der Religionswissenschaftler. Ein Zweig der Religionswissenschaft nannte sich daher bewußt "vergleichend"; und in der Religionsphänomenologie werden Phänomene wie das Gebet, der Gottesdienst, das heilige Wort, das Opfer usw. mit dem Blick über viele Religionen vergleichend untersucht. Es ist nun ein merkwürdiger Tatbestand, daß man sich in der Praxis der einzelnen Religionen um diese wissenschaftlichen Bemühungen kaum oder gar nicht kümmerte. Daß in anderen Kirchen und in anderen Religionen auch gebetet, auch Gottesdienst gehalten, auch der Segen erteilt wurde, das berührte einen selbst nicht, denn die eigene Praxis war richtig, die fremde war falsch. Diese Einstellung war solange verständlich, wie die Zugehörigkeit zu einer Religion noch identisch war mit der Zugehörigkeit zu einer politisch strukturierten Menschengruppe, meist zu einem Volk. Solange alle anderen Religionen als Feinde der eigenen angesehen werden, kann jedes Konstatieren von gemein-

samen Konstanten nur stören und verwirren. Seit die Religionen insgesam
nur noch den schmalen Sektor bilden, sind sie näher aneinander gerückt, ol
sie das wollen oder nicht. Eine Wandlung könnte mit der einfachen Überlegun$
einsetzen: Das Erkennen und Verstehen der Eigenart und der Einzigartigkei
der eigenen Religion kann durch den Vergleich mit anderen Religionen nich
geschädigt, es kann dadurch nur gefördert werden!

Ein solcher Vergleich muß aber zugleich ein Unterscheiden zwischen den
Gegensätzlichen, dem Ähnlichen und dem Gemeinsamen zum Ergebnis haben
Solches Unterscheiden kann dann sowohl zum besseren Verstehen des Be
sonderen, Eigenartigen in der eigenen als auch zum Revidieren von summari
schen Urteilen über andere Religionen dienen. Für die Zukunft der Religioner
wird viel davon abhängen, ob ein solcher Wandel eintritt.

Er könnte auch zur Folge haben, daß der grundsätzliche Gegensatz von Theo
logie und Religionswissenschaft nicht mehr in der bisherigen Starre aufrecht
erhalten werden kann. Es könnte ganz allmählich eine Tendenzwende ent
stehen, die von der gewandelten Situation ausgeht, daß die in ihrer Weltbedeu
tung stark reduzierten Religionen einander näher gerückt sind – ohne ihr
Zutun. Die unleugbare Tatsache gemeinsamer Elemente in verschiedenen Reli
gionen kann nicht mehr nur ein Gegenstand wissenschaftlicher Forschung
bleiben; es geht die Kirche an, daß nicht nur in ihr gebetet wird. Wenn e
innerhalb der christlichen Theologie in der Wissenschaft des Alten wie de
Neuen Testaments wie auch in der Missionswissenschaft schon zur Selbstver
ständlichkeit geworden ist, daß sie ohne den religionswissenschaftlichen Aspek
nicht mehr auskommen, ist nicht einzusehen, warum das nicht für die Theo
logie als ganze auch in ihren Auswirkungen auf die Kirche gelten sollte. Wie
in den genannten Fächern der religionsgeschichtliche oder religionsphänome
nologische Vergleich dazu gedient hat und dazu dient, die Bibel besser zu ver
stehen bzw. die Mission wirksamer zu begründen und zu gestalten, so könnte
ein näheres Zusammenrücken von Theologie und Religionswissenschaft einer
Wandel einleiten, der sowohl der Zukunft der Theologie wie auch der Zukunft
der Religion dient.

Schluß: Es sind viele Religionen untergegangen, und es können auch weiterhir
Religionen untergehen. Aber der Untergang vieler Religionen hat nichts daran
ändern können, daß die Religion alle Wandlungen in der bisherigen Mensch
heitsgeschichte überdauert hat. Kein politisches Gebilde, keine Philosophie
Weltanschauung oder Ideologie hatte bisher die gleiche Lebensdauer oder die
gleiche Lebenskraft. Weder die Säkularisation noch der Atheismus haben bishe
etwas daran ändern können, daß die Religionen weiterleben. Bisher gehört die
Religion zur Geschichte der Menschheit von ihren Anfängen bis zur Gegenwart
Eine Prognose über die Zukunft der Religionen steht uns nicht zu. Vom Be
stehenbleiben der Religion kann nur der Glaubende je in seiner Religion spre
chen, aber nicht in der Weise der Prognose, sondern in der zu Gott hin ge
wandten Gewißheit, daß das Wirken Gottes vom Anfang bis zum Ende reicht

Theo Sundermeier

Die "Stammesreligionen" als Thema der Religionsgeschichte

Thesen zu einer "Theologie der Religionsgeschichte"[1]

Das Thema "Magie und Religion" ist noch nicht erledigt. Noch kürzlich forderte C.H. Ratschow eine terminologische Neubesinnung für die in diesen Stichworten enthaltene Problematik, wobei er selbst an der traditionellen Terminologie festhalten möchte, wohl wissend, daß sie nicht akzeptabel ist[2]. Das Thema ist darum nicht erledigt, weil wir bis heute den Stellenwert der sogenannten "Stammesreligionen" im Ganzen der Religionsgeschichte nicht ausmachen können. Soll aber der Entwurf einer "Theologie der Religionsgeschichte" gewagt werden, in der das Ganze der Religionen und ihrer Geschichte religionsphilosophisch bedacht wird, müssen die "Stammesreligionen" sinnvoll eingeordnet werden.

I. Die forschungsgeschichtliche Situation

1.1 Die "Stammesreligionen" sind in der religionsgeschichtlichen Forschung lange Zeit nicht um ihrer selbst willen Gegenstand der Forschung gewesen, sondern dienten dazu, das religionsgeschichtliche Material für weitreichende religionsphilosophische Theorien zu liefern. Die Forschung unterlag den philosophischen Prämissen der Aufklärung und betrachtete sie unter dem Vorzeichen eines religionsgeschichtlichen Darwinismus. Die "Stammesreligionen" galten als "Primitivreligionen", aus denen sich der Mensch zu höherer Religionsübung, zur eigentlichen Religion entwickelt hat. Comtes "Dreistadiengesetz" hat in der religionsgeschichtlichen Forschung prägende Kraft bekommen, weil es den philosophischen Kern der Animismus-Theorie E. Tylors bildet, die direkt oder indirekt bis heute das Urteil über die "Stammesreligionen" beeinflußt. Die Präanimismus-Theorie Maretts u.a. und die Magie-Theorie Frazers bleiben ganz in diesem Rahmen[3].

1.2 Einen anderen Stellenwert bekamen die "Stammesreligionen" in der Ur-Monotheismus-Theorie A. Langs und W. Schmidts. Die darin enthaltene Dekadenztheorie war aber mit so viel dogmatischem Vorurteil belastet, daß sie sich in der Forschung nicht durchsetzen konnte. Als Gegenstoß gegen das evolutionistische Schema Tylors hat sie jedoch bis heute Bedeutung.

1.3 Einen wirklichen Fortschritt in der Erforschung der "Stammesreligionen" brachten die Ethnosoziologen. Sie spezialisierten die Forschung und konnten anhand von begrenzten Feldstudien den engen Zusammenhang von Gesellschaft und Religion aufzeigen und das Spezifische der jeweiligen lokalen Religion herausarbeiten. Daß hierbei die Religionsforschung in die Umklammerung der Soziologie geriet, und zwar vor allem der "funktionalen Religionssoziologie", ist ein Faktum, das aber nicht nur als Nachteil gewertet werden muß.

1.3.1 Die Kultursoziologie hat der religionsgeschichtlichen Forschung den gleichen Dienst erwiesen, wenn auch in einem anderen Bezugsrahmen.

1.4 Die Dynamismus-Theorien E.W. Smiths, G. van der Leeuws (auch P. Tempels gehört in diese Reihe) haben weitere Kategorien zum Verständnis der Stammesreligionen geliefert und dazu beigetragen, das "dynamistische" Denken als eine "Struktur" menschlicher Existenz und Religionsübung überhaupt zu erkennen[4].

1.5 Daß solch positive Einschätzung der Religiosität stammesgebundener Menschen möglich wurde, ist u.a. dem Einfluß der Tiefenpsychologie C.G. Jungs zu danken; aber auch S. Freuds Psychoanalyse und die seiner Schüler haben gezeigt, daß wir es mit psychologisch ernstzunehmenden Phänomenen zu tun haben, die unserer seelischen Verfassung nicht zu fern liegen[5].

1.6 Es liegt auf der Linie des allgemeinen Trends zur positiven Wertschätzung der "Stammesreligionen" — der neuerdings durch das Zerbrechen kolonialistischer Machtstrukturen unterstützt wird —, wenn Paul Radin und Th. van Baaren aufzeigen, daß die Religion und Kultur "primitiver Völker" es mit Menschen zu tun hat, die uns gleichen ("Menschen wie wir")[6].
Das Problem der Verhältnisbestimmung von "Stammesreligion" und sogenannter "Hochreligion" bleibt jedoch auch nach ihren Arbeiten noch bestehen, ja wird noch dringlicher gestellt.

2.1 Soweit sie sich der Erforschung der "Stammesreligionen" zugewandt haben, haben die *Missionswissenschaftler* weitgehend im Banne der Animismustheorien gestanden (J. Warneck u.a.) und haben daraus missionsapologetisches Kapital geschlagen. Diese Haltung ist in Missionskreisen bis heute kaum überwunden.

2.2 Wo man keiner religionsgeschichtlichen Theorie anhing und sich der Menschen der Stammeskulturen verstehend öffnete, hat es großartige Darstellungen von "Stammesreligionen" gegeben (Asmus, Westermann, Vedder, Spieth u.v.m.); bei genauerem Zusehen wird man jedoch den aus der Romantik stammenden Volkstumsgedanken erkennen, der sich in ausgeprägten missionsmethodischen Konsequenzen niedergeschlagen hat (Chr. Keysser, B. Gutmann, südafrikanische "Heimatland-Theologie")[7].

2.3 Ein eigener Beitrag zur religionsgeschichtlichen Theorie der "Stammesreligionen" ist von der Missionswissenschaft bisher nicht geleistet worden. Bis heute bewegt man sich vorwiegend in den gängigen Denkmustern und subsumiert die "Stammesreligionen" unter den Begriff "Heidentum", was den Aspekt des "Dämonischen" in den Vordergrund stellt, oder der "Magie", was die Vorstellung einer "Vorstufe" zur Religion markiert. Bestenfalls spricht man von einem "religiös-magischen" Weltbild, das deutlich von dem der "Hochreligionen" abgegrenzt wird.

2.4 Impulse zur Neuorientierung sind aus der Ökumene bisher kaum gekommen und im protestantischen Bereich nicht eigentlich aufgenommen worden. Den katholischen Bereich lasse ich hier wegen seiner anderen dogmatischen Ausgangsbasis aus.

3.1 *Religionsphilosophisch* hat sich bis heute der Ansatz Hegels am stärksten durchgesetzt, der die "Stammesreligionen" unter dem Oberbegriff "Zauberei" darstellte, weil auf sie der Oberbegriff "Religion" noch nicht anwendbar sei[8].

3.1.1 Daß sich Hegels These von der ursprünglichen "natürlichen Einigkeit", die im Gegensatz zum sich entfaltenden Geist steht, der sich selbst darstellt und zu "einer positiven Religion kommt", in der Forschung fruchtbar erweisen kann, hat C.H. Ratschow bewiesen, der sie bekanntlich zum Ausgangspunkt seiner Studie "Magie und Religion" gemacht hat[9].

3.2 Schleiermachers Religionsverständnis hätte zu einer neuen Beurteilung der "Stammesreligionen" führen können. Religion ist für ihn das alles Leben Vertiefende, also auch in den "Stammesreligionen" vorhanden, bei denen das Wirken "göttlicher Kausalität" nicht geleugnet werden kann (vgl. u.a. Der christliche Glaube, § 10). Das Wesen der Religion sieht Schleiermacher in den spezifischen Religionsgestaltungen verwirklicht. Da Schleiermacher den "Stammesreligionen" das Moment des Erkennens und des frommen Selbstbewußtseins nicht absprechen will, können sie auf Religion hin angesprochen werden.

3.3 Rudolf Otto nimmt den Impuls Schleiermachers auf. Er sieht den Kern der Religion in der Begegnung mit dem Numinosen, das er in allen Religionen entdeckt, also auch in den "Stammesreligionen", die damit in ihrer religiösen Wertigkeit auf die gleiche Stufe wie die positiven Religionen zu stehen kommen, zunächst jedenfalls. Die Religionsgeschichte vollzieht sich in stufenartigen "Entwicklungen", die zur "Veredelung" der ursprünglichen numinosen Erfahrungen führt: Aus "dämonischer Scheu" wird "heiliges Erschauern" etc. Es findet eine Rationalisierung und Versittlichung statt.
Hegels und Schleiermachers religionsphilosophischer Ansatz werden also bei Otto vereinigt.

3.4 Noch viel stärker als bei C.H. Ratschow ist in Pannenbergs "Erwägungen zu einer Theologie der Religionsgeschichte" das Erbe Hegels greifbar. Die "Stammesreligionen" werden unter "mythische Religion" subsumiert und bilden keinen Topos gesonderter Reflexion[10].

II. Der Ort der "Stammesreligionen" in der Religionsgeschichte

Vorerwägungen: Auch wenn man die Religionssoziologie, Religionsphänomenologie und Religionspsychologie als "Hilfswissenschaften" der Religionsgeschichte einordnet (Pannenberg), ihre Erkenntnisse darf kein Religionsgeschichtler übersehen. Sie müssen in den Gesamtentwurf einer Religionsgeschichte aufgenommen werden.

Ihre Haupterkenntnisse können im Blick auf die "Stammesreligionen" wie folgt zusammengefaßt werden:

1. Es ist keine Stammesgesellschaft bekannt, in der es nicht Religion gegeben hat.
2. Religion war von jeher streng auf die Gesellschaft bezogen. Sie hat eine integrierende Funktion wahrgenommen (Integrationsmodell); die Kultur und Moral geprägt (Kulturmorphologisches Modell); innovatorische Impulse gegeben (Innovationsmodell); eine ausdifferenzierende Funktion wahrgenommen (Säkularisationsmodell).
   Die Substitutions- oder Kompensationstheorie läßt sich m.E. religionsgeschichtlich nicht beweisen, auch wenn sie im individualpsychologischen Bereich *nicht* negiert werden kann. Sie hat eine mehr allgemeine kritische Funktion im Rahmen einer Theorie der Religionsgeschichte.
3. Die Religionsphänomenologie hat aufgezeigt, daß es Grundstrukturen religiösen Lebens gibt, die in allen Religionen erkennbar sind und überall wiederkehren.
4. Die Religionspsychologie bestätigt in vielfacher Weise Erkenntnisse der Ethnosoziologie im Blick auf den einzelnen.
5. So sehr heute der eine Mensch und sein Menschsein in allen Religionen erkannt wird, der Unterschied zwischen der Religiosität in den "Stammesreligionen" und den "Universalreligionen" darf nicht eingeebnet werden wie er im einzelnen auch zu bestimmen ist.

Aufgrund dieser Erkenntnisse stelle ich die folgenden Thesen zu einer Theorie einer Religionsgeschichte auf:

1. Menschsein ohne Religion ist in der Menschheitsgeschichte nicht erkennbar. Religion ist ein Konstituens menschlichen Verhaltens.

2.1 Die Religion der stammesgebundenen Menschen nenne ich in Analogie zu A. Portmanns Begriff der "primären und sekundären Welterfahrung" die *primäre Religionserfahrung*[11].

Sie orientiert sich am Lebens- und Jahreszeitenzyklus.

Sie dient dem vitalen Leben und zielt auf Lebenssteigerung.

Sie ermöglicht das Zusammenleben, indem sie den Rahmen ethischen Verhaltens festlegt und die Mechanismen zur Versöhnung bereitstellt.

Sie ist wesentlich als Partizipation definierbar, und zwar in dreifachem Sinn: ontologisch als Teilhabe

dynamistisch als Teilnahme

sozial als Teilgabe.

Die Partizipation ist analogisch bestimmbar (was nicht als "Magie" bezeichnet werden darf).

Ihre Sprache ist die des Symbols,

sie vollzieht sich im Ritus,

sie zielt auf die Einheit von einzelnem, Gruppe und Umwelt ab.

In ihrer jeweils speziellen Ausprägung hat sie nur begrenzte Gültigkeit.

Hinter den besonderen Ausformungen sind jedoch Grunderfahrungen erkennbar, die in allen Religionen wiederkehren.

2.2 Die primäre Religionserfahrung muß von der *sekundären Religionserfahrung* unterschieden werden.

Sie ist durch Differenzierung und Spezifizierung von Ämtern und Kulturformen gekennzeichnet.

Ihr wesentliches Kennzeichen ist das Bewußtwerden ihrer selbst, das heißt sie drückt sich in reflektierter Lehre aus.

Analogische Sprachsymbolik wird durch Sprachsymbole abgelöst, die zur Abstraktion neigen und Allgemeingültigkeit beanspruchen.

Da sie die Distanz zu sich selbst kennt, nimmt die historische Dimension der Erfahrung einen entscheidenden Platz ein (historische statt mythische Anaklisis).

Die Individualität wird gegenüber dem kollektiven Verhalten stärker erfahren.

Sie beansprucht Gültigkeit über den Rahmen der Kleingesellschaft hinaus.

Während die Gotteserfahrung der primären Religionserfahrung tendenziell als pantheistisch charakterisiert werden kann, tritt hier der Theismus stärker in den Vordergrund.

Sie sucht die zerbrochene Einheit des Lebensgefühls[12].

2.3 Der Übergang von der primären zur sekundären Religionserfahrung wird soziologisch begleitet von der Entwicklung der Kleingesellschaften zu Großgesellschaften und von politisch-geschichtlichen Umbrüchen. Er wird von Sehern, Propheten und Stifterfiguren vermittelt, die den Umbruch ankündigen, initiieren oder nachträglich interpretieren.

Die Initiative dieser "Mittler" kann soziologisch monokausal nicht erklärt werden. Von ihnen selbst wird sie als ein personales Geschehen verstanden, das heißt als eine Machterfahrung, die von einer Gottheit ausgeht, der gegenüber sie selbst sich oft nur passiv verhalten, ja, sie widerstreben ihr vielfach.

2.4 Primäre und sekundäre Religionserfahrung sind inhaltlich zu unterscheiden, sind aber gleichwertig. Die erste kann niemals durch die zweite grundsätzlich "überholt" werden. Die primäre Religionserfahrung darf nicht als "survival" (so lautet der folgenschwere Begriff, den Tylor eingeführt hat) oder als mythischer und damit ablösbarer und zu überwindender Rest verstanden werden. Darum ist der Begriff "Hochreligion", der den der "primitiven Religion" einschließt und voraussetzt, abzulehnen. (M.E. sollte auch der von Lang eingeführte Begriff "Hochgott" eliminiert werden!)

2.5 Die sekundäre Religionserfahrung setzt die primäre voraus und ist in vieler Hinsicht eine Differenzierung der Erfahrungsmöglichkeiten der ersteren, kann aber auch eine Neuinterpretation sein oder als Reformation oder Neusetzung begriffen werden. In jedem Fall ist sie eine Innovation.

3.1 Die Religions*geschichte* verläuft nicht als eine Entwicklung von primärer zu sekundärer Religionserfahrung (von der "Primitivreligion" zur "Hochreligion") und darüber hinaus zu einer neuen Glaubenswelt, die je nach Überzeugung und philosophischer Grundhaltung anders gefüllt wird. Vielmehr ist ein Dreierschritt in anderer Weise, sind drei Phasen erkennbar:
Auf die sekundäre Religionserfahrung, die die primäre voraussetzt, folgt der Schritt zur Synthese oder Integration beider Erfahrungen. Dieser Schritt auf die dritte Stufe ist nicht zu bedauern, darf nicht als Fehlentwicklung oder Rückschritt interpretiert werden, sondern ist notwendig. Nur wo beide Erfahrungen integriert und in ein angemessenes Verhältnis zueinander gebracht werden, kann die Religion ihre Aufgabe für den einzelnen wie für die Gesellschaft ganz erfüllen, nur so können "Stifterreligionen" zu Volksreligionen werden, auf die hin jede Religion tendenziell angelegt ist.

3.2 Die Synthese von sekundärer und primärer Religionserfahrung kann religionsgeschichtlich als Synkretismus bezeichnet werden, ein Begriff, der mit Pannenberg positiv verstanden werden muß. Nicht heteronome, prinzipiell nicht ausgleichbare Gegensätze werden integriert, sondern sich notwendig ergänzende Erfahrungen. Die Integration kann verschiedene Formen annehmen: die einfache Synthese, selektive Abstoßung und Aufnahme, Veränderung, prophetische Neuinterpretation von Vorgegebenem oder Neubesetzung mit selektiver Adaption.

3.3 Die Mystiker vollziehen den integrativen Schritt als einzelne, setzen aber dabei die Synthese, wie sie in der Volksreligion vollzogen wurde, voraus, deren Rahmen sie nicht verlassen.

3.4 Die sekundäre Religionserfahrung schließt die Freisetzung von Möglichkeiten der Wahl ("multiplication of choice") ein, das heißt die Säkularisationstendenz ist ihr inhärent, wenn anders Säkularisation religionssoziologisch als

Eröffnung von freiheitlichen Handlungsräumen verstanden werden kann (Monica Wilson)[13]. Wo der Schritt zur Synthese mit der primären Religionserfahrung nicht vollzogen wird, eröffnet sich die Möglichkeit totaler Säkularisation. Da der Mensch aber nicht ohne die primäre Religionserfahrung existieren kann, greift der Mensch in diesem Stadium auf Ersatzhandlungen zurück, die phänomenologisch denen der primären Religionserfahrung gleichen, ohne deren religiöse Tiefe zu besitzen oder vermitteln zu können (vgl. Französische Revolution, Rituale in sozialistischen Ländern, Rituale in diktatorischen Staaten).

3.5 Die neuen religiösen Bewegungen unserer Zeit sind einerseits Bewegungen, die auf Mittler zurückgehen, also sekundäre Religionserfahrung vermitteln, andererseits aber gehören sie der dritten Religionsstufe an, insofern sie die Integration beider Religionserfahrungen vorantreiben (vgl. den Kimbanguismus).

III. Zur theologischen Interpretation der Religionsgeschichte

1. Eine Theologie der Religionsgeschichte, die die Ergebnisse der religionsgeschichtlichen Forschung zu verarbeiten und sie in ihrem eigenen Bezugsrahmen zu interpretieren hat, muß trinitarisch konzipiert sein, wenn sie das Ganze der Religionsgeschichte begreifen und theologisch interpretieren will.

2.1 Die primäre Religionserfahrung, die sich in vieler Hinsicht mit dem deckt, was Schleiermacher die ursprüngliche Anschauung des Universums und Otto die Begegnung mit dem Numinosen nennt, ist theologisch im ersten Glaubensartikel anzusiedeln. Sie kann als "natürliche Religion" verstanden werden; ich selbst würde den Begriff der "Schöpfungsordnung" revitalisieren, ihn jedoch jeder heilsetzenden, göttlichen Dignität, wie jeder Statik entkleiden. Die primäre Religionserfahrung dient dem Menschen und macht ein Zusammenleben möglich. Aspekte des "primus usus legis" sind in ihr zu erkennen.

2.2 Die primäre Religionserfahrung trägt keinen offenbarungspositivistischen Charakter. Sie ist als solche nicht göttlich, sondern ambivalent. Es ist ein Gefälle dahin erkennbar, daß sie durch Menschen verdunkelt und pervertiert wird. (Da sie z.B. als analogische Partizipation bestimmbar ist, kann sich die Zauberei, "Magie" hier leicht ansiedeln.) Es ist theologisch legitim, solche Perversionen zum Bösen hin personalistisch, das heißt als "dämonisch" zu interpretieren. Röm 1 ist hier anwendbar.

3.1 Inkarnation, Kreuz und Auferstehung Jesu lassen die oben genannten religionsgeschichtlichen drei Phasen erkennen: Gott bejaht das Leben in der Fleischwerdung seines Sohnes; das Kreuz negiert die primäre Religionserfahrung nicht grundsätzlich, aber insofern als sie sich über das Heil verfügende

Dignität zugeeignet hat. Das Heil des Menschen wird durch das Kreuz Jesu erworben, ein für allemal. Das Kreuz leugnet nicht das Leben als solches, und in der Auferstehung wird es neu bejaht. Da Leben für den Menschen im Kontext vitalen Lebens erfahren wird, kommt der leiblichen Auferstehung Jesu nicht nur theologisch, sondern auch anthropologisch und religionsgeschichtlich grundsätzliche Bedeutung zu. Wird die leibliche Auferstehung eliminiert, wird auch der Sinn der Inkarnation hinfällig, dann kann die Religionsgeschichte theologisch nicht mehr als Sinnganzes erfaßt werden.

3.2 Jesu Auftreten und Verkündigung muß religionsgeschichtlich dem Bereich der sekundären Religionserfahrung zugeordnet werden. Jesu Auferstehung ermöglicht und initiiert die Synthese der primären und sekundären Religionserfahrung. Weil Jesus leiblich auferstanden ist, haben Taufe und Abendmahl (Element und Wort) ihren Sinn, wird die sichtbare Kirche notwendig, in der die Synthese beider Religionserfahrungen praktisch vollzogen wird.

4. Die Synthese gehört in den Bereich des im Geist präsenten Christus, ist Teil des dritten Glaubensartikels. Die Forderung der Einheimischwerdung der Kirche − in der in der Kirche gelebten Synthese wird sie verwirklicht − ist hier theologisch zu verankern.

5. Da die Heilsbedeutung des Todes Christi religionsgeschichtlich nicht aufweisbar, sondern nur theologisch aussagbar ist, kann die Begegnung der Religionen aus theologischer Sicht nur die des Zeugnisses sein. Das schließt den Dialog mit anderen Religionen nicht aus, sondern fordert ihn, denn die Mission vollzieht sich im Rahmen primärer und sekundärer Religionserfahrung. Weil die in allen Religionen vorhandene primäre Religionserfahrung mit Gott dem Schöpfer zu tun hat, muß das Gespräch mit den Religionen gesucht werden, so daß neue, echte religiöse "synthetische" Glaubenserfahrung im Lebensganzen, und das heißt im jeweiligen sozialen und kulturellen Gesamtkontext, möglich wird[14].

6. Eine religionsgeschichtliche Entwicklung auf eine große synthetische Religion hin ist nicht erkennbar, auch kein theologisch notwendiges Postulat.

IV. Konsequenzen

Die Konsequenzen, die sich aus dieser Sicht der Religionsgeschichte ergeben, sind weitreichend und greifen tief in die Missionsmethodik und innerkirchlich in die Praktische Theologie ein. Eine neue theologische Beurteilung der kirchlichen Feste, z.B. wie Weihnachten und Ostern (gerade weil sie an "vorchristliches" Glaubensgut anknüpfen, also eine religionsgeschichtliche Synthese bilden), aber auch der Kasualien und der Liturgie wird notwendig[15].

Anmerkungen

1. Die Thesen wurden im Oktober 1977 vor der Fachgruppe der Religions- und Missionswissenschaft der Wissenschaftlichen Gesellschaft für Theologie und dem Forum Theologicum der Abt. I der Ruhr-Universität Bochum vorgetragen. Für den Druck wurden sie leicht überarbeitet, wobei Anregungen von seiten der Fachkollegen aufgenommen wurden. Ebenfalls wurden Anmerkungen hinzugefügt, wobei ich mich allerdings nur auf die notwendigsten Literaturangaben beschränke. Ich widme diese Thesen H.-W. Gensichen, meinem Lehrer, der in seiner Missionstheologie wichtige Aussagen zum Thema "Theologie der Religionen" gemacht hat, cf. Glaube für die Welt, 1971, 221ff.

2. C.H. Ratschow: Die Rede von Religion, in: R. Volp (Hg.): Chancen der Religion, 1975, 131, Anm. 6. Vgl. auch H.-W. Gensichen: Magie und Religion in Afrika, in: Ärztlicher Dienst weltweit, 1974, 275ff.

3. Zum ganzen siehe F. Gölz: Der primitive Mensch und seine Religion, 1963. Dort ist alle wesentliche Literatur zum Thema zusammengestellt. — W. Dupré: Religion in Primitive Cultures. A Study in Ethnophilosophy, 1975.

4. G. van der Leeuw: Phänomenologie der Religion, 1956. — E.W. Smith: African Ideas of God, 1950. — P. Tempels: Bantu-Philosophie, 1956.

5. Neben den Arbeiten von Freud und Jung wären hier zu nennen u.a. B. Bettelheim: Symbolic Wounds: Puberty Rites and the Envious Male, 1954; G. Róheim, dazu jetzt H. Zinser: Mythos und Arbeit, 1977.

6. Th. P. van Baaren: Menschen wie wir. Religion und Kult der schriftlosen Völker, 1964. — P. Radin: Gott und Mensch in der primitiven Welt, o.J. (1953).

7. Weitere Literaturangaben bei E. Dammann: Die Religionen Afrikas, 1963. Zu Keysser, Gutmann, siehe P. Beyerhaus: Die Selbständigkeit der jungen Kirchen als missionarisches Problem, 1959.

8. Zu Hegel siehe H.J. Schoeps: Die außerchristlichen Religionen bei Hegel, ZRGG 1955, 1–34; R. Leuze: Die außerchristlichen Religionen bei Hegel, 1975.

9. C.H. Ratschow: Magie und Religion, 1955.

10. W. Pannenberg: Grundfragen systematischer Theologie, 1967, 252ff.; ders.: Wissenschaftstheorie und Theologie, 1977², 361ff.

11. A. Portmann: Vom Urmenschenmythos zur Theorie der Menschwerdung, Eranos Jb. 1969, 413ff. — ders.: Homologie und Analogie. Ein Grundproblem der Lebensdeutung, ebd. 1973, 619ff.

12. Zu den unterschiedlichen Ausrichtungen der primären und der sekundären Religionserfahrung siehe C.H. Ratschow, a.a.O. (1955) und T. Sundermeier: Unio Analogica, EMZ 1973, 150–166, 181–192.

13. M. Wilson: Religion and the Transformation of Society, 1971. Selbstverständlich ist mit diesem Hinweis nur ein Aspekt des Problems der Säkularisation angesprochen. Ich meine aber, daß er in der Debatte über das Phänomen der Säkularisation leicht übersehen wird und stärker beachtet werden sollte.

14. Die Folgerungen, die sich aus diesen Thesen für die Frage nach dem Dialog der Religionen ergeben, habe ich in dem Aufsatz "Die Einzigartigkeit Christi und andere Glaubensweisen" ausgezogen (Beihefte zu Ökumenische Rundschau 36, 1979, 26–35).

15. Eine Art Fallstudie im Blick auf die Trauerriten bildet mein Aufsatz "Todesriten als Lebenshilfe", Wege zum Menschen 1977, 129ff.

Arnulf Camps, O.F.M.

Die Notwendigkeit des Dialoges in der Mission

Es ist ziemlich gefährlich, nach zehnjähriger Freundschaft mit dem Freund und Kollegen, Hans-Werner Gensichen, über Mission und Dialog zu diskutieren. Nicht daß die Freundschaft, die zwischen uns im Jahre 1968 zustande kam, als wir beide in Birmingham mit einer kleinen Gruppe von Missionswissenschaftlern die Grundlagen erarbeiteten für das, was später die "Internationale Gesellschaft für Missionsstudien" genannt wurde, gefährdet werden kann. Als zweiter Vorsitzender habe ich immer versucht, die Zielsetzungen des ersten Präsidenten weiterzuführen. Warum ist es dann gefährlich zu diskutieren? Weil seit der Herausgabe seines meisterhaften Buches "Glaube für die Welt. Theologische Aspekte der Mission" sieben Jahre vergangen sind. Es ist wohl möglich und wahrscheinlich, daß mein Kollege und Freund in einer zweiten Edition seines Hauptwerkes die Notwendigkeit des Dialoges in der Mission tiefer ausarbeiten würde, als er es 1971 tat. Ich selbst habe inzwischen versucht, diese Arbeit in drei Büchern fortzusetzen[1]. In diesem Beitrag möchte ich aufzeigen, daß zwischen Gensichen, der viel über Mission und wenig über Dialog schreibt, und mir, der ich mehr über Dialog als über Mission schreibe, kein Gegensatz besteht.

1. Gensichen und der Dialog

Es gibt einsichtige Gründe dafür, warum Gensichen in seinem Buche von 1971 nicht viel über Dialog geschrieben hat. Er sagt: Dialog sei kein "Modeschlager", und: Dialog bedeutet "mehr und Gewichtigeres" als ein "Alibi für Schaumschlägerei: jeder redet mit jedem, und niemand hat etwas zu sagen". Dialog ist darum auch keine verschämte Tarnung für die faktische Verdrängung worthafter Begegnung durch bloße Aktion[2]. Hier sind wir völlig mit ihm einverstanden.

Es gibt aber bei Gensichen auch positive Aussagen über den Dialog. Er befürwortet eine Zusammenarbeit zwischen Dogmatikern, Kirchenhistorikern, Exegeten und praktischen Theologen, weil man z.B. heute im dritten nachchristlichen Jahrhundert nicht mehr über "christlichen Gottesglauben in einer veränderten Welt" schreiben kann und darf, ohne ernsthaft auf den Dialog des Christentums mit den nichtchristlichen Religionen einzugehen, oder weil man heute nicht mehr über Kirchengeschichte schreiben kann und darf, ohne zugleich Missionsgeschichtler zu sein, das heißt ohne den Gesamtaspekt der Geschichte Gottes mit seinem Volk für eine Welt, in einer Welt (Voraussetzung des Dialoges) zu berücksichtigen[3].

Wichtig sind die Bemerkungen Gensichens auf Seite 233. Ich zitiere: "Je weniger der Missionar sich selbst weitergibt, je mehr er einfach Christus bringt, desto geringer wird das Dilemma zwischen Dialog und Verkündigung werden, desto reiner wird die Verkündigung den Zugang eröffnen zu jenem entscheidenden Dialog, für den alles andere Gespräch nur Vorstufe sein kann: den Dialog der Menschheit mit ihrem Schöpfer, den anzubeten ihr höchstes Müssen und ihr größtes Dürfen in einem ist."

Wichtig ist auch zu bemerken, was Gensichen über die Dimension und Intention der Mission schreibt. "Die Mission besagt: Gott will das Heil der Welt, und er selbst ist es, der dies Heil schafft, indem er seinen Sohn zum Kyrios macht." Hier soll man mit berücksichtigen, was Gensichen kurz vorher schreibt: "Auch die heutigen Versuche, Gottes 'Welthandeln' in Natur und Geschichte in den missionarischen Horizont einzubeziehen, sind hier zu nennen, wenngleich sich in ihnen eine Missionsbegründung andeutet, die nicht zuerst bei Christus einsetzt, sondern eher umgekehrt von einem weiteren Kreis des Gotteshandelns zu einem engeren fortschreitet."[4] Eine so verstandene Dimension der Missio Dei öffnet den Weg zum Dialog: Gottes Heilshandeln ist weltweit und wird durch Christus erfüllt.

Die Intention der Mission besagt: "Gott besorgt das Heil der Welt in seinem Sohn, indem er die Herrschaft Christi durch Menschen bezeugen, proklamieren und damit in Kraft setzen läßt."[5] Das heißt, Gottes Werk in der Mission kann nicht vollzogen werden ohne menschliche Mitarbeit. Dimension und Intention gehören zusammen. Der Mensch soll die Missio Dei weiterführen. Das geschieht im Zeugnis, in der Kommunikation, im Dialog!

Es gibt noch einen anderen Ansatz, um Mission und Dialog miteinander zu verbinden. Gensichen schreibt über Solidarität und Zeugnis[6]. Dialog ist praktische Synthese von Solidarität und Zeugnis. "Unter dem Aspekt der Dimension ist zunächst alles das aufzunehmen, was die Solidarität von Christen und Nichtchristen in der gegenwärtigen Weltsituation bedingt: tätige Partnerschaft angesichts der übergreifenden Menschheitsprobleme und -aufgaben, wie sie sich im Rahmen der zunehmenden Interdependenz sozialer, wirtschaftlicher und politischer Vorgänge heute darstellen, ohne daß dabei die durch religiös-kulturelle Besonderheiten bedingten Unterschiede in der Erfahrung jener Probleme übergangen werden dürfen." "Auch in der Säkularität der westlichen Welt hat die Missio Dei nicht demissioniert."[7] Diese Missio Dei aber braucht die missionarische Intention. Mit, in und unter der Solidarität muß man zum Zeugnis fortschreiten. Solidarität heißt für die Christen nicht Bestätigung der Emanzipation des säkularisierten Menschen, aber auch nicht Überlegenheit. Die Religionen — auch das Christentum — erfahren Schwachheit und Gefährdung. Nur das Evangelium weist auf eine alle Religionen transzendierende Instanz hin. Hier liegt die Bedeutung des christlichen Zeugnisses. Im Dialog sollen Solidarität und Zeugnis eine praktische Synthese finden.

2. Mission und Dialog bei Gensichen

Ich habe den Eindruck, daß Gensichen eigentlich Mission und Dialog nicht scharf unterscheidet. Für ihn ist Mission das wichtigste Wort, und im Jahre 1971 war es auch nicht üblich, diesen Begriff durch den des Dialogs zu ersetzen. Aber wenn man ihn gut versteht, gibt es keinen Unterschied. Die Hauptbegriffe: Dimension und Intention, wie auch: Solidarität und Zeugnis werden von Gensichen auf beide angewandt. In der Mission und im Dialog gibt es die "Dimension", nämlich die Missio Dei: Gott will das Heil aller Menschen und sogar progressiv: er offenbart sich in Natur und Geschichte und am Ende der Zeit in seinem Sohn, in Jesus von Nazareth. Hier finden die anderen Religionen ihren theologischen Platz in der Heilsgeschichte. Es gilt, daß die anderen Religionen, als Antwort auf die Offenbarung Gottes, auch an der progressio teilhaben und die letzte Offenbarung Gottes in Jesus integrieren müssen. Aber es gibt in der Mission wie im Dialog auch die "Intention": Das Heil der Welt, das Gott in seinem Sohn bezeugt, soll von Menschen bezeugt, proklamiert und in Kraft gesetzt werden. Durch den Dialog gibt es eine Dynamik in der Heilsgeschichte, kommen partielle und universale Offenbarung Gottes zusammen. Missio Dei und Mitarbeit des Menschen gehören untrennbar zusammen. Genau das gleiche gilt für "Solidarität" und "Zeugnis". Der Christ ist mit den Menschen anderer Religionen im Streit für Menschenrechte, Friede, Entwicklung, Befreiung usw. verbunden. Aber er weist immer auf eine alle Religion transzendierende Instanz hin, das Evangelium, das über die Fülle des Reiches Gottes redet. "Solidarität" und "Zeugnis" sind nicht zu unterscheiden. Sie gehören zusammen.

3. Dialog ist Mission

Oben habe ich schon gesagt, daß ich das Wort "Dialog" dem Wort "Mission" vorziehe. Ganz kurz möchte ich das erklären.
In der heutigen Welt haben wir mit Nichtchristen zu tun, die das Wort "Mission" mißverstehen[8]. Mission erinnert an eine Zeit, als die Religionen geographisch determiniert waren, wie z.B. der Hinduismus in Indien, der Buddhismus in Süd- und Süd-Ost-Asien, der Islam besonders im Mittleren Orient. Christliche Mission war geographisch auf diese Gebiete bezogen, und zwar öfters im kolonialen Kontext. Das Christentum in seiner westlichen Form ist sicherlich universal geworden, aber gerade hier liegt das Problem. Mission und westliches Christentum sollen voneinander gelöst werden. Das Christentum muß noch in den religiösen, kulturellen, sozialen und geschichtlichen Kontext der anderen Völker und Religionen inkarniert werden. Das soll durch den Dialog geschehen. Man muß hier nicht mehr über Mission reden, weil dieses Wort zu eng mit Mission als Ausbreitung des westlichen Christentums verbunden ist.

Es gibt auch innerkirchliche Ursachen, die dies notwendig machen. Besonders die katholische Kirche war im postkonstantinischen Zeitalter monologisch, sowohl in ihrer Mentalität als auch in ihrer Struktur. Das Zweite Vatikanische Konzil hat die Kirche in den Dialog mit anderen Kulturen und Religionen versetzt. Besonders die Deklaration "Nostra Aetate" hat dies klar herausgearbeitet: Die anderen Religionen befinden sich nicht außerhalb der Heilsgeschichte; in vielen Dingen sind sie zu loben und zu preisen. Von jetzt an soll man sich nicht mehr streiten, sondern zusammenarbeiten, um das Heil aller Menschen zu fördern. Es ist offenbar, daß das Konzil davon überzeugt ist, daß die endgültige Offenbarung Gottes in Jesus von Nazareth den anderen in Liebe und Respekt mitgeteilt werden muß, aber das heißt nicht, daß die anderen Religionen keine Wahrheit und keine Menschlichkeit besitzen. Solidarität und Zeugnis können sehr gut zusammengehen.

Inzwischen sind diese Grundsätze weiter ausgearbeitet worden[9]. Ein Beispiel darf hier angeführt werden. Der Buddhismus weiß von der Leidenserfahrung aller menschlichen Existenz. Geboren werden, leben und sterben ist Leiden. Das Heil des Menschen verlangt eine sehr praktische Lebenshaltung, keine metaphysische Spekulation. Man soll die Ursache des Leidens entdecken, den Durst, sein "Selbst" durchzusetzen. Der Mensch soll selbstlos werden, dann wird er erleuchtet und tritt in das Nirwana ein. Nun haben die westlichen Missionare gemeint, daß Gott im Buddhismus abwesend sei. Heute wissen wir, daß Buddha nie über Gott geredet hat – nicht weil er Gott verneinte, sondern weil er es für nicht wichtig hielt, jetzt schon über Ihn zu reden. Im Nirwana werden wir alles erfahren. Buddha war kein Atheist oder Agnostizist. Er war offen für die Transzendenz Gottes, überließ dies aber der Erfahrung im Nirwana. In vielen buddhistischen Schulen wird über das Endgültige geredet als den absoluten Buddha, als Amida, als das reine Land des Paradieses, als große Erleuchtung, als das absolute Nichts usw.

Der Buddhismus kann uns abendländische Christen wieder empfindlich machen für die Unzulänglichkeit alles Irdischen. Wir können wieder lernen, was "kenosis" heißt, Gehorsam bis zum Tode, um die Herrlichkeit zu erreichen. Der Buddhismus kann uns auch helfen, nicht allzu positiv über Gott zu reden, so als ob wir ihn so gut kennen. Am Ende unseres Lebens erwartet uns ein Mysterium, Gott. Vielleicht müssen wir wie die früheren Mystiker mehr negativ über ihn reden als positiv.

Es bleibt die Frage: Welches ist der Beitrag des Christentums im Dialog mit dem Buddhismus? Erstens dürfen wir sagen, daß die Leidenserfahrung im Buddhismus mehr individuell als sozial ist. Hat der Buddhismus eine ganzheitliche Auffassung, wenn es um das Heil der Menschen geht? Motiviert der Buddhismus den Menschen genügend, um die sozialen, wirtschaftlichen und politischen Ursachen des Nicht-Wohlbefindens der Menschheit zu beseitigen? Es gibt zwar Reformbewegungen im Buddhismus, aber sind diese allgemein akzeptiert? Der Christ soll einen all-umfassenden Begriff des Heiles vermitteln. Nirwana und Reich Gottes sollen miteinander in Verbindung gesetzt werden.

171

Es geht im Leben nicht nur um die eigene Identität, sondern auch um Partizipation, wie Tillich es klar gemacht hat[10].

In dieser Hinsicht habe ich in meinem zweiten Buch von 1977 den Dialog mit dem Islam, dem Hinduismus, dem Buddhismus, den neueren Religionen Japans, der Bantu-Religiosität, der Volksreligiosität Lateinamerikas und mit dem neuen Menschen in China dargestellt. Dabei bin ich zu dem Schluß gekommen, daß ein gut verstandener Dialog ein neuer Name für Mission sein kann.

In meinem dritten, oben erwähnten Buch aus dem Jahre 1978 habe ich herausgestellt, daß all dies nicht reine Theorie ist, sondern in den lokalen katholischen Kirchen von Neu-Seeland bis Lateinamerika schon zu praktischen Schlußfolgerungen geführt hat. Dialog ist nicht eine theoretische Sache. Einige Beispiele dürfen hier genügen. In der katholischen Kirche ist man heute davon überzeugt, daß die lokalen Kirchen nicht vom Westen her eingepflanzt werden dürfen, sondern daß sie im Lande selbst aus einer Begegnung zwischen den wesentlich jüdisch-christlichen Werten und den einheimischen von Gott gegebenen Werten und Schätzen entstehen müssen. Es gibt eine lokale "ecclesiogenese"[11]. Daraus folgt, daß die lokalen Kirchen selbständig sind, wenn es um die Struktur der Kirche geht, um die eigene Theologie (Schwarze Theologie, afrikanische Theologie, Befreiungstheologie, indische Christologie, japanische Theologie usw.), um die eigene Liturgie (die zaïrische und indische Messe), um die eigenen Ämter in der Kirche und schließlich um den eigenen Dienst an der Welt. Das alles ist nur möglich, wenn mittels des Dialoges die Kirche wirklich inkarniert. Eine so verstandene und aufgebaute Kirche wird gewiß wieder attraktiv sein und den Nichtchristen helfen, den endgültigen Heilsweg zu gehen.

Wir kommen zum Schluß. Wenn man es richtig versteht, ist Mission heute Dialog. Dialog mit den Heilswerten der anderen Religionen – ohne irgendwie die Absolutheit des Christusereignisses zu verneinen – ist der neue und bessere Name für Mission. Ich habe den Eindruck, daß mein Freund und Kollege Hans-Werner Gensichen mit mir darin übereinstimmen wird. Wenn nicht, so möchte ich gern mit ihm darüber diskutieren!

Anmerkungen

1. *A Camps:* Christendom en godsdiensten der wereld. Nieuwe inzichten en nieuwe activiteiten, 1976. – De Weg, de Paden en de Wegen. De christelijke theologie en de concrete godsdiensten, 1977. – Geen doodlopende weg. De lokale kerken in dialog met hun omgeving, 1978.
2. *H.-W. Gensichen:* Glaube für die Welt. Theologische Aspekte der Mission, 1971, 231.
3. Ebd. 252.
4. Ebd. 85 und 83.
5. Ebd. 85.
6. Ebd. 232.
7. Ebd. 227f.
8. *A. Camps,* 1976, 8–14.
9. Vgl. die Übersicht in *A. Camps,* 1977.
10. *A. Camps,* 1977, 33.
11. *L. Boff:* Ecclesiogenêse, 1977.

172

Rolf Rendtorff

Judenmission nach dem Holocaust

"Kann es nach Auschwitz, nach der Gründung des Staates Israel, die wenigstens zeichenhaft der Zerstreuung des jüdischen Volkes ein Ende gesetzt hat, noch so etwa(s) wie christliche Judenmission geben? Bleibt Israel nicht kraft des ungekündigten Bundes, trotz seiner Ablehnung des Messias Jesus, erwähltes Volk, dem Gottes eschatologische Verheißung gilt? Wird die christliche Begegnung mit Israel daher nicht eher auf der Ebene eines 'ökumenischen' Gesprächs stattfinden müssen?"
Hans-Werner Gensichen, der diese Sätze 1971 schrieb, fügte hinzu: "Offenbar kann von einem christlichen Consensus in dieser Sache noch keine Rede sein."[1] Dieser Satz gilt auch heute noch unverändert. Das Problem der christlichen Judenmission ist heute so ungeklärt und kontrovers wie damals. Einer der Gründe dafür liegt zweifellos in der Tatsache, daß der Begriff der Judenmission außerordentlich belastet ist. Eine neuere Zusammenfassung der Geschichte der Judenmission beschreibt diesen Sachverhalt so: "Für Juden ist es ... bis heute schwer, die verschiedenen Haltungen der Christen ihnen gegenüber zu unterscheiden. Für sie erscheinen die Verfolgungen und Zwangsbekehrungen des Mittelalters, der gesellschaftliche Druck zur Taufe in der ersten Hälfte und der Antisemitismus am Ende des 19. Jahrhunderts, wie auch die speziell judenmissionarischen Bemühungen als Ausfluß einer einheitlichen christlichen Haltung gegenüber den Juden, die von ihnen mit dem Wort 'Judenmission' zusammenfassend beschrieben wird."[2]
Nun scheint es auf den ersten Blick ganz deutlich zu sein, daß hier Dinge zusammengesehen werden, die wenig oder nichts miteinander zu tun haben. Die Judenmission im engeren Sinne hat sich stets bemüht, auch nur den Anschein eines Druckes oder gar Zwanges gegenüber den Juden zu vermeiden, und sie hat sich auch von dem gesellschaftlichen Druck zur Taufe von Juden fernzuhalten versucht. Vor allem war sie schon in ihren Anfangsstadien in der Zeit des Pietismus im 18. Jahrhundert und ebenso in ihrer organisierten Form im 19. Jahrhundert von einer starken, oft geradezu emotionalen Zuwendung zum Judentum und von dem ehrlichen Bemühen um Verständnis bestimmt, so daß ihr jegliche Judenfeindschaft fernlag[3]. Insofern scheinen Judenmission und Antijudaismus zwei grundverschiedene Haltungen gegenüber den Juden zu repräsentieren.
Bei näherem Zusehen erweist sich dies allerdings als keineswegs so eindeutig. Das zeigt sich z.B. am Verhalten der Evangelischen Kirche in Deutschland vor

und nach 1945. Es ist oft betont worden, daß die Evangelische Kirche zu der Judenverfolgungen im nationalsozialistischen Deutschland geschwiegen hat – von vereinzelten Stimmen abgesehen. Im Stuttgarter Schuldbekenntnis vom 19. Oktober 1945 wurden die Juden nicht erwähnt. Als dann aber der Reichs bruderrat der Evangelischen Kirche in Deutschland in Darmstadt am 8. Apri 1948 "Ein Wort zur Judenfrage" verabschiedete, klang es so:

"1. Indem Gottes Sohn als Jude geboren wurde, hat die Erwählung und Bestimmung Israels ihre Erfüllung gefunden ...
2. Indem Israel den Messias kreuzigte, hat es seine Erwählung und Bestimmung ver worfen ...
3. Die Erwählung Israels ist durch und seit Christus auf die Kirche aus allen Völkern aus Juden und Heiden, übergegangen ...
4. Gottes Treue läßt Israel, auch in seiner Untreue und in seiner Verwerfung, nich los ... Daß Gottes Gericht Israel in der Verwerfung bis heute nachfolgt, ist Zeicher seiner Langmut ...
5. Israel unter dem Gericht ist die unaufhörliche Bestätigung der Wahrheit, Wirklich keit des göttlichen Wortes und die stete Warnung Gottes an seine Gemeinde. Daß Gott nicht mit sich spotten läßt, ist die stumme Predigt des jüdischen Schicksals uns zur Warnung, den Juden zur Mahnung, ob sie sich nicht bekehren möchten zu dem, bei dem allein auch ihr Heil steht.
6. Weil die Kirche im Juden den irrenden und doch für Christus bestimmten Bruder erkennt, den sie liebt und ruft, ist es ihr verwehrt, die Judenfrage als ein rassische oder völkisches Problem zu sehen und ihre Haltung gegenüber dem Volk Israel wie gegenüber dem einzelnen Juden von daher bestimmen zu lassen ... "4

Hier zeigt sich ein massiver theologischer Antijudaismus: Israel ist verworfen (These 2 und 4) und untreu (These 4); es steht unter dem Gericht, weil Gott nicht mit sich spotten läßt (These 5). Fast blasphemisch klingt der Satz (1948!): "Daß Gottes Gericht Israel in der Verwerfung bis heute nachfolgt, ist Zeichen seiner Langmut" (These 4). Auschwitz als Zeichen der Langmut Gottes?
Damit verbunden ist aber die "Mahnung" an die Juden, "ob sie sich nicht be kehren möchten zu dem, bei dem allein auch ihr Heil steht" (These 5); denn der Jude (sic!) ist der "irrende und doch für Christus bestimmte Bruder" (These 6). Die Aufforderung zur Bekehrung geht hier also unmittelbar aus den antijüdischen Aussagen hervor, ja beides ist, wie etwa in der 5. These, in einem Satz miteinander verbunden.
Dabei ist hier ganz deutlich, daß die antijüdischen theologischen Aussagen die heute lebenden Juden meinen. Dies muß deshalb hervorgehoben werden, weil in jüngster Zeit gelegentlich versucht wird, hier einen Unterschied zu machen und zu betonen, daß der "aus urchristlicher Jesus-Überlieferung mittradierte Antijudaismus ... sich ... natürlich nicht pauschal gegen die Juden der jeweili gen Gegenwart richten" dürfe[5]. Allerdings wird gerade in diesem Zusammen hang die theologische Spitze des Antijudaismus in ihrer ganzen Schärfe sicht bar, wenn es heißt, "daß der christliche 'Antijudaismus', richtig verstanden, nicht die Juden als Mitmenschen und als Volk trifft, wohl aber in der Tat den Nerv jüdischer Glaubensüberlieferung"[6]. Der glaubende Jude als Mitmensch wird davon also in ganzer Schärfe und in seinem "Nerv" getroffen.

174

Diese letzte Formulierung ist m.E. sehr aufschlußreich. Sie läßt nämlich – wohl unbewußt – erkennen, worin dieser militante theologische Antijudaismus seinen eigentlichen Grund hat: Die Existenz der Juden, die die christliche Verkündigung nicht annehmen und an ihrem eigenen Verständnis ihrer Bibel festhalten, bedroht den Nerv des eigenen christlichen Selbstverständnisses. Dies wird auch an dem Wort des Reichsbruderrats von 1948 erkennbar, das hier nur stellvertretend für zahllose ähnliche Aussagen in der Geschichte der christlichen Theologie steht: Israel ist verworfen – muß verworfen sein! –, weil "die Erwählung Israels ... durch und seit Christus auf die Kirche aus allen Völkern ... übergegangen" ist (These 3). Genau an diesem Punkt setzt auch die heutige Judenmission ein. In der Festschrift zur 100-Jahrfeier des Evang.-Luth. Zentralvereins für Mission unter Israel e.V. "Zeugnis für Zion" (1971) gibt der Geschäftsführer des Zentralvereins "eine Darstellung der gegenwärtigen Arbeit". Er führt die Probleme auf, um die es heute geht. Ziffer 1 lautet:

'Der ekklesiologische Bezug:
Das Judentum versteht sich als der legitime Nachfolger des alttestamentlichen Gottesvolkes. Allein diese Tatsache stellt die Kirche in Frage. Sie muß sich fragen, wie es denn mit ihrer eigenen Legitimität als Gottesvolk steht. Es kann ja nicht zwei Gottesvölker geben! Die Kirche kann ihr eigenes Wesen nur in der Auseinandersetzung mit dem Judentum begreifen lernen."[7]

Hier ist mit wünschenswerter Deutlichkeit ausgesprochen, daß die Existenz des heutigen Judentums in seinem Selbstverständnis als Infragestellung der Kirche verstanden wird – und daß daraus der Impuls zur Judenmission entsteht. Zugespitzt – aber nicht überspitzt! – formuliert: die Unsicherheit der Kirche im Blick auf ihre eigene Legitimität fordert die Abweisung des jüdischen Selbstverständnisses, das sich in der Kontinuität mit dem alttestamentlichen Gottesvolk weiß.
Nicht immer wird dies so direkt und ungeschützt ausgesprochen. In der Sache ist jedoch m.E. kein Unterschied zu sehen in dem, was eine internationale Konsultation des Lutherischen Weltbundes 1975 in Oslo formuliert hat. Dort heißt es in dem Abschnitt "Christliches Zeugnis und das jüdische Volk": "Das Kommen Christi und die Herausforderung des Evangeliums stellen das Judentum in eine Situation der Krise", und es wird ausdrücklich betont, daß Christen "die Verkündigung des Neuen Testaments nicht aufgeben (können), auch wenn sie anerkennen müssen, daß diese Verkündigung auch das heutige Judentum nach wie vor unter die ursprüngliche Herausforderung stellt"[8]. Diese "Herausforderung" und die daraus resultierende "Krise" können nach dem Zusammenhang nichts anderes bedeuten als die Bestreitung der Legitimität des Selbstverständnisses des heutigen Judentums.
Hier muß nun aber betont werden, daß die lutherischen Kreise, deren judenmissionarische Äußerungen hier zitiert wurden, sich häufig ausdrücklich mit antijudaistischen Tendenzen auseinandersetzen. In der zitierten Festschrift des Zentralvereins wird dies allerdings nicht recht deutlich. Dort heißt es, daß

175

"die sogenannte 'Endlösung der Judenfrage' im Dritten Reich ... zu einer tiefen Unsicherheit der Christen" geführt habe, die "sich entweder in einer Scheu vor der Frage 'Kirche und Judentum' überhaupt (äußerte) oder in einem übersteigerten Philosemitismus oder einer Israelschwärmerei, die jedes Maß verliert"[9]. Dies klingt eher wie eine Abwehr eines allzu starken Engagements für das Judentum und Israel.

Im Rahmen des Lutherischen Weltbundes waren allerdings schon früher andere Äußerungen zu hören. In der grundlegenden Erklärung einer Konsultation in Løgumkloster im Jahre 1964 findet sich ein Abschnitt "Die Kirche und der Antisemitismus" (Abschnitt III), in dem es heißt: "Der Antisemitismus ist ... in erster Linie eine Verneinung der Gottesebenbildlichkeit des Juden ... Als Lutheraner bekennen wir die uns eigene Schuld, und wir beklagen beschämt die Verantwortung, die unsere Kirche und ihr Volk für diese Sünde tragen."[10] Auch in der Osloer Erklärung von 1975 finden sich ähnliche Äußerungen: "Wir Lutheraner müssen uns der besonderen Formen eines potentiellen oder tatsächlichen Antisemitismus bewußt sein, die sich unter uns finden." Dabei wird eine "undifferenzierte Diskreditierung des Gesetzes" als besondere Gefahr herausgestellt und erklärt, daß eine genaue Untersuchung dieses Problems notwendig sei.

Doch kehren wir zurück zur Frage der Legitimität des jüdischen Selbstverständnisses in ihrem Verhältnis zur christlichen Judenmission. In der Erklärung der Konsultation von Løgumkloster ist ein deutlicher Zusammenhang zu erkennen. Im Abschnitt I "Die Kirche und Israel" heißt es:

"Die Kirche kann das Wort Israel theologisch nur in dem Sinne gebrauchen, wie es in den Schriften des Alten und Neuen Testaments erscheint: zunächst als Ausdruck der göttlichen souveränen Gnade gegenüber Abraham und seinen Nachkommen, dem alten Bundesvolk ... ; dann aber als Ausdruck des neuen Bundes aus Juden und Heiden, worin durch die Erlösung in Jesus Christus die Heiden Miterben der Verheißung werden."[11]

Es gibt also nur eine Kontinuität zwischen dem "alten Bundesvolk" und der Kirche, nicht aber mit dem heutigen Judentum. Dies wird ausdrücklich ausgeschlossen, wenn es weiter heißt, daß durch "Anerkennung (Jesu) nur durch einen Teil der Juden ein Riß entstanden ist, der das 'alte' Israel außerhalb des 'neuen' gesetzt hat".

Dementsprechend wird im folgenden Abschnitt II "Mission und Gespräch" vom "jüdischen Volk" gesprochen. Hier heißt es, daß die Kirche "die Verpflichtung (hat), auch durch organisierte Missionsunternehmungen die Botschaft von der Versöhnung allen Menschen zu bringen". Dies gilt auch gegenüber den Juden: "Wo jüdische Bevölkerungsgruppen in der Welt normalerweise von christlichen Gemeinden nicht erreicht werden können, müssen Missionsorganisationen für die Verkündigung bei ihnen sorgen."

Hier ist beides ganz deutlich: die Bestreitung des Selbstverständnisses des heutigen Judentums und die Forderung einer organisierten Judenmission. Die als Ergebnis der Konsultation von Løgumkloster eingesetzte Kommission "Kirche und Juden" stellte 1970 in einer Vorlage für die Vollversammlung des

Lutherischen Weltbundes in Porto Alegre (Evian) den Zusammenhang zwischen beidem noch ausdrücklicher heraus, allerdings mit einem wesentlich anderen Akzent:

"Was bedeutet es, wenn wir die 'Legitimität' des Judentums anerkennen? In der Erinnerung an christliche Kritik am Judentum in der Vergangenheit verlangen Juden heute von den Christen die Anerkennung als 'lebende' Religion. Kann das zugestanden werden? Heißt es, daß wir in der einen Heilsordnung zwei getrennte, aber notwendige Amtsordnungen anerkennen? ... Wenn wir das Überleben des Judentums auf Gott zurückführen und das Judentum als legitim anerkennen, heißt das dann, daß die Christen nicht mehr dafür verantwortlich sind, den Juden gegenüber zur rechten Zeit und in der rechten Weise Zeugnis abzulegen?"

Hier wird das Problem als Frage formuliert: Bedeutet die Anerkennung der "Legitimität" des Judentums eine Einschränkung der Verantwortung zum Zeugnis gegenüber den Juden? Zum ersten Teil des Problems wird eine klare Antwort gegeben:

"Wir Lutheraner erklären uns solidarisch mit dem jüdischen Volk. Diese Solidarität gründet darin, daß Gott sich in Abrahams Samen ein Volk der Verheißung, des Glaubens und des Gehorsams, ein Volk seines Eigentums erwählt und berufen hat, dessen Einheit an dem Tag ans Licht tritt, wenn 'ganz Israel' gerettet sein wird. Die lutherischen Kirchen dürfen deshalb die Begriffe 'Volk Gottes' und 'Israel' nicht in einer Weise auf die Kirche anwenden, die verneint, daß sie sich zunächst auf das jüdische Volk bezogen. Sie dürfen die Kontinuität der Kirche mit dem Volk des Abrahamsbundes nicht in einer Weise betonen, daß dadurch in Frage gestellt wird, daß das zeitgenössische Judentum seine eigene Kontinuität mit dem alttestamentlichen Israel hat."[12]

Hier wird die Position von Løgumkloster also ausdrücklich zurückgewiesen: daß das heutige Judentum seine eigene Kontinuität mit dem alttestamentlichen Israel hat, darf nicht in Frage gestellt werden; der einschränkende Gebrauch des Wortes "Israel" ist nicht zulässig.

Zur Frage des Zeugnisses gegenüber Israel (das Wort "Mission" kommt in diesem Bericht nicht vor!) wird sehr vorsichtig formuliert:

"Als solche, die aus dem neuen Bund stammen, den Gott mit seinem Volk in Jesus Christus geschlossen hat, sehen wir Christen im jüdischen Volk ein Erinnerungszeichen unseres eigenen Ursprungs, einen Partner im Dialog um das Verständnis unserer gemeinsamen Geschichte und eine lebendige Mahnung dafür, daß auch wir ein Pilgervolk sind, ein Volk, das auf dem Wege zu einem Ziel ist, das nur in Hoffnung ergriffen werden kann."

Es ist gewiß kein Zufall, daß hier das Wort "Dialog" erscheint und daß das jüdische Volk als "Partner im Dialog" bezeichnet wird. Um diese Zeit hatte die Diskussion um die Worte "Mission" und "Dialog" bereits einen Höhepunkt erreicht[13]. Deshalb ist auch die folgende Formulierung auf diesem Hintergrund zu verstehen:

"Die Kirche darf deshalb das Wort, das ihr anvertraut ist, die Taufe, die sie zu verwalten hat, und das Abendmahl, das ihr zu feiern aufgetragen ist, nie als ihren eigenen Besitz betrachten, der ihr eine Überlegenheit über die Juden verschüfe."

177

Dieser Satz kann im Zusammenhang des Textes im Rahmen der damaliger Diskussion über "Mission" und "Dialog" m.E. nur als Absage an eine "Mission" gegenüber den Juden verstanden werden. Ein "Partner im Dialog" kann nich zugleich Ziel einer organisierten Judenmission im Sinne von Løgumkloste sein. Offenbar hat sich aber diese Position im Lutherischen Weltbund nicht durchge setzt. In der bereits zitierten Erklärung der Konsultation von Oslo 1975 werde ganz andere Töne hörbar:

"Das Kommen Christi und die Herausforderung des Evangeliums stellen das Judentum i eine Situation der Krise ... Diese Verkündigung (stellt) auch das heutige Judentum nac wie vor unter die ursprüngliche Herausforderung."

Nicht Solidarität mit dem jüdischen Volk, sondern Krise des Judentums — auc des heutigen Judentums! Und die "Herausforderung" gegenüber dem heutige Judentum geht von der Verkündigung aus, die die Christen selbst, in volle Bewußtsein dessen, was dies für das Judentum bedeutet, "nicht aufgebe (können)".
Auch an einem anderen, entscheidenden Punkt finden die Aussagen des Kon missionspapiers von 1970 in der Erklärung von Oslo keinen Niederschlag. 197 wurde das besondere Verhältnis der Christen zu den Juden in der "Kontinuit: der Kirche mit dem Volk des Abrahamsbundes" begründet gesehen, das heiß dieses Verhältnis ist von dem Verhältnis der Christen zu den Angehörigen and rer Religionen grundsätzlich und qualitativ unterschieden. Gerade dies wir aber 1975 verneint. Der erste Satz des Abschnittes "Das Wesen des christliche Zeugnisses" lautet:

"Christen haben sich dessen zu erinnern, daß ihr Zeugnis gegenüber dem jüdischen Vo in den Gesamtzusammenhang ihres Zeugnisses gegenüber allen Menschen gehört. Es i zuweilen fälschlicherweise der Eindruck entstanden, als seien Juden als eine besonde Art von Menschen zu isolieren und dann entweder als Gegenstand ausschließlich auf s bezogenen missionarischen Interesses zu behandeln oder von der christlichen Mission übe haupt auszuschließen."

Hier wird m.E. das Problem auf eine ganz falsche Ebene geschoben. Daß Jud "eine besondere Art von Menschen seien" und deshalb "isoliert" werden mü ten, ist m.W. niemals in einer ernsthaften theologischen Diskussion behaupt worden. Daß aber die Frage des christlichen Zeugnisses gegenüber den Jud aus theologischen Gründen grundsätzlich anders zu sehen ist als gegenüber d Angehörigen anderer Religionen — eben dies war der zentrale Punkt des Papie von 1970. Der Eindruck, der "fälschlicherweise" entstanden sein könnte, wi nicht zuletzt durch die Formulierungen des lutherischen Kommissionspapie hervorgerufen.
Die Abweisung einer Sonderstellung des Judentums wird in der Erklärung v Oslo auch darin deutlich, daß die sehr nachdrücklichen Aussagen des Komm sionspapiers von 1970 über die Kontinuität des Zusammenhangs der Kirc

178

mit der jüdischen Tradition (vgl. die Zitate oben S. 177) kaum aufgenommen werden. Im Gegenteil: sie werden sofort ins Negative gewendet:

"Das christliche Zeugnis richtet sich an alle unsere Mitmenschen, die Juden eingeschlossen. In unserem Zeugnis gegenüber den Juden haben wir jedoch die einzigartige historische und geistliche Beziehung zu berücksichtigen, die — sowohl in Kontinuität als auch in Diskontinuität — zwischen ihnen und uns besteht. Unter Juden wäre kein christliches Zeugnis angemessen, das nicht dankbar anerkennt und durch die Tat bestätigt, was sie mit uns verbindet. Aber gerade die Kontinuität zwischen uns ist es, die andererseits die Diskontinuität umso stärker fühlbar werden läßt."

Hieran schließen sich dann die schon zitierten Sätze über die "Herausforderung" und die "Krise" des Judentums an. Was theologisch relevant ist und was in der Verkündigung der Christen gegenüber den Juden zur Wirkung kommt, ist also nicht die Kontinuität, sondern die Diskontinuität! Der Rückschritt gegenüber der Vorlage von 1970 ist eklatant.

Dabei zeigt sich erneut, daß dies offenbar eine Schlüsselfrage für die Judenmission ist: die Beziehung zwischen dem christlichen und dem jüdischen Selbstverständnis. Dies wird auch in einer anderen Verlautbarung deutlich, die in der Diskussion um das Verhältnis von Kirche und Judentum eine wichtige Rolle gespielt hat: die Erklärung der Kommission für Glaube und Kirchenverfassung des Ökumenischen Rates der Kirchen in Bristol 1967 "Die Kirche und das jüdische Volk"[14].

Hier heißt es im Blick auf das christliche Zeugnis gegenüber den Juden:

"Was sie (die Juden) betrifft, hat diese Überlegung außerdem noch eine besondere Dimension, denn mit keinem anderen Volk ist die Kirche so eng verbunden. Christen und Juden sind in derselben göttlichen Heilsgeschichte verwurzelt ... ; beide beanspruchen, Erben desselben Alten Testamentes zu sein. Christlicher und jüdischer Glaube teilen auch eine gleiche Hoffnung, daß die Welt und ihre Geschichte von Gott zur vollen Verwirklichung und Offenbarung seines Reiches geführt werden."

Die hier betonte enge Verbindung der Kirche mit dem Judentum war bereits in dem vorangehenden Abschnitt "Theologische Erwägungen" behandelt worden. Dort wurden unterschiedliche Lösungsansätze für das Problem vorgetragen, weil die Kommission sich nicht auf eine gemeinsame Aussage hatte einigen können, und es hieß abschließend: "Wir sind uns dessen bewußt, daß in dieser Frage das ganze Selbstverständnis der Kirche auf dem Spiel steht."
Auch in der Frage des christlichen Zeugnisses gegenüber Israel werden zwei unterschiedliche Positionen beschrieben, und es wird ausdrücklich betont, daß sie "mit Differenzen in der Ekklesiologie zusammen(hängen)":

"Wenn die Betonung hauptsächlich auf die Vorstellung von der Kirche als dem Leib Christi gelegt wird, dann werden die Juden als nicht dazugehörig betrachtet. Die christliche Haltung ihnen gegenüber wird dann im Prinzip die gleiche sein wie gegenüber Menschen anderen Glaubens, und es muß die Mission der Kirche sein, sie entweder individuell oder kooperativ zur Annahme Christi zu bringen, so daß sie Glieder seines Leibes werden ...

Wenn andererseits die Kirche in erster Linie als das Volk Gottes angesehen wird, dann ist es möglich, die Sache so zu sehen, daß Kirche und Judentum zusammen das eine Gottesvolk bilden, zur Zeit noch voneinander getrennt, aber unter der Verheißung, daß sie am Ende eins sein werden. Alle, die so denken, sind der Meinung, daß sich die Einstellung der Kirche zu den Juden theologisch und prinzipiell unterscheiden müsse von der zu allen anderen Menschen, die nicht an Christus glauben; es handle sich hier mehr um eine Art ökumenischer Aufgabe, um den Riß zu heilen, als um ein missionarisches Zeugnis in der Hoffnung auf Bekehrung.''

Hier wird also eine sehr differenzierte Position bezogen, die auch überkommene Vorstellungen der christlichen Theologie in Frage stellt.

(Leider ist es seither im Bereich des Ökumenischen Rates nicht mehr zu offiziellen theologischen Äußerungen über das Verhältnis von Kirche und Judentum gekommen – vor allem aus politischen Gründen[15].)

Es ist deutlich erkennbar, daß die in der Erklärung von Bristol jeweils an zweiter Stelle genannte Position in die gleiche Richtung geht wie das lutherische Kommissions-Papier von 1970. Um so auffallender ist es, daß in der Erklärung von Oslo 1975 von dieser ganzen Diskussion nichts zu spüren ist.

Noch an einem weiteren Punkt warf das Bristol-Papier Fragen auf, die seither kaum wieder aufgegriffen worden sind. Die Belastung der Kirche durch den Antisemitismus wurde hier nicht nur als separates Problem behandelt, sondern unmittelbar mit der Frage des christlichen Zeugnisses in Zusammenhang gebracht:

"Dennoch dürfen bei einer Begegnung von Christen und Juden nicht allein ihre gemeinsamen Bande in Betracht gezogen werden, sondern auch ihre jahrhundertelange Entfremdung und die schreckliche Schuld der Diskriminierung, die die Christen mit der Welt teilen und die in unseren Tagen in Gaskammern und in der Ausrottung eines großen Teils des europäischen Judentums ihren Höhepunkt fand. Wenn auch gewiß nicht alle Christen gleich schuldig sind und wenn auch der Antisemitismus in den östlichen und in den sogenannten jungen Kirchen keine besondere Rolle gespielt hat, so haben wir doch alle zu bedenken, daß die Worte der Christen in den Ohren der meisten Juden jetzt unglaubwürdig und verdächtig geworden sind."

Die Frage der Glaubwürdigkeit des christlichen Zeugnisses nach dem Holocaust ist inzwischen noch sehr viel schärfer gestellt worden. Vor allem kommt allmählich ins Bewußtsein, daß es hier nicht nur um ein Problem der Glaubwürdigkeit nach außen, insbesondere gegenüber den Juden, sondern vielmehr um die Frage der Christen selbst an ihre eigene theologische Tradition geht: um die Frage nämlich, ob die Gaskammern von Auschwitz *trotz* der christlichen Verkündigung in einem ganz und gar "christlichen" Lande entstehen konnten, sei es durch eine zu wenig deutliche und entschiedene Verkündigung, sei es durch ihre Perversion durch bestimmte Gruppen – oder ob der Antijudaismus, der letzten Endes das Existenzrecht der Juden bestreitet, in der christlichen Tradition selber verwurzelt ist. Diese Frage ist bisher in der deutschen Theologie und Kirche noch kaum ernsthaft gestellt worden[16].

Nach dem bisher Erörterten ist aber ganz deutlich, daß dies mit dem Problem der Judenmission unmittelbar zusammenhängt. Denn die Bestreitung des eigenen Selbstverständnisses der Juden und die Bestreitung ihres Existenz-rechtes sind zwar keineswegs miteinander identisch; aber es muß doch die ernste Frage gestellt werden, ob sie sich voneinander trennen lassen. Von jüdi-scher Seite ist häufig das bittere Wort zu hören, Judenmission sei eine Fort-setzung der "Endlösung" mit anderen Mitteln[17]. Das ist in dieser Form zweifel-los nicht zutreffend, weil kein Judenmissionar die physische Existenz jüdischer Menschen vernichten will. Es stellt sich aber die Frage, ob nicht in der Bestrei-tung der Legitimität des jüdischen Selbstverständnisses ein Element liegt, das in die gleiche Richtung weist. Denn Judenmission hat ja zum Ziel, daß der Jude aufhört, Jude zu sein – jedenfalls Jude nach seinem eigenen Selbstver-ständnis, wie er es von seinen Vätern ererbt hat.

Muß die christliche Kirche – auch heute noch, nach dem Holocaust – ihr eigenes Selbstverständnis *gegen* die jüdische Glaubensüberlieferung formulie-ren[18]? Ist sie sich ihrer eigenen Sache so wenig gewiß, daß sie nur aus der Antithese leben kann? Daß sie es nicht ertragen kann, daß es auch heute noch Juden gibt, die an ihrem eigenen Verständnis der gemeinsamen alttestament-lichen Glaubensüberlieferung festhalten? Oder ist ihre Haltung gegenüber den Juden auch heute noch ein Ausdruck ihres kirchlichen Triumphalismus[19]?

Offensichtlich gibt es auch andere Möglichkeiten, das Verhältnis von Judentum und Christentum zu betrachten. Dies zeigt ein jüngst veröffentlichtes "Arbeits-papier des Gesprächskreises 'Juden und Christen' des Zentralkomitees der Deutschen Katholiken" vom Mai 1979[20]. Darin heißt es:

"Von daher ist es Juden und Christen grundsätzlich verwehrt, den anderen zur Untreue gegenüber dem an ihn ergangenen Ruf Gottes bewegen zu wollen. Dies verbietet sich nicht etwa aus taktischen Erwägungen. Auch Gründe humaner Toleranz sowie die Achtung der Religionsfreiheit sind dafür nicht allein ausschlaggebend. Der tiefste Grund liegt vielmehr darin, daß es derselbe Gott ist, von dem Juden und Christen sich berufen wissen. Christen können aus ihrem eigenen Glaubensverständnis nicht darauf verzichten, auch Juden gegenüber Jesus als den Christus zu bezeugen. Juden können aus ihrem Selbstverständnis nicht darauf verzichten, auch Christen gegenüber die Unüberholbarkeit der Tora zu be-tonen. Das schließt jeweils die Hoffnung ein: Durch dieses Zeugnis könne beim anderen die Treue zu dem an ihn ergangenen Ruf Gottes wachsen und das gegenseitige Verstehen vertieft werden. Hingegen soll nicht die Erwartung eingeschlossen sein: Der andere möge das Ja zu seiner Berufung zurücknehmen oder abschwächen."

Dies sind erstaunliche und m.E. wegweisende Formulierungen. Hier werden christliches und jüdisches Selbstverständnis tatsächlich auf der gleichen Ebene einander gegenübergestellt. Die Unüberholbarkeit der Tora wird – auch von den christlichen Gesprächspartnern! – als genauso unaufgebbar für die Juden anerkannt wie für die Christen das Bekenntnis zu Jesus als dem Christus. Und daraus folgert notwendig, daß bei dem gegenseitigen Zeugnis "nicht die Erwar-tung eingeschlossen sein (soll): Der andere möge das Ja zu seiner Berufung zurücknehmen oder abschwächen".

Hier ist mit großer Klarheit und Entschiedenheit ausgesprochen, daß es dabei um grundlegende Fragen des Selbstverständnisses geht. Dies wird auch im Nach-wort zur Studie noch einmal hervorgehoben: "Die hier anstehenden Themen treffen ins Zentrum des christlichen wie des jüdischen Selbstverständnisses." Und es wird zugleich eindeutig und ohne Abstriche festgestellt, daß die Anerkennung des Selbstverständnisses des anderen eine Haltung ausschließt, die erwartet, der andere möge sich von seinem Wege abkehren. Von einem christlichen Consensus in dieser Sache kann heute offenbar weniger die Rede sein, als es noch vor einigen Jahren scheinen mochte. Auf der einen Seite zeigt die Erklärung von Oslo 1975 einen deutlichen Rückschritt und eine Verhärtung der lutherischen Position – jedenfalls auf der Ebene des Lutherischen Weltbundes. (Anderslautende Äußerungen aus dem Bereich der VELKD sind mir nicht bekannt.) Auf der anderen Seite hat das Zentralkomitee der deutschen Katholiken eine Position formuliert, die weit über das hinausgeht, was bisher jemals in kirchlichen Verlautbarungen zu hören war. Es ist zu hoffen, daß damit eine neue Diskussion eröffnet wird, die wirklich zu den Kernfragen dieses Problems vorstößt.

Anmerkungen

1. *H.-W. Gensichen:* Glaube für die Welt. Theologische Aspekte der Mission, 1971, 233f.
2. *R. Rendtorff (Hg.):* Arbeitsbuch Christen und Juden. Zur Studie des Rates der Evangelischen Kirche in Deutschland, 1979, 259.
3. Vgl. dazu *K.H. Rengstorf und S. v. Kortzfleisch (Hg.):* Kirche und Synagoge. Handbuch zur Geschichte von Christen und Juden, Bd. 2, 1970, bes. 97ff. und 285ff.; *A. Baumann:* Judenmission – gestern und heute, in: Evangelische Mission, Jahrbuch 1977, 17–39.
4. Zitiert nach: *D. Goldschmidt und H.-J. Kraus (Hg.):* Der ungekündigte Bund. Neue Begegnungen von Juden und christlicher Gemeinde, 1962, 251ff.
5. *U. Wilckens:* Das Neue Testament und die Juden. Antwort an David Flusser, in: Evangelische Theologie 34 (1974), 602–611, Zitat 610.
6. A.a.O. 611.
7. *R. Dobbert (Hg.):* Zeugnis für Zion. Festschrift zur 100-Jahrfeier des Evang.-Luth. Zentralvereins für Mission unter Israel e.V. 1971, 119–121.
8. Das christliche Zeugnis und das jüdische Volk. Erklärung einer Konsultation des Lutherischen Weltbundes, in: Evangelische Mission, Jahrbuch 1977, 94–99, Zitat 97.
9. *Dobbert,* a.a.O. 120.
10. Konsultation "Die Kirche und das jüdische Volk" des Lutherischen Weltbundes in Løgumkloster 1964, in: Lutherische Rundschau 14 (1964), 337–344, und in: *R. Dobbert u.a.:* Das Zeugnis der Kirche für die Juden, 1968.
11. A.a.O.
12. Gott ist treu zu den Juden. Zur Theologie des Verhältnisses von Kirche und Judentum, in: Lutherische Monatshefte 9 (1970), 140–143. – Interessant ist, wie hier die antijüdische Polemik des späten Luther interpretiert wird. "In diesen polemischen Abhandlungen bricht eine theologia gloriae durch. Luthers Angst um die Existenz der Kirche wurde so stark, daß er es nicht mehr fertigbrachte, die Zukunft in Gottes Hand zu stellen, sondern daß er im Vorgriff auf das, was er als Gottes zukünftiges Gericht verstand, die weltliche Gewalt aufrief, dieses Gericht in der Gegenwart vorwegzunehmen."
13. Vgl. *A. Baumann,* a.a.O. 29ff.
14. Kommission für Glauben und Kirchenverfassung des Ökumenischen Rates der Kirchen in Bristol 1967. IV. "Die Kirche und das jüdische Volk", in: Bristol 1967.

Studienergebnisse der Kommission für Glauben und Kirchenverfassung, Stuttgart 1967, 95–110, und in: *R. Dobbert u.a.: Das Zeugnis der Kirche für die Juden, 1968.*

5. Schon die Tatsache, daß das Kommissionspapier von Bristol dem Plenum der Weltkirchenkonferenz von Uppsala 1968 nicht vorgelegt wurde, hatte seinen wesentlichen Grund in der veränderten politischen Lage nach dem Nahostkrieg vom Juni 1967.

6. Die vorhandenen Ansätze in der amerikanischen Theologie werden jetzt erst allmählich bei uns bekannt. Vgl. dazu vor allem: *R. Ruether:* Nächstenliebe und Brudermord. Die theologischen Wurzeln des Antisemitismus, deutsch 1978; ferner: *F.H. Littell:* The Crucifixion of the Jews, 1975; *E. Fleischner (Hg.):* Auschwitz: Beginning of a new era? Reflexions on the Holocaust, 1977.

7. Vgl. *A. Baumann*, a.a.O. 30.

8. Vgl. z.B. *U. Wilckens*, a.a.O. 611: "Weil sich so das Christentum nicht nur religionsgeschichtlich, sondern vor allem auch theologisch gesehen, aus jüdischer Glaubensüberlieferung herausgebildet und *gegen* dieses sein eigenes Profil gewonnen hat, sind die 'antijudaistischen' Motive im Neuen Testament christlich-theologisch *essentiell.* So sehr sie richtig nur verstanden und rezipiert werden, wenn sie nicht zur religiösen Diffamierung 'der Juden', sondern zur Profilierung des eigenen Glaubens gebraucht werden, so wichtig ist ihre theologische Rezeption in jeder christlichen Gegenwart." Vgl. auch das Zitat von *Dobbert* oben, S. 175: "Die Kirche kann ihr eigenes Wesen nur in der Auseinandersetzung mit dem Judentum begreifen lernen."

9. Vgl. dazu *J. Moltmann:* Kirche in der Kraft des Geistes. Ein Beitrag zur messianischen Ekklesiologie, 1975, 156f.

0. Theologische Schwerpunkte des jüdisch-christlichen Gesprächs. Arbeitspapier des Gesprächskreises "Juden und Christen" des Zentralkomitees der Deutschen Katholiken, in: Freiburger Rundbrief, Jg. XXX, 1978, 34–38, Zitat 36.

Hans Waldenfels

Im Gespräch mit Buddhisten:
Die Frage nach dem persönlichen Gott

In seinem großen missionstheologischen Entwurf "Glaube für die Welt" schreibt H.-W. Gensichen: "Die gesamte neuere Missionsgeschichte ... könnte auch als Geschichte ständig variierter und intensivierter Kommunikationsbemühungen geschrieben werden, in der sich immer wieder, in allem Wandel der Situationen, drei eng miteinander verbundene Schwerpunkte abzeichnen: Sprache, Gesellschaft und Kultur. – 'Mission ist Übersetzung'. Die Dimension der Fleischwerdung des ewigen Wortes aktualisiert sich ständig neu in der intentionalen trans-latio *von Sprache zu Sprache,* mit allen Risiken, die diesem Prozeß anhaften ... " (194).
Ein Fallbeispiel solchen Bemühens um wahre Kommunikation könnte die Rede vom per sönlichen Gott werden, wie ich in meiner Antrittsvorlesung an der Universität Bonn am 7. Dezember 1977 für den ausgegrenzten Sektor der neueren japanischen Kyôto-Schule zu zeigen versucht habe. Ich möchte diese Vorlesung nun hier H.-W. Gensichen widmen zumal sein Leben völlig im Dienste der Kommunikation gestanden hat, auf daß Sein Wort Fleisch werde in der Gemeinsamkeit der christlichen Kirchen und dort, wo es ganz neu erst Fleisch werden muß.

Zu den augenscheinlichen Differenzen zwischen Buddhisten und Christen ge hört die Frage nach Gott. Bekennen sich Christen zu einem persönlichen Gott, Schöpfer Himmels und der Erde, Gott der Toten und der Lebenden, Ursprung und Ziel aller Dinge, so wird Buddhisten bis heute der Glaube an einen persön lichen Gott abgesprochen, ja sie selbst scheinen dem in der Regel durch ihre eigenen Feststellungen Vorschub zu leisten.
So antwortete Anagarika Govinda bei dem vor einigen Jahren von G. Szczesny organisierten Gespräch der Religionen auf die Frage "Meint etwa der Begriff 'Gott' wirklich ein Wesen im Sinne unseres Verständnisses von 'Person'?"[1] :

"Das Wort 'Gott' ist eines dieser Symbole, das heißt eine Chiffre für etwas, das sich jeder Beschreibung entzieht, weshalb es in der Bibel heißt: 'Du sollst dir kein Bild machen von Gott.' Dieses Bild aber ist nicht nur eine konkrete, sinnlich wahrnehmbare Darstellung sondern ebensosehr – und vielleicht noch mehr – ein logisch oder qualitativ abgegrenzte Begriff wie der einer 'Person' mit diesen oder jenen Eigenschaften. Der Buddhist lehn daher jegliche Aussage dieser Art ab und beschränkt sich darauf, das 'Göttliche' unter dem Symbol des Lichtes, der Erkenntnis und der mitfühlenden Nächstenliebe im eigenen Her zen zu finden, statt sich über die möglichen Auffassungen des Gottesbegriffes zu streiten Der Buddhismus ist unter allen Weltreligionen die einzige, die ein solches 'Gotteserlebnis' nicht durch dogmatische Verbegrifflichung profaniert hat ... "

Auch Gustav Mensching nennt unter den Gesichtspunkten der christlichen Gottesauffassung, die der buddhistischen Kritik unterliegen, die Vorstellung eines persönlichen Gottes[2] :

"Da ... der Buddhismus die Persönlichkeit schon im Bereich des Menschlichen als Realität leugnet, können zum Beispiel der Gott Brahma und andere aus dem indischen Pantheon stammende Götter ... nur ein durch Karma gewordenes Wesen sein, das, wie alle erlösungsbedürftigen Wesen, dem Unheil des *samsāra*, des Geburtenkreislaufes, unterworfen ist. Gott dagegen kann daher nicht eine Persönlichkeit sein, zumal der der christlichen Gottheit zugesprochene Wille in buddhistischer Anschauung gerade die Unheilskraft ist, die den Geburtenkreislauf in Bewegung setzt. Das Numinose im Buddhismus ist das neutrale Nirvāna, eine persönliche Gottheit leugnet der Buddhismus, jedenfalls in seiner ursprünglichen Form des Theravāda. Wie auf der Seite des Menschen der Persönlichkeitswahn zum Unheilscharakter des Daseins gehört, so ist auch nicht anzunehmen, daß diese Existenzweise dem Numinosen angemessen ist ... "

Nun fällt auf, daß bei Aussagen dieser Art weithin so getan wird, als werde die Kategorie des "Personalen" von allen in einheitlicher Weise gebraucht, so daß über sie keine Verständigung stattzufinden habe. Doch mußte man nicht erst von J.B. Metz lernen, "daß 'Subjekt', 'Existenz', 'Person' nicht in unkritischer Weise als Resultat der Neuzeit und ihres Privatisierungsprozesses ... übernommen werden dürfen"[3] und daß sich in den Abstraktionen "Mensch", "Existenz", "Person", "Subjekt" gesellschaftlich konkret das Bürgertum verbirgt[4], um zu erkennen, daß die Kategorie "personal" sehr wohl der Überprüfung wert ist. H. Mühlen hat vor mehreren Jahren im latenten Vorverständnis von "Person" auch einen entscheidenden Hebel zur Bestimmung der theologischen Denkform im evangelischen und katholischen Raum und folglich der evangelisch-katholischen Differenz gesehen. Er kam dabei zum Ergebnis[5] :

"Im Verständnis der evangelischen Theologie ist die menschliche Person wesentlich bestimmt durch ihre Relation zu Gott. Dabei ist die wesenhafte *Leibhaftigkeit* der menschlichen Person jedoch meistens übersehen oder als unwichtig betrachtet. Auf diese Weise erhält das Vorverständnis von Person in der neueren evangelischen Theologie einen spiritualistischen und dualistischen Akzent.
In der traditionellen katholischen Theologie wird die Leibhaftigkeit der menschlichen Person (die anima ist forma corporis) zwar durchgängig betont, ihre Relationalität tritt jedoch weniger hervor. Außerdem geschieht die kategoriale Auslegung dieses Vorverständnisses von Person weitgehend mit Hilfe von Kategorien, welche an dem *unterpersonalen* Seienden abgelesen sind. Auf diese Weise wird der allgemeinste, personale Verstehenshorizont jeglicher christlichen Theologie zum Teil verdeckt."

Solche Beobachtungen, die sich vertiefen ließen, lassen aber die Frage aufkommen, ob es nicht an der Zeit ist, das Verständnis von "Person" und "personal/ persönlich" a) bei den westlich-christlich-religionswissenschaftlichen bzw. -theologischen Gesprächspartnern und b) bei den asiatisch-buddhistischen Gesprächspartnern zu überprüfen, um zu sehen, ob nicht ein uneinheitliches Verständnis der genannten Grundkategorie ein Hinderungsgrund ist, daß sich Christen und Buddhisten in der Gottesfrage besser verständigen. Denn es könnte ja sehr wohl sein, daß eine Auseinandersetzung an einer Stelle ausge-

185

tragen wird, die eine solche längst nicht mehr verdient, weil die verschiedenen Gedankengänge inzwischen stärker konvergieren, als dies den Gesprächspartnern selbst bewußt ist[6].

Um den Bogen unserer Überlegung nicht zu weit zu spannen, betonen wir ausdrücklich, daß es uns um "ein Gespräch mit Buddhisten" geht, das heißt also, nicht mit *den* Buddhisten im allgemeinen oder *dem* Buddhismus in seiner ganzen geschichtlichen Entwicklung und seiner Entfaltung in den verschiedenen Schulen, sondern mit einer bestimmten Gruppe von Wissenschaftlern, die in ihrem religionsphilosophischen Bemühen einem fundamentalbuddhologischen Ansatz nicht fernstehen und damit zu den geeigneten Gesprächspartnern der christlichen Fundamentaltheologen zählen dürfen. Konkret handelt es sich um Wissenschaftler, die als Nachfahren des Vaters der modernen japanischen Philosophie Kitarō Nishida (1870–1945)[7] in der alten japanischen Kaiserstadt Kyōto beheimatet und als deren führende Köpfe heute der mehr der Zenpraxis zuneigende Shin'ichi Hisamatsu (1889–) und der mehr der philosophischen Reflexion zuzuordnende Keiji Nishitani (1900–) anzusprechen sind[8]. Im Gespräch mit ihnen befassen wir uns mit der Frage nach dem "persönlichen Gott" und halten damit fest, daß wir die Kategorie des "Personalen" in ihrer Relevanz für die Gottesfrage als Problemfeld zwischen den großen Weltreligionen sehen.

In einem ersten Teil möchte ich versuchen, das Verständnis von "Person" zu erläutern, wie es sich bei K. Nishitani und seinen Freunden darstellt (I.). Sodann sollen diese Aussagen im Blick auf unser theologisches Personverständnis überprüft werden (II.). Daraus dürften sich dann am Ende einige Hinweise auf den eigentlichen "status quaestionis" zwischen Christen und Buddhisten ergeben (III.).

I.

K. Nishitani hat 1961 ein Werk mit dem Titel "Religion – was ist das?" veröffentlicht, das Masao Abe mit Schleiermachers "Reden über die Religion, an die Gebildeten unter ihren Verächtern" verglichen hat[9]. Im 2. Kapitel dieses Buches, das sich mit "Personalität und Apersonalität in der Religion" beschäftigt, stellt Nishitani fest[10]:

"Ohne Zweifel ist der Begriff des Menschen als Person der höchste Begriff vom Menschen, den es bisher gegeben hat. Das gleiche kann vom Begriff Gottes als eines personalen Wesens gesagt werden. Seitdem in der Neuzeit die Subjektivität mit ihrem Selbstbewußtsein in den Vordergrund rückte, wurde der Begriff des Menschen als Person nahezu selbsteinsichtig. Ist aber die Art und Weise, über 'Person' zu denken, wie sie bis heute allgemein vorgeherrscht hat, wirklich der einzig mögliche Weg, über 'Person' zu denken?"

In der Kritik an diesem Begriff zeigt sich, daß Nishitani "Person" in der Nähe von "Ego" und "Selbst" angesiedelt sieht und folglich der Egozentrik eine "Personzentrik" entspricht[11]:

"In der bisher üblichen Denkweise wird 'Person' vom Standpunkt der Person selbst her gesehen. Es ist eine personzentrische Idee von Person. Wie bereits gesagt, wurde in der Neuzeit sogar das Selbst in einem ontologisch grundlegenderen Sinn aus der selbstzentrischen Perspektive des Selbst gesehen und z.b. bei Descartes vom Standpunkt der *ego cogito* aus begriffen. Das gleiche trifft für die Person zu. Da Ich oder Person aufgrund ihres Wesens ihre eigene nach innen gewandte Selbstreflexion einschließen und als Ich oder Person nur auf diese Weise existieren können, ist es nur natürlich, daß diese Art eines Selbstverständnisses von innen her entsteht."

Nishitani lehnt also entgegen einer vordergründig denkbaren Erwartung das Verständnis weder des Menschen noch Gottes als "Person" einfachhin ab. Wohl fordert er angesichts des neuzeitlichen Denkens und des modernen Atheismus eine Überprüfung des Personverständnisses[12]. Kritisiert wird ein Personbegriff, der den Menschen narzistisch zu einer Art Selbstfesselung treibt und in der Person nichts anderes als ein in sich beschlossenes und sich von allem anderen abgrenzendes Ego erblicken und so die Betonung des Personcharakters zu einer subtilen Art von Egozentrik werden läßt[13]. Betroffen ist von dieser Kritik jene abendländische Definition, die in der Nachfolge des Boëthius und später Richard von St. Victors in der Person die höchste und unvertauschbare Einzigartigkeit des Geistwesens erblickt[14]. Was aber im Lateinischen als "individua substantia" und "incommunicabilis existentia" angesprochen wird, wird im Osten zur kommunikationsfeindlichen, ja -unfähigen stolzen Individualität, – eine Interpretation, der die asiatischen Erfahrungen mit dem abendländischen Menschentum der Neuzeit manchen Vorschub geleistet haben.

Gegen eine solche Interpretationstendenz appelliert Nishitani – in der englischen Übersetzung seines Werkes noch deutlicher als im japanischen Original[15] – an ein Verständnis von Person, das er von Heidegger her "ek-statisch", von der Christologie her "kenotisch", von seinem buddhistischen Horizont her "anātman"- bzw. – japanisch – "muga"-haft, in seiner eigenen Terminologie "persönlich unpersönlich" oder "unpersönlich persönlich" oder auch "transpersönlich" nennt[16]. Bei all diesen Formeln geht es um ein Personsein, das nicht egoistisch egozentrisch an sich selbst festhält, sondern vielmehr erst in der Lösung von sich selbst, im Nicht- seinerselbst, zur Realisierung seiner selbst kommt. Nishitani scheut sich in diesem Zusammenhang nicht, das Sanskritwort "anātman", die Verneinung von "ātman" = Selbst, Ich, Substanz, Seele u.ä.[17], in doppelter Weise ins Englische zu übersetzen:

– einmal mit einem eher metaphysischen Unterton: "non-ego", "Nicht-Ich",

– zugleich aber mit einem eher ethischen Beiklang: "selflessness", "Selbst-Losigkeit"[18].

Bedenkt man aber, daß die Realisierung dieses "Nicht-Ich" oder dieser "Selbst-Losigkeit" einmal in jene "Offenheit" verweist, als die im Buddhismus des großen Fahrzeugs das "absolute Nichts" bzw. die "Leere" (Sanskrit "śūnyatā") anzusehen ist, sodann aber aus dieser alles eröffnenden Offenheit heraus buddhistisch das große "Mitleiden" geboren wird[19], dann zeigt sich, daß eine metaphysische Annäherung an die genannten Begriffe den Verständniszugang eher verbaut, der Brückenschlag zu einer religiösen Verständigung zudem gar nicht gelingt. Wo sich aber die theoretisch-praktische bzw. metaphysisch-ethische Doppelgesichtigkeit der Begriffswelt erschließen läßt, liegt ein Verweis auf das christliche Gottesverständnis für Nishitani nicht fern. Dieses sucht er einmal im Umkreis der rheinischen, zumal der von Eckhart geprägten Mystik, dann aber auch in einer biblischen Orientierung, etwa am 2. Kapitel des Philipperbriefes und seiner kenotischen Christologie sowie schließlich in der Trinitätslehre. Damit spannt sich der Bogen von der Rede vom persönlichen Gott bis zur Rede vom dreipersönlichen Gott. In diesem Zusammenhang kommt Nishitani auch auf die Beziehung des Menschen zu Gott zu sprechen. Diese kann nach seiner Meinung "persönlich" genannt werden, doch muß das "Persönliche" dann einen anderen Charakter haben, als das durchschnittliche Verständnis von "persönlich" ihn nahelegt. Insofern als sich in dieser Beziehung der Mensch von sich selbst lösen muß, würde Nishitani sie lieber als "nicht-persönlich" bezeichnen. Hier aber fährt Nishitani fort[20] :

"Aber sie ist nicht einfach unpersönlich im Sinne des Gegensatzes zu 'persönlich' ... Wenn wir Gottes Allgegenwart in existentieller Weise als der absoluten Verneinung gegenüber dem Sein alles Geschaffenen begegnen ... , dann ist das nicht 'unpersönlich' im üblichen Sinn des Wortes. Hier taucht vielmehr ein völlig anderer Blickpunkt sowohl in bezug auf 'persönlich' wie auf 'unpersönlich' auf. Diese sollte man sozusagen als 'un'-persönlich-persönliche Beziehung oder als persönlich-unpersönliche Beziehung ansprechen. *Persona* im ursprünglichen Sinne des Wortes kommt wahrscheinlich dem sehr nahe, wovon wir hier sprechen."

Sodann erinnert Nishitani an das christliche Sprechen vom Heiligen Geist:

"Im Christentum hat das, was Heiliger Geist genannt wird, solche Merkmale. Einerseits wird er als eine *Person* in der Trinität gedacht, zugleich aber ist er andererseits Gottes Liebe als solche, Gottes Atem; man müßte ihn sozusagen eine unpersönliche Person oder eine persönliche Nicht-Person nennen. Von einem solchen Blickpunkt her kann nicht nur der Heilige Geist, sondern auch Gott selbst mit diesem Heiligen Geist, sodann der Mensch in seiner 'geistlichen' Beziehung zu Gott (die Beziehung von Gott und Mensch) aufgrund des neuen Horizontes so gesehen werden."

Der Weg in die Erfahrung dieses wahren Selbst aller Dinge aber ist der "große Tod", das radikale "Loslassen". Neben dem in Kyōto gerne zitierten Satz aus dem Galaterbrief 2,20: "Ich lebe, doch nicht ich lebe, sondern Christus lebt in mir"[21] steht dann das berühmte Wort Dōgens (1200–1253), des Gründers einer der beiden großen Zenschulen im japanischen Mittelalter[22] :

"Erst wenn man Leib und Seele losläßt und vergißt und sie Buddha darbringt, erst wenn man sich in das schickt, was von Seiten des Buddha geschieht, kann man sich ohne Mühe für Körper und Geist von Leben und Tod freimachen und zum Buddha werden."

Der Buddha aber, von dem hier die Rede ist, ist seinerseits ebensowenig, wie Gott ein "Objekt" sein kann, objekthaft vorstellbar[23]. Er ist "nichtbesitzend, nicht besitzbar, absolut arm, ohne Bedürfnis und ohne Ehrgeiz"[24] .

II.

Nishitanis Formel "persönlich unpersönlich"/"unpersönlich persönlich" oder – anders formuliert – "selbstloses Selbst"/"(sich) Selbst verwirklichende Selbstlosigkeit" mag uns an Diskussionen erinnern, die inzwischen auch im Bereich christlicher Theologie unüberhörbar sind.

Drei Beispiele aus dem Raum katholischer Theologie seien als Illustration beigebracht:

So beschreibt Joseph Ratzinger in seiner "Einführung in das Christentum" das konkrete Sohnsein Christi als "ein gänzlich offenes Sein, ein Sein 'von–her' und 'auf–zu', das nirgendwo an sich selber festhält und nirgendwo nur auf sich selber steht", das folglich "reine Beziehung ist (nicht Substanzialität) und als reine Beziehung reine Einheit"[25]. Entsprechend heißt für ihn wie für das Johannesevangelium das Christsein der Christen: "Sein wie der Sohn, Sohn werden, also nicht auf sich und nicht in sich stehen, sondern ganz geöffnet leben im 'Von–her' und 'Auf–zu'."

Diese Bestimmung der Personalität Jesu aber entspricht völlig der begriffsgeschichtlichen Untersuchung von Person, die Walter Kasper in seinem Buch "Jesus der Christus" vorgelegt hat. Bei ihm offenbart sich, was in der neueren Theologiegeschichte wieder deutlicher zutage tritt, daß nämlich der Personbegriff "von seinem Ursprung her das Moment eines im Dialog und in Relationen (Rollen) sich vollziehenden Geschehens an sich" hat[26]:

' ... konkret verwirklicht sich die Person nur in Relationen. Die Einmaligkeit jedes einzelnen Ich impliziert nämlich eine Abgrenzung vom anderen Ich und damit einen Bezug zu ihm. Die Person ist darum nur in der dreifachen Relation: zu sich, zur Mitwelt und zur Umwelt. Sie ist bei sich, indem sie bei anderen ist. Konkret formuliert: Das Wesen der Person ist die Liebe.''

Diese Aussage aber ist letzten Endes erst dort zu sich selbst gebracht, wo das Wesen Gottes als Liebe erkannt ist.

Interessanterweise finden sich gerade bei Walter Kasper dann Umschreibungen der gläubigen Existenz des Menschen, die sich mit der Sprache der Philosophen in Kyōto berühren. Ist dort die Rede vom Vollzug des "absoluten Nichts"[27] oder der "leerelosen Leere"[28], einer Leere also, die der Mensch seinerseits nicht selbst wieder wie ein Besitztum festzuhalten trachtet, so heißt es bei Kasper[29]:

Jesus "ist nichts aus sich, aber alles aus Gott und für Gott. So ist er ganz Hohl- und Leerform für Gottes sich selbst mitteilende Liebe".

Und etwas später[30]:

'So sind in ihm Armut und Reichtum, Macht und Ohnmacht, Fülle und Leere, Offenheit und Erfülltheit vermittelt.''

Der Glaube aber, wie wir ihn zu leben haben, ist dann "gleichsam die Hohlform für das Da-sein der Herrschaft Gottes"[31]. Gottes Gottsein aber "besteht

in der Souveränität seiner Liebe. Deshalb kann er sich radikal wegschenken
ohne sich aufzugeben. Gerade wenn er eingeht ins andere seiner Selbst, ist e
bei sich selbst. Gerade in der Selbstentäußerung zeigt er sein Gottsein. Di
Verborgenheit ist darum die Art und Weise, wie Gottes Herrlichkeit in der Wel
erscheint"[32]. Hier — wie auch in dem nachfolgenden dritten Beispiel — wir
somit weniger das Analogieverhältnis von menschlicher und göttlicher Person
haftigkeit bemüht, bei dem es darum ginge, die Begrenztheit menschliche
Individualität von Gott fernzuhalten. Die Personhaftigkeit ist vielmehr als ein
Selbstidentität gekennzeichnet, die sich in relationaler Offenheit und Selbst
entäußerung nicht verliert, sondern realisiert. Damit wird nicht von Gotte
Personsein Nicht-Göttliches ferngehalten, sondern menschlichem Personsei
erst seine volle Fülle und Verwirklichungsweite eröffnet.

Noch ausdrücklicher auf den asiatischen Osten hin hat Piet Schoonenber
kürzlich den Versuch unternommen, "Gottes Personsein von der begrenzende
Individualität zu befreien", indem er der bekannten Unterscheidung Buber
eine dritte Stufe hinzufügte[33] : Den Unterscheidungen "ich—das" und "ich-
du" fügte er als dritte Formel ein "ich-in-dir-in-mir" an. Bezeichnet die erst
Stufe dann das besitzende, egoistische Ich, die zweite ein nicht-egoistische
Ich, so läßt sich das Ich der dritten Stufe als "nicht-egotisches" Ich bezeich
nen. Dieses aber — das erkennt Schoonenberg recht deutlich — verwirklicht de
Mensch "nicht durch Versenkung, sondern zunächst durch die Liebe, di
agape".

In der alten Koān-Sammlung des chinesischen Zen-Buddhismus Pi-yen-l
(Jap. Hekiganroku) gibt es eine Zengeschichte, die von den Vertretern de
Kyōtoschule immer wieder zur Verdeutlichung des von Schoonenberg "nicht
egotisches Ego" genannten Personverständnisses herangezogen wird:
Zwei Menschen begegnen einander, Kyōzan und Sanshō. Kyōzan fragt de
Sanshō nach seinem Namen. Der gefragte Sanshō antwortet: "Mein Nam
ist Kyōzan." "Kyōzan", erwidert dieser, "das bin doch ich." "Gut", sag
darauf Sanshō, "dann ist mein Name Sanshō." Da — so heißt es am Ende -
brüllte Kyōzan vor Lachen[34].
Der merkwürdige Namenstausch ist nur verständlich, wenn wir beachten, da
hier — wie in der abendländischen Frühgeschichte — der Name das Wesen eine
Menschen bezeichnet. Sanshō verwirklicht aber dann hier nur dadurch sic
selbst, daß er der ganz Andere seiner selbst wird, eben Kyōzan, so sehr, daß e
sich mit dessen Namen "Kyōzan" nennen kann, um erst dadurch wirklich e
selbst, nämlich Sanshō, zu werden.
Hier berühren sich die Enden. Das Christentum kündet einen Gott, dessen Got
sein sich gerade darin manifestiert, daß sein Wesen "Liebe", "Selbstentäuß
rung", Vater und Sohn im einen Geist ist. Vollkommen wie der Vater i
Himmel (vgl. Mt 5,48) aber ist der Mensch, indem er die Selbstentäußerun
Gottes nachvollzieht, — so wie der Sohn sein Gottsein nicht meinte, wie e
geraubtes Gut festhalten zu müssen, sondern Knechtsgestalt annahm und de
Menschen gleich wurde bis zum Tod, ja bis zum schmachvollen Tod am Kreu
(vgl. Phil 2,6—8). Der Buddhismus aber kündet eine Verwirklichung des Me

190

schen, indem dieser sich so wenig als Selbstbesitz festzuhalten sucht, daß ihm "nichts", "absolut nichts" bleibt und auch das "nichts" nicht noch einmal hypostasiert werden darf als etwas, das dann erneut objekthaft, besitzhaft den Thron Gottes besteigt. Was bleibt, ist in einer Zengeschichte in Bildern erzählt: Der Sehende betritt mit entblößter Brust und nackten Füßen, schutzlos, mit offenen, leeren Händen den Markt der Welt[35] :

"Mit entblößter Brust und nackten Füßen kommt
er herein auf den Markt.
Das Gesicht mit Erde beschmiert, der Kopf mit
Asche über und über bestreut.
Seine Wangen überströmt von mächtigem Lachen.
Ohne Geheimnis und Wunder zu mühen, läßt er
äh die dürren Bäume erblühen."

Ein Kommentator nennt diesen Menschen mit seinem offenen und schenkenden Herzen, der in die Welt geht, "um die anderen zu retten"[36], einen "heiligen Narren"[37].

II.

Damit stehen wir an einer Kreuzung der Selbstlosigkeit des Christen und des Buddhisten. Die Praxis gewinnt den Primat über die Reflexion zurück, das Tun der Wahrheit über das Sagen der Wahrheit. Das Gehen des Buddhaweges und die Nachfolge des Christusweges werden zum eigentlichen Ort der "Kon-kur-enz", weil am Ende die Kon-kurrenz doch im Laufen besteht. Was aber folgt daraus für die Frage nach dem persönlichen Gott? Bleibt sie nicht doch die Scheidelinie zwischen Christentum und Buddhismus, weil die Christen an ihrem Gott festhalten, die Buddhisten jedoch einen Gott nach wie vor nicht brauchen?

Dazu ist zu sagen: Es war nicht unsere Absicht, Unterschiede, die da sind, einzuebenen. Wohl wollten wir darauf aufmerksam machen, daß die Frageansätze zu überprüfen sind, weil manches behauptet wird, dessen Voraussetzungen ungeprüft weitertradiert werden. Zu den lange ungeprüft weitertradierten Fragepunkten aber gehört der Streit um "persönlich" und "unpersönlich". Hier dürfte sich gezeigt haben, daß eine Definition, nach der das Personsein darin besteht, daß sich die wahre und einzigartige Selbstidentität im ekstatisch-relationalen Vollzug der Selbstentäußerung realisiert, dem Verständnis des Menschseins im Horizont des "absoluten Nichts" und der "entleerten Leere", wie die Denker in Kyōto es verstehen, nicht so fernliegt.

Bleibt man aber dann dabei, daß einerseits die Rede vom "absoluten Nichts" und von der "entleerten Leere" jene Weise des Sprechens ist, die jedwede Anhänglichkeit des Menschen an irgendetwas verbietet und ihn in die radikale Offenheit totaler Ungeschütztheit und Selbstaufgabe, eben in das Sterben des "großen Todes" hineinzieht, und daß andererseits die Rede von Gott für den Christen nicht die Rede von einem abstrakten Wesen, sondern von einem lebendigen Gott lebendiger Menschen, eben dem Gott Abrahams, Isaaks und

Jakobs, dem Gott Jesu Christi ist, der befreiend und erlösend mit den Menschen umgegangen ist und immer noch umgeht, dann könnte die Differenz am Ende doch eher in folgendem bestehen: Während Jesus Christus der Menschheit einen Gott kündet, der sich selbst ihr als heilvermittelnd mitgeteilt hat, fehlt in der Verkündigung des Buddha die Rede von einem sich offenbarenden Gott. Wo aber der grundlose Grund menschlicher Existenz nicht als offenbarer Grund erfahren wird, kann die Rede von ihm nur eine solche sein, die jede Benennung zurückweist. In diesem, aber auch nur in diesem Sinne könnte die Heilserfahrung oder Erleuchtung im Buddhismus als "impersonal" angesprochen werden. Denn wenn man ein Verständnis von Person zugrundelegt, bei dem die Individualität, das aber heißt zugleich: das Antlitz, der Name eine Rolle spielt, dann kann dort nicht von "personal" gesprochen werden, wo der fragende Grund weder ein Antlitz zeigt noch sich "namhaft" gemacht hat und folglich auch nicht "namhaft" gemacht werden kann. Dennoch ist es genauso fragwürdig, diesen namenlosen Grund ein "numinoses impersonales ... Übersein" zu nennen mit der Begründung, daß dieses mit irdischen Kategorien nicht benennbar sei[38]. Denn die "Impersonalität" des Grundes würde ja für den Abendländer kein "Übersein" bezeichnen können, sondern innerhalb des Bereichs des Seienden auf die Stufen untermenschlicher Dinge verweisen. Eine gewisse Abstinenz im Gebrauch irreführender Bezeichnungen wäre folglich wünschenswert. Sie könnte im übrigen ein Weg sein, die wahren Intentionen der verschiedenen Seiten besser zu vernehmen. Bei Shin'ichi Hisamatsu finden wir in seinem auch ins Deutsche übersetzten Traktat "Die Fülle des Nichts" eine kurze Überlegung zur Verwendung des Nichts für Gott, die unsere Vermutung zu bestätigen scheint: Zwischen Christen und Buddhisten geht es um die Differenz von "schweigendem Nichts" und "redendem Gott"[39]. Hisamatsu schreibt[40]:

" ... Der Begriff Gott schließt jede Definition aus. Auch im Christentum sagt man 'Gott ist nicht irgend etwas anderes', 'Gott ist nicht irgend etwas', 'Gott ist Nichts' ... Wenn über etwas relativ Bestimmtes und Endliches, wie zum Beispiel über jenen Tisch, das Urteil gefällt wird: 'das ist nicht irgend etwas anderes', dann ist das nur eine Tautologie, nämlich 'dieser Tisch ist (nichts anderes als) dieser Tisch', und diese Tautologie, als Urteil verstanden, ist von geringem Wert. Dagegen muß das Urteil 'Gott ist nicht irgend etwas', wenn es als Urteil über Gott, der jede Definition ausschließt, betrachtet wird, als das höchste von allen möglichen Urteilen über Gott angesehen werden."

Zu diesem Text ist zu beachten: Bei dem Satz "Gott ist Nichts" muß man die englische Vermittlung des "Nichts" mithören: Gott ist "no-thing", in diesem Sinne "nothing", also nichts in dieser Welt Vorfindbares. Für Hisamatsu aber ist das Nichts im Sinne der Negation einer Aussage noch lange nicht das Nichts im Sinne des zenbuddhistischen Verständnisses. Selbst die Definierung der Buddhanatur, der absoluten Wahrheit oder des Nirvāna als Nichts bleibt aber dann noch auf der Ebene des "Gott ist Nichts"[41]. Erst wo das Wort des Lankāvatāra-Sutra: "Der Buddha erklärt mit keinem Wort" gelebt wird, ist das wahre Nichts erreicht. Dort wird das Nichts zu einem gelebten Nichts[42]:

"'Absolutes Nichts, in dem sogar das, was nichts ist, verneint wird, ist nicht ein gedachtes Nichts, sondern ein Nichts, das allein gelebt werden muß ... Die Wendung des Menschen als Person von einem personzentrischen Selbstverständnis zu einer Selbstöffnung als der Realisierung des absoluten Nichts ... muß eine existentielle Umkehr, eine Art Bekehrung, innerhalb des Menschen selbst sein ...'"

Schweigend lebt also der erfahrene Buddhist in der lebendigen Offenheit und Ungeschütztheit des Namenlosen. Sprechend möchte der gläubige Christ dem Anspruch seines Gottes antworten.

Gesteht sich aber der Christ von heute ein, daß ihm das Du-Sagen zu Gott so einfach nicht fällt, dann beginnt es auch ihm vielleicht neu zu dämmern, daß das wirkliche Anreden Gottes, das persönliche Verhältnis zu ihm, so selbstverständlich nicht ist. Ja das Nicht-Selbstverständliche des Du-sagen-Könnens müßte mit Rahner gar als ein Grundzug heutiger Gotteserfahrung angesprochen werden; er sagt dazu[43] :

'Es ist nur gut, wenn der Mensch dieses wirkliche Anreden Gottes als unerhörtes Wagnis, a in der Konkretheit dieses Wagnisses als reine Gnade empfindet, in der Gott von ihm selbst her den Menschen zu solchem Wagnis ermächtigt, das alles andere als selbstverständlich ist, wozu aber zu ermächtigen er die Möglichkeit Gott nicht absprechen darf, will er Gott nicht doch wieder nach des Menschen Maß denken. Und schließlich: Es schadet nichts, wenn wir den Mut zu solcher Anrede Gottes nur im Blick auf Jesus finden, der es im Tod noch fertigbrachte, das Geheimnis, das sich ihm, ihn tötend, entzog und ihn in die unbegreiflichste Gottesverlassenheit stürzte, Vater zu nennen, in dessen Hände er sich ergab."

Von hier aus legt sich eine letzte Vermutung nahe. Wir haben gesehen, daß das Sprechen von Personalität vom Christentum bis hinüber in den buddhistisch orientierten Raum an Bedeutsamkeit gewinnt, wenn es mit gewissen Nuancierungen vorgetragen wird. Personalität läßt sich als eine gültige Kategorie im Umkreis letztgültiger Sinnaussagen vertreten, wenn sie nicht in Personzentrik, sondern in Selbstlosigkeit, in diesem Sinne in Selbstaufgabe, in "Impersonalität" verwirklicht wird. Impersonalität aber steht ohne den Rückverweis auf Personalität ihrerseits in Gefahr, in das Unterpersonale abzugleiten, jenen Bereich des Seienden, in dem – auch im Sinne buddhistischen Denkens[44] – das Seiende nicht zu seiner Sinnerfüllung gelangt. Wenn sich so "personal impersonal" und "impersonal personal" in gegenseitiger Balance halten, dann ist die Frage erlaubt, ob es eine andere Religion als das Christentum gibt, die diese Balance in gleicher Radikalität personhaft vorgeführt hat wie das Christentum in der Gestalt Jesu von Nazareth.

Der Streit darüber soll hier jedoch nicht ausgetragen werden. Der wahre Streit, besser gesagt: Wettstreit – das sei wiederholt – wird ohnehin nicht an dieser Stelle entschieden. Doch selbst wenn die abendländischen Christen ihn theoretisch für sich entscheiden sollten, bliebe dennoch an sie die Frage zu stellen, ob sie als die vermeintlich Besitzenden – sie "haben" ja das Wort Gottes, den Gott der Offenbarung – nicht doch die Ärmeren sind, wenn sie nicht von außereuropäischen Völkern wieder lernen, daß allein Selbstlosigkeit den Weg zum wahren Selbst darstellt, zumal die eigene christliche Verkündigung bestätigt: Unser Gott, der Gott mit einem menschlichen Antlitz, ist ein selbstloser, sich entäußernder Gott der Liebe, und Christ ist nur der, der sich von ihm in die Nachfolge der sich selbst entäußernden Liebe locken läßt und sich selbst gewinnt, indem er sich selbst verliert. Denn wie im Buddhismus der "große Tod" die große Eröffnung darstellt, so gilt auch im Christentum: "Wenn das Weizenkorn nicht in die Erde fällt und stirbt, bleibt es für sich allein; stirbt es hingegen, so bringt es reiche Frucht" (Joh 12,24)[45]. Das Gesetz der Praxis ist damit am Ende in beiden großen Weltreligionen gleich.

Anmerkungen

1. *G. Szczesny:* Die Antwort der Religionen, 1964, 97, 105f.
2. *G. Mensching:* Der offene Tempel. Die Weltreligionen im Gespräch miteinander, 1974, 161f.
3. Vgl. *J.B. Metz:* Glaube in Geschichte und Gesellschaft, 1977, 42.
4. Ebd. 30f. u.ö.
5. *H. Mühlen:* Das Vorverständnis von Person und die evangelisch-katholische Differenz, 1965, 45f.
6. Ausdrücklich dieser Thematik gewidmet ist CONCILIUM 1977, Heft 3.
7. Zu Nishida vgl. *H. Waldenfels:* Absolutes Nichts. Zur Grundlegung des Dialogs zwischen Buddhismus und Christentum, 1978[2], 48–64.
8. Mit Nishitani setzt sich das in Anm. 7 genannte Buch ausführlich auseinander. Für *Sh. Hisamatsu* sei im Deutschen vor allem verwiesen auf sein Büchlein: Die Fülle des Nichts. Vom Wesen des Zen, o.J. (1975).
9. Vgl. *H. Waldenfels,* a.a.O. 70.
10. Das Kapitel ist in englischer Sprache zugänglich in: The Eastern Buddhist (N.S.) III/1 (1970), 1–18; III/2, 71–88. Ich zitiere unter Angabe des englischen Fundortes "EB ..." nach eigener Übersetzung in meinem Buch; Seitenzahl in Klammern. Hier: EB III/2, 80 (106).
11. EB III/2, 80f. (107).
12. Vgl. EB III/1, 1–13.
13. Vgl. EB III/2, 80f. (107). – Zu Recht hat *J.A. Cuttat* in: Asiatische Gottheit – christlicher Gott. Die Spiritualität der beiden Hemisphären. o.J. (1971), 71, die Begrenzung der Person als ein Wesensmerkmal des asiatischen Personverständnisses ganz allgemein herausgestellt und dann ein doppeltes Verhalten der so verstandenen Personalität gegenüber festgestellt: "Für den spirituellen Osten ist und bleibt die Person eine Begrenzung; für den Monotheismus ist sie vom ersten Anfang an eine unausschöpfbare Seinsvollkommenheit. Die spirituelle Wirklichkeit, die wir Person nennen – innerstes Geheimnis, das sich dem innersten Geheimnis des anderen und des Anderen öffnet – spaltet der Orientale sozusagen spontan und unbewußt in zwe Aspekte auf, die sich gegenseitig ausschließen: *einerseits* das unterpersonale 'empirische Ich' (z.B. *jīvâtmā* – das lebendige [ich-hafte] Selbst – oder den einzelnen hinduistischen *purusha,* die illusorische Individuationen des *Âtma* oder des undifferenzierten *Purusha* sind; den buddhistischen *pudgala,* ein flüchtiges, egozentrisches Aggregat) – und *andererseits* den radikal entindividualisierten Aspekt, ohne jede Spur eine 'Ich' (*Âtma, Purusha, Brahma,* identisch in allem und in allen, den Zustand de Buddha, 'der nicht Jemand ist'). Wenn er den zweiten Aspekt als über- oder unper sönlich bezeichnet, kann ein einzigartiger und im höchsten Maß personaler Gott be ihm nur die Vorstellung eines ins Maßlose vergrößerten egozentrischen Individuums eines grenzenlosen Egoisten erwecken. Der östliche 'Impersonalismus' ist keinesweg

antipersonal, nicht einmal eigentlich impersonal, er ist *vor-personal* ... " Unter Berücksichtigung der zwei Aspekte wird in jüngerer Zeit auch differenzierter von "irdischer Persönlichkeit" (vgl. *E. Frauwallner:* Geschichte der indischen Philosophie I., 1953, 222–225) u.ä. gesprochen. Im Sinne des 2. Aspektes wäre dann das von *H. Dumoulin* wiederholt besprochene Verhältnis von kosmischer und personaler Einstellung eingeordnet zu lesen; vgl. z.B. Östliche Meditation und christliche Mystik, 1966, 129–168.

14. Vgl. *Boëthius:* De trin. V, 3; ML 64, 1343 C: "persona est rationalis naturae individua substantia"; *Richard von St. Victor:* De trin. IV, 12; ML 196, 937f.: "intellectualis naturae incommunicabilis existentia"; ausführlicher dazu *H. Mühlen:* Der Heilige Geist als Person, 1963, 33–44; *W. Pannenberg,* Art. "Person": RGG V, 230–235.
15. Vgl. vor allem die Fußnote EB III/1, 15f.; dt.: *H. Waldenfels,* a.a.O. 131f.
16. Vgl. mit Texthinweisen ebd. 113–117. Es sei ausdrücklich darauf hingewiesen, daß die Doppelformel "persönlich unpersönlich"/"unpersönlich persönlich" auf dem Hintergrund des Ringens um die angemessene Verwirklichung der im Buddhismus überlieferten Form der Logik zu sehen ist; vgl. die hinweisenden Bemerkungen ebd. 36, 63, 103f., 124, 132, 158f., 182.
17. Vgl. ebd. 17–21; auch *L. Schmitthausen:* Ich und Erlösung im Buddhismus: ZMR 1969, 157–170.
18. Vgl. EB III/1, 15.
19. Beachte hierzu die Beobachtung von *J.A. Cuttat,* a.a.O. 37, daß der Yogi "gleichsam *theoretisch* absoluter *Monist* und *faktisch* absoluter Dualist" sei. Einerseits glaubt er vom Yoga-Sûtra her, bei Nâgârjuna bis hin zum Zen-Buddhismus "eine *einsame* Tiefe, einsam in bezug auf Gott und damit auch auf den Nächsten" (44f.), feststellen zu sollen; – das bedürfte genauerer Überprüfung. Andererseits glaubt er, daß diese Einsamkeit sich "von der apersonalen Gottheit zum dreipersonalen Unendlichen" hin öffnen läßt; denn nach ihm "darf der Christ dem asiatischen 'Impersonalismus' nicht einfach den Rücken kehren, wie man sich von einem puren Irrtum abwendet, sondern muß im Gegenteil aus dem *intellectus fidei* die geistige Kühnheit schöpfen, die östliche Schau in sich selbst nachzuvollziehen, sie *in conspectu Dei* zu Ende zu denken, sie sich – vom spirituellen Nichtchristen ausgehend – soweit zu eigen zu machen, daß er, während er selbst im Angesicht seines Gottes steht, gleichzeitig den Höchstwert des spirituellen Ostens einholend 'in die Achse' des Gottes der Bibel stellt" (68). Ob hier nicht die asiatische Praxis in der Tat längst viel weiter ist, als es die mit der Theorie beschäftigte Reflexion des Westens erkennt?
20. Zitiert nach *H. Waldenfels,* a.a.O. 181.
21. Vgl. *H. Fischer-Barnicol:* Fragen aus Fernost. Eine Begegnung mit dem japanischen Philosophen Nishitani: Hochland 1966, 210.
22. Zitiert nach *Sh. Hisamatsu,* a.a.O. 44.
23. Vgl. *H. Waldenfels,* a.a.O. 113f.
24. Vgl. *Sh. Hisamatsu,* a.a.O. 39.
25. Vgl. *J. Ratzinger:* Einführung in das Christentum. Vorlesungen über das apostolische Glaubensbekenntnis, 1968, 146, dann 147.
26. Vgl. *W. Kasper:* Jesus der Christus, 1974, 284–300; Zitate: 284, dann 291.
27. Vgl. *K. Nishitani:* EB III/2, 82 (109).
28. Vgl. *Sh. Hisamatsu,* a.a.O. 31, 38f.
29. Vgl. *W. Kasper,* a.a.O. 130.
30. Ebd. 131.
31. Vgl. ebd. 96.
32. Vgl. ebd. 97f.
33. Vgl. *P. Schoonenberg:* Gott als Person/als persönliches Wesen: CONCILIUM 1977, 172–179, besonders 178; *ders.:* Auf Gott hin denken, in: Theologie der Gegenwart, 1977, 193–203. In der genannten Dreistufigkeit folgt Schoonenberg einem Aufsatz von *P. Nemeshegyi:* Versuch über die Einkulturierung des Christentums in Asien.

Neue Aspekte des theologischen Pluralismus, in: *Internationale Theologenkommission:* Die Einheit des Glaubens und der theologische Pluralismus, 1973, 180—203, besonders 187f.

34. Vgl. *Bi-Yän-Lu.* Meister Yüan-wu's Niederschrift von der Smaragdenen Feldwand. Hg. von *W. Gundert.* 3 Bd., 1973, 105f.; *H. Waldenfels,* a.a.O. 110—113.
35. Der Ochs und sein Hirte. Eine altchinesische Zen-Geschichte, erläutert von Meister Daizohkutsu R. Ohtsu. Hg. von *K. Tsujimura/H. Buchner,* 1973², 49; dazu *H. Waldenfels,* a.a.O. 121—125.
36. Vgl. *K. Tsujimura/H. Buchner,* a.a.O. 122.
37. Vgl. ebd. 126.
38. Vgl. *G. Mensching:* Buddha und Christus, 1952, 23, so über das Nirvana.
39. Vgl. so meinen früheren Versuch: Das schweigende Nichts angesichts des sprechenden Gottes. Zum Gespräch zwischen Buddhismus und Christentum in der japanischen Kyōto-Schule, in: Neue Zeitschr. f. Syst. Theol. u. Relphil. 13 (1971), 314—334; auch den Anhang in *W. Böld/H.-W. Gensichen/J. Ratzinger/H. Waldenfels:* Kirche in der außerchristlichen Welt, 1967, 134—141.
40. *Sh. Hisamatsu,* a.a.O. 15.
41. Vgl. ebd. 16f.
42. Vgl. ebd. 24; das folgende Zitat: EB III/2, 82 (109).
43. Vgl. *K. Rahner:* Gotteserfahrung heute: Schriften zur Theologie IX, 161—176, Zitat: 174.
44. Vgl. *H. Waldenfels,* a.a.O., siehe Anm. 7, 139—146.
45. In der Weiterführung des Gedankenganges wäre zu prüfen, ob nicht die christliche Theologie, anstatt auf dem Wege einer "natürlichen" Gotteslehre voranzuschreiten, deutlicher ihr genuin christliches Gottesverständnis einbringen sollte. Vgl. *K. Kitamori:* Theologie des Schmerzes Gottes, 1972; *S. Yagi/U. Luz (Hg.):* Gott in Japan. Anstöße zum Gespräch mit japanischen Philosophen, Theologen, Schriftstellern, 1973; die Jesusarbeiten des katholischen japanischen Schriftstellers *Sh. Endo;* sodann gewisse Versuche aus dem Umkreis der sogenannten amerikanischen "Gott-ist-tot-Theologie", dazu passim *K. Rohmann:* Vollendung im Nichts? Eine Dokumentation der amerikanischen "Gott-ist-tot-Theologie", 1973; auch *J.B. Cobb, Jr.:* Buddhist Emptiness and the Christian God, in: Journal of the American Academy of Religion 45/1 (1977), 11—25, der allerdings gerade die Betonung des christlichen Gottesverständnisses schuldig bleibt. Hilfreich könnte in diesem Zusammenhang die Beachtung der neueren theologischen Bemühung um die Gottesfrage sein, z.B. *E. Jüngel:* Gott als Geheimnis der Welt. Zur Begründung der Theologie des Gekreuzigten im Streit zwischen Theismus und Atheismus, 1977, der am Rande Hisamatsu wahrgenommen hat (XII).

Horst Bürkle

Mensch und Natur

Ein Thema des theologischen Dialogs mit indischem Denken

Wenn wir von 'Natur' im Zusammenhang unseres Themas sprechen, setzen wir damit bereits einen westlich geprägten Begriff für unsere Beschäftigung mit dem asiatischen Denken voraus. *Natura* (von lat. *nascor*) schließt die Vorstellung von einem ursprünglichen Anfang im Sinne eines schöpferisch setzenden Aktes ein. Dem Wortsinn nach kann sie im lateinischen Sprachgebrauch darum auch den Zeugungsakt selber bedeuten. Die christliche Theologie hat mit Recht gerade diesen Begriff aufgenommen, um ihn dann mit dem griechischen Wesensbegriff (οὐσία) und mit dem platonischen Seinsdenken (τὸ ὄν) in Verbindung zu bringen. In diesem Zusammenhang sei auf Martin Heideggers Auslegung des griechischen Seinsverständnisses als der Frage nach dem Grundlegenden und Allgemeinsten verwiesen: τὸ ὄν ἐστι καθόλου μάλιστα πάντων (Aristoteles)[1]. Damit hat die ursprünglich allgemeinste Frage nach dem Sein schlechthin im Westen durch das Christentum eine davon nicht mehr zu lösende Verbindung mit dem schöpferischen, in das Wesen rufenden göttlichen Handeln erfahren. Das in der alttestamentlichen Tradition vorgeprägte und heilsgeschichtlich ausgedeutete Genesis-Motiv wird in der frühen christlichen Theologie, ja, bereits im Neuen Testament selber, mit dem griechischen Denken vom allgemeinen Wesen und vom Seinsgrund alles Seienden verbunden. Von nun ab gibt es den Begriff der Natur nicht mehr ohne den Genesis-Bezug. Man könnte auch so sagen: Natur ist in der Tradition christlich-abendländischen Denkens immer in bezug auf die Geschichte zu verstehen. Aus dieser Verklammerung ist das Naturverständnis im Westen nie mehr entlassen worden.

Die unter aristotelischem Einfluß im Mittelalter einsetzende scholastische Unterscheidung von 'Natur' und 'Übernatur' war von Haus aus nicht eine Separationskategorie, sondern eine Bezugsformel[2]. Intendiert ist nicht ein später kritisierter Dualismus, sondern die von der Soteriologie her zu bestimmende Wesens- und Seinsaussage über Mensch und Welt. 'Übernatur' sollte gerade nicht die von der Natur losgelöste andere Sphäre bezeichnen, sondern zielte auf das die Natur einschließende, sie erfüllende und vollendende Handeln Gottes im Sohn. Die Vernachlässigung des Themas 'Natur' in der christlichen Theologie, die Ausklammerung der kosmischen Dimension, die Eingrenzung auf anthropologische und ethische Fragestellungen ... alles dies hätte von den Voraussetzungen der westlichen Denktradition aus vermieden werden können.

In der Begegnung und Auseinandersetzung christlichen Denkens mit den religiösen Traditionen Asiens stoßen wir unausweichlich auf das Thema "Natur" und "Kosmos". Eine Theologie, die sich heute in Asien verständlich artikulieren will, muß diesem Tatbestand Rechnung tragen[3].

Sowohl in den indischen Religionen als auch in den außerindischen Entwicklungen des Buddhismus, vor allem im Mahāyāna-Buddhismus, sowie im chinesischen Taoismus und Konfuzianismus, aber auch im Shintoismus spielt die den Menschen umgebende Natur, ja der kosmische Zusammenhang überhaupt eine entscheidende Rolle. Der Mensch mit seiner Frage nach dem Sinn seines Daseins, die in den Religionen eine Antwort erfährt, ist hier eingebettet in den großen Zusammenhang allen Seins. In Umkehr der westlichen Betrachtungsweise von Natur und Mensch könnte man sagen: Nicht die Natur ist auf den Menschen bezogen, sondern der Mensch ist auf die Natur bezogen. In der Geschichte des europäischen Denkens tritt die Natur in den Dienst des auf den Menschen zielenden Erlösungshandelns Gottes. Asiatisches Verständnis des Menschen bestimmt sich primär aus der Einordnung des Menschen in die den Kosmos umgreifenden schicksalhaften Seinsabläufe. 'Natur' ist hier primär das Feld der Entfaltung universaler Geschehenszusammenhänge und trägt in sich die wechselhaften Phasen nicht mehr überschaubarer Weltzeitalterabläufe. Von daher ist sie auch immer integraler Bestandteil asiatischer Religiosität. Hier geht die Linie von den urtümlichen Naturkulten der vedischen Zeit durch bis in die Zusammenhänge von Mensch und Natur in der indischen *advaita*-Lehre oder in den religiösen Praktiken des modernen Hinduismus bis zu *Gandhi* oder *Sri Aurobindo's* integralem Yoga. Mit *Teilhard de Chardin* könnte man sagen: In den asiatischen Religionen ist der Mensch immer 'der Mensch im Kosmos'. Aber anders als bei *Teilhard* ist das evolutionäre und theologische Element nicht der korrespondierende Kontext eines geschichtlichen Offenbarungshandelns am Menschen. Teilhard hat seine Vorstellung von der 'Christifikation' des Alls niemals als eine von der Person des Christus unabhängige, dem Sein selber innewohnende Kausalität verstanden. Wie immer in der Diskussion um die Deutung des *Teilhard*'schen Ansatzes der Akzent gesetzt werden mag: Die für ihn bedeutsame Entfaltung des Erlösungswerkes Christi in außermenschliche, kosmische Bereiche hinein bedeutet keineswegs eine Aufhebung des personalen Gott-Mensch-Verhältnisses zugunsten einer seins-immanenten Selbsterlösung von Natur und Kosmos[4]. Indem der *Teilhard*'sche kosmische Ansatz heilsgeschichtlich orientiert und im Blick auf das Christusgeschehen sakramental verankert bleibt, ist er von der im Sein selber gedachten Erlösungsvorstellung des asiatischen Menschen zu unterscheiden[5].

Wir wollen uns im folgenden an Beispielen das Besondere des indischen Verständnisses der Beziehung von Mensch und Natur vor Augen führen.

In der mythischen Überlieferung der indischen Religionen meldet sich nicht nur ein Wissen um die Anfänge des Seins. In ihr liegt darüber hinaus so etwas wie das 'Ur-Bekenntnis' östlicher Religiosität überhaupt begründet. Es ist das Bekenntnis zu einer Weltschau, die nicht an der personalen Wirklichkeit göttlichen Schöpfungs- und Erlösungshandelns interessiert ist, sondern an dem Verhältnis des Seins zu sich selber. Das Geheimnis des Seins, das Wesen der Natur und die Bestimmung des Menschen liegen in einem Prozeß beschlossen, um den allein der 'Erleuchtete', das heißt der *homo religiosus*, weiß. Es ist die allem Veränderlichen entzogene wahre 'Natur'[6]. Sie ist das in sich unveränderliche, sich selbst gleichbleibende All-Eine, das aller Erscheinungen Wandel und Flucht zugrunde liegt. Die indischen Kosmogonien[7] entsprechen darum dieser religiösen Deutung aller erfahrbaren Wirklichkeit, der auch die Welt der Götter eingeordnet ist[8]. Allmächtig ist allein das unveränderliche Wesen des in allen Erscheinungen der Natur doch nur verstellt und variabel vorkommenden ewigen Seins selbst.

Wirklich ist das Verborgene. Denn was 'sichtbar' und erforschbar ist, sind allein die sich im *māyā*haften Spiel des ewigen *brahman* mit sich selbst vollziehenden Uneigentlichkeiten. Der Natur, wie sie sich dem Menschen zeigt, als solcher sich zuwenden, heißt darum, einer Illusion und Täuschung verfallen[9]. Der vermeintliche Realismus natur- und objektbezogener Forschung und des unmittelbaren Umgangs mit der Wirklichkeit verfehlen das Ziel. Alle Weltflüchtigkeit und asketische Abwendung von der zu gestaltenden Wirklichkeit wurzelt in dieser prinzipiellen Unterscheidung.

Auch die Götter unterliegem diesem Prozeß, der sich nach kosmisch-naturhaften Gesetzen abspielt. Man kann ihn am ehesten mit einem der Natur selber entnommenen Bild organischen Wachstums vergleichen. Es geht um Entfaltung von Unentfaltetem. Das Sein aktualisiert sich in seinen unausschöpflichen Potenzen. In unendlichen Emanationsprozessen tritt es aus seiner unentfalteten Einheit heraus, bildet so die unüberschaubare und verwirrende Vielfalt der Phänomene und nimmt sich nach einem festliegenden Weltplan auch wieder in seine Einheit zurück. Das kosmische Ordnungsprinzip, nach dem dies sich vollzieht, schließt alles ein: Das Blühen einer Pflanze, die individuelle Tatenvergeltung, die zukünftige Wiedergeburt, das Schicksal einer Generation, den Weltuntergang. Alles erfolgt in totaler Integration nach einer universalen, dem Sein selbst immanenten Ordnung, dem *dharma*. Erlösung hat darum immer mit diesem *dharma* zu tun: Ihm zu entsprechen, bedeutet, in Harmonie mit dem Ganzen zu stehen. Es ist Überwindung des Konfliktreichen, des Feindlich-Fremden und damit des aus der Täuschung über den wahren Sachverhalt resultierenden verkehrten Lebens. Von hier aus erscheint die Natur als der große Partner des Menschen. Es gibt keine Versöhnung des Einzelnen, die nicht zugleich harmonischer Ausgleich – ja, Integration in den Seinszusammenhang des großen Ganzen wäre.

Der den Menschen umgebenden Natur fällt damit eine Art heilsvermittelnder Rolle zu: Nur insofern sich der Mensch als Teil alles ihm getrennt gegenüber Erscheinenden zu erfahren vermag, wird er selber verwandelt. Nicht in der Rückkehr in das Vaterhaus des sonst verlorenen Sohnes, sondern in der Realisation des verborgenen Zusammenhanges mit aller Natur liegt für den asiatischen Menschen 'Heilserfahrung'. Seine Erwartung richtet sich nicht auf die Veränderung bestehender Verhältnisse. Von ihm wird keine Entwicklung und kein regulierender Eingriff in die ihn bedrohende und beherrschende 'Natur' erwartet. Vielmehr geht es um die Regelung seines Verhältnisses zu der ihn umgebenden Natur durch die Entdeckung der wesensmäßigen Zusammengehörigkeit und Einheit[10]. Darin aber liegt die Sanktionierung des bestehenden 'Ist-Zustandes'. Was nach den Vorstellungen moderner Ethik als 'Toleranz' erscheint, hat seinen Grund in dieser Seinsmetaphysik.

Albert Schweitzers "Ehrfurcht vor dem Leben" sieht dieser asiatischen Haltung zwar zum Verwechseln ähnlich. Er selber fühlt sich in seinen Grundsätzen auch immer durch diese asiatischen Beispiele bestätigt. Aber in seiner Auseinandersetzung mit dem indischen Denken[11] läßt Schweitzer keinen Zweifel daran, daß die Haltung des asiatischen Menschen gegenüber der ihn umgebenden Natur eine wesentlich andere Wurzel hat als die dem westlichen Toleranzdenken zugrundeliegende Motivation[12]. "Ehrfurcht vor dem Leben" ist für *Albert Schweitzer* letztlich verwurzelt im Gebot christlicher *agape* und der daraus resultierenden Verantwortung auch gegenüber der unmündigen Kreatur und Schöpfung. Sie setzt den personalen Bezug zum Schöpfer und Erlöser voraus – auch wenn er bei *Albert Schweitzer* eine eigentümlich ethische Verengung erfährt[13]. Für indisches Denken ist dagegen die Rücksicht auf jene 'prästabilierte Harmonie' im Sinne der in sich heiligen universalen Ordnung (*dharma*) das entscheidende Motiv. Das eigene Schicksal ist verknüpft mit dieser Gesamtordnung. Sie an einem, auch dem kleinsten Punkt zu stören, bedeutet darum, die eigenen "Erlösungschancen" zu verringern. Und 'Erlösung' liegt hier in den Möglichkeiten einer langfristigen Aufbesserung des eigenen *karma,* das heißt jener Lebenspotenzen und -qualitäten, die immer schon die Bilanz bisher gelebten Lebens sind.

Hier liegen letztlich die Gründe für die rigoros asketischen Praktiken indischer *sadhus.* Das Tuch in der Hand eines *bhakti-*Heiligen, mit dem er sein Trinkwasser siebt, um auch ja kein Würmchen zu verschlucken, ist Symbol. Es steht für ein heiligmäßiges Leben, das es um jeden Preis vermeidet, fremdes *karma* zu verletzen.

Nach *Heinrich Zimmer* bezeichnet das Wort des alten Brahmanen *Aruni* an seinen Sohn "Das bist du" *(tat tvam asi)* die "große Formel" (*mahāvākya*) vedantischer Lehre. Sie bezeichnet so etwas wie eine Entschlüsselung des "ganzen gewaltigen Naturschauspiels" und führt es auf eine alles durchdringende, allerfeinste, absolut unantastbare, verborgene Substanz zurück[14]. Die Erscheinungen und die Formen sind zufällig, von ihnen gilt es, sich freizumachen, um dem Wesen der Dinge und des eigenen Selbst auf die Spur zu kommen. Also gerade die Individuation, das, was den einzelnen zum mir begegnenden anderen macht, erscheint hier als das, was im Sinne der vedantischen monistischen Schau überwunden werden muß. Die Einheit mit dem Ganzen hebt ja das Gegenüber auf. "Tat tvam asi ... Dieser Gedanke bedeutet die strenge Abkehr von der differenzierten Welt individueller Erscheinungen. Damit wurden in der hierarchischen Stufenfolge der Wirklichkeit die groben und die feinen Formen der Welt auf einen erheblich niedrigeren Rang verwiesen als den der gestaltlosen Leere." Inhalt dieses Brahmanenwortes ist die Aufforderung zur radikalen Abwendung von allem, was sich aufgrund seines

200

bloßen Daseins bereits im äußeren Widerspruch zu jener verborgenen Einheit befindet, um die der Seher weiß. Darum muß "der wahre Sucher nach dem Selbst zu einem Introvertierten, den weltlichen Zielen ganz und gar Abgewandten werden"[15]. Hier liegt der eigentliche Unterschied zur Welt- und Lebensschau des biblischen Glaubens. Auch hier erscheint das Leben des Menschen, gemessen an der Ewigkeit des Schöpfers, als ein "Augenblick". Aber dieses Leben taucht nicht in unendliche Wiederkehr unter, um wieder aufzutauchen, sozusagen zur endlosen Wiederkehr verurteilt. Nicht die Unerbittlichkeit eines mechanischen Weltgesetzes zwingt zur kausalen Wiederkehr in die Anonymität dieses Lebens. Der Kreislauf ewiger Wiederkehr ist aufgebrochen durch das Du Gottes, der zu sich ruft, der erwartet, der endgültig beheimatet und bei sich birgt. Dennoch stellen sich dem christlichen Glauben Fragen angesichts dessen, was indische Denkweise zeigt:

1. Die Dimension der kosmischen Zeit

Haben wir in unserem Glauben Gott nicht allzu eng in die von uns "gemachte" und erfahrbare Zeit eingeplant und eingeengt? Sind wir nicht allzu anthropozentrisch in unserem Gottesverständnis? Angesichts dieser unendlich sich erstreckenden indischen Kosmologie stellt sich die Frage: Wie begrenzt denken wir von der Souveränität des göttlichen Du, wenn wir es immer wieder eingrenzen in die uns zugängliche Geschichte? Wieviel großräumiger und weitläufiger sind die Abläufe, die wir in der Hand Gottes wissen? Der indische Mensch ist gelassen, weil er sich zu integrieren weiß in die unausweichlichen Abläufe, in denen sein eigenes Leben nur die Rolle eines nicht einmal mehr als Punkt auszumachenden Momentes darstellt. Wie wenig entspricht unsere Ungeduld, unsere Tagesperspektive, unsere Unrast oft dem souveränen Herrsein Gottes über aller Welten Welten. Wir wissen oft zu genau, ganz genau, was der Wille Gottes ist. Wie können wir in unserer Theologie wieder die Voraussetzung schaffen für einen Glauben, der Gott seine kosmische Dimension läßt?

2. Creatio continua

Nicht nur im Blick auf Indien ist die Frage nach dem anhaltend weiterwirkenden Schöpfungshandeln Gottes wichtig. Wir neigen dazu, die Schöpfung als einen geschichtlich abgeschlossenen Ein-für-allemal-Akt Gottes zu sehen. Im Schema Schöpfung – Sündenfall – Erlösung wird dabei allzu leicht übersehen, daß diese drei Dimensionen nicht bloß geschichtlich gegeneinander abgrenzbare Ereignisse sind, so als ob das eine das andere ablöst. Sündenfall und Erlösung haben die welterhaltende Funktion Gottes nicht überflüssig gemacht. Dann aber wäre auch wieder deutlicher von den kreativen Kräften zu sprechen, in denen Gott in seiner Schöpfung am Werk ist. Dann erlaubt uns das Symbol von der 'neuen Kreatur' in Jesus Christus nicht einfach, daß wir die sich entfaltende und entwickelnde Welt und Menschheit bloß auf das Konto der vergehenden alten Schöpfung schreiben. Zwischen dem 'Neu' in Christus und den Entfaltungen und Entwicklungen dieser Welt bestehen Zusammenhänge. Auch dort, wo das Evangelium noch nicht zur Erneuerung des Menschen und seiner Welt geführt hat, leben Menschen von den Gaben, die Gott kontinuierlich in seine von ihm geschaffene Welt hineingibt.

3. Creatio ex nihilo

Christliche Theologie wird gegenüber indischem Denken die Bedeutung des *ex nihilo* neu auslegen müssen. Es ist die einzige Garantie gegenüber einem Dualismus, an dem dann auch das Verständnis des Christusereignisses scheitern müßte: Gott ist nicht nur der Weltenbaumeister, der nach vorgegebenen Seinsgesetzen ins Dasein bringt. Hierin liegt die Abgrenzung gegenüber aller gnostischen Christologie, als ob es sich nur um eine Erscheinung des in sich unveränderlichen Seinsgrundes selber handelte[16]. Gott ist selber prima causa[17]. Nur wenn es kein Sein außerhalb seiner selbst gibt, bleibt die Göttlichkeit seines Gottseins erhalten[18]. Der Annahme einer unendlich bestehenden vor-schöpfungsmäßigen Ursubstanz entspricht der Zirkel der endlosen, uneschatologischen Wiederkehr.

Darum steht die Lehre von der *creatio ex nihilo* zugleich für zwei elementare Inhalte christlichen Glaubens: für die Inkarnation und für die Eschatologie. "Gott kann innerhalb der Endlichkeit nur dann erscheinen, wenn das Endliche als solches nicht im Widerstreit mit ihm ist. Und die Geschichte kann im Eschaton nur dann ihre Erfüllung finden, wenn die Erlösung nicht Erhebung über die Endlichkeit voraussetzt. Die Formel *creatio ex nihilo* ist kein Titel einer Geschichte. Es ist die klassische Formel, in der die Beziehung zwischen Gott und der Welt ausgesagt wird."[19]

4. Leiblichkeit

Das besondere asiatische Verständnis in der Beziehung des Menschen zur Natur kommt auch in der Bedeutung zum Ausdruck, die der körperliche Bereich in der Religion spielt. Der menschliche Leib als Erscheinungsform des "Natürlichen" − paulinisch würde man von der σάρξ im Unterschied zum πνεῦμα sprechen − ist integraler Bestandteil religiöser Übung. Das Heil des Menschen bleibt auch hier an die "Natur" gekoppelt. In der leib-seelischen Einheit spiegelt sich die kosmische Aussöhnung wider.

In der tantrischen Tradition fällt dem körperlichen Verhalten eine religiöse Schlüsselfunktion zu. An die Stelle des den körperlichen Bereich bloß verneinenden Asketentums tritt die Disziplinierung des somatischen Bereichs durch die Kräfte der Seele. Man spricht vom "göttlichen Körper". Der Körper gilt nicht mehr als "Quelle der Schmerzen", sondern er wird zum Medium, mit dessen Hilfe der Mensch selbst "den Tod besiegen" kann. Der Körper muß gesund erhalten werden, um die Meditation als Weg der Erlösung zu ermöglichen. Nach dem *Hevajra-Tantran,* einer heiligen Schrift Indiens, verkündet der Bhagavān: Es gibt keine Erlösung ohne einen gesunden vollkommenen Körper.

"Hier im Körper befindet sich der Ganges und die Jumna, Praya und Benares, der Mond und die Sonne, die heiligen Orte, die Pitha und Upapitha[20]. Ich habe noch keinen Ort der Pilgerschaft und Seligkeit zugleich gesehen, der mit meinem Körper zu vergleichen ist."[21] Die Verleiblichung des religiösen Heils betrifft nach dieser tantrischen Tradition des Hinduismus den eigenen Körper. Er wird zum Objekt heilsamer Wirkungen, die von jener Identifikation des Yogi mit den Kräften des Seins ausgehen. Das 'Heil' wird nicht mehr in einem *extra me,* also nicht in der Gegenwart einer Gottheit an heiliger Stätte oder in Form verdienstlicher frommer Werke zur Besserung des eigenen *karman* gesucht. Jetzt ist es im totalen Erlebnis des Lebens als integrierendem Teil des *sādhana* (Heilsgewinnung) gegenwärtig. Daraus folgt der Wille zur Beherrschung des Körpers, ja — zu seiner Meisterung, um aus ihm den 'göttlichen Körper' werden zu lassen. Die heiligen Schriften dieser Tradition sind demgemäß voll von Regeln und Anweisungen für die 'kosmische Integration' des körperlichen Bereichs in die vollkommene Harmonie allen Seins. Es ist eine ganze Physik und Physiologie der Meditation, die in diesen Zusammenhängen entfaltet wird. Die körperliche Haltung des Yogi wird zum Gegenstand detaillierter Analysen der physiologischen Zusammenhänge. Durch bestimmte *āsana* fördert der Yogi seine Gesundheit und verhindert Krankheiten. Insgesamt werden bis zu 84 solcher körperlichen Meditationshaltungen beschrieben, deren jede einzelne bestimmte Wirkungen und Gesundungsprozesse bewirkt. Dabei wird das Feld psycho-somatischer Zusammenhänge weit überschritten, und in Form magischer Einwirkungen werden dem Körper übernatürliche Kräfte aus dem Kosmos zugeführt. Hier erlangt der Mensch *siddhi* (übermenschliche durch Yoga vermittelte Fähigkeiten, Wunderkräfte und anderes). Es kann von dieser Therapie gesagt werden: Sie "besiegt den Tod", "sie vernichtet das Alter und den Tod"[22].

Reinigungen gelten als eine wesentliche Voraussetzung für die Gesundheit des Yogi. Sie werden ergänzt durch genaue Vorschriften für die Ernährung. Hier treffen sich uralte asketische Ideale des Hinduismus mit solchen moderner Diät und Ernährungstherapie. Der Speisezettel ist auch in den Reformbewegungen indischer Religionen von besonderer Bedeutung. Er ist dem 'profanen' Bereich entnommen und gewinnt religiöse Relevanz im Sinne einer engen Zusammengehörigkeit von körperlichem Wohlergehen und religiösem Heil.

5. Natur und Geist

Eine eigentümliche Wendung erfährt dieses in der Erlösungssehnsucht wurzelnde religiöse Asketentum bei *Mahatma Gandhi.* Äußerlich scheint er in seiner Lebensführung und in seinem Verständnis der Natur der Typ des indischen Heiligen zu sein. Es war darum keineswegs nur eine persönliche Marotte bei *Gandhi,* daß er sich Zeit seines Lebens — auch in Zeiten höchster politischer Entscheidungen und während seines Kampfes um das unabhängige Indien — mit einer für uns kaum begreiflichen Akribie um den Küchenzettel kümmerte. Seine Arbeiten über gesunde Ernährung liegen heute in einem eigenen Band seiner gesammelten Werke vor. Zwischen Askese und seiner

Grundhaltung des Gewaltverzichts (*ahiṃsā*) bestanden tiefere Zusammenhänge: "Die Leidenschaft im Menschen existiert im allgemeinen Seite an Seite mit der Sucht nach den Lüsten des Gaumens."[23]
Diät und Nahrungsaskese sind bei *Gandhi* wie auch bei anderen Hindus zugleich ein Therapeutikum. Als Beispiel dafür sei eine Begebenheit in seiner eigenen Familie erwähnt: "Seine Frau Kasturbai hat sich einer Operation zu unterziehen. Nach ein paar Tagen wird ihr Zustand besorgniserregend. Schwäche und Ohnmachten scheinen sie dahinraffen zu wollen. Der behandelnde Arzt gibt ihr Fleischbrühe zur Stärkung. Das ist 'Betrug' für Gandhi. Der Arzt lehnt die Verantwortung ab, wenn ihm nicht die Freiheit der Behandlung zugestanden wird. Gandhi nimmt Kasturbai auf der Stelle aus der Klinik ... 'Es ist etwas Seltenes', sagt sie, 'in dieser Welt als Mensch geboren zu werden. Ich will lieber in Deinen Armen sterben als meinen Leib durch solche Befleckungen beschmutzen', und sie übersteht die Glaubensbewährung im Vegetarismus."[24]
Das Verbot des Fleischessens blieb für ihn lebenslänglich in Gültigkeit. Als er es während seiner Studentenzeit in England ein einziges Mal übertrat, wäre er – nach eigenem Bekenntnis – an dieser Verfehlung beinahe physisch zugrunde gegangen. Das Schuldgefühl, von getötetem Leben sich ernährt zu haben, ließ ihn lebenslänglich nicht mehr los.
Seine Absage an die englischen Textilimporte in Indien war keineswegs nur die Folge einer wirtschaftlichen Boykottmaßnahme während des Kampfes um die Unabhängigkeit Indiens. Er empfand es nicht nur als 'unnatürlich', daß seine indischen Landsleute nicht länger sich an das Spinnrad setzen wollten, das ihn selber bis zu seinem Tode umgab. Hier war der Ort für geistliches Exercitium. Es bedeutete für ihn nicht nur "autogenes Training" im Sinne einer notwendigen Konzentrationsübung. Das Sitzen hinter dem Spinnrad galt ihm als Quelle 'moralischer Aufrüstung', war Training und Meditationsübung im Kampf um den neuen Menschen. Der neue Mensch aber ist nach Gandhi, und darin ist er zutiefst indischem Erlösungsdenken verhaftet geblieben, der mit der Natur und dem Sein als ganzem versöhnte Mensch. Alles, was als personale Verantwortungsethik in diesem Zusammenhang erscheint, ist von Hause aus Seinsmystik bei *Gandhi*.

6. Das neue Menschsein

Das Prinzip der Gewaltlosigkeit (*ahiṃsā*) hat hier seine Wurzel. Es ist ein anderer Ausdruck für das, was er programmatisch und im Sinne eines religiösen Glaubensartikels *satyāgraha,* das heißt "Festigkeit in der Wahrheit" nannte. Aber was 'Wahrheit' bedeutet, bestimmt sich für Gandhi in echt indischer Weise: *sat* bezeichnet von Hause aus das, was ist. *Sat-ya* meint darum den Zustand, in dem sich etwas in seinem Sein vorstellt. Man fühlt sich an die phänomenologische Beschreibung des Seins bei Martin Heidegger erinnert, der die Kategorie des unverstellten, eigentlichen Seins kennt[25]. Lüge, also das Gegenteil von *satyāgraha,* ist darum die Verfehlung dessen, was seinsmäßig festliegt. Was aber liegt seinsmäßig fest? Darauf antwortet der Hinduismus: der *dharma.* Hier sind wir mitten im Zentrum indischer Religiosität. *Dharma* bedeutet die ewige Ordnung des Universums. Er garantiert die kosmische Harmonie. Dem *dharma* gemäß leben, bedeutet darum, dem universalen göttlichen Gesetz zu entsprechen. Im *dharma* enthüllt sich das Wesen und die Bestimmung des einzelnen Seins. Darum ist es unauswechselbar. In ihm liegt die unausweichliche Prädestination eines Schicksals, das jedem einzelnen seinen Standort im Leben bestimmt und seinen Pflichtenkreis absteckt. Wenn *Gandhi* darum zum Festhalten an *sat* auffordert, so verpflichtet er auf eine religiöse Grundwahrheit des Hinduismus. Es geht um die religiöse Einsicht, daß Mikrokosmos und Makrokosmos und jedes einzelne Leben im Zusammenspiel des Ganzen seinen Sinn und seine Erfüllung finden.

Hier liegt auch der Grund für *Gandhis* Kritik an der technischen Beherrschung der Natur. Noch fern der uns heutigen geläufigen Umweltschutz-Problematik nimmt *Gandhi* ein Thema vorweg, das die Ambivalenz technischen Fortschritts beinhaltet. Der biblische Auftrag "Machet euch die Erde (und das heißt auch die Natur) untertan"[26] steht nach biblischem Verständnis nicht für sich, sondern ist integraler Bestandteil der Sendung Israels im Blick auf die Völkerwelt. Nur im Zusammenhang dieses Zieles Gottes, seine Herrschaft durch Israel den Völkern bekannt zu machen, hat die Aufforderung zur Weltbemächtigung durch den Menschen ihren Sinn. Es ist gerade nicht der autonome, sich selbst verantwortliche Mensch, der hier 'zur unbegrenzten Freiheit im Umgang mit Natur und Welt' berufen wird. Seine Zuständigkeit für die Welt des Geschöpflichen bleibt gebunden an seine Partnerschaft im Bunde mit Gott. Mit solcher Ermächtigung geht die erhöhte Abhängigkeit von dem Hand in Hand, in dessen Auftrag die Welt wieder bewohnbar und Menschen menschlicher werden sollen.

Erst dort, wo diese 'Absicherung' des Bemächtigungsauftrages gegenüber der Natur durch die Rückbindung des Menschen an Gott nicht mehr gewährleistet ist, schlägt die Herrschaft über die Natur in neue Sklaverei und Abhängigkeiten um. Der neuzeitliche Mensch in seinem *Nietzsche'schen* Autonomiebewußtsein und Hochleistungsgefühl gerät an die Grenzen seiner Emanzipation. Der "Gott-ist-tot"-Devise folgt der Tod des Geschöpflichen, der Natur, auf dem Fuße.

Kant konnte bei aller Fragwürdigkeit seiner theologischen Gründe immer noch den gestirnten Himmel des geordneten Kosmos über sich wahrnehmen und darüber den Anhauch der Geschöpflichkeit, des Angewiesenseins und des unendlich qualitativen Abstandes zur Gottheit Gottes erleben. Aber im Neonlicht unserer Ballungszentren haftet auch der Blick an den Produkten des menschlich Möglichen und Machbaren. Die hier entstehenden Ersatzhoffnungen und das hier noch mögliche Staunen bleiben anthropozentrisch. Sie feiern den Menschen selber und lassen seine Leistungen nicht mehr transparent sein für die sich in ihnen manifestierende schöpferische Allmacht Gottes. Darum wird der Grund für die Behebung menschlicher Notstände und menschlichen Versagens nur noch vordergründig im Stil einer bald zu behebenden 'Panne' gesucht. Unbegrenzt erscheint das Vertrauen in die neuen Strukturen, Organisationsformen und Entwürfe von Gesellschaft und Wirtschaft oder in die Forschung. Unsere jüngste politische Entwicklung gründet in dieser verkürzten

Erwartung: "Veränderung" ist das politische Zauberwort oder die quasireligiöse Verheißungsformel schlechthin. Eine ganze Generation steht in der Versuchung, Gewachsenes, Bewährtes, Erfahrenes über Bord zu werfen und für das Linsengericht eines fragwürdigen "Fortschritts" dahinzugeben. Aber gesündigt wird nicht nur im großen Stil gesellschaftlicher utopischer Verheißungen, sondern auch in den kurzfristig machbaren Selbsthilfeaktionen im individuellen Bereich. Daß Körper, Seele und Geist beim Menschen eine Ganzheit bilden, die ihre Tiefen im geschöpflichen Zusammenhang einerseits und in der Beziehung zum Schöpfer andererseits erreicht, erscheint vergessen. Daß menschliches Schicksal einen größeren Zusammenhang hat, der nicht manipulierbar ist, sondern in dem Führung und Gnade und Gericht erfahren werden, entzieht sich der Oberflächenbetrachtung. Darum konzentriert sich das Interesse ausschließlich auf die machbaren Naturveränderungen, auf den autonomen 'chirurgischen' Eingriff in die Verhältnisse. Was das Leben, die Natur schuldig bleiben, wird ersatzweise beschafft. Die Antwort auf die schlaflose Nacht liegt oft im Griff nach dem Medikament, nicht mehr in der Bewältigung eines in die Tiefe reichenden Konfliktes, die – weil der Mensch sie selber nicht zu leisten vermag – der Heilung aus dem göttlichen Ursprung unseres Seinsgrundes bedarf: Des Gebetes, der Beichte, der Vergebung, der Ermächtigung zu neuem Leben.

Indisches Denken erinnert die christliche Theologie an einen unaufgebbaren Zusammenhang von Mensch und Natur[27]. Er reicht weiter als die am Tage liegende Notwendigkeit des Schutzes der Natur vor dem unbarmherzigen Zugriff des autonomen Menschen. Die sogenannte 'Umwelt-Problematik' signalisiert einen tiefer greifenden Notstand. Die Menschlichkeit des Menschen selber steht auf dem Spiel. Indem er sich aus der Mittlerstellung zwischen Schöpfer und geschöpflicher Welt herausnimmt, büßt er selber seine Bestimmung, die ihn zum Menschen qualifiziert, ein. Der Mensch als "Hüter des Seins", wie ihn Heidegger einmal definiert hat, gefährdet mit dem Verlust dieser Aufgabe nicht nur etwas, sondern sich selbst. In dieser Sicht kommt der Entwicklungshilfe in den Ländern der Dritten Welt eine doppelte Aufgabe zu: Es kann nicht darum gehen, daß 'die große Verweigerung' des Menschen gegenüber der ihn umgebenden Natur in technisches Fortschrittsbewußtsein oder in eine weltimmanente Selbsterlösungsideologie verwandelt wird. Daß der Marxismus sich in der Dritten Welt als die große Alternative zur vermeintlichen 'Unmündigkeit' dieser Religionen anpreist, sollte uns skeptisch machen. Als die konsequenteste Versprechung an den sich selbst organisierenden, autonomen Menschen muß er das Kind mit dem Bade ausschütten.

Die Aufgabe, die sich einer christlichen Orientierung hinsichtlich des Verhältnisses des Menschen zur Natur gerade auch für den Asiaten und Afrikaner – aber nicht nur für sie – heute stellt, kann folgendermaßen formuliert werden:

Asiatisches Bewußtsein um die wesensmäßigen Zusammenhänge von Mensch und Kreatur bedarf der zum Handeln und zur Beherrschung der Natur erforderlichen göttlichen Legitimation. Aber indem der Mensch nach christlichem Verständnis in die 'Herrscherrolle' gegenüber der geschöpflichen Welt eingesetzt wird, wird er zugleich zu ihrem Bewahrer. Beides kann er nicht von sich aus, sondern allein in der Haltung dessen, der, selber Geschöpf der Schöpfung, zugleich zu ihrer Erfüllung zu verhelfen hat. Das Geheimnis der Inkarnation findet in dieser Doppelfunktion des Menschen seine Entsprechung: von seiner Seinsbezogenheit her ist er und bleibt er 'Natur'. Als Teilhaber des 'neuen Seins' in Christus ist er beteiligt an der göttlichen Vollendung und an der geschichtlichen Erfüllung alles Geschaffenen.

Anmerkungen

1. *M. Heidegger:* Sein und Zeit, 1946[6], 3.
2. Vgl. *H. De Lubac:* Surnaturel, 1946, und *H. Rondet:* Nature et surnaturel. Recherches de Science Religieuse, 1946, 56ff.
3. Vgl. *P. Devanandan:* Das Evangelium und der moderne Hinduismus, 1961, 43: "Es ist in Indien heute notwendig, dem Wesen dessen, was wir Christen unter missionarischer Verkündigung verstehen, näher zu kommen ... die missionarische Verkündigung ist ein kosmischer Prozeß, eine historische Realität und eine menschliche Bewegung. Gottes Erlösungstat in Jesus Christus bezieht sich auf seine ganze Schöpfung. Der biblische Glaube bestätigt immer wieder, daß die Tat Christi deshalb von kosmischer Bedeutung ist, weil die in ihm vollbrachte Erlösung den ganzen Schöpfungsprozeß berührt."
4. Diesen Nachweis hat *S.M. Daecke* in seinem grundlegenden Beitrag zur Diskussion um die Christologie Teilhards geliefert: Teilhard de Chardin und die evangelische Theologie. Die Weltlichkeit Gottes und die Weltlichkeit der Welt, 1967. "Teilhard versteht den kosmischen Christus personal als Liebesenergie und die Einheit von Gottes- und Weltwirklichkeit als zukünftig-geschichtlich. Der kosmische Christus handelt personal durch den Glauben" (371).
5. "Als Prinzip universeller Lebenskraft hat Christus, indem er als Mensch unter Menschen erstanden ist, seine Stellung eingenommen, und er ist seit je dabei, den allgemeinen Aufstieg des Bewußtseins, in den er sich hineingestellt hat, unter sich zu beugen, zu reinigen, zu leiten und aufs höchste zu beseelen. Durch eine immerwährende Aktion von Kommunion und Sublimation sammelt er die gesamte Seelenkraft der Erde in sich. Und wenn er so alles versammelt und alles umgeformt hat, wird seine letzte Tat die Rückkehr zu dem göttlichen Herd sein, den er nie verlassen hat, und er wird sich mit dem von ihm Errungenen wieder auf sich selbst zurückziehen. Und dann, sagt uns der heilige Paulus, 'wird es nur Gott geben, alles in allen' " (Der Mensch im Kosmos, 1959, 290).
6. So heißt es in der Māndūkya-Upanishad des Atharvaveda 4,71: "Keine Seele entsteht jemals, kein Entstehen ist der ganzen Welt; das ist die höchste Heilswahrheit, daß es nirgend ein Werden gibt" (P. Deussen, Sechzig Upanishad's des Veda. Aus dem Sanskrit übersetzt und mit Einleitungen und Anmerkungen versehen, 1963[4], 601).
7. "Zu Anfang war diese Welt allein Atman: es war nichts anderes da, die Augen aufzuschlagen (Aitareya-Upanishad 1,1; a.a.O. 15).
8. Nach der Überlieferung im Rigveda "erwägt" der a-personal gedachte *ātman,* "Weltenhüter zu schaffen". "Diese Gottheiten, nachdem sie geschaffen, stürzten in diesen großen Ozean hinab ... " (a.a.O. 16). Einen eindeutigen Beleg für die Unterordnung der Götter unter das *brahman* als weltgestaltendes Prinzip und Allwesen liefert der dritte Khanda des Kena-Upanishads, in dem der falsche Selbstruhm der Götter gegenüber dem allein wirklichen *brahman* gerügt wird. (Vgl. *P. Deussen,* a.a.O. 206ff.)

9. "Die Wesenheiten, die werden, die werden nicht in Wirklichkeit; ihre Entstehung ist nur Blendwerk, und Blendwerk ist nicht Wirklichkeit" (Māndūkyakārika 4,71, a.a.O. 600).

10. "Doch wer des Ātman ward inne und sich bewußt ist: 'ich bin er!' Was wünschend, wem zulieb möchte der nachkranken dem Leibe noch? Doch wer, versenkt in dieses Leib-Geknetes Abgrund, den Ātman fand, zu ihm aufwachte, der ist allmächtig, ist des Weltalls Schöpfer, die Welt gehört ihm, weil er selbst die Welt ist" (Bṛihadāraṇyaka-Upanishad 4,4, 12/13, a.a.O. 478).

11. A. Schweitzer: Die Weltanschauung der indischen Denker. Mystik und Ethik, 1934.

12. Im Blick auf das Kernstück indischer Religiosität – nämlich die mystische Erfahrung der Einheit von ātman und brahman – gilt, daß sie "ihrer Herkunft nach und ihrem Wesen nach nicht ethisch" ist und es auch nicht werden kann (a.a.O. 193).

13. "Wir warten des indischen Denkers, der uns die Mystik des geistigen Eins-Werdens mit dem unendlichen Sein, wie sie an sich ist, nicht wie sie sich in den alten Texten niedergelegt findet und in sie hineingedeutet wird, darlegt ... So stehen das abendländische und das indische Denken miteinander vor der Aufgabe, die Mystik der ethischen Welt- und Lebensbejahung auf sachliche Weise zu begründen" (a.a.O. 182, 188f.).

14. H. Zimmer: Philosophie und Religion Indiens, 1961, 323f.

15. A.a.O. 326.

16. So in den Canones des Vigilius "adversus Originem": "Si quis dicit aut sentit, praeexsistere hominum animas, utpote quae antea mentes fuerint et sanctae virtutes, satietatemque cepisse divinae contemplationis, et in deterius conversas esse, atque idcirco refrixisse a Dei caritate, et inde ψυχάς, graece, id est animas esse nuncupatas, demissasque esse in corpora supplicii causa: anathema sit" (H. Denzinger und J.B. Umberg: Enchyridion Symbolorum, 1946, 203).

17. Vgl. die Aussage des Lateran-Konzils 1215 ' ... unum universorum principium: creator omnium visibilium et invisibilium, spiritualium et corporalium: qui sua omnipotenti virtute simul a initio temporis utramque de nihilo condidit creaturam ... (Denzinger, 428).

18. Vgl. K. Barths Ausführungen zum Begriff der creatio ex nihilo in der Kirchlichen Dogmatik, Bd. III, 2, 182ff. "Wir sind damit in die Nähe eines wichtigen Elementes der Schöpfungslehre der alten Kirche gekommen, das aufzunehmen hier der rechte Ort ist" (182). "Was man sagen wollte, war dies, daß die Schöpfung ex nullo alio praeexistente geschehen sei und Bestand habe: als der von Gott gewollte und gefügte Schritt vom non ens zum ens und insofern als creatio ex nihilo" (183).

19. P. Tillich: Systematische Theologie, Bd. I, 293.

20. Hier handelt es sich um Wallfahrtsorte.

21. S. Dasgupta: dazu M. Obscure Religious Cults, 103ff.

22. Vgl. dazu M. Eliade: Yoga. Unsterblichkeit und Freiheit, 1960, 281ff.

23. O. Wolff: Mahatma und Christus, 1955, 104.

24. A.a.O. 105.

25. "Weil ὄν sowohl 'Seiendes' bedeutet als auch 'Seiend', kann das ὄν als das 'Seiende' auf sein 'Seiend' hin versammelt (λέγειν) werden. Das ὄν ist sogar schon gemäß seiner Zweideutigkeit als Seiendes auf Seiendheit versammelt. Es ist ontologisch ... Seitdem das ὄν, das Anwesende, als die φύσις aufging, beruht das Anwesen des Anwesenden für die griechischen Denker im φαίνεσθαι, im sich zeigenden Erscheinen des Unverborgenen" (M. Heidegger: Holzwege, 1950, 161–162).

26. Gen 1,28.

27. Vgl. in diesem Zusammenhang den Aufsatz von S.M. Daecke: Gott in Natur und Religion. Aktuelle Probleme der natürlichen Theologie, in: Evangelische Kommentare, 1978, 327ff.

C.G. Diehl

Bekehrung und Religionswechsel

In seinem Buch "Glaube für die Welt" hat Hans-Werner Gensichen den Grund
sowie das Ziel der christlichen Mission in folgenden Worten umschrieben:
"Dem Grund der Mission – geschehene Weltversöhnung, die sich gleichwohl
erst in der Ansage geschichtlich erfüllt – korrespondiert das Ziel: neues Heil als
Neuschöpfung in Christus, ein 'umfassendes', die Welt veränderndes Geschehen,
innerhalb dessen der Apostel und mit ihm die Gemeinde ihren Platz und Auftrag haben."[1]

Hier wird Glaube als ein Geschehen definiert für den Glaubenden als Folge
eines Geschehens, nämlich der Ansage, die jedoch von dem Menschen ernstgenommen werden muß, so daß er darauf zu leben wagt[2]. Bei diesem Geschehen geht es um den Menschen ohne Rücksicht auf die Umstände, unter
denen er lebt. Der zum Glauben eingeladene Mensch wird "prospektiv" gesehen insofern, als es um ihn geht. Die Allgemeingeltung dieses Grundsatzes
hat Konsequenz für unser Thema, bei dem es in erster Linie um die Frage nach
dem Religionswechsel geht. Wenn es um den Menschen als solchen geht, gilt
die Aussage: "Den Heiden 'an sich' gibt es in der Tat so wenig wie Heidentum
an sich'."[3] Das Heil ist für einen jeden Menschen, und "die Mission wird sich
darauf beschränken müssen, die Nichtchristenheit zum ausdrücklichen Bewußtsein dessen zu bringen, was sie schon ist"[4]. Zu dieser, eine bestimmte missions-
theologische Tendenz zusammenfassenden Aussage bemerkt Gensichen:
"Aber verdient dergleichen noch den Namen Mission?" – was unser Thema
so wichtig macht.

Die Neuschöpfung in Christus als Gottes Handeln ist wohl als Schöpfung von
den Menschen unabhängig, aber doch als ein "umfassendes, die Welt veränderndes Geschehen" und als Heil an den Glauben als den menschlichen An-
knüpfungspunkt gebunden[5]. Eine Erörterung des Glaubens muß darum sowohl
den Grund als die Ansage behandeln. Mit der Schöpfung sowie mit der Neuschöpfung in Christus haben die Menschen gar nichts zu tun, und der Glaube
bleibt somit außerhalb des Gesichtskreises. Das Handeln Gottes ist nicht vom
Glauben und auch nicht vom Unglauben des Menschen abhängig. Was könnte
Gott von seinem Schöpfungswerk abhalten und was kann seine Neuschöpfung
hindern! Dies ist nicht nur eine theoretische Frage. Sie hat tatsächlich eine tief
religiöse Bedeutung und ist zutiefst auf den Glauben bezogen. Den unwissen-
den Menschen erreicht schließlich das Heil, das Gott ihm bereitet hat. Man
könnte Mt 25,37 anführen. Ist damit die Frage nach dem Glauben für die Welt

209

endgültig beantwortet? Die Antwort ist nicht einfach. Der Glaube muß auch als Entleerung verstanden werden, er läßt im Menschen nichts zurück. Es geht aber um eine Leere, die für etwas anderes oder einen anderen Platz macht. Zweitens: Gottes Handeln ist nicht anonym. Die Menschen werden sich unwillkürlich des geschichtlichen Ereignisses bewußt. Wissen ist nicht gleich Glaube aber eine Voraussetzung des Glaubens. Was ist geschehen und wie wird man sich dessen bewußt? Hier kommt das hermeneutische Problem in den Blick Gensichen behandelt es in dem Abschnitt "Hermeneutik der Sendung". Einige Zitate von ihm sowie von dem Philosophen Hans Georg Gadamer mögen das Problem noch weiter entfalten. "Ist also auf Grund der Geschichtlichkeit menschlicher Existenz alles Verstehen und alles Wissen nur als Erfahrung historisch geprägten Daseins gegeben."[6] Was geschehen ist, wird als Heil erfahren und durch Gespräch in geschichtlicher Meinung tradiert. "Das Gespräch ist ja das geschichtliche Geschehen selbst."[7] Heil ist eine geschichtliche Tatsache, das Geschehene. Insofern kann es allen Menschen zuteil werden, wird aber in verschiedener Weise aufgenommen. Hier begegnen wir dem Problem von "Begriff und Wirklichkeit", ja hierher gehört das Nachdenken "über das Verhältnis der hermeneutischen Philosophie zu den Wissenschaften", "eine Hermeneutik, deren Legitimation wie die aller außerwissenschaftlichen Erkenntnisweisen nur durch die Vertiefung in das Phänomen des Verstehens erbracht werden kann"[8].
Hiernach kann Geschehen immer nur erfahren werden, teilt aber diese Bedingung mit allem geschichtlichen Wissen, und insoweit ist auch geschichtliche Kenntnis Glaube. Wenn man mit Gadamer weiter sagt: "Das geschichtliche Geschehen ist konkret die Tradition", dann scheint es, als ob der Grund fest liegen würde auch in der biblischen Erzählung von dem, was durch Gottes Handeln in Christus geschehen ist. Das Handeln Gottes kann in der biblischen Tradition auch "wissenschaftlich" richtig sein. Zwar müssen wir uns der Beschränkung des Vermögens geschichtlichen Wissens bewußt sein, können uns aber doch nicht anderen traditionsgebundenen Interpretationen ohne weitere unterwerfen, wollen uns jedoch die Worte des Apostels merken: " ... und ob wir auch Christum gekannt haben nach dem Fleisch, so kennen wir ihn doch jetzt nicht mehr".
Mit dem, was geschehen ist, sind Vorstellungen verknüpft, die an sich nicht dem christlichen Glauben allein eigen sind. Es wird z.B. selbstverständlich von Gottes Versöhnungshandeln gesprochen, aber die Frage lautet: Wie weit sind die dahinter liegenden Vorstellungen in der Welt der verschiedenen Traditionen verständlich, aus denen die Menschen kommen, um das Geschehene kennenzulernen? Zwei Begriffe sind hier unabweislich mitgesetzt: Gott und Gerechtigkeit. Es wird behauptet, daß jene Begriffe allgemein gültig und deswegen allen Menschen verständlich oder intelligibel sind, das heißt, sie haben in jedem Menschen einen Bezugspunkt, auch wenn ihm das nicht immer sogleich offenbar ist.
Als geschichtliches Ereignis ist das Erlösungsgeschehen einzig dastehend und darf nicht, wie Gensichen zu Recht betont, als "eine universale aktuelle Erlöst

heit" verstanden und auch nicht mit einer universalistischen Theologie der Religion vereinigt werden. Allen Menschen ist es möglich, es kennenzulernen[9].

Nun kann es aber sein, daß die Menschen von dem Geschehenen nichts wissen wollen oder versäumen, davon Kenntnis zu nehmen. Sehr viel mehr Menschen lernen das Geschehen nie kennen aus Gründen der räumlichen oder zeitlichen Distanz. Der Glaube beruht insofern auf Ansage, als die Menschen aufgefordert werden, Christus kennenzulernen. Ihre Aufmerksamkeit wird auf das Geschehene gelenkt, und das ist schon eine Art von Bekehrung. Es geht nicht um den Religionswechsel, weil jeder Mensch von seiner Herkunft her etwas Geschehenes kennenlernen kann. Nur Gleichgültigkeit ist ein Hindernis und bildet als solches einen Gegensatz zwar nicht zum Religionswechsel, wohl aber zur Bekehrung. Der Widerstand wird zu Unglaube, wenn die Ansage nicht Beachtung findet.

Christus kennenzulernen, ist Bekehrung ohne Religionswechsel. Christus ist aber per se mit dem Gottesglauben verbunden. Es scheint ein Fehler der Erforschung des sogenannten historischen Jesus zu sein, daß man an der Gadamerischen Interpretation von "Geschichte als Tradition" vorüberging und ihre Bedeutung aus dem Blick verlor. Was ist geschehen? lautet die Frage. Von Anfang an sind Gott und Gerechtigkeit diesem geschichtlichen Geschehen als wesentliche Elemente eingegliedert. Die Frage ist, ob die Gottesvorstellung eine Bekehrung zur Voraussetzung hat oder ob sie für jeden Menschen eine, wenn auch verborgene, Wirklichkeit darstellt. Mit "verborgen" ist auch der Selbstbetrug gemeint, wenn nämlich die Menschen entgegen ihrem eigenen wahren Wissen um Gott Gott verneinen, wodurch ihnen eine Bekehrung zum Willen zu wissen notwendig wird.

Ähnlich verhält es sich mit der Rechtfertigung. Das Sehnen nach Rechtfertigung im weitesten Sinn gehört zu jedem Menschen. Um das Heilsgeschehen als geschichtliches Ereignis ernstzunehmen, genügt es, diese zwei Beziehungen als allgemein menschliche Gegebenheiten hervorzuheben. Das Problem ist hier nur angedeutet, um nun die Art und Weise von Bekehrung beleuchten zu können. Das Heil als Gottes Handeln in Versöhnung und Neuschöpfung ist eine Angelegenheit für alle Menschen und auch für alle Menschen gemeint, so daß sie die volle Bedeutung des Heils kennenlernen sollen.

Da alle Religionen diese beiden Begriffe "Gott" und "Heil" kennen, ist Religionswechsel nicht nötig, um das Heil verstehen zu können, wohl aber ist dem Menschen Bekehrung notwendig, wenn er sein Heil allein in Gottes Handeln suchen will.

Entscheidend ist die Frage der Rechtfertigung. Soweit Religion als ein Ersatz für das geschehene Erlösungswerk angesehen wird, muß Bekehrung stattfinden.

Als geschehene Rechtfertigung ist sie schon der Lebenswelt aller Menschen präsent, muß aber doch durch die Ansage aktualisiert werden. Versöhnung und Neuschöpfung sind die zwei Momente des Heils. Das bedeutet, daß das Geschehene im Geschehen fortgesetzt wird, und mit Recht betont Gensichen, daß das Geschehene und das, was geschieht, nicht getrennt werden können.

Versöhnung ist Grund und verändernde Kraft, und ohne Verbindung mit dem Geschehenen geschieht nichts, und was geschieht, ist sich fortsetzende Versöhnung. "Fundamentum aliud nemo potest ponere", aber ein Haus muß darauf gebaut werden. Die Ansage gehört dem Geschehenen an als Verwirklichung dessen, was geschehen ist. Wieder kann die hermeneutische Philosophie angeführt werden: "Dies Gespräch geschieht als die Geschichte selbst."[10] Bei der Verkündigung des Geschehenen kommt wieder die Frage auf: Bekehrung oder Religionswechsel? Ist Versöhnung ein dem Menschen innewohnendes Bedürfnis, so daß Bekehrung seine Antwort ist, wie auch immer seine Gedankenwelt ausgestaltet sein mag, oder muß sein Welterlebnis durch Religionswechsel verändert werden, um das Heil erleben zu können? Die Frage wird noch komplizierter, weil Bekehrung ein Werk Gottes ist und dadurch der Beobachtung anderer Menschen entzogen ist und auch für den einzelnen kaum genau zu artikulieren ist. Es wird behauptet, daß das Heil Gottes als Neuschöpfung dem von Gott geschaffenen Menschen verständlich ist, weil es an die menschliche Lebenswelt anknüpfen kann. Diese für die Ansage grundsätzliche Frage wird von Gensichen behandelt unter dem Thema "Vorverständnis und Anknüpfung"[11].

Ansage ist Kundgebung, und das Wort ist das Mittel. Verkündigung ist die Aufgabe der Mission und der Kirche, um dadurch die geschehene Versöhnung verständlich zu machen und in Erfahrung zu bringen. Um die rechte Verkündigung, den Glauben für die Welt, nicht durch Disput zu entkräftigen, sucht man wieder den Grund in Gott. Man spricht davon, aus dem Heiligen Geist geboren zu sein, und schließt aus Joh 3,8 und 16,14 auf eine direkte Verbindung mit dem Herrn[12]. Auch hier spielt doch die Tradition eine Rolle, und die entscheidende Frage bleibt weiter: Wie lautet die richtige Ansage? Sie macht denen keinen Vorwurf, die sich durch Bekehrung dem Grund direkt zuwenden, aber als fortgesetztes Geschehen muß die Ansage ausschlaggebend sein. Die hermeneutische Frage setzt die Kirche der Prüfung aus verschiedenen Gesichtspunkten aus und hat Begriffe wie "Una Sancta", "Reine Lehre", "die wahre Gemeinde" usw. geschaffen. Formal eröffnet sich hier die Forderung eines Religionswechsels nur unter dem Vorzeichen einer allgemeinen christlichen Tradition, was jedoch nicht mit Bekehrung gleichzusetzen ist. Die Schwierigkeit, sich auf eine Glaubensformel, die richtige Ansage, zu einigen, wird durch die Forderung der Hermeneutik vergrößert, einen phänomenologischen Wahrheitsbegriff festzuhalten, nach der jeder Mensch seine eigene Sprache hat und letztlich nur selbst sich verstehen kann[13]. Die Kirche/die Mission stellt die grundliegende Einheit der menschlichen Erfahrung fest und sucht, die Bekehrung für alle Menschen deutlich zu machen. Deshalb kommt es zum Gespräch und zu solch einem Gebrauch der Sprache, daß das Neuschöpfungswerk geschehen kann. Ansage ist indessen nicht nur Gespräch, sondern erstens autoritative Verkündigung, die das Geschehen als Gottes Handeln wiederholt und fortsetzt. Die Ansage ist Verkündigung der Vergebung der Sünden, und "dort ist Leben und Seligkeit"; hier wird also das Geschehene verwirklicht.

Diese Verkündigung fordert Gehorsam, und das ist Bekehrung. Daraus wird zu Recht gefolgert, daß Glaube nie nur als theoretische Überzeugung beschrieben werden kann, weil es sich um ein Geschehen handelt. Glaube ist Leben. Die Mission "lädt die Völkerwelt ein zum Tun des Gerechten in der Beugung unter das Wort Jesu, der das Gerechte als schrankenlose Liebe gelebt und mit seiner 'Erfüllung' als Norm für die nachfolgende Gemeinde aufgerichtet hat"[14]. Glaube als ein Geschehen führt zur Vorstellung von der Kirche als dem Leib Christi. In Christus einverleibt, erreicht der Mensch das Heil, und "durch die gedankliche Verbindung des Leib-Christi-Begriffs mit dem am Kreuz hingegebenen Leib Jesu Christi ist ausgedrückt, daß auch die Gemeinde als der Christus-Leib 'Körperlichkeit' besitzt"[15]. Die Voraussetzung muß Bekehrung sein, ja ein Tod, Röm 6,3–4. Alles menschliche Tun bleibt außer Betracht, und da der Glaube zugleich als Entleerung verstanden wird, ist jeder menschliche Verdienst ausgeschlossen, auch jede Anknüpfung an Religion, Ideologie oder Lebensform und was immer Heil zu bringen versucht. Heil ist Gottes Handeln und sein Handeln allein. Bekehrung führt zu Anerkennung des Geschehenen und zum bleibenden Umgang mit Jesus Christus und dem, was durch ihn geschehen ist und geschieht, also einem Leben in der Kirche. Die Kirche ist religionslos, insofern sie das menschliche Tun ausschaltet und dadurch der Neuschöpfung Gottes Platz macht. Die neue Welt bringt Liebe und Dankbarkeit hervor.

Die Frage nach dem Religionswechsel bleibt aber noch bestehen. Religion ist einerseits der menschlichen Natur eigen und wird durch Bekehrung im Glauben neu geschaffen, andererseits aber durch zahllose verschiedene Manifestationen sichtbar, was sie von den verschiedenen Lebenswelten der Menschen abhängig macht. "Homo est religiosus", das muß bei der Bestimmung des Begriffes "Mensch" notwendig mitbedacht werden. Auch in der christlichen Tradition ist Religion in diesem Sinn anwesend. In der Neuschöpfung wird alles aus Liebe und Dankbarkeit verwirklicht, und was in den verschiedenen Lebensformen, Religionen und Ideologien unter diesen Vorzeichen steht, kann als wiedergeburtsfähig angesehen werden. Jeder Mensch kann in seiner einheimischen Lebenswelt sein Leben weiter fortsetzen, wenn er nur alles dem Erlösungswerk Christi unterstellt und, in den "Leib-Christi" eingepflanzt, seine Existenz gestaltet. Unter diesen Bedingungen mag Religionswechsel nicht notwendig sein. Erfahrungsgemäß jedoch bleiben zwei entscheidende Gesichtspunkte zu beachten: Wie gestaltet sich das Leben im Leib-Christi? und: Was verursacht in der menschlichen Lebenswelt den Widerstand, sich der Liebe und der Dankbarkeit total zu überlassen?

Die Frage wird von Gensichen folgenderweise beleuchtet: Es "ist daran festzuhalten, daß das Christentum als geschichtliche Religion im Kreis anderer Religionen steht, daß es also religionsphänomenologisch und religionsgeschichtlich gesehen keine strukturelle Einzigartigkeit grundsätzlicher Natur für sich in Anspruch nehmen kann". Und dann: "Wenn bestehende Verhältnisse geändert werden sollen, geht der Weg nicht über eine Änderung der Strukturen, sondern er muß immer auch auf Änderung der Herzen gerichtet sein."[16] Die Geschichte der Ansage, die also mit der Ausbreitung der Kirche oder mit der Mission zusammenfällt, ist nicht eindeutig, auch nicht für alle Zeiten ausschlaggebend. Elemente verschiedener Religionsformen und Gesellschaftssysteme sind in der Kirche einverleibt worden. Anderes ist auf Grund unzureichender Kenntnis zu schnell verurteilt und abgestoßen worden. Grundsätzlich ist ein Religionswechsel nicht nötig, weil alles als menschlich und unzureichend verurteilt und aufgegeben werden muß und nur als neugeschaffene Gnadengaben angenommen werden kann. Weil das Erlösungswerk unter eschatologischen Vorzeichen fortgesetzt werden muß, ist eine ständige Prüfung der "Geister" erforderlich.

Anmerkungen

1. *Hans-Werner Gensichen:* Glaube für die Welt, 1971. 102. Teilweise Zitat aus *Linz:* Anwalt der Welt.
2. *Gensichen,* a.a.O. 103, Zitat von *E. Käsemann:* Gottesgerechtigkeit.
3. *Gensichen,* a.a.O. 108.
4. *Gensichen,* a.a.O. 30. Zitat von *Fahlbusch:* Theologie der Religionen.
5. *Gensichen,* a.a.O. 102.
6. Hermeneutik und Dialektik, Aufsätze I, Methode und Wissenschaft, Lebenswelt und Geschichte, hg. von *R. Bubner, K. Cramer, R. Wiehl,* 1970, Aufsatz von *L. Krüger,* 6.
7. Hermeneutik und Dialektik, *W. Schultz,* 309.
8. *Gensichen,* a.a.O. 138 und Hermeneutik und Dialektik, Aufsatz von *L. Krüger,* 5.
9. *Gensichen,* a.a.O. 27–31.
10. Hermeneutik und Dialektik, *W. Schulte,* 308.
11. *Gensichen,* a.a.O. 191.
12 Eine erläuternde Darstellung bietet *W. Hoerschelmann:* Christliche Gurus, Darstellung von Selbstverständnis und Funktion indigenen Christseins durch unabhängige, charismatisch geführte Gruppen in Südindien, 1977.
13. Hermeneutik und Dialektik, Aufsatz von *L. Krüger,* 6 und 10.
14. *Gensichen,* a.a.O. 134, Zitat von *Baumbach.*
15. *Gensichen,* a.a.O. 135.
16. *Gensichen,* a.a.O. 228–229.

W.J. Danker

Non-Christian Religions and Franz Pieper's Christian Dogmatics: A Detective Case

After World War II, members of The Lutheran Church-Missouri Synod sent relief goods in large amounts to the devastated land of their fathers and mothers. Dr. Lawrence Meyer, who headed the synod's relief campaign shared with this writer in 1947 his estimate that the people of the synod through various channels had contributed $25 million in cash and goods. The synod also sent some of its German religious publications, including copies of the *Christliche Dogmatik* by Franz Pieper (1852–1931). Much of it repristinating 17th century orthodoxy, this three-volume German work expounded the *doctrina publica* of the synod. It also shaped the stance of Missouri Synod representatives at the conferences arranged with German pastors and theologians at Bad Boll in the post-war era.

As late as 1964 when I was invited to break bread with the family of Dr. Wilhelm Andersen of the Augustana Theologische Hochschule at Neuendettelsau, Mrs. Andersen paid moving tribute to the generous post-war relief help from the Lutheran Church-Missouri Synod. Pieper's *Christliche Dogmatik* did not enter the conversation. Those who mentioned it elsewhere expressed themselves with great reserve. At the Mission headquarters in Bethel-Bielefeld, one staff member declared that Pieper's work was inadequate for the present era.

One can hardly understand The Lutheran Church-Missouri Synod and its recent "civil war" without some knowledge of Franz Pieper[1]. He was born in Carvitz, Pomerania, Germany, in 1852, when the Missouri Synod was but five years old. His father was the *Schulze*, or village mayor of Carwitz. Franz attended *Gymnasia* in Koeslin and Kolberg until his widowed mother followed her two older sons to America in 1870, bringing along her other four boys. The family settled at Watertown, Wisconsin, where what is now the Wisconsin Evangelical Lutheran Synod had only five years earlier established Northwestern College, then a small, struggling German-style *Gymnasium*, where young men could prepare for entrance into a theological seminary. Frau Pieper became housemother and cook. Uniquely, the family lived, studied and worked in the college's main building[2]. Franz and three of his brothers, Reinhold, August, and Anton availed themselves of the education offered by the school under whose roof they lived. Three later became theological professors and presidents of the seminaries where they taught. They received their theological training at Concordia Seminary, St. Louis, because the Wisconsin Synod had

215

agreed to send its ministerial students to Missouri's chief seminary during those years. But Franz Pieper was never subjected to the academic discipline which true graduate university training supplies. He later lectured in Latin. Yet, he remained in many respects an autodidact.

After only three years as pastor of two Wisconsin Synod congregations in succession, Franz Pieper was called to a professorship in systematics at Concordia Seminary, St. Louis, in 1878. The synod knew it would soon need a successor to C.F.W. Walther, its great founder. Though he had distinguished himself at every level in his education, Franz Pieper modestly declined the first time, accepting only when the call was issued a second time. Could the young immigrant of only eight years earlier have imagined so swift a rise? The "Predestinarian Controversy" which convulsed and divided American Lutheranism in the 1880's became the battleground on which the young theologian distinguished himself. Recognized as the chief dogmatician of The Lutheran Church-Missouri Synod, he was also elected president.

In the Prolegomena, or Introduction, to his dogmatics, Pieper established a basic typology for his systematics, maintaining that there are but two religions in the world, the religion of the Law, or of man's own work, and the religion of the Gospel, or faith in Christ. For support he calls on a towering scholar of non-Christian religions in the 19th century:

The truly scientific historical study of religions leads to the conclusion which Max Mueller reached as the result of his comparative study of religions. He sets forth the essential difference between the Christian and the non-Christian religions in these striking words: "In the discharge of my duties for forty years as professor of Sanskrit in the University of Oxford, I have devoted as much time as any man living to the study of the Sacred Books of the East, and I have found the one keynote, the one diapason, so to speak, of all these so-called sacred books, whether it be the Veda of the Brahmans, the Puranas of Siva and Vishnu, the Koran of the Mohammedans, the Zend-Avesta of the Parsees, the Tripitaka of the Buddhists — *the one refrain through all — salvation by works*. They all say salvation must be purchased, must be bought with a price, and that the sole price, the sole purchase money, must be our own works and deservings. Our own holy Bible, our sacred Book of the East, *is from beginning to end a protest against this doctrine*. Good works are, indeed, enjoined upon us in that sacred Book of the East far more strongly than in any other sacred book of the East; but they are only the outcome of a grateful heart — they are only a thank offering, the fruits of our faith. They are never the ransom money of the true disciples of Christ. Let us not shut our eye to what is excellent and true and of good report in these sacred books, but let us teach Hindus, Buddhists, Mohammedans, that there is only one sacred Book of the East that can be their mainstay in that awful hour when they pass all alone into the unseen world. It is the sacred Book which contains that faithful saying, worthy to be received of all men, women, and children, and not merely of us Christians — that Christ Jesus came into the world to save sinners."[3]

This quotation was a favorite of Francis Pieper. He used it, for example, in an essay on the nature of Christianity at the Tenth Delegate Synod of The Lutheran Church-Missouri Synod in 1902, which was published the following year under the title, *Das Wesen des Christenthums*[4]. But Pieper failed to say where or when Max Mueller had so said or written. So important is this quotation for Pieper's systematics that he quotes it twice in full, first in Volume I published in 1917, where the hapless reader is referred to the unfootnoted quotation in *Das Wesen des Christenthums*, which is no help at all[5].

In Volume I, printed in 1924 and the last of his three volumes to appear, the quotation is for the first time given in English. The footnote simply tells the diligent student something he already knows by now, namely, that a German translation is found in Volume II[6]. Both *Das Wesen des Christenthums* and Volume II of Pieper's *Christliche Dogmatik* provide only the tantalizing clue that the mysterious quotation is taken from an address by Max Mueller to a British Bible society. Thus, the frustrated reader is left in a dead-end street.

William Schoedel, a graduate of Concordia Seminary, now professor at the University of Illinois, first called this frustrating scholarly short circuit to my attention in the mid-50s when we were in graduate studies at the University of Chicago during my furlough after service as the first missionary of The Lutheran Church-Missouri Synod to Japan. That is how I became involved in this detective case.

In an effort to solve the mystery, I read three long books by Friedrich Max Mueller and prepared an essay on his leading ideas, but was unable to find a single passage flavored like the Pieper quotation. Everywhere, Mueller argues not for radical discontinuity between the religions, but for an evolutionary continuity. Near the end of his life in his second series of Gifford Lectures, as the crown of his life-long studies in the religions and philosophies of the world, Max Mueller traced the similarity between Indian mysticism and the Christian mysticism of the West[7]. That certainly thickened the plot!

Joining the faculty of Concordia Seminary, St. Louis, as its first full professor of mission, I offered to write an article for the *Concordia Theological Monthly* calling this problem to the attention of scholars, but the editor declined to publish a paper on Pieper's lapse. My time was soon filled with teaching, missionary travels, and the writing of books and articles. But in 1972 I returned to the search with a letter addressed to the British and Foreign Bible Society. Archivist Kathleen J. Cann turned up no references to any lectures by Max Mueller to a British Bible Society, but she promised to inform me if she ever came across the quotation.

In 1973 I pursued another trail. I wrote to the Bodleian Library at Oxford. My correspondent, E.E. Sabben-Clare, replied that there had been time to check only a small part of Mueller's enormous out-put, but went on:

I do feel very doubtful whether the quotation from Francis Pieper's book is correct as it stands. The reason is that the quotation starts off: "In the discharge of my duties for forty years as Professor of Sanskrit in the University of Oxford." He became Professor of Modern European Languages in 1854, and in 1860 was *not* chosen as Professor of Sanskrit, the choice falling on Monier-Williams. Possibly the reasons were Mueller's German nationality and unorthodox views. He became Professor of Comparative Philology in 1888, the Chair being specifically created for him[8].

We had the opportunity to confirm and amplify this unsettling information in the recent definitive biography by Nirad C. Chaudhuri[9].

The six month campaign between Mueller and Monier-Williams for the professorship was spicy curry, indeed, since the entire Convocation of 3,786 members was scheduled to vote on the choice. A Mueller supporter wrote a letter to
The Times contrasting Monier-Williams' "respectable and honourable profi-
ciency" with Max Mueller's "complete and masterful knowledge ... possessed
by a rare genius and profound scholar, from whose authority on the subjects
of Indian philology and philosophy there was no appeal in Europe". Mueller's
Indian biographer, Nirad Chaudhuri, comments, "This was perfectly true in
the light of contemporary reputation"[10].
Small wonder that Pieper wanted to support his division of all religions into
two parts with the vast authority of Max Mueller. At Mueller's death on
October 28, 1900, kings and commoners from many parts of the world joined
in sympathy and tribute. One of the first messages of condolence came from
Queen Victoria, herself to die in less than three months. On the Sunday following Mueller's funeral, memorial services were held in many of England's
churches, including Westminster Abbey. The world press published editorials
and obituaries. The current 15th edition of Encyclopedia Britannica carries an
illustrated biography of Max Mueller but takes no notice of his victorious
rival.
Through Nirad Chaudhuri's London publisher, I corresponded with him.
Surely, if anyone could shed light on the elusive source of the quotation
attributed to Max Mueller by Pieper, he was that man. He promised to search,
but found nothing.
Just when it seemed that this needle lay hidden in a hopelessly large haystack,
an airmail letter arrived from England. It was from Archivist Kathleen Cann,
who had not been heard from for five years. The envelope was thick with the
fruit of the copy machine. A hurried scanning and a surge of joy! The redoubt-
able Kathleen Cann had found the source! Not for nothing did she bear her
family name. She wrote, in part, under date of February 7, 1977:

This quotation is not from Max Müller at all, but from his close contemporary Sir Monier
Monier-Williams. It was in fact a speech delivered at the 82nd Annual Meeting of the
British and Foreign Bible Society in Exeter Hall, London, on May 5th, 1886. It was
printed, as part of the account of the meeting, in the Society's monthly magazine, and
I enclose a photocopy of it. It was reprinted by Monier-Williams himself as part of a
booklet called, *The Holy Bible and the Sacred Books of the East: Four Addresses; to
Which Is Added a Fifth Address on Zenana Missions.* London, 1887.

We secured a copy of the book in a 1900 edition published by the Society for
Promoting Christian Knowledge. Even at that late date, there is little change
from the text printed in the *Bible Society Monthly Report* of June 1886.
The Pieper text matches the original, with a number of exceptions. Pieper had
written:

In the discharge of my duties for forty years as professor of Sanskrit in the University of
Oxford, I have devoted as much time as any man living to the study of these books.

What Monier-Williams actually said was:

In the discharge of my duties for forty-two years I have devoted as much time as any man living to the study of these books[11].

He was not elected Professor of Sanskrit until 1860, only twenty-six years before this speech.

The Pieper quotation also contains other minor variants. For example, in Pieper's list of the various sacred books of the East, the "King of the Chinese", which Monier-Williams in his book of the year 1900 changed to the "Confucian texts of the Chinese", is unaccountably omitted. Pieper gives the impression that his quotation is one continuous paragraph lifted from the original. It is actually emended and pulled together from various places in the Monier-Williams address.

Who edited the text in this rather casual fashion? Was it Pieper himself? Or did he have before him the work of another unknown editor? How did Pieper come to ascribe his pivotal quotation to the wrong author? If Pieper or his informant was working from memory, it is natural that the greater scholar's name should come to mind first. In any case, the error is forgivable in view of the close parallels between the careers of two contemporary Orientalists.

To turn from the question of authorship, to the more significant one of content, was Monier-Williams correct in the opinions expressed in this pivotal citation?

First, he fails to take account of Pure Land Buddhism, the great religion of North Asia, with its sweeping emphasis on salvation by grace through faith in Amida Buddha. In fact, when the first Jesuit missionaries came to Japan in the 16th century only a few years after the death of Martin Luther, they soon wrote crest-fallen to Rome, "The Lutheran heresy has preceded us!"

In the same Exeter Hall address Monier-Williams also failed to tell his audience that ideas of salvation by grace are not unknown in Hinduism. It even contrasts "synergism" and "monergism", in its well-known discussion of the "monkey hold" and the "cat hold". When in danger, the monkey mother carries its young to safety, *if* it will only cling to her. But the cat mother grips the kitten in her jaws by the nape of its neck, and the kitten does nothing at all. The cat mother carries out 100% of the rescue operation. Voices claiming a Christian origin for such non-Christian religions of grace in Asia have yet to provide conclusive evidence.

Sir Monier Monier-Williams was, without a doubt, a faithful and outspoken Christian. He himself recognized that he was not "the man most likely to secure a world-wide reputation for the Sanskrit chair"[12]. But what encouraged him to compete was the intention of the chair's founder, Lt. Col. Joseph Boden of the East India Company's service, who had bequeathed all his property, roundly 25,000 pounds, to found a well-paid Oxford Professorship of the Sanskrit Language in a belief "that a more general and critical knowledge of the Sanskrit language will be a means of enabling his countrymen to proceed in the conversion of the natives of India to the Christian Religion". And

Monier-Williams felt his Christian dedication and his particular competencies would well serve missionaries to India[13].

If Pieper gleaned his pivotal quotation from the sixty-three page booklet containing five of Sir Monier-Williams' addresses to Christian mission groups, he might have served his readers better by choosing to quote another of Monier-Williams' faith-filled addresses to Bible societies, namely his presentation on bibliolatry, or Bible worship, at Brixton, on June 9, 1887. Declaring that in one sense Christians *are* to worship the Bible, he explained, "We are to worship the spiritual element — that living life-giving spirit — that power of God unto salvation which underlies the letter of the Bible"[14].

But he went on:

The Bible warns us that "the letter killeth, but the Spirit giveth life". And it is indeed one most noteworthy characteristic of our Bible, distinguishing it from all other sacred books of the East, that it prohibits by this bold figure of speech an almost ineradicable tendency in human nature, impelling it to letter-worship[15].

As examples he cites the Granth of the Sikhs, the Tripitaka of the Buddhists, and the Qur'an of the Muslims. At his best, Francis Pieper, like Monier-Williams, zeroed in on "the power of God unto salvation which underlies the letter of the Bible". This spirit animates the centerpiece of his *Christian Dogmatics,* Volume II. A well-deserved tribute to Pieper appears in the Foreword to the English translation of his massive work which was published in connection with the observance of the Centennial of The Lutheran Church-Missouri Synod, when the seeds of its current dissension were already sprouting:

To demonstrate how the whole inspired Word comes to its ultimate focus in the revelation of God's grace in Jesus Christ was his unfailing delight. How that perception of divine mercy dominated his thinking and teaching is plainly to be seen also in this dogmatics, with its constant, loving reiteration of the truths of universal grace, the vicarious satisfaction, and justification through faith alone[16].

Unfortunately, other aspects of Pieper's well-intentioned work encouraged a tendency toward bibliolatry and helped lock his synod into the Iron Maiden of literalism and legalism, thereby subjecting it to its present tortures.

Franz Pieper had little, if any, opportunity for disciplined study of non-Christian religions. It is tempting for some Christian leaders, including theologians, to make claims for Christianity and bring charges against "pagan" religions which the evidence will not support. It is an equal temptation in our day to surrender to uncritical attacks on Christianity and give way to likewise unsupported romantic enthusiasm for non-Christian religions.

Notes

1. On Franz Pieper see brief article in Lutheran Cyclopedia, Revised Edition, ed. by *Erwin Lueker* 1975, 621. Also *Theodore Graebner: Dr. Francis Pieper: A Biographical Sketch*, 1931. An uncritical short biography published in the year of Pieper's

death. At that time an eulogy was appropriate, but Graebner says that " ... exactness of quotation and reference was evident in all the later work of Dr. Pieper and in no small measure accounts for the unquestioning confidence with which all his writings were received by the brethren." (32). Ironic in view of his mistakes!

2. *Erwin E. Kowalke:* Centennial Story: Northwestern College, 1865–1965, 1965, 74. See also Chapters X, "Low Ebb"; XI, "A New Era"; XII, "Fristfruits", which supplies details of Pieper's life and the education which he received as one of four men in the first graduating class in 1872.
3. Christian Dogmatics, I, 1950, 16.
4. 1903, 5. The essay and the quotation were translated by *John Theodore Mueller* in: *Francis Pieper:* What is Christianity? And Other Essays, 1951, 4–5, note 6.
5. Christliche Dogmatik II, 1917, 2–3, note 8. English translation: Christian Dogmatics II, 1951, 4–5, note 6.
6. Christliche Dogmatik I, 1924, 15, note 48. English version: Christian Dogmatics I, 1950, 15–16.
7. Theosophy or Psychological Religion; Gifford Lectures 1892, 1893. Cf. also *Max Mueller's* "Lectures on the Origin and Growth of Religion" (1880) and his "Introduction to the Science of Religion" (1882).
8. Letter from *E.E. Sabben-Clare* to William J. Danker, 24 January 1973.
9. Scholar Extraordinary. The Life of Professor the Rt. Hon. Friedrich Max Mueller, P.C., 1974.
10. Ibid. 222.
11. Bible Society Monthly Reporter, June 1886, 92.
12. *Chaudhuri,* op. cit. 223.
13. This is not intended as a reflection on Max Mueller's personal faith. In a sermon on the great Orientalist preached in St. Giles Church, Oxford, on Sunday, November 4, 1900, by the Rev. H.J. Bidder, Vicar of St. Giles and a Fellow of St. John's College of Oxford University, this passage occurs: "No one", (Max Mueller) said in concluding his Lecture at Leeds upon the Vedantas, "no one who has not examined patiently and honestly the other religions of the world, can know what Christianity really is, or can join with such truth and sincerity in the words of St. Paul, 'I am not ashamed of the Gospel of Christ'." *E.E. Sabben-Clare:* Letter to William J. Danker, 24 January 1973.
14. The Holy Bible and the Sacred Books of the East, 40.
15. Ibid. 40.
16. Christian Dogmatics I, 1950, V.

Günter Lanczkowski

"Jugendreligionen",
religionsphänomenologisch betrachtet

Hans-Werner Gensichen, dem diese Zeilen gewidmet sind, hat oft in Forschung und Lehre die Pflicht zur Auseinandersetzung mit Gegenwartsproblemen herausgestellt und damit sehr wesentlich dazu beigetragen, die Aktualität unseres Faches zu betonen. So mag es angängig erscheinen, ihm als Gruß einen Aufsatz zu überreichen, mit dem der Versuch einer religionsphänomenologischen Erfassung einer höchst umstrittenen Erscheinung neuesten Datums versucht wird, der sogenannten "Jugendreligionen", die seit wenigen Jahren im europäischen und nordamerikanischen Bereich spontane Bedeutung erlangt haben.

Beachtung sollte zunächst der Begriff "Jugendreligionen" oder "Jugendsekten" finden, mit dem neuerdings in übergreifender Weise mehrere Bewegungen zusammengefaßt werden: die Kinder Gottes, die Hare-Krishna-Jünger, die Scientologen, die Transzendentale Meditation, die Mission des göttlichen Lichtes und die Vereinigungskirche, um die wesentlichsten dieser Gruppen zu nennen. Aber auch abgesehen von dem Sammelbegriff "Jugendreligionen" und seinen Implikationen ist des weiteren nach Gemeinsamkeiten dieser Bewegungen zu fragen, wie sie sich am augenfälligsten in der Abkehr von traditionellen religiösen Kräften des Abendlandes äußern.

Der Terminus "Jugendreligionen" ist, unbeschadet der vielleicht nicht mehr entscheidbaren und ohnehin zweitrangigen Frage nach seiner Urheberschaft, plötzlich aufgetaucht und schnell zu einer allgemeinen Anwendung gelangt, die mit durchaus negativen Wertungen verbunden ist. Gemeint sind damit Bewegungen, die als "giftige Drogen" einzuordnen sind[1], die Jugendliche ausbeuten, ihren Familien entreißen, einer geregelten Berufsausbildung entziehen, ihre Willens- und Entscheidungsfreiheit lähmen und sie in Gemeinschaften, von denen sie sich nur schwer wieder lösen können, zu Persönlichkeitsveränderungen führen.

Vorbehaltlich der generellen Schwierigkeit, für zeitgenössische Erscheinungen Prognosen zu stellen, kann zumindest augenblicklich damit gerechnet werden daß der Begriff "Jugendreligionen" bleibende Bedeutung gewinnt. Deshalb ist nach der Tragfähigkeit dieses Begriffes zur Erfassung der gemeinten religiösen Phänomene zu fragen, danach, ob deren Sondercharakter mit diesem Terminus in adäquater Weise zum Ausdruck kommt. Unabhängig davon ist die negative Wertung, mit der der Begriff aufkam; denn auch Spottnamen wie "Hīnayāna"

222

und "Geusen" sind zu bleibenden, vollgültigen Termini der Religions- und Kirchengeschichte geworden.

Berechtigt und sinnvoll erscheint der Begriff "Jugendreligionen" zunächst im Hinblick sowohl auf die Altersgruppe, der die Werbung dieser Sekten gilt, als auch auf die erfolgreich Gewonnenen, auf den Bekennerkreis. Allerdings läßt sich hierbei keine völlige Homogenität feststellen. Vielmehr treten neuerdings zwei Gruppen in Erscheinung, deren Eintritt in diese Sekten unterschiedlich motiviert ist. Das Gros der "Run-away-kids", der "Weglaufkinder", wie man in Amerika sagt[2], bilden 18- bis 28jährige, die häufig mit dem Eintritt in die neue Gruppe den Bruch mit einem Elternhaus vollziehen, gegen dessen geordnete, gutbürgerliche Verhältnisse sie aufbegehren. Anders sind die familiären Voraussetzungen bei jenen 12- bis 14jährigen, an die sich seit kurzem die "Children of God" in Kaufhäusern und auf Straßen wenden. Hierbei handelt es sich gerade umgekehrt um familiär Isolierte, die elterlicher Bezugspersonen entbehren und deshalb in der neuen Gruppe Geborgenheit suchen. Der Begriff "Jugendreligion" umfaßt natürlich beide Altersgruppen.

Eine weitere Beobachtung drängt sich auf, die für eine Sinnhaftigkeit des Terminus "Jugendreligionen" spricht. Dieser Begriff nämlich erweist sich durchaus als brauchbar zum Zwecke der Abgrenzung und Herausnahme der mit ihm angesprochenen Bewegungen aus dem größeren und umfassenden Kreis der "neuen Religionen", denen auch sie angehören, von denen sie sich aber bislang durch die altersmäßige Begrenzung ihrer Anhänger unterscheiden. Andere "neue Religionen" kennen diese Einschränkung nicht; sie wenden sich vielmehr an Menschen jeden Lebensstadiums. Am deutlichsten tritt dies vielleicht bei der japanischen Sōka Gakkai, der "Gesellschaft für Wertschaffen", zutage, die ihre Mitgliedschaft nicht nach Einzelpersonen, sondern nach Haushalten zählt[3], also im wesentlichen die Familie und, wo diese in Japan noch intakt ist, die Großfamilie in der Variationsbreite ihrer Altersstufen erfassen will.

Problematischer wird der Begriff "Jugendreligionen", wenn wir unseren Blick von den Bekennern auf die Stifter lenken. Bei ihnen nämlich sehen wir uns viel weniger Jünglingen als rüstigen Greisen gegenüber. Svāmī Prabhupāda, "Seine Göttliche Gnade", der Stifter der "International Society for Krishna Consciousness", war 82 Jahre, als er am 14. November 1977 verstarb; seine Gemeinschaft hatte er 1965 als 70jähriger in Nordamerika gegründet. Das genaue Alter des Maharishi Mahesh Yogi, des Leiters der "Transzendentalen Meditation", ist schwer zu eruieren; doch gibt er sich auf Bildern ganz das Aussehen eines Patriarchen. Lafayette Ronald Hubbard, der Gründer der Scientologie, ist 67, David Berg, auch Moses David genannt, der die "Children of God" anführt, 60 Jahre alt. Nur zwei Jahre jünger ist Herr Mun von der Ton-Il, die sich neuerdich "Vereinigungskirche" nennt. Eine Ausnahme bildet nur der Guru Maharaj Ji, doch um ihn und seine "Divine Light Mission" ist es recht still geworden, seit der damals 16jährige 1974 in Denver (Colorado) seine 24 Jahre alte Sekretärin heiratete und sich daraufhin seine eigene Mutter von ihm lossagte und ihm vorwarf, er führe das Leben eines Playboys.

Erweckt bereits die altersmäßige Diskrepanz zwischen den Führern und den

Anhängern dieser Gruppen Bedenken gegenüber einer typologischen Erfassung unter dem Sammelbegriff "Jugendreligionen", so ist weiterhin die kritische Frage aufzuwerfen, ob mit "Jugendreligion" eine Religion im Vollsinn dieses Wortes gemeint sein kann. Gewiß ist es in mehrfacher Weise möglich, den Kreis der Bekenner als charakteristisch für bestimmte Religionen zu erweisen. Bei einer berufsmäßigen Aufgliederung spricht man vornehmlich von Religionen des Kriegers, des Kaufmanns und des Bauern[4]. Ferner können Religionen insbesondere deren Kulte, durch geschlechtliche Exklusivität gekennzeichnet sein; so etwa die Thesmophorien der Demeter, von denen Männer, die Mysterien des Mithras, von denen Frauen ausgeschlossen waren[5]. Demgegenüber erscheinen Altersstufen als Durchgangssituationen im Rahmen einer alle Lebensstadien umgreifenden Religion. Dies betrifft vornehmlich religiöse Sonderformen für Jugendliche, die, wie die bekannten rites de passage der Initiation, dem Eintritt in die Religion der Erwachsenen dienen.
Am ehesten in typologischer Hinsicht, nämlich im Hinblick auf die Altersstufe ihrer Bekenner, den "Jugendreligionen" vergleichbar sind zwei Erscheinungen Das ist einmal auf rein religiösem Gebiet die Soldatenreligion, womit hier nicht die religio castrensis der römischen Heerlager gemeint sein soll, sondern die spezifische, die Grenzen der Konfessionen überschreitende Frömmigkeit der Soldaten des ersten Weltkriegs, eine Religionsform, zu deren Erhellung Heinrich Frick Anregungen gegeben hat[6]. Ihre Beschränkung auf eine Altersstufe wurde allerdings mit zunehmender Dauer des Krieges weitgehend aufgehoben und die Inhalte und Formen ihrer Frömmigkeit waren in jedem Fall situations bedingt und daher nicht von Dauer.
Nicht speziell im Religiösen, vielmehr im weitesten Sinne im Kulturellen, lagen die Ziele der Jugendbewegung, die in den ersten Jahrzehnten unseres Jahrhunderts in einer schillernden Vielfalt von Bünden in Erscheinung trat. Sie wandten sich gegen die "Spießerwelt" der Erwachsenen und strebten nach jugendlichem Eigenleben, nach "echter Jugendlichkeit". Neben diese Begrenzung auf eine Altersstufe trat aber der Gedanke, daß Jugend die Zukunft in der Gegenwart sei und daher ihren Idealen einer Rückwendung zur romantisch verklärten Vergangenheit eine alle Lebensstufen umfassende Bedeutung beizumessen wäre. Die Ansätze zum Übergang des Verständnisses von Jugend im altersmäßigen zu einem normativen Sinn, die damit gegeben waren, sind kaum zum Tragen gekommen, weil nach dem Ende des ersten Weltkriegs der in der Bewegung latent stets vorhandene Generationsgegensatz voll in Erscheinung trat.
Diese Beispiele können verdeutlichen, daß die Bindung von Bewegungen an ein bestimmtes Lebensalter einen ephemeren, transitorischen Charakter vorweg nimmt, mag er beabsichtigt sein oder nicht. Auch im Begriff "Jugendreligionen" liegt diese Wertung und damit eine Absage an Religionen im Vollsinn dieses Wortes. Nun ist dieser Begriff sicher nicht von den "Jugendreligionen" selbst aufgebracht worden; aber bei der mimosenhaften Empfindlichkeit, mit der diese auf alle Äußerungen von außerhalb reagieren, verwundert es, daß sie sich noch nicht gegen ihn gewandt haben. Vielleicht deshalb, weil ihm eine gewisse Werbekraft zugesprochen werden könnte.

Ein sicheres Faktum ist, daß der Begriff "Jugendreligionen" die aktuelle Situation treffend charakterisiert und zugleich dazu anregt, nach den Motiven zu fragen, die die Anziehungskraft dieser Gruppen auf eine nicht unwesentliche Anzahl Jugendlicher bedingen. Diese Frage nach der Attraktivität der "Jugendreligionen" pauschal zu stellen, ist gerechtfertigt durch die Gemeinsamkeit hervorstechender Züge. Schon damit ist angedeutet, daß lehrmäßige Unterschiede eine mindere Rolle spielen. Auch darin unterscheiden sich die Jugendsekten von vielen anderen "neuen Religionen". Der Gegensatz wird deutlich, wenn man etwa bedenkt, daß in der japanischen Tenrikyō seit langen Jahren wissenschaftlich geschulte Dogmatiker an der systematischen Erfassung der Verkündigungen ihrer Stifterin über die sukzessive Offenbarung des Gottesbegriffs, über den Sinn der Schöpfung und des Lebens wie über die Forderungen der Ethik arbeiten. Äußerungen aus den Reihen der "Jugendreligionen" selbst verweisen kaum auf eine neue Lehre, vielmehr auf den religiösen Führer, den Guru im indischen Sinn. Signifikant hierfür ist eine Bewegung, die eine ausgebildete, schriftlich formulierte Lehre vorträgt, nämlich die koreanische Tong-Il. Ihre auf der Bibel in einem vom christlichen Verständnis radikal abweichenden Sinn aufbauende Geschichtstheologie ist völlig ausgerichtet auf Herrn Mun, angeblich den "zweiten Messias". Und bezeichnend ist der Bericht eines Jugendlichen, der zur Tong-Il konvertierte, nachdem er meinte, Herr Mun sei ihm in einer Vision begegnet[7].

Attraktivität und absolute Autorität wie auch die teilweise Vergottung dieser Sektenführer dürften, wie auch andere Erscheinungen der "Jugendreligionen", in einem nicht geringen Maß auf Exotismus beruhen. Einige von ihnen sind Inder, andere zeigen sich in entsprechender Pose. Ausnahmen bilden nur der Scientologe Hubbard und der Koreaner Mun, der als "vierschrötiger, sehr kräftiger Mann" beschrieben wird[8]. Aber auch auf ihn trifft das zu, was man "Religions-Exotik" dieser Sekten genannt hat[9]. Die Anziehungskraft des Fremdländischen auf Jugendliche ist nicht neu; aber es war zumindest früher eine transitorische Phase, wenn der Primaner sich in indische Philosophie zu vertiefen suchte.

Die Presse hat diese fremdländischen Sektenführer angegriffen, weniger wegen der von ihnen in eigener Vollmacht proklamierten Heiligkeit als wegen ihres offensichtlich höchst erfolgreichen Besitzstrebens. Dies ist allerdings dem europäischen, durch franziskanische Armut und Askese geprägten Ideal des Heiligen sehr fremd. Es mag dem Verständnis, nicht aber der Rechtfertigung dienen, zu bedenken, daß in Indien neben dem besitzlosen, weltabgewandten Asketen auch der besitzfreudige Guru eine alte Tradition aufweist. Yājnavalkya, einer der großen Weisen der frühen Upanishad-Zeit, ist hierfür bezeichnend. Ein Text der Upanishaden[10], der durch eine Nachdichtung Friedrich Rückerts auch Eingang in die deutsche Literatur fand, berichtet von einem gelehrten Redestreit, für dessen Sieger König Janaka von Videha als Preis tausend goldgeschmückte Kühe einsetzte. Yājnavalkya ließ von seinem Schüler bereits vor Beginn des Redekampfes die Kühe für sich hinaustreiben. Gegenüber Einwendungen erklärte er, vielleicht nicht der Gelehrteste zu sein, selbst aber nur den Wunsch nach Kühen zu besitzen. In seiner Lehrunterweisung aber vertrat Yājnavalkya eine weltabgewandte Mystik.

Neben dem Guru ist es die Gruppe, die beherrschend in Erscheinung tritt, der Orden also im religionswissenschaftlichen Verständnis. Der Ordensgedanke, der Anspruch, die Electi einer Bewegung zu sein, wird von den Anhängern der "Jugendreligionen" bewußt zur Schau gestellt, wenn sie auf unseren Straßen betteln und werben. Augenfällig tragen sie die Embleme ihrer Gemeinschaft auf ihren Kleidern, oder sie zeigen sich, wie die Hare-Krishna-Jünger, in indischen Gewändern und mit kahlgeschorenen Schädeln; auf Einzelreisen scheinen sie dagegen europäische Kleidung zu bevorzugen. Die hierarchisch organisierte Gruppe lebt in einem Kollektiv, für das sicher nicht das abendländische Kloster, sondern der indische Ashram das Vorbild abgab. Von dieser kollektiven, ganz nach innen orientierten Integration wird einerseits Heil erwartet, sie "erscheint als die emanzipatorische Patentlösung für alle Schwierigkeiten, die man mit sich selbst und mit der heutigen Gesellschaft hat"[11]. Andererseits bedeutet diese Isolation eine Absage an die Umwelt, die sich in sehr schroffer Weise äußern und bis zur Aggressivität steigern kann; so berichtete die schwedische Presse im März 1975 über einen Fall von Freiheitsberaubung: ein Dozent der Universität Lund war stundenlang von Scientologen festgehalten worden, die ihn zum Widerruf von Äußerungen nötigen wollten, die er im Fernsehen gegen ihre Gemeinschaft vorgetragen hatte[12].

Im inneren Leben der Gruppen, in ihrer eigentlich religiösen Aktivität tritt beherrschend eine Praxis in Erscheinung, die sowohl mit "Meditation" als auch mit "Gruppendynamik" bezeichnet worden ist. Eine Versenkung im Sinne der einsamen Zwiesprache der Seele mit Gott ist es sicher nicht, sondern fast ausschließlich eine kollektive Aktion, die geeignet ist, zu Trancezuständen zu führen. Charakteristisch hierfür ist das gemeinsame "Chanten" der Hare Krishna-Jünger, das sogenannte "Singen" des Gottesanrufs "Hare-Krishna". Angeblich soll täglich 1728mal "gechantet" werden[13].

Das Gruppenritual führt in einigen Sekten zu ekstatischen Exzessen, denen ein sexueller Libertinismus zugrunde liegt, dessen Verbindung mit religiösen Zielen an gewisse Formen des indischen Tantrismus und Shaktismus erinnert. Die "Children of God" des David Berg sind hierfür bekannt geworden, ferner, wenn wir neuesten Berichten vertrauen können[14], die "dynamische Meditation" im indischen Ashram des "Bhagvan" Shri Rajnish; aber auch Maharishi Mahesh Yogi lehrte seine Anhänger in der "Transzendentalen Meditation" ausdrücklich die Abkehr von asketischen Forderungen[15]: "Wenn wir Askese üben, hemmen wir nur den geistigen Fortschritt. Das Leben ist ebenso materiell wie geistig."

Wenn auch keineswegs bestritten werden soll, daß in den "Jugendreligionen" noch andere Elemente Bedeutung besitzen – etwa die Verehrung der Bhagavadgītā als heiliger Schrift in der Hare-Krishna-Gruppe oder eschatologische Vorstellungen, wie sie am ausgeprägtesten die Ton-Il lehrt – so wirft doch die vorrangige Technik eines Gruppentrainings wiederum die Frage auf, ob es sich

226

um Religionen im Vollsinn dieses Wortes handele oder um Religionsersatz, um Quasi-Religionen, um die bekannte Begriffsprägung Paul Tillichs zu gebrauchen. Und eng verbunden damit ist sogleich die weitere Frage, ob hier ein begrüßenswerter Einspruch der Jugend gegen den Säkularismus vorliege oder nicht.

Es braucht kaum hervorgehoben zu werden, daß die Antwort auf solche Fragen im gegenwärtigen Zeitpunkt negativ ausfällt. Gerechterweise aber ist zu bedenken, daß wir "Jugendreligionen" vor uns haben, Bewegungen in statu nascendi, denen noch einschneidende Ereignisse bevorstehen, auf die sie Antworten zu finden haben – oder eben nicht finden werden. Zu denken ist hierbei vor allem daran, daß mit zunehmendem Altern ihrer Anhänger, also wenn ihre Bewegung aufhören sollte, "Jugendreligion" zu sein, Probleme des Leides, der Krankheit und des Todes an sie herantreten werden, mit denen sie sich bislang kaum auseinandergesetzt haben. Auch der Tod der zentralen, geheiligten Führergestalt steht ihnen bevor; aus den Reihen der "International Society for Krishna Consciousness" ist auf den Tod von Svāmī Prabhupāda noch keine religiös relevante Reaktion bekannt geworden.

Mehrfach wurde auf indische Bezüge verwiesen. Sie werden vielfach erstrebt und gehen teilweise sehr weit. Bezeichnend ist, daß 1977 ein Bundesrichter im amerikanischen Staat New Jersey die "Transzendentale Meditation" als "Religionsausübung" anerkannte wegen ihrer Verwandtschaft mit dem Hinduismus[16].

Die Tatsache, daß in jedem Falle aus der Fülle der indischen Religionsgeschichte nur auswahlweise Übernahmen erfolgten, tritt in ihrer Bedeutung zurück gegenüber noch wesentlicheren Überlegungen. Sie betreffen die Indisierung oder, noch allgemeiner ausgedrückt, den Exotismus von Europäern und Amerikanern.

Es ist, so schroff es klingt, nicht zu übersehen, daß er zur Karikatur werden kann – und dies nicht nur in Bekleidungsfragen der Ordenstracht, sondern auch in den wohlklingenden Sanskrit-Ordensnamen, die die Hare-Krishna-Anhänger mit einem Stolz tragen und nennen, der die Frage nach ihren weiteren Kenntnissen in dieser schwierigen Sprache aufwerfen könnte.

Prinzipiell geht es natürlich um die Frage der Ermöglichung und damit der Überzeugungskraft dieses Exotismus. Nicht ohne Ironie hat Joachim Wach einmal festgestellt[17]: " ... wenn man einmal zwei 'Pseudo-Konfuzianer' konfrontiert, so erlebt man die seltsamsten Dinge ... "

Im Hinblick auf die Adepten dieser östlichen Grundhaltung erhebt sich das psychologische Problem, inwieweit es möglich ist, ein kulturelles Erbe intentionell abzustreifen, ohne schweren Bewußtseinsspaltungen zu erliegen. Noch wesentlicher ist die eigentlich religiöse Frage nach der Verantwortbarkeit dieses Effugismus gegenüber der europäischen Tradition, der doch einen Bruch bedeutet, mit dem man sich den Aufgaben eben dieser Tradition zu entziehen trachtet. Es ist, um den Ernst dieser Frage zu unterstreichen, vielleicht nicht unangebracht, Sätze zu zitieren, die provozierend wirken müssen, nicht zuletzt, weil sie die "Jugendreligionen" hinsichtlich ihrer seelischen Haltung in einem sehr unjugendlichen Licht erscheinen lassen. Oswald Spengler, der vielfach Vergessene, sah bereits 1933 die Entstehung derartiger Bewegungen voraus, und er schrieb[18] : "Es ist wohl möglich, daß hier eine Spätreligion des Abendlandes in Bildung begriffen ist ... Die religiöse 'Erneuerung', welche den Rationalismus als Weltanschauung ablöst, enthält vor allem doch die Möglichkeit der Entstehung neuer Religionen. Die müden, feigen, vergreisten Seelen wollen sich aus dieser Zeit in irgend etwas flüchten, das sie durch Wunderlichkeiten der Lehren und Bräuche besser in Vergessenheit wiegt, als es offenbar die christlichen Kirchen vermögen."

Oswald Spengler war sicher kein Protagonist des Christentums, aber es ist unleugbar, daß die Abkehr von Europa, die diese neuen Religionen vollziehen, eine Provokation für das Christentum darstellt, und zwar ausgesprochenermaßen für das europäische Christentum. Auch im Zeitalter der Ökumene ist es berechtigt und geboten, von einem europäischen Christentum zu sprechen auf Grund der besonderen Bindung, die zwischen Europa und dem Christentum besteht. Denn dieses Europa, das im Bereich der physischen Geographie einer eindeutigen Grenze gegenüber Asien entbehrt, wurde zum Erdteil auf Grund seiner Christianisierung; es ist eine religionsgeographische Erscheinung und besitzt nur als solche eine Sonderexistenz.

Für die Antwort, die dieses Europa den "Jugendreligionen" um seiner selbst willen zu geben hat, sind daher die Worte zu bedenken, die August Winnig 1937 zum Schluß seines Buches "Europa. Gedanken eines Deutschen" auf Seite 88 schrieb:

"Europas Ursprung ist das Bekenntnis zum Kreuz. Dieses Bekenntnis verwandelte die Vielheit der Völker zwischen Nordmeer und Mittelmeer zur Einheit, es schuf den geistigen Raum, in dem sie alle zuhaus waren, und verband sie zu einer Gemeinschaft, die es vorher nicht gab. Ohne diese Gemeinschaft hätte nie ein Europa werden können. Man denke sich aus der Geschichte Europas alles fort, was allein dem Bekenntnis zum Kreuz und der in diesem Bekenntnis begründeten Verbundenheit zu danken ist: was bleibt übrig? Was Europa geworden ist, ist es unterm Kreuz geworden. Das Kreuz steht über Europa als das Zeichen, in dem allein es leben kann. Entweicht Europa dem Kreuz, so hört es auf, Europa zu sein. Wir wissen nicht, was dann aus Europa würde, wahrscheinlich ein Gemenge von Völkern und Staaten ohne verbindende Idee, ohne gemeinsame Werte, eine Gesellschaft, aus der jedes Bewußtsein eines gemeinsamen Auftrages und einer höheren Verantwortlichkeit entwichen wäre. Das ist der Abgrund, an dessen Rande Europa heute dahinschwankt."

Anmerkungen

1. "Der Spiegel" vom 17. Juli 1978 in seiner "Titelgeschichte".
2. "Materialdienst" vom 1. Mai 1977, 123.
3. Vgl. G. Lanczkowski: Die neuen Religionen, 1974, 49.
4. Joachim Wach: Religionssoziologie, 1951, 265ff.

5. Vgl. G. *Lanczkowski*: Begegnung und Wandel der Religionen, 1971, 54f.
6. *Heinrich Frick*: Die religiöse Weltkrise der Gegenwart, in: Die Welt im Fortschritt, 1937, 91.
7. "Konradsblatt" vom 15. August 1976, 8; "Kontraste/Impuls" Nr. 4, 1976, 12.
8. "Ruhrwort" vom 29. April 1972.
9. "Die Welt" vom 2. Januar 1978, 4.
10. Brihadaranyaka-Upanishad 3, 1, 1.
11. *Theodor Wilhelm* (Prof. für Pädagogik an der Universität Kiel) in: "Frankfurter Allgemeine Zeitung" vom 12. November 1975, 9.
12. "Expressen" vom 8. März 1975.
13. "Kontraste/Impuls" a.a.O. 18.
14. "Der Spiegel" vom 21. August 1978, 88f.; "stern" vom 24. August 1978, 49ff.
15. "Die Weltwoche" vom 12. Januar 1972.
16. "Materialdienst" vom 1. Dezember 1977, 348.
17. *Joachim Wach*: Zur Methodologie der allgemeinen Religionswissenschaft, zitiert nach *Lanczkowski*: Selbstverständnis und Wesen der Religionswissenschaft, 1974, 46.
18. *Oswald Spengler*: Jahre der Entscheidung, 1933, 12f.

Vierter Teil

Missionarischer Glaube und die Kirchen

Niels-Peter Moritzen

Der charismatische Impuls der Mission

Die Debatte über die Integration von Mission und Kirche scheint nicht nur
durch andere Themen verdrängt, sondern erloschen zu sein, nachdem sie fast
zwei Jahrzehnte auf der Tagesordnung gestanden hatte. Hat sie doch auch zur
Bildung regionaler Missionswerke geführt, deren letztes, das Evangelisch-
lutherische Missionswerk in Niedersachsen, im Mai 1977 seine Arbeit aufnahm.
Sind damit die Ziele der Debatte erreicht, oder sind die Besorgnisse als begründet erwiesen, der "charismatische Impuls" der Mission werde so endgültig
domestiziert[1]?
Im wesentlichen ist die angestrebte verantwortliche Beteiligung der Landeskirchen erreicht. Nun war die Missionsbewegung auch früher an der Beteiligung der Landeskirchen interessiert und auf sie angewiesen; aber die gesuchte
Ebene war die der Gemeinde in ihrer Ansprechbarkeit und Freiwilligkeit. Nun
sind die Landeskirchen als Amtskirchen beteiligt; die pragmatischen Faktoren,
auf die es in diesem Prozeß ankam, waren die Verfügung über Personal, seinen
Status und seine Sicherung, über Haushaltsmittel, und etwas weniger pragmatisch das Ansehen, der Status. Nun sind die Kirchen mit ihren regulären Orga-
nen mehr oder weniger direkt in Verbundsystemen bestimmend, in die etliche,
besonders die älteren Missionsgesellschaften, ihre Eigenständigkeit eingebracht
und weitgehend aufgegeben haben. Aus dem, was man früher einmal als Fröm-
migkeitslandschaften bezeichnet hat, sind nun ziemlich klare Arbeitsbereiche
geworden – ein Stück Flurbereinigung hat sich dabei auch ergeben.
Mit dieser Lösung haben sich neue Probleme ergeben. Sobald die Umrisse
dieser regionalen Missionswerke zu erahnen waren[2], verstärkte sich die Besorg-
nis der Missionen aus dem Bereich der landeskirchlichen Gemeinschaften, die
sich dann vor allem in der Auseinandersetzung über die sogenannte Grund-
lagenkrise der Mission äußerte.
Zu den neuen Problemen gehört es, daß nun die Funktionsträger der Weltmission in das Ringen der Großkirchen um Richtungen und Prioritäten einge-
spannt werden. Das ist wohl ebenso mühsam wie notwendig. Sie bringen dabei
etwas ein, was es in dem Umfang vorher nicht gab – Impulse des sogenannten
"Gegenverkehrs"; Besucher und Mitarbeiter auf Zeit aus Partnerkirchen werden
im allgemeinen gern empfangen und gehört, und ihre Argumente und Impulse
sind ein positiver Faktor.
Zu den Problemen gehört die Abwanderung eines Teils der bisherigen Missionsfreunde und Spender zu anderen Missionen und die wachsende Forderung

nach Konkretisierung der Beteiligung; kann man das erste nur ungenau registrieren – es handelt sich immerhin um 20–50 % des freien Spendenaufkommens[3] – und zu interpretieren versuchen, so suchen die Missionswerke, auf die Forderung nach Konkretisierung durch das Angebot von Einzelprojekten, durch Begegnung mit Mitarbeitern aus Partnerkirchen und bisweilen auch Organisationen von Besuchsreisen einzugehen.

Offenbar gelingt dem Gemeindeglied die Identifikation mit dem, was als Ziel der Missionsarbeit vorgestellt wird, nicht mehr in ausreichendem Maße. Hat es eine Vorstellung vom Etat dieser Werke, so gewinnt es nicht das Gefühl, es käme auf sein Mittun an und werde gebraucht. Im Gegenteil, es kann gar zu leicht den Eindruck bekommen, daß es sich um die Absolvierung einer Pflicht handelt.

Das ist kein Zufall, und an dieser Stelle scheint in der Tat die charismatische Kraft der Mission gefährdet oder mindestens beeinträchtigt. Manche Argumentationsreihen in den Verhandlungen, die zur Bildung der Missionswerke führten, wollten die Kirche an ihre Pflicht erinnern. Sie sollte in allen ihren Bereichen erfaßt und mit missionarischem Geist durchdrungen werden, für den die Opferbereitschaft als ein wichtiges Anzeichen gilt. Was man "die weißen Flecken auf der Landkarte" genannt hat – Gemeinden ohne Traditionsbindung an Missionswerke –, hoffte man, nun nicht mehr im Namen eines partikularen und privaten Werkes, sondern von Amts wegen ansprechen und mobilisieren zu können. Entsprechend ist die Verkündigungs- und Informationstätigkeit der Missionswerke als flächendeckende Maßnahme aufgebaut; und wo man etwa Gabenergebnisse zum Vergleich veröffentlicht, hofft man auf eine stimulierende Wirkung, die von den besten Ergebnissen auf die schwächsten ausgehen soll. In wesentlichen Stücken wird damit die Heimatarbeit der alten Missionen fortgeführt, aber die Verschiebungen sind unverkennbar. Der hohe Symbolwert, den Missionsbericht, Fürbitte und Opfer einmal hatten, ist stärker in den Alltag hereingenommen, und das heißt auch: eingeebnet. Gewiß ist Beteiligung an der Weltmission nach wie vor ein Dienst, an dem die Kräfte der Gemeinde wachsen können; und ist es nach wie vor nicht in beliebiges Ermessen gestellt, sondern hat Verbindlichkeit als Auftrag des Herrn der Kirche.

Zu dem Eindruck, daß es sich um eine Pflicht handelt, mag auch die Diskussion über die Entwicklungshilfe und den kirchlichen Entwicklungsdienst beigetragen haben; diese Debatte hat ihren naiv optimistischen aber auch motivierenden Charakter der Anfangszeit längst verloren und gewinnt immer öfter düster bedrohliche, ja anklagende Töne, die zugleich entmutigen, weil keine Lösung oder Linderung in Aussicht zu sein scheint.

Auf diesem Hintergrund wird sowohl die Abwanderung mancher Geber wie die Forderung nach Konkretisierung verständlich; man möchte mit dem eigenen Beitrag nicht eine Pflicht absolvieren, sondern ein konstruktives und konkret vorstellbares Tun ermöglichen[4].

Im Bereich der Information kann man beobachten, daß das Informationsmonopol der Missionen über kirchliche Vorgänge in Asien und Afrika nicht mehr besteht; in einem viel weiteren Umfang als früher werden Ereignisse im kirchlichen Bereich aus allen Teilen der Welt und in verschiedensten Medien zur Sprache gebracht. Dieser Informationsfluß ist so dicht geworden, daß der Reisebericht ein problematischer Genuß geworden ist. Auslöser ist allerdings im Regelfall der Konflikt, sei es der politische Konflikt, in den Kirchen, Missionen oder Missionare als Opfer oder Teilnehmer verwickelt sind, sei es ein kirchlicher Konflikt; Konferenzen und Jubiläen bilden eine zweite, weniger wichtige Kategorie[5]. Während Information über die Kirche in der Welt so zum Normalfall christlicher Publizistik geworden ist, haben die regionalen Missionswerke noch immer eine weit dichtere Information aktiver Kreise über das normale Leben der Partnerkirchen lebendig erhalten können. Streit um Stil und Ausprägung von Missionspublizistik sollten einem ihre Leistung nicht verstellen.

Als eine weitere positive Entwicklung darf die Wirkung befristeten Dienstes in den Partnerkirchen gelten. Im Gegensatz zum alten Ideal lebenslangen Missionsdienstes erfolgt heute Entsendung von Mitarbeitern in der Mehrzahl der Fälle von vornherein auf Zeit. Dabei werden nicht selten Mitarbeiter ohne besondere Vorprägung gewonnen; deren Erfahrung in den Partnerkirchen hat ganz überwiegend positiven Charakter. Die Begegnung mit der fremden Kultur, mit der Wirkung des Evangeliums in dieser fremden Kultur und ohne das feste Gehäuse einer durchorganisierten traditionsreichen Kirchenstruktur, und als Mitarbeiter dort akzeptiert zu werden − all dies gilt als wertvolle Erfahrung, ja prägt ganz wesentlich die zurückkehrenden Mitarbeiter.

An dieser Stelle sei nur angemerkt, daß ein Transfer dieser Impulse in unsere Kirche sich als schwerer darstellt, als man es zunächst erhofft[6].

Soweit zur Bestandsaufnahme; nun einige Bemerkungen zur Kritik und Korrektur. Die große Hoffnung auf eine missionarisch lebendige Kirche konnte sich durch eine solche begrenzte Strukturänderung, wie die Bildung regionaler Missionswerke es darstellt, nicht erfüllen, zumal wenn in derselben Zeit die Kirchen einen großen Schwund der aktiven Partizipation haben hinnehmen müssen[7].

Der Begriff des Charismas wie das Adjektiv charismatisch sind in jüngster Zeit immer häufiger gebraucht worden. Einmal im Zusammenhang mit der sogenannten charismatischen Bewegung, einem in der Tat bemerkenswerten transkonfessionellen Phänomen. Zwar ist es nicht ohne Bedeutung für die christliche Mission, aber man wird diese doch nicht auf diesen Sonderfall der charismatischen Bewegung einengen können[8]. Zum anderen im Zusammenhang mit den sogenannten Neuen Religionen, die sich meistens auf Propheten oder "charismatische Führer" beziehen. Und hier wird nun auch sichtbar, daß der Begriff Charisma heute anders gebraucht wird als im Neuen Testament. Der "charismatische Führer" ist ein von Max Weber geprägter Begriff, der die nicht rationale Art beschreibt, in der manche Führungspersönlichkeiten das Vertrauen ihrer Anhänger gewinnen, erhalten und stärken; ein Begriff, der eigentlich eine Beziehung beschreibt, denn man erkennt diese Qualität eben nicht anders als an ihrem Erfolg; und der Begriff ist in der Religionssoziologie ganz von seinem christlichen Ursprung gelöst[9].

Aber auch im Reden von der "charismatischen Bewegung" wird nicht einfach Paulus zitiert; vielmehr liegt dort ein erhebliches Gewicht auf der Außerordentlichkeit und dem transrationalen Charakter der charismatischen Erfahrung, was man als Korrektiv wohl bejahen kann.

Wie steht es aber mit einem charismatischen Impuls in der Weltmission? Kann man sagen, daß die Bewegung zur Integration, konkret die Gründung regionaler Missionswerke, diesen Impuls "endgültig domestiziert" habe? Manche der Neugründungen von Missionsvereinen und Zweigvereinen ausländischer Missionen stellen in dieser oder jener Form den Anspruch, nicht nur den alten Idealen der Missionsbewegung treu geblieben, sondern darüber hinaus noch neue charismatische Impulse freigelegt zu haben.

Als Beispiel seien genannt die bereits älteren Missionswerke der Wycliff-Bible-Translators und das Radiomissionswerk Trans-World-Radio mit seinem deutschen Zweig Evangeliumsrundfunk Wetzlar[10]. Jüngeren Datums sind jedenfalls in Westdeutschland die Ostmissionen und einige typische Jugendmissionswerke[11] – obwohl man auch hier kleine Genealogien von Vorläufern und Bahnbrechern aufzeigen kann.

Wenn man diese Werke charismatisch nennt, dann hat man jedenfalls die wohl nicht biblische Alternative von Institution oder Charisma aufgegeben; denn es handelt sich hier um Institutionen, wenn auch geringen Alters und geringer Organisationsdichte. Aber rein spontane Bewegungen sind das nicht mehr, sondern feste Kerne in den Bewegungen verfolgen klar formulierte Ziele, vermitteln Erfahrungen und üben Fertigkeiten und Haltungen ein – sie bilden eigene Traditionen.

Aus der Grundintention von 1 Kor 12–14 heraus kann man die charismatische Qualität dieser Aufbrüche neben den Missionswerken anerkennen; aber man muß sie gerade dann fragen, wie sie zu der Einheit des Leibes Christi stehen, wie sich ihr besonderes Charisma, das dann Gabe des einen Geistes ist, zum gemeinen Nutzen (1 Kor 12,6) auswirkt; konkret, wie sie sich zu den Gemeinden in Beziehung setzen; ob sie da die Fehlhaltung breiter Streifen in der Missionsbewegung fortsetzen, die Gemeinde abzuwerten und fast nur parasitär zu beanspruchen? Soweit wirklich der eine Geist hier und da wirkt, wird die Begegnung von der gemeinsamen Gliedschaft an dem einen Leib, das heißt auch von der Gegenseitigkeit im Dienst bestimmt werden.

Diese Erwartung muß sich durch Beobachtung von separatistischen Tendenzen und manchen starken Divergenzen im Typ der Lehre ernüchtern lassen. Aber hier bleibt ein Feld, auf dem neue Aufbrüche, Wege und Gestalten der Mission vorhanden und in Bewegung sind; wo also die Missionswerke der Kirchen nicht das Monopol zur Initiative halten; wo sie aber kraft ihres Zuganges, vielleicht sogar ihrer Verankerung in den Gemeinden zu einer Integration, einer Einwurzelung in Gemeinde, beitragen können. Dabei wird wohl das Anbinden und Koordinieren der neuen Werke nicht die erste, sondern eher die letzte Stufe sein.

Eins sei allerdings angemerkt: Sofern es sich um unzuverlässige Partner handelt, sollte man das nicht mit dem Wort "charismatisch" bemänteln, sondern mindestens auf Anfrage offen sagen, was das Zutrauen hindert.

Aber darf man auch in kirchlichen Missionswerken charismatische Impulse erwarten? Wie schon gesagt, sehe ich keinen biblischen Grund zum Gegensatz von Institution und Charisma. Aber eine Spannung zwischen der bisherigen Arbeitsweise von Landeskirchen (und ihren Werken) und dem, was der Begriff "Charisma" signalisiert, besteht doch. Eine Landeskirche weiß sich an alle Menschen ihres Territoriums gewiesen. Daraus ist dann ein flächendeckender Versorgungsbetrieb geworden, der auf ein Mindestangebot für alle ausgerichtet ist. Die Abläufe gehen aus von einem konstatierten Bedarf, vielleicht einer Not, und unserer Pflicht zu helfen.

Das Charisma behält als eine Gabe des Heiligen Geistes auch dessen Unverfügbarkeit in der Offenheit für das Gebet. Es beginnt aber mit einem Indikativ: Christus hat etwas getan, er hat den Menschen Gaben gegeben (Eph 4,8). Die Zentralaussage von der Rechtfertigung des Sünders aus Gnade um Christi willen wird im Neuen Testament in vielen Zusammenhängen in diese Konsequenz hinein ausgesagt und ausgemalt. Die Berufung der Sünder nicht nur zum Empfang des Gnadenzuspruchs, sondern auch zum Tätigwerden mit ihren Gaben hat seelsorgerlich und erzieherisch große Konsequenzen. Eine Konsequenz wäre, die Motivation zu solchem Handeln nicht primär von der Schilderung der Not und der Einschärfung der Pflicht, sondern von der Ermutigung zur sinnvollen Tat z.B. durch Beispiel, Anleitung und Einladung zu erwarten. Dabei könnte man leichter ein Maß finden, das nicht entmutigt und überfordert. Eine andere Konsequenz wäre der Verzicht auf die flächendeckende Mindestversorgung zu Gunsten einer Stärkung der Ansätze, die wachsen können. Im Bild: Die Missionswerke sollten die Kirche nicht als eine Wiese zur regelmäßigen Mahd ansehen, sondern als einen Garten, der hier vielleicht erst der Urbarmachung, dort des Pflanzens bedarf, dort aber Frucht bringt, wo vor langer Zeit einmal gepflanzt ist.

Ein Charisma, das den regionalen Missionswerken anvertraut und aufgegeben ist, ist das der Kybernese (1 Kor 12,28); und vielleicht gedeiht es gerade darum, weil sie diese Aufgabe der Leitung nur in einem mittelbaren Sinn haben – Weitergabe von Hilfsmitteln, Vermittlung von Personal, Übermittlung von Nachrichten und Impulsen – in beide Richtungen; Transfer of Power als Treuhänder; man weiß, es kommt viel darauf an, was und wie wir unseren Partnerkirchen vermitteln, aber wir haben sie nicht mehr in der Hand; was daraus wird, kann Grund zur Mitfreude, zur Dankbarkeit, zum Mitleiden werden – aber nicht mehr einfach zu unserem Eigentum, auch nicht dadurch, daß wir uns (bzw. unsere Großväter und Väter) als Ursache und verantwortlich für diese oder jene vermeintliche Fehlentwicklung erklären.

Der Missionsbewegung des großen Missionsjahrhunderts wird nachgesagt, sie habe die geographische Dimension der Mission über Gebühr herausgestellt. Nun war diese Betonung auch ein notwendiger Kunstgriff, sich der Absorbierung bereits in den Nöten der Nachbarschaft zu entziehen; eine Hilfe beim Suchen der Nicht-Erreichten. Diese Dimension des Missionsauftrages – die Suche nach den Nicht-Erreichten – muß erhalten bleiben, ja eher neu betont werden. Die großen weißen Flecken auf der Missionskarte sind wohl nicht mehr geographisch zu verkarten; vielmehr muß man sie in einer Art Soziallandschaft suchen – Minderheiten (und Mehrheiten), neben denen Kirchen lange fast ohne Kontakt und Kenntnisse leben, weil sie zu einer anderen Klasse oder Kaste, Sprachengruppe oder Schicht gehören. Die Distanzen, die dann zu überwinden sind, können in räumlicher Entfernung gering, aber im Lebensstilunterschied und in Kommunikationsschwierigkeit erheblich sein. Dabei ist der charismatische Impuls der Mission – die allen gilt und doch auf offene Türen angewiesen bleibt – von bleibender Bedeutung.

Anmerkungen

1. *H.-W. Gensichen:* Glaube für die Welt, 1971, 178.
2. *G. Hoffmann:* Gedanken zum Problem der Integration von Kirche und Mission in Deutschland, in: EMZ 1968, 200ff.
3. *W. v. Krause:* Blick in die Welt. Beilage zu den Nachrichten der ev.-luth. Kirche in Bayern, 1977, Nr. XI/XII.
4. Vgl. ZMiss 1978, 41: Partnerschaft – Programm für Profis?
5. Vgl. die zweijährliche Literaturschau der ZMiss.
6. *G. Hasselblatt:* Aufgaben der Mission heute, in: ZMiss 1977, 31ff.
7. Gingen 1963 3,2 Millionen Protestanten regelmäßig zur Kirche, waren es nach 1973 noch 1,6 Millionen. Nach Mitteilungen Nr. 103, 1976, 13, der Vereinigung Evangelischer Buchhändler.
8. *W. Hollenweger:* Christen ohne Schriften, 1977.
9. *P. Worsley:* Die Posaune wird erschallen. Cargo-Kulte in Melanesien, 1973.
10. *P. Freed:* Frohe Botschaft wir künden den Völkern, 1969.
11. Z.B. "Jugend mit einer Mission", Hurlach.

Paul Philippi

"... und volksmissionarisch"?

Überlegungen zum Verhältnis von Diakonie und Mission in der neuen Satzung des Diakonischen Werkes

Schon in der Grundordnung der Evangelischen Kirche in Deutschland vom 13.7.1948 spricht der § 15 von den "diakonisch-missionarischen Werken" der Kirche. Diese Bindestrich-Formulierung blieb nicht unangefochten, taucht aber in der Satzung des nun endgültig verschmolzenen Diakonischen Werks erneut und wiederholt auf – jetzt in einer etwas veränderten Fassung: "diakonisch und volksmissionarisch", bzw. "diakonisch oder volksmissionarisch", wobei die Doppelbezeichnung jedesmal für den Gesamtverantwortungsbereich des Diakonischen Werkes gelten soll.

Ausgeklammerte Fragen

Wir wollen von praktischen Problemen zunächst absehen, die sich durch diese Doppelbezeichnung der Zielsetzung ergeben, obwohl auch ihnen einige Bedeutung zuzumessen ist: Das Diakonische Werk hat seine außerkirchlichen und katholischen Partner nicht zufällig im Bereich der Sozialpolitik und Sozialarbeit. Mit ihnen zusammenzuarbeiten, gehört zweifellos zur Konzeption seiner Arbeit und zu seinem Auftrag. Ebenso unbezweifelbar hat das Diakonische Werk seinen Auftrag im Rahmen dieser ihm aufgetragenen Partnerschaft möglichst klar zu artikulieren und theologisch zu legitimieren. Es ist zwar rein hypothetisch nicht auszuschließen, daß eine solche theologische Legitimation eines Tages gegen alle Rücksicht auf etwaige negative Reaktionen der staatlichen und freien gemeinnützigen Partner des sozialen Bezugsfeldes erfolgen muß. Doch wird man für den Normalfall einräumen, daß die Diakonie, der die Partnerschaft mit dem Staat und den freigemeinnützigen Kräften aufgegeben ist, sich möglichst so darzustellen hat, daß sie im weiteren sozialen Bezugsfeld der Gesellschaft nicht mißverstanden wird. So wenig man den Partnern nach dem Munde reden wird, so wenig hat man Anlaß, sie ohne sachlichen Grund zu verprellen. Und so hat auch das Diakonische Werk angesichts des Risikos, von diesen Partnern wegen "missionarischer" Zielsetzungen als kirchliches Propagandaunternehmen ausgeklammert zu werden, genau zu überlegen, ob es durch die Doppelbeziehung seiner Gesamtverantwortung "diakonisch und volksmissionarisch" die von ihm öffentlich vertretene Sache fördert oder gefährdet und ob eine etwaige Gefährdung dieser Sache aus Sachgründen nötig und in Kauf zu nehmen ist. Heißt "diakonisch und volksmissionarisch", daß alles diakonische Tun volksmissionarisch gezielt ist? Das könnte für einen Rechnungshof, der die Verwendung von Staatszuschüssen aus dem Sozialhaushalt prüft, bald und mit gutem Grund bedenklich werden. Oder heißt "diakonisch und volksmissionarisch" nur, daß zwei an sich getrennt organisierbare Arbeitszweige aus geschichtlich erklärbaren Ursachen unter einem Dach organisiert wurden, so daß diakonische Gelder unter den Gesichtspunkten des BSHG abgerechnet werden können und volksmissionarische Gelder über andere Konten und Kanäle laufen? Da sollte das nicht verschwiegen werden. Daß beide Bereiche getrennt organisierbar sind, beweisen die meisten landeskirchlichen Regelungen, denen zufolge die volksmissionarischen Ämter von dem jeweiligen gliedkirchlichen Diakonischen Werk getrennt verfaßt wurden.

Doch von diesen praktischen Problemen soll, wie gesagt, nicht die Rede sein, und auch nicht von den mancherlei ungeklärten Emotionen, mit denen die Frage des theologischen Selbstverständnisses, das hinter dieser Selbstbezeichnung steht, verbunden ist. Vielmehr soll versucht werden, die seinerzeit ohne Lösung abgebrochene theologische Debatte über Diakonie und Mission noch einmal – und diesmal unter den neuen Voraussetzungen des Vertrauens, das in 20 Jahren gemeinsamer Arbeit von "Innerer Mission und Hilfswerk" im Diakonischen Werk gewachsen ist, auf die Frage des "missionarischen" Selbstverständnisses der Diakonie zurückzukommen.

Innere Mission und Diakonie — Weg und Ziel

Als Innere Mission und Hilfswerk der evangelischen Kirche in Deutschland 1957 fusionierten, wurden zwei Organisationen zusammengeführt, die bis dahin jede für sich diakonische Aktivitäten konzipiert und verwirklicht hatten. Im Bereich des Hilfswerks waren Konzeption und Arbeit relativ jung. Man betonte da die Kirchlichkeit der Diakonie – "Lebens- und Wesensäußerung der Kirche" (§ 15 der Grundordnung der EKD 1948) – und legte Wert darauf, daß die diakonische Nothilfe ohne missionarische Nebenabsicht geschehen und für alle da sein müsse. Das "Missionarische" wurde bei dieser Abgrenzung nicht im Sinne zeichenhafter Auswirkung verstanden, sondern im Sinne kalkulierbarer, werbender Zielsetzung der Diakonie abgewehrt.

Im Bereich der Inneren Mission waren Konzeption und Arbeit relativ alt. Die ursprüngliche Konzeption von Innerer Mission muß freilich historisch-kritisch rekonstruiert werden, denn sie war im Laufe eines Jahrhunderts durch die Praxis der Arbeit gewandelt, das heißt vor Klippen sozialgeschichtlicher Unmöglichkeiten ausgewichen und an geschichtliche Möglichkeiten angepaßt, teilweise auch – durch Abwandlungen und Anpassungen hindurch – mythologisiert worden. Nicht jeder, der sich auf Wichern berief, kannte ihn. Denn der wirkliche Wichern war nicht einmal in seinen Gesammelten Werken zu finden[1].

WICHERNS PLAN EINER KIRCHLICHEN DIAKONIE

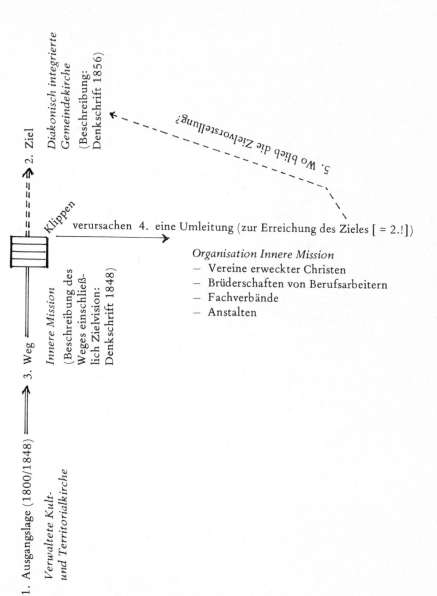

1. Ausgangslage (1800/1848) ══════⟶ 3. Weg ══════⇒ 2. Ziel

Verwaltete Kult-
und Territorialkirche

Innere Mission
(Beschreibung des
Weges einschließ-
lich Zielvision:
Denkschrift 1848)

Klippen

verursachen 4. eine Umleitung (zur Erreichung des Zieles [= 2.!])

Organisation Innere Mission
— Vereine erweckter Christen
— Brüderschaften von Berufsarbeitern
— Fachverbände
— Anstalten

Diakonisch integrierte
Gemeindekirche

(Beschreibung:
Denkschrift 1856)

5. Wo blieb die Zielvorstellung?

241

Die meisten aber, die sich auf Wichern beriefen, beriefen sich auch nicht auf dessen Werke, sondern auf eine mündlich-erbauliche Wichern-Überlieferung, von der sie an ihrem jeweiligen Standort eben auf jenen Umwegen von Anpassung, Abwandlung und Mythos erreicht worden waren. Und da schien es nun, als habe "diakonisch" mit "missionarisch" im Begriff "Innere Mission" eine untrennbare Ehe geschlossen. Wer das "missionarische" Selbstverständnis der organisierten Diakonie antastete, tastete — so mochte man meinen — Wicherns Vermächtnis an.

Diese Meinung ist falsch.

Im Sinne Wicherns wird man vielmehr so denken und sagen müssen: "Innere Mission" heißt das *Gesamtprogramm zur evangeliumsgeleiteten Veränderung einer kultfunktionalen Behördenkirche.* Vor 120 Jahren sprach man von der *Verlebendigung* einer *toten* Kirche. Da wir aber für heute denken und sagen wollen, was damals gemeint war, müssen wir gelegentlich versuchen, das romantisch beflügelte Vokabular der Erweckungsbewegung durch unsere Begrifflichkeit, die mehr auf Versachlichung bedacht ist, zu ersetzen. "Innere Mission" ist das Postulat einer kirchlichen Innovation, die aus der Erschließung der evangelischen Motivation notwendig folgt.

Diese evangeliumsgeleitete Vision oder Projektion einer zukünftigen Kirche, auf welche hin die Arbeit der Inneren Mission zielte, umschloß *auch* die Dimension des *Diakonats,* das heißt die Dimension sozialen Gemeinschaftshandelns als unveräußerliches Merkmal "lebendiger" kirchlicher Existenz. Da der kultfunktionalen Behördenkirche gerade diese Dimension fehlte, mußte an ihrer Entfaltung besonders intensiv, exemplarisch, modellhaft gearbeitet werden. So wurde Diakonie zu einem hervorstehenden Arbeitsgebiet und Erkennungszeichen innermissionarischer Arbeit — aber sie wurde es als integrierender Teil des Gesamtprogramms einer veränderten, erneuerten Kirche.

Innere Mission war nicht ein anderer Name für Diakonie. Auch war die innermissionarische Arbeit nicht ein Teil der diakonischen Arbeit, bzw. ein Zweig oder ein Aspekt des Diakonats. Vielmehr ist Diakonie als ein Teil, Zweig oder Aspekt innermissionarischer Arbeit auf- und anzufassen. Die innermissionarische Arbeit aber meint die Erneuerung der Kirche.

Weg und Ziel sollen nicht verwechselt werden!

Ein anderer Aspekt oder Teil der innermissionarischen Arbeit läßt sich unter dem Stichwort Evangelisation beschreiben. Bezeichnete Diakonie als Dimension der zukünftigen Kirche ein *Ziel,* das durch innermissionarisch-parakirchliche Aktivitäten nur in exemplarischen Ansätzen vorweggenommen wurde, so ist die Evangelisation in erster Linie als ein *Weg* aufzufassen, der zum Gesamtziel "veränderte Kirche" — und damit auch zu dem integrierten Teilziel Diakonie — hinführen sollte.

Als solch ein Weg bedeutete "Evangelisation" aber außerdem auch ein Verlassen der ausgetretenen bzw. wohleingefaßten Pfade kirchenamtlicher Verkündigung. Das Evangelium sollte wieder an Hecken und Zäunen zu hören sein, ungestelzt und einladend, gerade für die Entfremdeten. Diese aber waren meist mit denen identisch, die nicht mehr in der bürgerlichen Konvention lebten. Ihrem Rede- und Kommunikationsstil wollte das evangelistische Bemühen sich anpassen.

Damit sind wir auch bei der besonderen Nuance des Wortes "Volksmission". Ohne an dieser Stelle eine exakte Begriffsgeschichte erarbeitet zu haben, können wir doch postulieren, daß der Terminus mit Wicherns Vorstellung zusammenhing, eine durch innermissionarische Aktivität veränderte, verlebendigte Kirche werde auch die dem Evangelium entfremdenden Glieder des (christlichen! getauften!) Volkes wiedergewinnen können. Somit würde das "volksmissionarische" Anliegen eben dem besonderen Kommunikationsstil außerkirchenamtlicher Evangelisationsbemühung signalisieren, die uns wieder als ein Teil innermissionarischer Gesamtbemühung erschien.

Dieser im evangelistischen Aspekt angesiedelte volksmissionarische Teilaspekt von Innerer Mission als Weg zur kirchlichen Veränderung hat nun seinerseits eine doppelte Nähe zu dem diakonischen Aspekt des Zieles innerer Mission: Erstens hat die Volksmission von ihrem besonderen Anliegen her immer diejenigen Gruppen im Auge haben müssen, die nicht zuletzt aus Gründen sozialer Benachteiligung der Kirche entfremdet waren: die Massen des städtischen Industrieproletariats. Zweitens hat die Volksmission besonders in ihrer jüngeren Entwicklung seit 1945 das Ziel des Gemeindeaufbaus entdeckt, das ja von seiner inhaltlich-strukturellen Beschreibung her häufig direkt auf Diakonie zuläuft.

Ob und wieweit die Methoden der institutionalisierten volksmissionarischen Bemühungen dem ersten Anliegen und dem zweiten Ziel immer entsprechen, soll hier nicht verhandelt werden. Dagegen muß doch die evangelistische Verklammerung der volksmissionarischen Tradition ausdrücklich markiert werden:

Für Wichern war das evangelistische Bemühen dem diakonischen sicherlich gleichrangig, vielleicht sogar vorrangig. Denn die Diakonie als eine Dimension der veränderten Kirche hatte das forcierte Bemühen um "Bewußtseinsveränderung" zur Voraussetzung — wenn es erlaubt ist, Zielvorstellungen von gestern mit Schlagworten von heute auszudrücken. Dies Bemühen hatte für die Zeit der Erweckungsbewegung stärker als heute jene Gestalt von evangelistischer "Volksmission", die wir noch heute unwillkürlich assoziieren, wenn wir die Vokabel hören. Aber wie es unbestritten sein sollte, daß dies evangelistische Anliegen prinzipiell auch (auch!) auf Diakonie hinzielen kann (vielleicht sogar: muß!), so wenig sollte behauptet werden, daß die evangelistisch-erweckliche Frömmigkeitstradition dies Ziel immer konsequent im Auge gehabt hätte. Der evangelistische Volksmissionsstil hat vielmehr in verschiedene Sammelbecken geführt:

Einerseits wurden fast alle Elemente seiner Verkündigungspraxis, sofern sie zu Wicherns Zeiten "neu" erschienen, im Laufe eines Jahrhunderts von der offiziellen Kirche rezipiert und assimiliert. Man erinnere sich nur an Bibelstunde und Sonntagsschule (Kindergottesdienst). Und man beachte: Verkirchlicht werden konnte nur, was mit *Verkündigungsfunktionen* zu tun hatte. Darauf allein war die Kirche zunächst geeicht. Auch die Funktionäre des diakonisch-missionarischen Unternehmens "Innere Mission" konnten kirchlich assimiliert werden, sofern sie als Katecheten, Jugendwarte etc. im Bereich missionarisch-verkündigender (oder Verkündigungs- und Kultfunktion verwaltender) Tätigkeit "Verwendung" fanden.

Daß ein Teil dieser, dem alten kultisch-kerygmatischen Funktionalismus verwalteter Kirchlichkeit angepaßten Inneren-Missions-Abkömmlinge sich seit dem letzten Viertel des 19. Jahrhunderts auch noch "Diakone" nannten und daß sie im 20. Jahrhundert in dieser Selbstbezeichnung kirchengesetzlich bestätigt wurden, vergrößert die Konfusion um ein weiteres Element. Doch soll darüber in diesem Zusammenhang nicht auch noch gehandelt werden, zumal ein anderer Teil der sogenannten Diakone tatsächlich dem Aufbau der diakonischen Dimension kirchlichen Handelns verpflichtet geblieben ist.

Durch die kirchenamtliche Übernahme volksmissionarischer Aktivität bekam im organisatorischen Rahmen der Inneren Mission das dort verbleibende diakonische Element Übergewicht und bestimmte noch stärker als vordem das Image. Das ergab für die Innere Mission natürlich keinen Grund, verbliebene volksmissionarische Aktivitäten abzustoßen. Im Gegenteil: Gerade jene volksmissionarischen Züge, die sich dem kirchlichen Stil (noch) nicht anpassen konnten – Zeltmission, Straßenevangelisation etc. – mußten weiter als Sonderorganisation gepflegt werden. Noch immer war das Gesamtunternehmen Innere Mission ein Aufbruch zur Erneuerung der Kirche und die diakonische Dimension dieses Unternehmens ein Teilziel, dessen ekklesiologischer Charakter freilich desto weniger bewußt wurde, je mehr man auf dieser nicht verkirchlichten Dimension quasi sitzen blieb, und dies gar mit kirchlicher Billigung. Verkündigungsfunktionen konnten in die Kirche eingefügt, zum Bestand seitheriger Funktionen hinzuaddiert werden, ohne daß deren Umbau nötig geworden war. Die Sozialdimension des Diakonats aber war offensichtlich ohne kirchliche Strukturveränderung nicht einzubringen. Darum überließ die Kirche ihre Diakonie auch lieber dem außerkirchlichen Erneuerungsverein "Innere Mission".

So war die Innere Mission auch z. Zt. der Fusion mit dem Hilfswerk (1957) für den objektiven Betrachter ein nicht ganz spannungsfreies, nicht ganz homogenes Gebilde: Als eine Bewegung zur Kirchenveränderung erwachsen, war man eine außerkirchliche, aber doch kirchenkonforme und kirchenparallele Organisation für volksmissionarische *und* diakonische Tätigkeiten geworden. Von vielen wurde man geradezu als Diakonatsersatz der diakonielosen Kirche aufgefaßt.

Subjektiv wurde das Element des Missionarischen um so weniger als Widerspruch empfunden, je mehr man aus der Tradition der Erweckung kam und die Zusammengehörigkeit von Weg und Ziel als Verbindung von Volksmission und Diakonie verstehen konnte. Objektiv stellte sich diese Verbindung von Diakonie und Volksmission in der Inneren Mission wohl als Addition von fachgerechter Sozialarbeit und erwecklichem Angebot dar. Aber die "Volksmission" stellte eigentlich schon in diesem Stadium eine Art Seitenzweig dar. Eine innere Verbindung dieses Seitenzweiges zum Hauptstamm bestand allenfalls darin, daß man als Ergebnis oder Erzeugnis erfolgreicher Volksmission den für die Diakonie motivierten Menschen erwartete, neuerdings vielleicht auch die für Diakonie motivierte Gemeinde ansieht.

Somit bliebe als Klammer zwischen Diakonie und Volksmission nur die gemeinsame erweckliche Tradition und die daraus ableitbare und entwickelte Konsequenz, daß Diakonie nicht ohne die Zielvorstellung einer erneuerten Gemeinde, also nicht ohne Gemeindeaufbau erreicht werden kann.

Bejahung — aber keine Sonderstellung der Volksmission

Aus alledem ergibt sich, daß Diakonie und Volksmission auf jeden Fall miteinander zu tun haben — sähe man die Sache nun erwecklich oder gemeindepädagogisch an. Freilich haben auch Diakonie und Gottesdienstgestaltung miteinander zu tun, so wahr eine diakonische Durchdringung der Gemeinde sich nicht ohne gleichzeitige Einbeziehung des diakonischen Elements in den Gottesdienst (und des Elements des Christus-Koinonia in die Diakonie!) erfolgen kann. Aber das sind Integrationsvorgänge und nicht Additionsvorgänge. Sie können nicht dadurch bewirkt werden, daß auch die liturgischen Aktivitäten der EKD etwa in der Satzung des Diakonischen Werks verankert werden!

Entweder gehört also Volksmission in einem integralen Sinne zur Diakonie. Dann braucht man es nicht jeweils hinzuzufügen, so wenig wie man Diakonie jeweils mit "und Sozialpolitik", "und Pädagogik" (usw.) ergänzt. Oder: Volksmission gehört nicht zur Diakonie. Dann gehört sie erst recht nicht in die Grund-Legung des Diakonischen Werkes, sondern nur zu dessen geschichtlichem Bestand. Diesen kann man auch dann bejahen, wenn man die grundsätzliche, grund-legende Zusammengehörigkeit nicht so sieht wie die Väter, die diesen geschichtlichen Bestand seinerzeit geschaffen und auf uns vererbt haben.

Wenn die Satzung bestrebt ist, volksmissionarische Aktivitäten aus Gründen geschichtlicher Verklammerung im Diakonischen Werk beizubehalten, dann dürfte das Ja nicht so gesprochen werden, als erläutere das Wort "volksmissionarisch" die Diakonie; nicht so, als verleihe erst ihre volksmissionarische Ergänzung der Diakonie die theologische Legitimität. Die christliche Substanz, das kirchliche Profil stellt heute zwar sicherlich eine wichtige, vielleicht die wichtigste Frage für die Diakonie dar. Aber sie wird nicht dadurch gelöst, daß man den Kuchen diakonischer Sozialwirksamkeit mit der Schlagsahne volksmissionarischer Legitimation überzieht. Die christliche Substanz und das kirchliche Profil des Diakonischen müssen sich in der sozialen Dimension selbst entfalten: in der Darbietung heilender Gemeinschaft, in der Solidarität der Annahme, "wie Christus uns angenommen hat". Dazu aufzurufen und zu befähigen, ist in der Tat die "Mission" der ganzen Kirche: durch Evangelisation und durch Liturgie und durch Theologie. Der Arbeitszweig "Volksmission" hat hier keinen Sonderstatus.

Will aber der Sonderzweig "Volksmission" nun doch im Rahmen des Diakonischen Werkes seine organisatorische Heimat finden, dann sollte, wie gesagt, das Ja der Satzung nicht in der ständigen rituellen Addition der Vokabeln "und volksmissionarisch" zur Substanz des Diakonischen erfolgen, eher dadurch, daß man von der Verwaltung und Weiterentwicklung eines überkommenen geschichtlichen Bestandes spricht und sich dazu bekennt. Das aber kann umso besser geschehen, je weniger man das volksmissionarische Mitbringsel zum integrierenden oder mitregierenden Prinzip des neuen Werkes macht. Um so selbstverständlicher kann und darf sich dann das Diakonische Werk als Teil der kirchlichen Gesamtmission verstehen und wissen, daß die Mission auf das Werden einer diakonischen Kirche zielt.

Anmerkung

1. Wir sprechen hier von *J.H. Wichern*, Gesammelte Schriften, hrsg. von Johannes Wichern und Friedrich Mahling, 1901ff. Über diese mehr als nur fehlerhafte Ausgabe vgl. *Martin Gerhardt*, Ein Jahrhundert Innere Mission, 1948, 2. Teil, S. 177f. Erst 1958 begann die Herausgabe der zuverlässigen Edition von Wicherns 'Sämtlichen Werken' durch Peter Meinhold.

Charles W. Forman
Religious Pluralism
and the Mission of the Church

The rapid spread of religious pluralism is one of the most noticeable signs of our times. Of course, when the world is considered as a whole, there has always been religious pluralism, but a pluralism of religions in every part of the world is the thing which is new and the thing which will concern us here. We are faced with what may be called a desegregation of religions. No religion is confined to a particular continent or country any more. What were once called the "religions of the East" are vibrantly alive in the West. Even a so-called national religion like Japanese Shinto is spreading to other lands and among non-Japanese people. Hans-Werner Gensichen in his overarching study of the theology of missions makes it clear that this is a fact which needs to be recognized by Christian missions and needs greater thought from missiologists[1].

It is strange that in the past students of mission have not paid attention to the phenomenon of religious pluralism since missions were creating the phenomenon wherever they went. Pluralism did not spread to the West in past generations, but is was part of the missionary impact on the East. As a result of mission work Christianity began to appear along side the traditional religion of each land and created a pluralist situation where there had previously been none or increased pluralism where it already existed. Only in some of the South Pacific islands can it be said that the result of Christian missions was other than pluralism, that a unified traditional faith was replaced by a unified Christendom. Yet elsewhere the pluralism which accompanied missions was not clearly recognized nor its implications explored. Foreign mission theory in America, for example, paid no attention to what happens in a pluralist situation and how it can affect our understanding of religion, except perhaps for some indirect reflections during a brief and atypical period in the 1920s[2]. The reason for the indifference is doubtless that pluralism was thought of as only a transitional phase. There would be a temporary pluralism in various lands as a stage in the process of conversion of entire peoples, but that stage did not in itself merit attention.

Today, however, it is becoming apparent that what was thought of as a temporary stage is in fact the long-term prospect and that the pluralism which Christians introduced into the East and the South is being introduced by other religions to the West and the North. As a result Christian scholars are at last having to pay attention to the situation and examine what Christian attitudes toward it should be.

The stance taken by Christian scholars is one which is decidedly favorable to pluralism. Edward Jurji has edited a book, *Religious Pluralism and World Community*[3], in which the writers stress the values of pluralism and offer the support which their various religions can bring to it. Most of the contributors are not Christians, but those who are support the pluralizing trend and press for the development of a more ecumenical spirit which will help the religions live peacefully together in the various societies[4]. Wilfred Cantwell Smith in his work, *The Faith of Other Men*[5] reminds us that the new world coming into being is a pluralistic world and that we must set our faces deliberately and joyously in that direction or we will be unable to deal creatively with it[6]. Kenneth Cragg has provided a chapter on "A Theology of Religious Pluralism" in his *Christianity in World Perspective*[7], where he makes the basic point that we must recognize the pluralistic reality before us, whatever our sense of the providential purpose in it may be, and urges us to a hospitality toward other religions which clearly implies a positive stance with regard to this reality[8].

These authors are thinking primarily of pluralism in the world as a whole rather than pluralism within each society. W.A. Visser 't Hooft, however, in his essay, "Pluralismus – Versuchung oder Chance", clearly has in mind the situation within pluralistic societies. He recognizes that this situation creates temptations to relativism and syncretism in religion or, alternatively, to isolationism, but he believes that Christians should affirm pluralism as a good situation for the church to live in, despite its temptations. It is good not only when the church is weak but also when the church is strong and might be able to dominate the society. He affirms this because pluralism makes evident the real nature of the church's life which, in imitation of her master, is to be carried on in humility and not with forceful domination[9].

Two scholars have given more extensive consideration to the grounds for favoring pluralism. Karl Rahner's consideration begins on a different note with the statement that from the Christian point of view pluralism is a fact which, in part at least, should not exist[10]. But he goes on to remind us that according to the Gospel, opposition to Christ will endure till the end of time and that in this day of world unity such opposition cannot be limited to certain areas but must be found everywhere in a truly pluralistic way[11]. All this, however, is subordinate to his main effort which is to show that there is a legitimate place for the variety of religions – what he calls lawful religions – during this epoch and a salvific function which they can perform in their pluralistic presence[12].

A. Th. van Leeuwen is another author who has tried to build a foundation for the appreciation of pluralism. He does this not by way of legitimating the various religions as Rahner does, but by way of emphasizing the Gospel's judgement on all human structures, including religious structures, and the consequent desirability of a secular society where people with different world-views can work together for the common good but without any common, over-arching unity of religious outlook[13].

The weight of opinion then, is clearly in favor of a positive evaluation of pluralism. Yet the question should not be regarded as excluded from further consideration. It may be that a more balanced verdict is called for which would not give such whole-hearted approval to this new phenomenon. Professor Gensichen stresses the point that the mission must maintain the unconditionality of its hope and not let itself be tied to any world pattern in a final way, even though it must behave responsibly towards the world[14]. This warning needs to be applied to our thinking about pluralism before we embrace it unconditionally. There is much to be said by way of negative as well as positive evaluation and both sides need to be faced in making any over-all assessment.

An evaluation of pluralism must start with some evaluation of the old pattern of religious uniformity especially as that was displayed in Christendom, for it is partly in contrast to the evils of Christendom that pluralism is given its present approbation. We have lived long enough with Christendom to be well aware of its shortcomings. Where everyone espoused a single religion there was little consideration of alternatives and therefore religious profession tended to be unreflective. Where all were in the same church it was hard to distinguish between church and community and hence the church was no ecclesia. Community pressures were determinant in the realm of religion which made for a formal acceptance of religion without great conviction. Under Christendom's sway the Christian faith was identified with a particular culture and particular social pattern which meant that prophetic protest could be stifled and critical attitudes toward society could be seen as anti-Christian. All these evils of the old Christendom are well known and they enhance the attractiveness of pluralism.

Perhaps we need to be reminded, however, that there were also positive values in Christendom which need to be set over against these evils. Though it is true that much Christianity tended to be unreflective because there was no real choice involved, it is also true that a great deal of critical reflection on Christian faith was carried on. All the great theologians from the fourth century to the nineteenth are evidence of that critical reflection on the faith. Though it is true that the purely formal and superficial acceptance of the faith was widespread, it is also true that there was an amazing record of profundity and devotion evidenced in the endless number of great Christian souls of Medieval and Modern times. Louis IX, St. Theresa, Milton, Edwards, Wesley, Judson are among the names that come quickly to mind. It is certainly dubious whether our pluralistic age which should, theoretically, produce more profound and devoted Christians since they are Christians by choice rather than by social pressure, is in fact producing or is likely to produce people of comparable depth and quality.

Furthermore, it can hardly be said that the social pressures for Christian conformity succeeded in stifling the prophetic protest contained in Christianity. Movements like the Cluniac and Cistercian reforms, the Lollards, Hussites, Anabaptists, Puritans, Quakers and Abolitionists testify to the continued vitality of the prophetic tradition through all the centuries of Christendom's dominance. The pluralistic world will do well if it can maintain that tradition as strongly and effectively as Christendom did.

An evaluation of pluralism, therefore, cannot be based solely on a recognition of the shortcomings of the previous pattern. Though there were indeed weaknesses in the past, there were also strengths. So pluralism will have to be evaluated in terms of its own strengths and weaknesses and not simply as the necessary cure for the evils of Christendom.

The positive values of pluralism immediately strike the eye. It provides for greater freedom in religion with real choices, not just theoretical choices, placed before people. It makes for a more world-wide outlook among people because they no longer live in religiously segregated areas that would narrow their viewpoints. From the perspective of Christian faith it accords well with the way in which God has come to humanity in Jesus Christ, not overwhelming us with force or irrefutable evidence, but appealing to us in love and freedom. Under pluralism there can be no imposition of Christian faith and this fits with the Christian understanding of faith as something which by its nature cannot be imposed. It is partly because of these facts that contemporary Christian thinkers have been so appreciative of pluralism, and there can be no denying that they have profound reasons for that appreciation.

Nevertheless, the negative side must also be recognized. Pluralism has its own inadequacies and evils which we must note.

Most obviously there is a weakness in the social fabric which is created by pluralism. People are not united at what they feel to be fundamental levels but only at practical, operational levels. The constant concern of those who write about pluralism is to find ways by which people of different faiths can live together harmoniously and create a society to which all can le loyal. Visser 't Hooft speaks of the difficulties of ruling a people without a common ethos[15]. These difficulties have become more obvious in more recent years and it is evident that many young people are therefore drawn toward societies which assert greater unity and authority even at the price of nearly all liberties. This may be an adumbration of the demise of pluralism. George Lindbeck has warned that where people have no commonly agreed standards of what is ultimately real or good and no filling of their daily life with a sense of ultimate purpose and meaning, they are likely to fall into hedonism leading to social disintegration, or elso to turn to tyranny in order to establish a common world view[16]. That tyranny may not be explicitly religious but it will have to have implicit religious elements if it is to serve its purpose. Religious pluralism may turn out to be a short-lived phenomenon.

Further, religious pluralism pushes people toward a relativistic view of religions. Visser 't Hooft recognizes this as a temptation of pluralism[17], and Cantwell Smith warns us against it[18], but in light of past experiences with this phenomenon it is hardly likely that relativism will be avoided. It is not so much a temptation as it is an inherent defect of pluralism. This relativism must almost necessarily be combined with some kind of civil religion which is to be accepted by all and which is to fill the need for a common world view if the society is not to follow the above mentioned road toward disintegration and tyranny. The Roman Empire with its multiplicity of faiths showed this pattern. Relativism was generally assumed. In Gibbon's famous phrase:

The various modes of worship, which prevailed in the Roman world, were all considered by the people as equally true; by the philosopher, as equally false; and by the magistrate, as equally useful[19].

But above this relativism there stood the cult of emperor worship which was a kind of civil religion in which all were required to join.

The same sort of thing has happened in East Asia where Buddhism and Confucianism and Taoism or Shintoism have dwelt together peaceably for many centuries in pluralistic societies. The religions have adopted relativist attitudes as part of their common doctrine. It is said that "all roads lead to the top of Mt. Fuji", that individuals have their chosen paths of religious belief and devotion, but that in the end they all lead to the Absolute. Contemporary Buddhist and Confucian writers on world pluralism stress the long experience their faiths have had with this type of social situation and the contribution which they are therefore peculiarly prepared to make to it. That contribution turns out to be a relativist point of view on all religion, a sense of the complementary of opposites – the Yin and the Yang – into which all truth claims can be absorbed[20].

Yet, as Joseph Kitagawa has shown, underlying all these relativistically viewed religions is a basic, common religion which all must accept. In Japan, under the Shinto-Confucian synthesis, everyone pledged ultimate loyalty to the throne and the nation. There was an assumption of the unity of religion and government. In the seventh century the government even assigned particular roles to Shinto, Buddhism and Confucianism. Later, Buddhism was established as the state religion[21]. In China Confucianism was part and parcel of the whole government system, linking the hierarchies of earth to Heaven and providing an overarching framework within which Taoist, Buddhist and Confucian religious rites and beliefs could be maintained.

Hindu India, which has always been something of a congeries of religions with very different doctrines and practices, has also always been the very heartland of relativism in religion. Not only Hindu scholars but the ordinary Hindu believers have consistently maintained a conviction that each religion was helpful or useful to its own group of followers but that in the end it did not matter which way was taken as long as it was accepted conscientiously and followed faithfully. Again, with this relativism, there was a kind of civil religion represented by the belief in karma, rebirth and the divinely ordained caste system. Caste rules were iron-clad and people were required to adhere to them meticulously at the same time that they were free to follow the beliefs of their choice regarding any transcendent reality or ultimate salvation.

It is interesting to note that Thomas More when he was drawing the picture of his Utopia arrived at a similar result. He envisioned a society in which people

251

worshiped different deities, the stars or the sun, with most believing in a single being they called Father. They thought that God might desire worship and that if any one religion were true its truth would finally be perceived by all. Yet their rulers also declared that none should believe that the world was the sport of mere chance or that there was no punishment or reward after this life. Such a non-believer would be ostracized and would not be allowed to present his views before the common people but only before the learned and the priests. In addition to the worship of the various religions there was public worship in the temples which fitted with what all held in common[22]. It is easy to discern here a relativism with regard to the many religions and also the establishment of a civil religion over them all. This is hardly what would be expected from the pen of a sixteenth-century Catholic. It must be recognized that More may have been more interested in ridiculing the ways of sixteenth-century Europe than in depicting his ideal for society.

The United States has often been looked to as a pioneer for the Western world in the sphere of religious pluralism, not in this case an interreligious pluralism but a pluralism of Christian churches with no ecclesiastical establishment. It is significant therefore that in America there has developed most fully a relativism regarding Christian denominations. Except for the Catholics and some strongly ethnic groups, most Americans have regarded denominational choice as a matter of individual preference, or even convenience, being quite ready to change denominations and feeling that it did not really matter much which denomination a person might belong to. This was not the common attitude in the early history of the United States but has become increasingly the attitude as the people have lived longer in a pluralist situation. Along with this there has grown up a civil religion with its own saints and heroes and special days and sacred writings. In fact the very term, "civil religion", has been used most frequently in reference to the American scene.

With such a uniformity in historical experience there would seem to be very little doubt as to the direction in which we will be going in our religious beliefs as our societies become more and more pluralistic. We will in all probability shift toward relativism and some kind of "civil religion". However, there are examples in history of an alternative form of adjustment to pluralism which is less common and therefore less likely for us, but still important to note. This form is that of isolation and encystment of a religious group. Those few religious people who refuse to adopt the common relativism gradually shut themselves off from the general culture. They stay within their own circle and build walls around their group. Where the religions that are living together are particularly averse to relativism, this alternative pattern is more likely to be adopted. In the Middle East, Islam and Christianity have lived together for centuries and both are religions which resist relativism. The result has been the encystment of the minority community, the Christians. They have lived to themselves in their own church groups. From the time of the Caliph Omar (634–644) down to the twentieth-century Turkish Empire, their ingrown ecclesiastical bodies were recognized as legal entities, called *millets,* which operated the religious institutions, the schools and the hospitals of their particular sects under the control of their officially recognized religious heads. Christians to preserve their faith and their identity in a society where conversion could go only one way, towards Islam, strengthened the walls around themselves and resisted any suggestion of contact with their neighbors.

One may see evidence of the alternative impacts of pluralism already among Christians. The main body of church people, those who are fully part of the larger culture, are showing signs of increasing relativism in their thinking. Contemporary dialogues between important representatives of different faiths and discussions among Christian scholars both reveal a relativizing trend[23]. On the other hand those groups of Christians who are less in touch with the larger cultural arena and who want to keep pure "the faith which was once for all delivered to the saints"[24], are tending to form a sub-culture of their own in isolation from the wider currents, meeting only with each other and suspicious of the larger group of Christians.

Pluralism then, it would seem, has its own inadequacies as Christendom had its own. And each has its values and strengths. What then should be our stance toward it? Clearly simple approbation is unsupportable, and outright condemnation is equally to be avoided. We may, by some *tour de force* be able to strike an acceptable tentative judgement somewhere between these extremes, but the facts to be judged are so broad in their sweep and so indeterminable in their long-range effects that even this seems doubtful. Only a person in the position of God Himself would be able to balance the various considerations fairly and deliver any final judgement on them. Perhaps then it is more fitting for us to refrain from any over-all judgement on pluralism. Perhaps it is sufficient for us to recognize the basic fact that each age has its distinctive patterns which present their own possibilities and their own problems and that in the course of rising to those possibilities and meeting those problems new things are to be learned about God, about the world and about the Christian faith. We can therefore, without reaching any over-all judgement, welcome the patterns of our time as offering much to us by way both of opportunity and of challenge which comes from the goodness of God. In so far as pluralism is the pattern of society which is likely to flourish in our time we should, as Cantwell Smith says, set our faces deliberately and joyously in that direction and not pine for the patterns of the past. But this is not the joyousness of facing a picnic; rather it is the joyousness of facing an opportunity to be seized and a challenge to be met. We accept pluralism heartily – but not wholeheartedly – convinced that our calling under God is to bring out the values and to minimize the evils which it offers.

If this is the stance we take, then there are very clear and important consequences for Christian missions which we need to recognize. Once we are committed to bringing out the values and minimizing the evils of pluralism, it is missions that emerge as the most effective way of doing both those things. To be sure the pluralist situation will produce difficulties for missions and we should not blink that fact. Both the tendencies within pluralism which

253

we have described, the major one toward relativism and civil religion and the minor one toward isolation and encystment, are contrary to the whole outlook of missions. It should not surprise us, therefore, that we can see a decided weakening of mission efforts in recent years. The weakening is partly the result of economic difficulties and political pressures, but it is also the result of changing perspectives within the Christian faith, changes brought on by growing relativism or isolationism. Yet mission is especially needed in this time when it is especially difficult.

First, let us see the ways in which mission can accentuate the benefits of pluralism. We have noted that one of those benefits is the religious liberty which pluralism makes possible. It makes choices real which otherwise would be only theoretical even in a free society. Mission, too, means living in terms of freedom of choice. The whole missionary appeal to people makes no sense if they have no freedom of choice. Missions have normally pled for religious freedom, as the early missionaries to British India were wont to do and as the world-wide study of religious freedom sponsored by the International Missionary Council made clear[25]. In this respect mission is designed to support and strengthen one of the great values of pluralism. It will work to maintain and develop religious freedom in every society.

A second benefit of pluralism which is strengthened by missions is the cross-cultural, world-embracing outlook which it fosters. Pluralist societies have, as we have noted, a tendency to cosmopolitan contacts and interests rather than parochial concerns and limited horizons. Missions likewise are concerned to transcend parochial mentalities and to foster an interest in all humanity on all six continents. Thus they will enhance this tendency in pluralism. True, the six-continent philosophy of missions is something which has been articulated only in recent years, but in reality Christian missions have been working on all six continents as long as those continents have been known to Christians, and the fact that some of these missions have been called "home missions" and some have been called "foreign missions" should not disguise the reality. Here too, then, mission accentuates the benefits of pluralism.

But mission also counteracts the evils of the pluralist society. Mission obviously means a refusal to withdraw into isolation and encystment. A minority church which does not follow the prevailing trends of culture will always be tempted to turn in upon itself. The missionary forces in the church should be the antidote to that tendency. Some of the leaders of Asian churches which are tiny minorities in their countries have been serving as excellent guides in this respect. They have frequently stressed that their small churches can have very little significance if they stay to themselves, but they can be of great significance if they devote themselves to serving their fellow human beings of all faiths, if they take the role of the suffering servant, helping the poor and resisting the tyrannies and hatreds that grow in their societies. A missionary church cannot, by definition, be isolated and encysted.

Furthermore mission counteracts the opposite danger of pluralism, namely relativism. It assumes that there are important choices to be made in the realm of religion. It involves the proclamation of good news which is essential for all people. In so far as mission can be maintained in a pluralist society the tendency to relativism will be weakened. One of the tasks that missionary Christians will constantly be required to perform in a pluralist environment will be to defend their missionary activity when people around them commonly assume that "it is enough that everyone has his own religion" and "it doesn't matter what you believe, it only matters that you believe". Many Christians already, because of these relativist assumptions, regard missions as illegitimate and the numbers of such Christians can be counted on to increase as pluralism spreads. A missionary outlook will be harder to maintain but it will be more important and more socially significant than it has been in the past. By it the relativist tendencies of the majority will be continually challenged.

That other tendency of pluralism, to move toward some kind of civil religion, should also run up against resistance in the operation of missions. People feel the need for a civil religion in order to hold their society together, to make it easier to work together and to make decisions together where there is a variety of religious assumptions. This is an understandable need and missions should be able to appreciate it. In the process of working in multi-religious societies they have at times had to recognize the importance of certain common principles which could be appealed to in the effort to secure fair treatment and protection from discrimination[26]. So they can acknowledge a modest role for something like civil religion. But they will also be a force which helps to keep that religion from becoming all absorbing and oppressive. Since they represent a non-relativist type of Christian faith they cannot allow any final authority for the civil religion or offer any final loyalties to it even in earthly matters. This can be a crucial contribution to keeping the pluralist society open and humane.

The long experience which Christian missions have had in cooperative work with people of other faiths suggests that they have already developed a pattern of pluralist life without relativism and without civil religion. In mission schools, hospitals, rural programs, development efforts and other services Christians have found themselves cooperating continually with people of other religions in serving the common good. This experience is not so useful for future pluralist situations, however, as might appear. The pattern has too often been one of Christian domination rather than real cooperation. Missionaries have all too often claimed that their work was "Christian" because it was planned and paid for and led by Christians, and they have ignored the fact that it was only the steady help and participation of many other people which enabled the work to go forward. The spread of religious pluralism, where the voices of all groups are heard, should awaken Christian missions to the realities of their work and make them recognize and treat the non-Christians as the partners which they really are. Pluralism at this point will render a special and needed service to missions, but missions will also at the same time be rendering a special and needed service to the pluralist society by steering it away from some of the allures of civil religion.

The challenge of the coming years will be to maintain missions at all in the face of the powerful tendencies of pluralism. They can hardly expect to be the popular expression of Christian life which they have been in the generations just passed. But if they can evoke commitment from even a dedicated minority in the church they will make it clear that the pluralizing of the world need not mean, in Professor Gensichen's words, a "total relativism or syncretism for all people", nor a destruction of "the certainty of belief nor the missionary conviction of truth"[27]. In this they will have rendered a signal servive.

Notes

1. Glaube für die Welt, 1971, 34, 36—37.
2. *Ch. W. Forman:* A History of Foreign Mission Theory in America, in: *R.P. Beaver (ed.):* American Missions in Bicentennial Perspective, 1977, 69—140.
3. *E. Jurji:* Religious Pluralism and World Community, 1969.
4. *Huston Smith:* in: *Jurji,* op. cit. 26.
5. *W.C. Smith:* The Faith of Other Men, 1963.
6. Ibid. 108.
7. *K. Cragg:* A Theology of Religious Pluralism, Christianity in World Perspective, 1968, 64—89.
8. Ibid. 65, 71.
9. *W.A. Visser 't Hooft:* Ökumenische Bilanz, 1966, 226—248.
10. Theological Investigations, 1966, V. 115.
11. Ibid. 133.
12. Ibid. 121—125.
13. Christianity in World History, 1964.
14. Op. cit. note 1, 98—100.
15. *W.A. Visser 't Hooft,* op. cit. 234.
16. *G. Lindbeck:* Ecumenism and the Future of Belief, in: Una Sancta 1968, 3—17.
17. *W.A. Visser 't Hooft,* op. cit. 238—239.
18. *W.C. Smith,* op. cit. 13.
19. *E. Gibbon:* The Decline and Fall of the Roman Empire, 1932, 25—26.
20. *K.N. Jayatilleke:* Buddhist Relativity and the One-World Concept, und *Wing-Tsit Chan:* The Historic Chinese Contribution to Religious Pluralism and World Community, in: *E. Jurji,* op cit. note 3.
21. New Religions in Japan: A Historical Perspective, in: *R.I. Spencer (ed.):* Religion and Change in Contemporary Asia, 1971, 38.
22. *Thomas More:* Utopia, 1963, 217—233.
23. Towards World Community: The Colombo Papers, *S.J. Samartha (ed.),* 1975, 119—125; *J. Hick:* Truth and Dialogue in World Religions: Conflicting Truth Claims, 1974, 140—155.
24. Jude 3.
25. *M.S. Bates:* Religious Liberty: an Inquiry, 1945.
26. *B. Leeming* makes this point in connection with the protests of Christians against discrimination in Egypt. The Churches and the Church, 1960. 231.
27. *Gensichen,* op. cit. note 1, 37.

Ernst Dammann

Stammessprache, Schulsprache, Nationalsprache, Kirchensprache

Es ist nicht das Ziel des folgenden Beitrages, das Verhältnis der in der Überschrift genannten Größen zueinander theoretisch zu untersuchen. Es soll vielmehr in einer Festschrift für einen Missionswissenschaftler gezeigt werden, daß die Missionare in Übersee durch ihren Auftrag veranlaßt wurden, sich mit den Sprachen ihres Arbeitsgebietes zu beschäftigen und daß ihre Entscheidung für diese oder jene Sprache an manchen Stellen von Bedeutung für die Entwicklung der künftigen Sprachverhältnisse wurde. Ihnen selbst dürfte damals kaum bewußt gewesen sein, daß mit der vollzogenen Entscheidung Probleme im Hinblick auf etwaige Stammes- oder Verkehrssprachen und in späterer Zeit auf Regierungs- oder Nationalsprachen entstehen konnten.
Als die christliche Missiontätigkeit in der Neuzeit begann, fanden die Missionare unterschiedliche Sprachverhältnisse vor. Im Vorderen Orient, in Ostasien oder in Teilen Indiens gab es Sprachen, die bereits eine beachtliche, z.T. sehr alte Literatur entwickelt hatten. Hier lag es nahe, diese Sprachen zu lernen und in ihnen neben der Bibelübersetzung eine christliche Literatur zu schaffen. Zuweilen mag diese Literatursprache zu einer Hochsprache geworden sein, die u.U. archaische Züge trug. Dann war es notwendig, besonders in der mündlichen Verkündigung, zu einer Sprache zu finden, die das Volk verstand, und gegebenenfalls Folgerungen hinsichtlich der zu schaffenden Literatur zu ziehen[1].
Anders war die Lage, wo Missionare auf schriftlose Völker stießen, was für viele Missionsgebiete, z.B. für fast ganz Schwarzafrika, zutraf.

1. Die Anfänge

Nachdem im 18. Jahrhundert die deutsche evangelische Mission, vor allem die Brüdergemeine, ihre Tätigkeit in weitem Umfang aufgenommen hatte, schienen ihre Sendboten nur von dem Drang erfüllt zu sein, die Botschaft vom Heil so schnell wie möglich zu verkündigen. Gedanken über die fremden Sprachen dürften sich die meisten der aus einfachen Verhältnissen stammenden Missionare kaum gemacht haben. Der Not gehorchend, bediente man sich zunächst eines Dolmetschers. So hielt der herrnhutische Missionar Caries 1754 seine erste Predigt vor Negern in Jamaika mit Hilfe eines Dolmetschers[2]. Auch der erste Missionar der Norddeutschen Mission unter den Ewe, L. Wolf, sprach am

Abend seiner Ankunft in Peki über den Heilsweg in Christus durch einen Übersetzer[3].

Als Mittel zur Verständigung bot sich an manchen Plätzen eine Pidginsprache an. Eine solche ist, vornehmlich in Küstengebieten, aus Wörtern einer europäischen Sprache, z.B. Englisch oder Portugiesisch, mit afrikanischer Syntax gebildet. In der Südsee hat sich auch u.a. ein Pidgin-Malaiisch entwickelt. In der Regel handelt es sich dabei um eine Behelfssprache mit beschränktem Wortschatz, dem vor allem Ausdrücke für das geistige und geistliche Leben fehlen. Dies wird erst anders, wenn eine Pidginsprache zur ausschließlichen Muttersprache wird. Wir sprechen dann von einer kreolischen Sprache[4]. Diese wurde bisweilen zwangsläufig zu einer Kirchensprache, für die dann auch die nötige Literatur geschaffen wurde. Hier mag das sogenannte Negerenglisch in Suriname erwähnt werden, das zunächst sehr differenziert war[5].

Wieder anders war die Lage, wenn Missionare in einem Gebiet ihre Tätigkeit begannen, wo schon eine Verkehrssprache gesprochen wurde. Dies war bei Missionar J.F. Schön der Fall, der wie andere Deutsche in der ersten Hälfte des 19. Jahrhunderts im Dienst der englischen Kirchen-Mission stand. Er wurde auf das Hausa aufmerksam, als ihn seine Gesellschaft 1840 bat, an der sogenannten Niger-Expedition teilzunehmen. Nachdem er 1843 an seine ursprüngliche Arbeitsstätte in Sierra Leone zurückgekehrt war, setzte er seine Studien fort. Nach einer Unterbrechung von 10 Jahren arbeitete er mit Hilfe von zwei ihm von dem Afrikaforscher H. Barth überlassenen Hausajungen intensiv am Hausa weiter[6]. Man sieht, daß man damals bereits Hausastudien am unteren Niger und in Sierra Leone treiben konnte. Schön gilt als der erste Erforscher dieser Sprache, auf dessen Arbeit andere weiterbauen konnten[7]. Da Schöns Gewährspersonen aus verschiedenen Gebieten des Hausabereiches stammten, mag es schwer sein, ihn in jeder Beziehung auf eine bestimmte Mundart festzulegen[8]. Auf jeden Fall war es für die Missionsarbeit ein großer Vorteil, wenn man sie in einer Verkehrssprache beginnen konnte. In Unyamwezi im heutigen Tanzania, wo Missionare der Brüdergemeine 1898 die Arbeit aufnahmen, hatte sich aus den sieben oder acht Dialekten bereits in vorkolonialer Zeit das Ruga-ruga als Umgangssprache gebildet, das dann bei der Missionierung zur Kirchensprache wurde[9].

Wenn Missionare weder eine kreolische noch eine Pidginsprache vorfanden, mußten sie die jeweilige Sprache, auf die sie gestoßen waren, für ihre Verkündigung benutzen. Da meistens keine Vorarbeiten vorhanden waren, galt es, diese Sprache phonetisch, grammatisch und syntaktisch zu erfassen. Wenn wie in Westafrika noch tonetische Probleme hinzukamen, dauerte es in Einzelfällen Jahrzehnte, bis befriedigende Ergebnisse erzielt waren. Da die Sprachen meistens in Dialekte zerfallen, war es, streng genommen, ein Dialekt, der erforscht und dann zur Schul- und Kirchensprache erhoben wurde. Dies war z.B. im Nyakyusa die Mundart der Konde[10], im Suaheli der Mombasa-Dialekt (Kimvita), im Kâte auf Neuguinea die Wena-Mundart[11]. Als die Norddeutsche Mission nach Fehlschlägen im Innern der damaligen Goldküste 1853 die Arbeit unter den Ewe an der Küste bei Keta begann, wurde der dort gesprochene

Anglo-Dialekt die Grundlage für die künftige Kirchensprache. J.G. Christaller gründete seine Grammatik und sein Wörterbuch des Twi auf den Akuapem-Dialekt dieser Sprache, obwohl in der Fante-Mundart zu seiner Zeit schon eine kleine Literatur bestand[12]. Auch hier war der Grund, daß die Basler Mission, zu der Christaller gehörte, bei ihrer Arbeit unter den Twi vor allem mit der Akuapem-Mundart verbunden war.

Im allgemeinen haben die deutschen Missionen ihre Missionare gedrängt, auch bei Vorhandensein einer Verkehrssprache die Stammessprache zu lernen. So wurden die Missionare der Brüdergemeine angehalten, in Nikaragua die Sprache der Miskito zu lernen[13]. In Einzelfällen war eine Sprache so unbedeutend, daß man sie zugunsten einer Verkehrssprache nicht berücksichtigte. Daher wurde auf den Tami-Inseln bei Neuguinea nicht in der dortigen Sprache, sondern in Yabêm unterrichtet[14]. Die Weigerung von G. Schmidt, dem Pioniermissionar unter den Hottentotten im Kapland, deren Sprache zu lernen, um sich statt dessen des Holländischen (Kapholländischen?), also einer Verkehrssprache, zu bedienen[15], dürfte vereinzelt dastehen.

Die Entscheidungen für die Wahl eines Dialektes als Grundlage für eine künftige Schul- und Kirchensprache sind häufig durch Zufälle bestimmt worden. Es haben sich dann Entwicklungen ergeben, die ihre Folgen für die Zukunft hatten. Die Kirchensprache gewann im Verhältnis zu anderen Mundarten oder Sprachen eine Bedeutung, die sie als schlichter Dialekt wahrscheinlich niemals erlangt hätte. Es sei nur an die Ausbreitung des Kâte in Gebieten Neuguineas erinnert, wo ursprünglich andere Sprachen gesprochen wurden.

Nicht immer entwickelte sich die Kirchensprache in der zunächst eingeschlagenen Richtung. Obwohl sich hervorragende Missionare und Sprachkenner wie Krapf und Taylor um die Erforschung des Mombasa-Suaheli und um die Schaffung einer Literatur in dieser Sprache verdient gemacht haben, hat sie doch nur lokale Bedeutung gehabt und ist auch als Kirchensprache seit einigen Jahrzehnten dem sogenannten Standard-Suaheli, das auf die Mundart von Zanzibar (Kiunguja) zurückgeht, gewichen.

Ob die Wahl einer Mundart neben einer anderen durch die Mission stets die beste Lösung war, mag heute gefragt werden. Dies gilt z.B. in Owambo für das Nebeneinander von Ndonga, das seit 1870 von der Finnischen Mission gebraucht wurde, und von Kwambi, das die Katholische Mission nach dem Ersten Weltkrieg einführte[16]. Ebenso könnte man die Frage stellen, ob es nötig war, sowohl in dem Anglo-Dialekt als auch in der Gũ-Mundart des Ewe eine Literatur zu schaffen[17].

Wenn man auf die Anfänge der Mission zurückblickt, so ergibt sich, besonders dort, wo noch keine organisierte europäische Herrschaft aufgerichtet war, in der Sprachenfrage für die Mission völlige Freiheit. Es war in ihr Belieben und in ihre Verantwortung gestellt, in welcher Sprache oder in welcher Mundart sie ihre Arbeit führen wollte.

2. Die Kolonialzeit

Nachdem in der 2. Hälfte des 19. Jahrhunderts die bis dahin als "herrenlos" geltenden Gebiete der Welt unter die Kolonialmächte aufgeteilt waren, strebten diese danach, eine Verwaltung zu errichten und eine effektive Herrschaft durchzuführen. Dabei genügte es nicht, pragmatisch zu verfahren und sich darauf zu beschränken, Ruhe und Ordnung aufrecht zu erhalten und wirtschaftliche Erfolge zu erreichen. Es bedurfte vielmehr eines Konzeptes für eine erfolgreiche Kolonialpolitik, in dem die Bewohner der Kolonie eine wichtige Rolle spielten. Mochten sich auch Kurzsichtige damit begnügen, gehorsame Untertanen und willige Arbeitskräfte zu erziehen, so war für weiterdenkende Politiker diese Zielsetzung zu primitiv und zu wenig zukunftsträchtig. Je länger je mehr bildeten sich zwei mögliche Ziele heraus. Entweder sollte sich der "Eingeborene" gemäß seinem Leitbild entwickeln, wobei gewisse Erscheinungen, z.b. Menschenopfer, Zauberei, weithin auch die Polygynie, abgeschafft werden mußten. Oder es wurde als Fernziel die soziale, politische oder kulturelle Gleichstellung mit dem Europäer proklamiert. Der schwarze Franzose oder der assimilierte Portugiese war keine Utopie, sondern konnte Wirklichkeit werden. Dabei war es weniger wichtig, daß in der Praxis — besonders in den portugiesischen Gebieten — nur eine kleine Minderheit dieses Ziel erreichte, sondern daß die Möglichkeit dazu bestand. Je nach Einstellung der Kolonialregierungen wurde die Sprachpolitik gestaltet. Frankreich und Portugal bedienten sich im amtlichen Verkehr ausschließlich des Französischen bzw. des Portugiesischen. In dem französischen Senegal verlangte schon 1829 der damalige Gouverneur, daß im Unterricht ausschließlich die französische Sprache gebraucht werden dürfe[18]. Portugal forderte sogar, daß bei Druckerzeugnissen in afrikanischen Sprachen der portugiesische Text mitgedruckt würde. Pflege und Förderung der afrikanischen Sprachen blieb der Privatinitiative der Missionen überlassen, sofern diese nicht der Intention der Regierung folgten. In den Britischen Gebieten herrschte eine größere Liberalität hinsichtlich des Gebrauches einheimischer Sprachen. Trotzdem war man von dem Wert der englischen Sprache und Kultur überzeugt und versuchte, dem Ausdruck zu verleihen. So dürfte es sich erklären, daß die Erziehungsvorschriften der ehemaligen Goldküste 1909 für die Vorschulklassen als Pflichtfach Englisch-Lesen, für die Elementarschulen Englisch-Sprechen forderten. Eine afrikanische Sprache war nur bis zur drittuntersten Klasse als wahlfrei zugelassen[19]. Eine Änderung trat erst in den zwanziger Jahren ein, nachdem die Phelp-Stokes-Kommission und die Konferenz in High Leigh gute Vorarbeit geleistet hatten[20].

In den einstigen deutschen Kolonien war die Lage unterschiedlich. Den Missionen wurde für den geistlichen Bereich in sprachlicher Beziehung Freiheit gewährt. Im Schulwesen zeigte die Regierung ihr Interesse, die Kenntnis der deutschen Sprache zu verbreiten. Daher wurde auch in manchen Missionsschulen Deutsch als Unterrichtsfach, vereinzelt auch als Unterrichtssprache eingeführt[21]. Ein besonderes Problem ergab sich, wo bereits mehr oder weniger ausgedehnte Verkehrssprachen entstanden waren. In Ostafrika wurde daher von der Verwaltung der Gebrauch des Suaheli als Unterrichtssprache propagiert. In Kamerun hatte sich das Duala über sein Ursprungsgebiet hinaus verbreitet. Hier verfügte das Gouvernement eine Reduzierung. Dafür sollte die am Schulort gesprochene Stammessprache auch in der Schule benutzt werden[22]. Dies entsprach weithin den Grundsätzen der meisten evangelischen Missionare. Diese sahen die Sprache als eine Gabe Gottes an, die es zu pflegen galt. In der Stammessprache kann den Menschen am einsichtigsten die Botschaft vom Heil nahegebracht werden. Daher traten die meisten evangelischen Missionare aus theologischen und seelsorgerlichen Gründen für den Gebrauch der Stammessprache in Kirche und Schule ein. Sie nahmen es dabei in Kauf, nicht immer konform mit der Kolonialverwaltung zu gehen. Dem gegenüber hatte die katholische Mission in der Regel kein so enges Verhältnis zur Stammessprache.

3. Standardisierung

Wenn Missionare zu einem schriftlosen Volk kamen und dessen Sprache aufnahmen, war es ihnen überlassen, wie sie die gehörten Laute und Wörter schreiben wollten. An der angewandten Phonetik kann man zuweilen unschwer erkennen, ob der Bearbeiter Engländer, Franzose, Portugiese oder Deutscher war. Als Beispiel mögen die verschiedenen Schreibungen für das Suaheli von Krapf, Steere, Seidel, Velten, Meinhof, Sacleux oder Roehl gelten. Es ist verständlich, daß die Schulverwaltungen der Regierungen mancher Länder auf eine einheitliche Orthographie hinarbeiteten. Hinzukam, daß der Kulturkontakt auf religiösem, kulturellem, wirtschaftlichem und technischem Gebiet eine Fülle von neuen Vorstellungen oder Dingen brachte, die benannt werden mußten. Nur in wenigen Fällen wurden aus afrikanischen Sprachen Äquivalente gefunden. Meistens wurden Fremdwörter aus europäischen Sprachen, in Ostafrika auch aus dem Arabischen, im Galla aus dem Amharischen übernommen. Diese Fremdwörter mußten aber zunächst dem Lautsystem der betreffenden afrikanischen Sprache angeglichen werden[23]. Aber wie sollte dies erfolgen und welche Schreibung sollte dabei angewendet werden? Hier herrschte zunächst Willkür. Nachdem R. Lepsius seinen Vorschlag für ein Standardalphabet gemacht hatte, wandten es nicht nur Sprachforscher, sondern auch Praktiker an. So wichtig eine genaue Identifizierung und Darstellung der Laute bei der wissenschaftlichen Bearbeitung einer Sprache ist, so macht sie die praktische Schreibung unnötig schwer und kompliziert. Daher bedeutete Lepsius' verdienstvolle Arbeit noch keine praktische Lösung des Problems. Hier eine von allen Kreisen zu akzeptierende Form vorzuschlagen, waren die Regierungen die gewiesene Instanz. Für das Suaheli wurde z.B. für die damaligen Gebiete Tanganyika Territory, Kenya, Uganda und Zanzibar zwischen den Weltkriegen ein Inter-Territorial-Language-Swahili-Committee geschaffen. Die von diesem Gremium beschlossene Schreibung und Wortwahl waren obligatorisch für Schulen und Schulbücher. Unterstützung und Empfehlung von Büchern wurden von der Verwaltung nur gewährt, wenn ihre Vorschläge befolgt wurden. Es wäre töricht gewesen, wenn sich die Missionen diesen einsichtigen und förderlichen Forderungen der Regierung verschlossen hätten. Wenn in den von der Verwaltung nicht unterstützten Buschschulen in der Stammessprache unterrichtet wurde, so wurde dies nicht untersagt, ebensowenig daß weithin die Stammessprache Kirchensprache war.

Wo keine übergreifende Verkehrssprache vorhanden ist, kann auch eine mehr oder weniger große Stammessprache standardisiert werden. Dies ist z.b. im südlichen Afrika der Fall, wo regierungsseitig sowohl für weitverbreitete Sprachen wie Zulu als auch für die an Sprechern geringen Sprachen am Okavango in Südwestafrika entsprechende Standardisierungsvorschläge gemacht wurden, die in Unterricht und Literatur, wozu naturgemäß auch das christliche Schrifttum gehört, angewandt werden. Hier sind also die standardisierte Sprache, die Schulsprache und die Kirchensprache identisch. Dies dürfte von der Sache her die beste Lösung sein.

4. Nationalsprache

Eine Nationalsprache setzt eine Nation voraus, die ihrer eigenen Identität bewußt ist und die in politischer Hinsicht mindestens eine gewisse Selbständigkeit genießt. Unabhängige Staaten gab es um 1930 in Afrika nur drei, Äthiopien, Liberia und Ägypten. Die Regierungssprachen in diesen Ländern waren Amharisch, Englisch und Arabisch. Ob man in jenen Jahren bereits von Nationalsprachen reden kann, mag bezweifelt werden. Am ehesten hatte sich damals in Ägypten ein Nationalbewußtsein entwickelt. Hier wie in Liberia wurden andere Sprachen zwar nicht gefördert, aber auch nicht gehindert, was in Ägypten schon wegen der Bedeutung des Koptischen nicht möglich gewesen wäre. In Äthiopien dagegen, das erst um die letzte Jahrhundertwende seine jetzigen staatlichen Grenzen erhalten hatte, besaß nur die Staatssprache, das Amharische, das Recht, gedruckt zu werden. Hier sollte die Sprache als Ferment für die starken zentrifugalen Kräfte dienen. Darunter litt vor allem das Galla, das bei der Evangelisierung des Landes in unserm Jahrhundert eine große Rolle spielte[24]. Dadurch bahnte sich eine Spannung zwischen den Belangen des Staates und den berechtigten Wünschen der protestantischen Kirchen an.

Was sich in Äthiopien zur Zeit des Kaisertums bereits abzeichnete, wurde später in den überseeischen Gebieten nach Erlangung der Unabhängigkeit häufig zu einer ernsten Frage. Die neuen Staaten entwickelten sich fast ausnahmslos in Grenzen, die vor Jahrzehnten von den westlichen Mächten gemäß deren politischen Interessen gezogen waren[25]. Die Unabhängigkeit schuf zwar de jure Staaten, die aber nicht von einem Staats- oder Nationalbewußtsein erfüllt, geschweige zusammengehalten wurden. Die reale politische Einheit bildete meistens nach wie vor der Stamm. Aber wie waren die Stämme durch die kolonialen Grenzen zerschnitten worden! Die Ewe lebten um 1955 in vier verschiedenen politischen Gebilden (Ghana, Britisch-Togo, Französisch-Togo, Dahomey). Es ist bekannt, daß gerade dieses Volk bis hin zur UNO versuchte, einen eigenen Staat zu bilden. Erfolg war ihm dabei nicht beschieden. Das Stammestum, dem in der britischen Kolonialpolitik Sympathie entgegengebracht war[26], wurde durchweg von den neuen selbständigen Regierungen negativ beurteilt. Das Wort Tribalismus hat heute weitgehend eine pejorative Bedeutung. Diese Einstellung wirkt sich auch auf die Sprachpolitik aus. Wegen der sprachlichen Vielfalt und Heterogenität ist zwar in den meisten Staaten noch die europäische Sprache der einstigen Kolonialmacht offizielle Sprache. In Tanzania dagegen, wo sich schon in deutscher Zeit das Suaheli auch in das Hinterland hinein verbreitet hatte, wurde diese Sprache offiziell zur Nationalsprache erklärt[27]. Es ist verständlich, daß jeder Staat nach seiner Identität sucht, was in den vielen kleinen künstlichen Gebilden nicht immer leicht ist. Erleichtert wird dieses Streben, wenn eine Nationalsprache vorhanden ist. Staat und Sprache können beide ihre Vorteile aus dem Vorhandensein einer Nationalsprache ziehen. Der Staat erreicht durch sie sein Ziel, die Integration, leichter und schneller. Die Sprache erfährt auf allen Gebieten eine bisher nicht gekannte Ausweitung. Diese wird aber erkauft durch eine Zurückdrängung der Stammessprache. Letztere hat in der Regel nur geringen Anteil an der Ausweitung, da ihr weite Gebiete, z.B. Verwaltung oder Wissenschaft, verschlossen bleiben. Ihr Rückgang bedeutet vor allem eine Verarmung des Gefühlslebens, wodurch auch die Religiosität in Mitleidenschaft gezogen werden kann. Dies macht sich besonders stark bemerkbar, wenn wie in Papua Neuguinea das aus dem Pidginenglisch entstandene Melanesische an die Stelle der volkommen anders strukturierten papuanischen und der echten melanesischen, das heißt austronesischen Sprachen, tritt. Schlimm wird es, wenn sich die staatliche Indifferenz gegenüber der Stammessprache zu einer Abwertung oder gar Unterdrückung steigert. Die Verhältnisse in den einzelnen Staaten der Dritten Welt sind hinsichtlich der Stammessprache verschieden. Wo noch eine europäische Sprache offiziell gebraucht wird, steht in anglophonen Gebieten die Regierung dem Gebrauch und der Unterweisung in der Muttersprache durchweg nicht ablehnend gegenüber[28]. Aufs Ganze gesehen dürfte in Zukunft das Streben nach einer Nationalsprache wachsen und in einzelnen Staaten Erfolge zeitigen. Ob nach Erreichung der Identität den Stammessprachen ein größerer Spielraum gewährt werden wird, ist jetzt noch nicht zu übersehen.

5. Die Sprache der Kirche

Wenn in diesem abschließenden Abschnitt nicht der Ausdruck Kirchensprache gebraucht, sondern von der Sprache der Kirche geredet wird, soll dadurch betont werden, daß sich die Kirche in sprachlicher Hinsicht nicht einem starren Schema verpflichtet fühlen muß. Welche Sprache sie benutzt, hängt davon ab, wie sie am besten ihre Botschaft ausrichten kann. In kleinen, sprachlich verhältnismäßig uniformen Staaten, z.B. in Ruanda oder Burundi, dürften keine Schwierigkeiten entstehen. Es ist auch nichts dagegen einzuwenden, wenn in Tanzania an vielen Stellen, vielleicht sogar überall, Suaheli eine beherrschende, nicht selten eine ausschließliche Stellung einnimmt. Der Staat kann sich für seine Zwecke in Tanzania mit dem Suaheli begnügen. Ob dies auch für die Kirche gilt, ist eine andere Frage. Es mag bisweilen, u.a. aus ökumenischen Gründen, angebracht sein, kirchliche Veranstaltungen auch in englischer Sprache durchzuführen. Von größerer Bedeutung sind aber in diesem Lande die Stammessprachen. Angesichts ihrer schon erwähnten Zurücksetzung wird die Kirche mit Recht auf den Plan gerufen. Ihre Stimme ist in doppelter Hinsicht wichtig.

a) Die Sprache ist nicht nur ein Mittel zur rationalen Verständigung der Menschen untereinander. Sie gehört in die Schöpfungsordnung Gottes hinein, der einzelnen Gruppen je ihre Sprache gab, die einen wesentlichen Faktor der Identität eines Stammes oder eines Volkes bildet. Gefühlsmäßig schwingen Werte mit, wenn wir das Wort Muttersprache gebrauchen. In ihr denkt der Mensch, in ihr vernimmt er den Anruf Gottes, und in ihr betet er. Sie besitzt also für Gefühl und Denken besonders in religiöser Beziehung einen hohen Rang[29]. Deswegen hat die Mission, vor allem die der lutherischen Kirchen, meistens eine Affinität zur Stammessprache gezeigt[30]. Sie hat sie gepflegt und in ihr bei vielen Stämmen eine Literatur geschaffen, die für die Arbeit in Kirche und Schule die Grundlage bildete. Diese Einstellung bedeutet nicht, daß es Aufgabe von Mission und Kirche ist, auf *alle* Weise aus philologischen Interessen jede Stammessprache zu erhalten. Wo ihr Verlust aber eine seelische oder religiöse Einbuße bedeutet, hat die Kirche für sie einzutreten. Dies trifft in unserer Zeit auf eine Anzahl von Staaten zu, die um ihrer nationalen Identität willen meinen, Stammessprachen bekämpfen zu müssen. Es sind also theologische Anliegen, welche die Berücksichtigung von Stammessprachen erfordern.

b) In vielen Fällen muß sich die Kirche auch aus seelsorgerlichen Gründen für die Stammessprache einsetzen. Vielfach ist die Nationalsprache oder die Verkehrssprache nicht allen Bewohnern eines Staates vertraut. Erfahrungsgemäß ist ihre Kenntnis bei Frauen, alten Leuten oder Kindern geringer. Auch wenn diese sich notdürftig verständigen können, reicht sie aber nicht für die Pflege des religiösen Lebens aus. Die Predigt und das Schrifttum werden nicht verstanden, eine vertrauensvolle Seelsorge scheitert an Verständnisschwierigkeiten. Das Gebetsleben verarmt in einer fremden Sprache. Wenn die Muttersprache im kirchlichen Bereich zurücktritt oder gar abgelehnt wird, braucht man sich nicht zu wundern, wenn die Kirche wie die staatlichen Behörden als etwas über dem Menschen Schwebendes angesehen wird, zu dem keine organische Verbindung besteht. Seelsorgerliche und volksmissionarische Gründe sind es also, welche die Kirche veranlassen können, entgegen der Intention des Staates die Stammessprachen zu pflegen und im kirchlichen Dienst zu benutzen. An einer Zurückdrängung oder gar Unterdrückung einer Sprache mitzuwirken, ist der Kirche um ihres Auftrages für die anvertrauten Menschen willen nicht möglich.

Welches im konkreten Fall die Sprache der Kirche ist, kann nicht grundsätzlich festgelegt werden. Auf der einen Seite stehen die Wycliff-Übersetzer, die möglichst in jede Sprache, wenn nicht die Vollbibel, so doch Bibelteile übersetzen möchten. Auf der anderen Seite gebieten oft äußere Gründe wie die große Zahl der Sprachen in einzelnen Ländern, der Mangel an geeigneten Kennern und Übersetzern[31] sowie finanzielle Schwierigkeiten pragmatisches Handeln. Dabei sollten aber die einheimischen Amtsträger ermuntert werden, die Stammessprachen zu berücksichtigen. Die um Einheit und Identität ihrer Sprachen besorgten Politiker könnten erkennen, daß Flexibilität in der Anwendung verschiedener Sprachen durch die Kirche keine politische Gefahr zu bringen braucht. In der Geschichte gibt es Beispiele dafür, wie mannigfaltig die Sprache der Kirche sein kann. Die Litauer und die Masuren, die bis zur Katastrophe von 1945 in Ostpreußen ihre Sprache bewahrten und im Gottesdienst pflegten, waren keine litauische oder polnische Irredenta, sondern treue Deutsche. Und wenn man in Siebenbürgen erlebt, daß bei einer Trauung nur die Bibeltexte in Luthers Übersetzung gelesen werden und alles andere, einschließlich der Gebete, in "sächsischer" Sprache, das heißt in der alten moselfränkischen Mundart gesprochen wird, dann wird dadurch nicht im geringsten dem Gesamtdeutschtum in Rumänien noch dem Staat Abbruch getan. Die Verkündigung wird vielmehr in die Mitte des praktischen Lebens gestellt. Schließlich mag an das Niederdeutsche erinnert werden, das vom 17. Jahrhundert an in Norddeutschland durch das fremde Hochdeutsch als Kirchensprache verdrängt wurde. Nun wurde vor der Behörde, im Gericht und in der Kirche Hochdeutsch gesprochen, während man Niederdeutsch dachte und empfand. Man mag fragen, ob die in Norddeutschland vielfach vorhandene Unkirchlichkeit nicht vielleicht *einen* Grund in der dem Kirchenvolk fremden Kirchensprache hat.

Diese Zeilen mögen gezeigt haben, daß die Kirche hinsichtlich der Sprache zwar oft die Bestrebungen von Staat und Gesellschaft bejahen kann, daß sie aber ihre Eigenständigkeit bewahren muß. Ihr grundsätzliches Verständnis der Sprache und ihr Auftrag gebieten ihr eigenes Handeln. Dieses kann dazu führen, daß ihr gelegentlich Schwierigkeiten erwachsen, die sie aber um der Sache willen auf sich nehmen muß.

Anmerkungen

1. Vgl. über dieses Problem im Sprachgebiet der Odiya, dem einstigen Arbeitsgebiet der Breklumer Mission in Indien, E. *Wallroth:* Jeypur, das Haupt-Arbeitsfeld der Schleswig-Holsteinischen evangelisch-lutherischen Missionsgesellschaft zu Breklum, 1901, 133ff.
2. K. *Müller:* 200 Jahre Brüdermission I, Herrnhut 1931, 61. Die nach Westindien gebrachten Sklaven bedienten sich zunächst ihrer afrikanischen Muttersprache.
3. P. *Wiegräbe:* Gott spreche auch Ewe, 1968, 3. Welch Mißverständnis durch einen Dolmetscher entstehen konnte, wird auch von Wiegräbe erwähnt.

4. .In der Literatur wird nicht immer streng zwischen einer Pidginsprache und einer kreolischen Sprache unterschieden.

5. Soweit es von den Buschnegern, den Sklaven der aus Brasilien eingewanderten Juden, gesprochen wurde, war es stark portugiesisch durchsetzt, während es bei den später angekommenen Sklaven viele holländische Elemente aufwies, *Müller,* a.a.O. 110.

6. Näheres bei *J.F. Schön:* Grammar of the Hausa Language, 1862, I.ff.

7. *A. Mischlich:* Wörterbuch der Hausasprache, 1906, XIV.

8. Nach einer Notiz von H. Barth aus dem Jahre 1851 waren die bis dahin erfolgten Veröffentlichungen Schöns kein reines Katsina, *Schön,* a.a.O. VI. Diese Mundart gilt als die reinste.

9. *K. Müller:* 200 Jahre Brüdermission II, 1932, 507.

10. Daher wird in der älteren Literatur das Nyakyusa durchweg Konde genannt.

11. *Chr. Keysser:* Wörterbuch der Kâte-Sprache, 1925, III.

12. *J.G. Christaller:* A Dictionary of the Asante and Fante Language, 1881, V.

13. *Müller,* a.a.O. II, 199.

14. *M. Schlunk:* Die Schulen für Eingeborene in den deutschen Schutzgebieten, 1914, 256.

15. *Müller,* a.a.O., I, 174/75. Schmidt gibt für sein Verhalten folgende Begründung: "Was betrifft ihre Sprache, um dieselbe zu lernen, so gebe ich mir vor die Zeit wenig Mühe, weil ich gemerkt, daß, wenn man sie viel fragt, sie dadurch leichtsinnig gemacht werden."

16. Da das Kwambi aufs engste mit dem Ndonga zusammengehört und es auch keine Unterstützung seitens der Regierung erfährt, ist anzunehmen, daß es in Zukunft als Literatursprache verschwinden wird.

17. Vielleicht lag es daran, daß zwischen der Norddeutschen Mission und der Mission der Methodisten, die weiter östlich im jetzigen Togo arbeiteten, wenig oder kein Kontakt bestand.

18. *A. Bamgbose:* Mother Tongue Education. The West African Experience, 1976, 10.

19. *M. Schlunk:* Afrika-Rundschau, NAMZ 1926, 286.

20. *M. Schlunk:* Erziehungsgrundsätze für das tropische Afrika, NAMZ 1924, 353—55.

21. Nähere Angaben finden sich bei *Schlunk,* vgl. Anm. 14.

22. *M. Schlunk:* Schulen, 64. Vielleicht waren für diese Beschränkungen auch politische Gründe maßgebend.

23. Ein Einzelfällen wurde das Lautsystem einer afrikanischen Sprache durch Übernahme fremder Laute bereichert, vgl. im Suaheli die aus dem Arabischen übernommenen Konsonanten *dh* und *th* (stimmhafter bzw. stimmloser interdentaler Konsonant) oder im Nama das mit dem Gottesnamen *Elob* eingeführte *l.*

24. Eine Sonderstellung nahm das in Erythrea gesprochene Tigrinya ein, verlor sie aber zunehmend, nachdem Erythrea mit Äthiopien vereinigt worden war, vgl. darüber und über Liberia *W.H. Whiteley:* Language Politics of Independent States, Current Trends in Linguistics, ed. *Th. A. Sebeok,* 1971, 550/551.

25. Eine der wenigen Ausnahmen bildete 1960 die Vereinigung des damaligen Britisch- und Italienisch-Somaliland zum Staate Somalia sowie 1964 die Vereinigung von Tanganyika und Zanzibar zum heutigen Tanzania.

26. Es mag in diesem Zusammenhang an das System der indirect rule erinnert werden. Das braucht nicht zu bedeuten, daß die britischen Kolonialverwaltungen in *jedem* Fall die Stammessprachen unterstützt und im Schulunterricht gefördert haben.

27. Vgl. *W. Whiteley:* Swahili. The Rise of a National Language, 1969.

28. In den frankophonen Gebieten hat das Französische weithin seine dominierende Stellung behalten.

29. Es soll nicht verschwiegen werden, daß in der Geschichte vom Turmbau zu Babel die Sprachverschiedenheit der Völker als Ergebnis eines göttlichen Strafgerichtes gegenüber der menschlichen Hybris hingestellt wird (Gen 11,8). Daß die Völker einander oft nicht verstehen, mag als schmerzliche Folge der Sünde empfunden werden. Gegen-

seitiges Nichtverstehen kommt aber auch bei Menschen derselben Sprache vor. Man braucht nur an die unterschiedliche Auffassung und Deutung vieler Ausdrücke in den beiden Teilen Deutschlands zu erinnern. Trotz der in Gen 11 vorhandenen negativen Sicht bleibt die Muttersprache eine gute Gabe Gottes, die sinngemäß zu den in der Erklärung Luthers zum 1. Artikel des Apostolikums aufgeführten Gaben gehört, für die der Mensch Gott dankbar zu sein schuldig ist.

30. In säkularer Sicht könnte man den freien Gebrauch der Muttersprache als ein Menschenrecht bezeichnen, das niemandem entzogen werden darf.

31. Hierzu gehört auch, daß die heute meistens auf Zeit in die überseeische missionarische oder kirchliche Tätigkeit berufenen Mitarbeiter oft die Sprache ihres Arbeitsgebietes nicht oder nur notdürftig lernen und daher nicht in der Lage sind, sich in einer Stammessprache auszudrücken oder in ihr Übersetzungsarbeit zu leisten.

B. Tiliander

Tamulische Bibelübersetzungen von Anfang an bis heute

Ein Abriß

Christliche Mission unter den Tamulen in Südindien begann ernstlich mit der Ankunft der Jesuiten im 16. Jahrhundert, und zwar mit der Ankunft von Francisco Xavier in der portugiesischen Kolonie Goa im Mai 1642. Er wirkte als Missionar nur etwa vier Jahre in Indien, besonders unter der Paravakaste an der sogenannten Fischerküste östlich von Kap Komorin. Voll heiligem Eifer wanderte er von Dorf zu Dorf, um die Leute in der christlichen Lehre zu unterrichten und zu taufen. Er hatte keine Zeit, ihre Sprache zu lernen, sondern suchte mit Hilfe eines Dolmetschers, den Katechismus zu übersetzen. Diese Übersetzung war sehr mangelhaft, da der Dolmetscher nicht gut Spanisch verstand. Für manche Begriffe brauchte man spanische Worte, wie z.b. *Spiritu Santo* für den Heiligen Geist. Die Katechumenen lernten die christlichen Hauptstücke auswendig. Dieser Katechismus, der nie gedruckt wurde, stellte jedoch die ursprüngliche tamulisch-christliche Sprache dar und legte damit den Grund für eine tamulische Bibel.

Auf diesem Grund hat Enrique Enriquez (wie er selbst seinen Namen schrieb) weitergebaut. In Portugal geboren, ist er 1546 nach Indien gekommen. S. Rajamanickam S.J. hat ihm den Namen "The Father of the Tamil Press" gegeben[1]. Aus Enriquez' Hand haben wir das erste christliche literarische Werk in tamulischen Lettern, nämlich *Tambirān Vaṇakkam* (Gottesverehrung). Dieses Buch wurde in Kollam (dem heutigen Quilon) 1578 gedruckt. Es enthält einen kurzen Katechismus. 1579 erschien ein zweites Buch von demselben Verfasser, nämlich *Kiristiāni Vaṇakkam* (Christliche Anbetung)[2]. Es enthält eine Übersetzung eines portugiesischen Katechismus. In diesen Büchern finden wir neben dem *Ave Maria*, den Zehn Geboten und den Seligpreisungen direkte Übersetzungen aus der Bibel.

Der nächste Name in unserer Untersuchung ist Roberto de Nobili, 1577 in Rom geboren, unter den Tamulen als *Tattva Pōdagar* (der Lehrer der Wahrheit) bekannt. Er kam 1605 in Goa an, verbrachte aber die meiste Zeit in Madurai, dem Zentrum der südindischen Kultur und Religion. Er studierte gründlich die tamulische Sprache und Literatur, besonders die Bhaktifrömmigkeit. Er fand den Stil und den Wortschatz in Enriquez' Büchern sehr ungenügend. Besonders kam es ihm darauf an, entlehnte portugiesische Wörter durch tamulische zu ersetzen. Während er in seiner Poesie den klassischen Sprachschatz benutzte, gebrauchte er in Prosa eine Redeweise, die jedermann verstehen konnte. Jedoch fand er es notwendig, einen speziellen christlichen Stil zu entwickeln, der in den folgenden Jahrhunderten bis jetzt die sogenannte christlich-tamulische Sprache charakterisiert und der neuerdings erst einem modernen Stil Raum geben mußte. Die Schriften von de Nobili sind durch die fleißige Arbeit von Rajamanickam in moderner Schrift zugänglich[3]. In diesen finden wir zahllose Bibelstellen übersetzt, die wahrscheinlich von de Nobili selbst her-rühren und die für die künftige Übersetzungsarbeit Bedeutung haben. De Nobili war mit der Heiligen Schrift ganz vertraut. Er zitiert aber frei und kommentie-rend, oft erzählend. Er legt seine eigene Auslegung dem Sprechenden in den Mund. In Lk 2,14 hat er "bonae voluntatis" ausgelassen. Trotz dieser Frei-heiten haben wir hier einen ersten Versuch, die Botschaft der Bibel auf Tamu-lisch bekannt zu machen. Er gab der Bibel auch einen indischen Namen, indem er das altindische Wort für heilige Schrift, nämlich Veda, von den Hindus ent-lieh. Dies Wort erscheint schon bei Enriquez, der von *Yūdamār Veda*, der Bibel der Juden, spricht. De Nobili kennt die ursprüngliche Bedeutung des Wortes, nämlich: ewige, göttliche Weisheit. Er spricht von der Bibel als "das von Gott gesprochene Veda". Und dieser Titel *Veda* hat seitdem als *Satya Veda*, das wahre Veda, bis heute weiter gelebt. De Nobili hat etliche Wörter verworfen, besonders das Wort für Gott, *Tambirān*, weil prominente Personen in shivaiti-schen Kreisen einander mit diesem Wort titulieren. Statt dessen führte er *Saruvēshuran* (Skr. Sarvēshvara) ein, das heißt Alleinherrscher. Während er vorzugsweise diese Benennung benutzte, brauchte er auch andere Wörter, wie *Parāparavastu* und *Kaḍavul*. Auf diese Wörter werden wir zurückkommen in dem Maße, wie sie für die verschiedenen Bibelübersetzungen charakteristisch sind.

Die Tranquebarbibel

Der Mann, der als erster eine wirkliche Übersetzung der Heiligen Schrift aus den Ursprachen ins Tamulische unternahm, war Bartholomäus Ziegenbalg[4]. Er ist es, der das ganze Neue Testament und Teile des Alten den Tamulen gegeben hat. Sein vorzeitiger Tod hinderte ihn, die Übersetzung zu vollenden. Aber was er geleistet hat, ist grundlegend für die folgende Arbeit.
Bartholomäus Ziegenbalg wurde am 10. Juli 1682 in Pullnitz in Sachsen gebo-ren[5]. Er studierte unter August Hermann Francke auf der Universität in Halle, einem Zentrum der pietistischen Bewegung. Zusammen mit Heinrich Plütschau erwiderte er den Ruf des dänischen Königs Frederik IV., als Missio-nar nach Tranquebar zu fahren. Tranquebar an der Ostküste Südindiens war damals eine dänische Kolonie. Diese beiden kamen am 9. Juli 1706 als die ersten evangelischen Missionare in Indien in Tranquebar an. Von Anfang an widmete sich Ziegenbalg der tamulischen Sprache, auch dem Studium des klassischen Tamulischen. In seiner Schrift *Bibliotheca Malabarica* erwähnt er unter anderen Büchern die beiden klassischen Grammatiken *Tolkāpiyam* und *Nannūl*, weiter das berühmte Tirukkuraḷ und die Literatur der shivaitischen Frömmigkeit, gesammelt in den sogenannten *Dēvāramhymnen*, unter ihnen

Māṇikavāsagars Tiruvāchakam. Durch dieses Studium erwarb sich Ziegenbalg eine gründliche Kenntnis des Hinduismus, die ihm behilflich war in seinen Dialogen mit den Brahmanen. Für seine Predigten, den Unterricht und seine umfassenden Schriften wandte er dennoch einen volkstümlichen Stil an, den gewöhnliche Leute verstehen konnten. Zu gleicher Zeit erstrebte er, wie de Nobili, einen Sprachgebrauch, der spezifisch dafür geeignet war, die christliche Botschaft zu vermitteln. Zu diesem Zweck fand er es am besten, an die katholisch-tamulische Sprache anzuknüpfen. Er ließ sich durch den Gegensatz in der Lehre nicht hindern, sich mit der katholischen Literatur vertraut zu machen. In einem Brief vom 22. September 1707 nach Berlin schreibt er: "Hierauf bekamen wir auch unterschiedliche Bücher so von den Katholiken in malabarischer Sprache[6] geschrieben, welche zwar voller gefährlicher Irrtümer waren, aber nichts desto weniger zur Erlernung dieser Sprache bei mir ein Großes kontribuieret, also daß ich aus selbigen mir einen recht christlichen Stil angewöhnen können, da ich sonst vorher nicht wußte, mit was für Wörtern und Redensarten ich die geistlichen Materien ausdrücken sollte, damit nichts nach dem Heidentum schmeckte. Das beste Buch so uns nötig und nützlich, war unter selbigen das Evangelienbuch[7]. Dies ging ich am ersten durch und zog alle Vokabeln und Redensarten heraus, machte mir selbige wohl bekannt und suchte sie gleich im täglichen exercitio anzuwenden. Nachmals ging ich auch andere Bücher durch, also daß ich endlich in 8 Monaten so weit kam, daß ich vermöge göttlicher Gnade in dieser Sprache lesen, schreiben und reden konnte, auch selbige in Reden von andern verstehen."[8] Die Tatsache, daß Ziegenbalg in seiner literarischen Arbeit in der Schuld der römischen Missionare steht, bedeutet nicht, daß er keinen eigenen Stil hat. Seine Sprache ist mehr volkstümlich als die katholische. Er buchstabiert gern gemäß der gewöhnlichen Aussprache. Ziegenbalgs literarisches Unternehmen ist achtenswert angesichts seiner begrenzten Hilfsmittel. Er hatte keinen Zugang zu einer tamulischen Grammatik oder einem Wörterbuch.

Ziegenbalg plante schon 1708 die Übersetzung des Neuen Testaments[9]. Im August 1709 schreibt er, daß er das Matthäusevangelium fertig hat. Nach Gensichen hat er diese Übersetzung Anfang 1710 auf einer Reise nach Madras unter den Brahmanen verteilt, wobei sich Anknüpfungspunkte für eine spätere Korrespondenz ergaben[10]. Ziegenbalg übersetzte direkt aus dem griechischen Urtext. Außerdem benutzte er die folgenden Übersetzungen: Ariae Montanis lateinische Version, Luthers deutsche Version, die holländischen und dänischen Versionen und andere[11]. Vor Weihnachten 1710 konnte er mitteilen, daß er die vier Evangelien, die Apostelgeschichte, den Brief an die Römer, die zwei Briefe an die Korinther wie auch ein Evangelienbuch mit sämtlichen Episteln und Evangelien vollendet hatte und neben diesen Arbeiten eine Liste von größeren und kleineren Werken wie den Katechismus Luthers, *Theologica Thetica* (eine Dogmatik), ein Liederbuch, ein Gespräch von den vier Hauptreligionen (!) und gottesdienstliche Akten[12]. In seiner Arbeit hatte Ziegenbalg in Johann Ernestus Gründler, der im August 1709 nach Tranquebar kam, eine große und willkommene Hilfe bekommen.

Nun folgte die mühsame Arbeit der Drucklegung des Neuen Testaments. Zwar war 1712 eine Buchdruckerei-Ausrüstung aus London angekommen. Sie war eine Gabe der Society for Promoting Christian Knowledge (SPCK)[13]. Diese Maschine war aber mit lateinischen Typen versehen. In Halle war man mittlerweile mit der Herstellung tamulischer Lettern beschäftigt. Diese lange ersehnte Presse kam im September 1713 an[14]. Man wollte zuerst die vier Evangelien und die Apostelgeschichte separat drucken. Im November 1713 begann man mit dem Druck, der im September 1714 fertiggestellt wurde[15]. Das tamulische Titelblatt ist reich verziert, künstlerisch und sprachlich schön gestaltet[16]. Der tamulische Text lautet in der Übersetzung:

"Das neue Testament, das heißt das Fünfvedabuch, diese Begebenheiten offenbarend: Die Geburt des Gottessohnes, unseres Herrn Jesus Christus als Mensch in dieser Welt, seine Lehre, seine Wundertaten, seine Leiden unseretwegen, wodurch er alle erlöst und errettet hat, seine Auferstehung und herrliche Himmelfahrt, und wie seine Apostel gingen hin in alle Welt, um diese gute Botschaft zu predigen allen Völkern. – Im Jahre eintausendsiebenhundertundvierzehn wurde dies mit den Typen der Tranquebarväter gedruckt."

Der lateinische Text lautet: Quatuor Evangelia et Acta Apostolorum ex Originali Textu in Linguam Damulicam Versa, In Usum Gentis Malabaricae. Opera et studio Barth. Ziegenbalg & Jo. Ern. Gründler, Serenissimi Daniae Regis Friderici IV. ad Indos Orientales Missionariorum. – Tranquebarae in Littore Coromandelino, Typis Malabaricis impressit G. Adler MDCCXIV." Das Werk ist in einer feierlichen Anrede König Frederick IV. gewidmet.

Es dauerte nicht lange, bis das ganze Neue Testament in Quarto fertig im Druck vorlag. Den zweiten Teil wollte man aber in kleineren Typen setzen, damit das ganze Neue Testament nicht zu voluminös würde. Dazu hatte man eine neue Druckerpresse nötig. Am 13. Juli 1715 erschien der Zweite Teil im Druck[17].

Die tamulischen Lettern des Tranquebar Neuen Testaments sind denjenigen, die in den katholischen Schriften vorkommen, sehr ähnlich. Man berücksichtigte damals nicht den Umstand, daß ein Konsonant automatisch einen A-Laut mitbringt, wenn derselbe nicht, wie in moderner Schrift, durch einen Punkt eliminiert wird. Ebenso machte man keinen Unterschied zwischen langem und kurzem e und o und brauchte denselben Buchstaben für ra und langes a. Ein Zeichen für ein langes i fehlte und wurde durch yi ersetzt. Inhaltlich schloß sich Ziegenbalg den katholischen Vorbildern an. Für Gott brauchte er Saruvēshuran. Er zauderte nicht, dies Wort zu verwenden, da es nicht mit dem shivaitischen Paramēshuran (Skr. Paramēshvara, der höchste Herr) verwechselt werden konnte. Das Wort Kadavul, das schließlich in der heutigen Bibel andere Begriffe für Gott aus dem Felde geschlagen hat, hatten die Tranquebarmissionare nicht in ihrer Liste. In jener Zeit war die sanskritische Dominanz noch sehr auffallend. Unsere Missionare gebrauchten die sanskritische Terminologie in höherem Grad als der gleichzeitige Jesuitenpater Beschi, der mit der shivaitischen Literatur sehr vertraut war. Merkwürdig genug behielt Ziegenbalg den

271

Begriff *Spiritu Santo* für den Heiligen Geist bei. Er muß doch das tamulische Āvi für Geist gekannt haben.

Die Arbeit am Alten Testament nahm die Zeit in Anspruch, die Ziegenbalg bis zu seinem vorzeitigen Tod im Jahre 1719 noch übrig war. Gewiß plante er von Anfang an, die ganze Bibel zu übersetzen. Schon im Oktober 1711 schreibt er, daß er bei den römischen Missionaren ein altes tamulisches Buch mit Geschichten aus dem Alten Testament gefunden hatte. Die Geschichten waren in der Form von Frage und Antwort erzählt. Das Buch hatte man Ziegenbalg unter der Bedingung zum Abschreiben überlassen, daß er seine Übersetzung des Neuen Testaments ihnen zum Abschreiben liehe. Dies ist wieder ein Beispiel von der Zusammenarbeit zwischen Ziegenbalg und den Katholiken. Ziegenbalg benützte das Material für den Unterricht in Schule und Gemeinde und konnte so die Übersetzung des Alten Testaments aufschieben. Als das tamulische Neue Testament gedruckt wurde, war er mit einer portugiesischen Bibelübersetzung beschäftigt. Die Übersetzung des Alten Testaments wurde jedoch nie aufgegeben. In einem Brief vom 6. Oktober 1713 an den dänischen König schreibt er: "Auch wird nunmehr die malabarische Übersetzung des Alten Testaments im Namen Gottes angefangen, damit man in beiden Sprachen (portugiesisch und tamulisch) eine vollständige Bibel haben möge."[18] Im Januar 1714 konnte er mitteilen, daß er und Gründler "bisher mit der Übersetzung des ersten Buches Moses in beide, nämlich malabarischer und portugiesischer Sprache zu Ende kommen sind"[19]. Im März desselben Jahres war das Buch Exodus fertig[20]. In einem Brief vom 20. November an das Missionskollegium in Kopenhagen konnte Gründler erzählen, daß Ziegenbalg nicht sofort mit Leviticus fortfahren konnte, "weil er innerhalb zwei Jahren etwas aus der Gewohnheit gekommen war, sondern mußte durch Übersetzung eines leichteren Buches, nämlich des Buches der Richter, sich zu Version der schwereren Bücher preparieren"[21]. Am 20. Dezember desselben Jahres konnten die beiden Missionare mitteilen, daß die vier Bücher Moses, Josua und das Buch der Richter übersetzt waren und daß das Deuteronomion erarbeitet würde. Von den Übersetzungen schreiben sie: "Diese beiden Übersetzungen zählen wir mit Recht unter die wichtigsten Verrichtungen unsers Amtes. Daher wir durch die Kraft von oben erweckt gerne und mit allem Fleiß mit dieser sel. Arbeit umgehen. Und so uns Gott diese Arbeit einmal zu Ende bringen läßt, so sind diese beiden Translationen ein solcher treuer Schatz, den der barmherzige Gott durch unsern geringen Dienst seiner Kirche zum erstenmal geschenkt, weil die Schriften Alten Testaments noch niemals in diesen beiden Sprachen gedruckt gewesen, auch in dem Malabarischen das Neue Testament nicht."[22] Von einem Brief an das Kollegium vom 26. November 1718 erfahren wir, daß auch das Buch Ruth ins Tamulische übersetzt ist, und daß die fünf Bücher Moses nicht nur ins Portugiesische übersetzt, sondern schon gedruckt und eingebunden sind[23]. Damit war aber Ziegenbalgs Lebensarbeit beendet. Er starb am 23. Februar 1719 nach einer längeren Krankheit, in der Depressionen ihn quälten. In einem Brief vom 9. Dezember 1719 schreibt Gründler von seinem verstorbene Kollegen: "Der Herr hat ihm ein schönes

Talent in der Malabarischen Übersetzung anvertraut. — Die Malabarische Übersetzung des Alten Testaments hat uns der selige H. Ziegenbalg bis zu Ende des Buchs der Richter unter seinen Manuscripten hinterlassen, da von bisher die ersten vier Bücher Moses gedruckt worden. Der Herr wird Gnade verleihen, dasz sowohl die Malabarische Übersetzung des Alten Testaments als auch der fernere Druck davon kan continuieret werden. Es wird auch übers Jahr so Gott wil zu einer neuen auflage des Malabarischen Neuen Testaments müssen resolviret werden. Dazu als denn die Summaria eines jeden Kapitals mit darüber kommen sollen, auch was man bisher zur Verbesserung der Version annotiert hat und noch observieren wird, sol gleichfalls geändert werden, damit man den Sinn des Heil. Geistes ganz nahe komme."[24] Gründler war es doch nicht vergönnt, die Arbeit zu vollenden. Auch er wurde von Krankheit heimgesucht. Er bat Gott, ihn so lange leben zu lassen, bis ein Nachfolger gekommen sei. Am 19. März 1720 konnte er den neuen Missionar, Benjamin Schultze, ordinieren. Dieser war es, der die erste Bibel auf Tamulisch herausgab. Natürlich mußte er sich zuerst dem Studium der Sprache widmen. Aber schon 1722 erschien von seiner Hand eine neue Auflage des Neuen Testaments in zwei Teilen: "1) Novum Jesu Christi Testamentum ex originali Textu in linguam Damulicam versum opera & studio Bartholomaei Ziegenbalgi & Joh. Ernesti Grundleri — Editio Secunda Correctior & accessione Summariorum cujusvis Capitis auctior. 2) Quas Jesu Christi Discipuli scripserunt Epistolarum fasciculus." Der zweite Teil trägt keinen Verfassernamen, wahrscheinlich aber war Schultze der Übersetzer, da beide Teile im gleichen Jahr erschienen. Beide Teile sind mit einer Überschrift für jedes Kapitel und mit Hinweisen auf parallele Bibelstellen versehen. Schultze hat übrigens nur wenige Berichtigungen und Änderungen vorgenommen. Es ist auffallend, daß er in Lk 2,14 Ziegenbalgs auf die Vulgata gegründete Übersetzung in Übereinstimmung mit dem Textus Receptus geändert hat. Dem ersten Teil hat Schultze ein Vorwort auf lateinisch hinzugefügt.

Nun ging Schultze ans Werk mit dem Alten Testament. 1723 konnte der erste Teil, den Ziegenbalg schon übersetzt hatte, herausgegeben werden unter dem Titel: "Biblia Damulica[25] sev quod Deus Omnipotentissimus semetipsum ex sua aeternitate clarius manifestaturus de coelo est locutus Veteris Testamenti Pars Prima in qua Mosis libri quinque Josuae liber unus atque liber unus Judicum Studio & opera Bartholomaei Ziegenbalgii ad Indos Orientales in linguam Damulicam versi continentur. — Tranquebariae in littore Coromandelino Typis & sumptibus Missionis Daniae MDCCXXIII." Der tamulische Titel ist noch umständlicher. Er präsentiert "den ersten Teil des wahren Vedabuches, welches das allmächtigste, ewige, alles erfüllende transcendente Wesen in der Urzeit vom Himmel hoch gnädiglich offenbart hat. — Es enthält die fünf Bücher Mose mit den Regeln, die der Heilige Mose von dem Munde des Allmächtigen gehört hatte, und wie der Herr am Anfang schuf Himmel und Erde, und wie er aus allerlei Volk sich einen Stamm erwählt hat als seinen eigenen, so auch das Buch von den Ereignissen Josuas". 1726 folgte der zweite Teil, *Pars Secunda,* mit den historischen Büchern, dem

Buch Hiob, dem Psalter, den Sprüchen und dem Hohenlied. 1727 erschien *Pars Tertia* mit den prophetischen Büchern. Beide Teile hatten ähnliche Titelblätter und geben Ziegenbalg und Schultze als Übersetzer an, obwohl Ziegenbalg nur das Buch Ruth übersetzt hatte. Es ist bemerkenswert, daß Ziegenbalg in dem Titel sein gewöhnliches Wort für Gott, *Saruvēshuran* mit *Parāparavastuvānavar:* "Er, der das transzendente (*parāpara*) Wesen (Vastu) ist" vertauscht hat. Ich habe das philosophische *Parāpara* der Einfachheit halber mit "transzendent" übersetzt, während das Wort eigentlich sowohl den transzendenten, *para*, als den immanenten, *apara* Aspekt der Gottheit ausdrückt. Wahrscheinlich hat der philosophische Sinn des Wortes Ziegenbalg gehindert, das Wort auch in die Bibel einzuführen. Es sollte aber später seinen Einzug halten, wie wir noch sehen werden. Schon de Nobili hatte das Wort gebraucht. Ziegenbalg fand es aber selbst in seinem Studium des Hinduismus. In seiner Schrift Malabarisches Heidentum, Kap. 3 schreibt er: "Dasz ein göttliches Wesen sey von dem alles in Himmel und auff Erden dependiert solches bekennet ein jedweder unter diesen Heiden und ziehen solche Wahrheit keinerley weise in Zweifel. Solches höchste Wesen oder Ens entium wird von ihnen Barabarawastu genannt, dessen benennung hier und dar in ihren Büchern zu lesen, und in ihren Discoursen gehöret wird." Ziegenbalg zitiert einen Autor, der von Paraparavastu schreibt, "dasz es sey der einige Gott, der da ewig, allgegenwärtig, unermäszlich, der Anfang und das Ende, ja alles in allem sey"[26].

Der vierte Teil erschien 1728 und enthielt die Apokryphen, welche die Lutheraner, nach der katholischen Tradition, beibehalten hatten. Aber während man für die drei ersten Teile den Begriff für die autoritativen Hindu-Schriften, das *Veda,* adoptierte, wurden die Apokryphen *"Weisheitsbücher"* genannt, um sie von den kanonischen Büchern zu scheiden. Der vierte Teil kam 1728 heraus und war mit den Namen von Ziegenbalg und Schultze versehen. Das Titelblatt hatte als Überschrift: "Libri Apocryphi sev libri a quibusdam Piis viris Ecclesiae antiquae Judicae post prophetas Veteris Testamenti Scripti continentes partim Varias regulas vitae utiles partim supplementum Historiae ecclesiasticae Veteris Testamenti."

Schon bevor der zweite Teil des Alten Testaments herauskam, hatte Schultze eine Übersetzung des Psalters angefertigt. Sie erschien 1724 unter dem Titel "Liber Psalmorum Davidis Regis et Prophetae ex Originali Textu in Linguam Damulicam versus Opera et Studio Benjamin Schultze."

Die Tamulen hatten nun die vollständige Bibel in ihrer eigenen Sprache. Im Vergleich zum Stil de Nobilis und seiner Nachfolger war die Tranquebar-Bibel etwas schwerfällig. Die Schreibung der Sanskritwörter ist etwas verwickelt. Der Stil konnte sich mit demjenigen des Jesuitenpaters Constantine Joseph Beschi, der noch immer als ein Meister des Tamil anerkannt ist, nicht messen. Er widmete aber nicht seine Talente einer Bibelübersetzung, brachte dafür auch nicht die Voraussetzungen mit, die Ziegenbalg besaß. Gewiß schoß er übers Ziel hinaus, als er von der Tranquebar-Übersetzung in seiner Schmähschrift "Der Lutherschwarm" über Ziegenbalgs Tamulisch schrieb: "Schon beim Lesen der ersten Zeile brennten dem Leser die Augen, die Zunge vertrocknet, die Ohren müszen bersten, man schaue sich an und bräche in ein lautes Lachen aus."[27] Er hat übrigens nicht beachtet, daß Ziegenbalg bewußt die Volkssprache, grammatikalisch und in der Aussprache, verwendet hat. Wenn man die Übersetzung näher untersucht, findet man auch, wie genau Ziegenbalg dem Urtext gefolgt ist. Er hat z.B. in Apg 2,42 den Plural *proseuchais*, in den Gebeten, das heißt Stundengebeten, beobachtet, während alle die späteren evangelischen und katholischen Übersetzungen mit einer Ausnahme[28] das Wort mit "im Gebet" (wie auch Luther) übersetzt haben. Die englischen Versionen haben hier den Plural.

Am 19. Juni 1725 erlebte Schultze "einen gesegneten Tag der Freude". Christopher Theodosius Walther kam mit zwei anderen Missionaren an. Die Freude war aber nur von kurzer Dauer, da Schultze es unmöglich fand, mit ihnen zusammenzuarbeiten. Als Walther, obgleich Anfänger in der Sprache, Schultzes Übersetzung zu kritisieren wagte, war das Maß voll. 1726 verließ er Tranquebar und ging nach Madras. Er arbeitete dort als Missionar und war auch als Übersetzer im Telugu tätig. 1743 kehrte er nach Halle zurück. Daß er sich weiterhin für die tamulische Bibel interessierte, erkennen wir an den Exemplaren der Auflagen von 1714, 1723, 1726 und 1727 in der Hauptbibliothek der Franckeschen Stiftungen in Halle, in welchen Korrekturen mit roter Tinte angebracht sind. Wir werden von dem Schreiber informiert, daß er die Korrektur des Neuen Testaments am 19. Juli 1745 begonnen und am 20. Juni 1746 um 2 Uhr nachmittags beendigt hat, und weiter, daß die Berichtigungen des Alten Testaments am 11. März 1748 fertiggestellt wurden. Daß diese Korrekturen von Schultze stammen, kann man daraus schließen, daß sie zeigen, daß er schon in Madras mit der Korrektur des Alten Testaments beschäftigt war. Im März 1730 war er mit 1 Sam und am 15. Januar 1732 mit dem ganzen Alten Testament fertig. Unter Schultzes Berichtigungen soll vor allem erwähnt werden, daß er das von der katholischen Literatur übernommene *Isippirītu* für Geist durch das tamulische *Āvi* austauschte. Ebenso hat er *Isippirītu Sāndu* zu *Parisutta Āvi* geändert. Es ist bemerkenswert, daß er keinen Anlaß sah, *Saruvēshuran* durch ein anderes Wort zu ersetzen.

Der Mann, der die Tradition dieses ehrwürdigen Wortes zu brechen wagte, war der oben genannte Theodosius Walther, der nach Schultze die Revision der Bibelübersetzung durchführte. Er führte das Wort *Parāparan* als Gottesname für *Saruvēshuran* ein. Es erschien nämlich 1739 eine Übersetzung des Evangeliums des Matthäus, in der *Parāparan* zum erstenmal vorkommt. Unglücklicherweise fehlt der Name des Übersetzers, es kann aber kein anderer als Walther sein, da gerade *Parāparan* in den von Schultze revidierten Texten nicht vorkommt. *Parāparan* kommt auch in einer anderen Schrift vor, nämlich der *Historia Passionis Mortis et Ascensionis Jesu Christi*, die 1740 erschien. Die Sprache und das Vokabular stimmen mit denjenigen des Evangeliums des Matthäus überein, so daß man vermuten kann, daß beide Schriften von derselben Hand herrühren, obgleich *Historia Passionis* erst erschien, nachdem Walther Indien verlassen hatte. Er mag das Wort *Parāparan* aus Ziegenbalgs *Parāparavastu* (siehe oben) hergeleitet oder in der Literatur irgendwo gefunden haben. Daß er gerade dieses Wort wählte, mag andeuten, daß er ein Wort suchte, das nicht nur die Allmacht Gottes, wie *Saruvēshuran*, sondern auch die alles umschließende und erfüllende Gegenwart Gottes zum Ausdruck bringt. Auch Walter konnte sich ein rein tamulisches Wort wie *Kaḍavul̤* nicht denken. In der katholischen Literatur hat sich *Saruvēshuran* bis in die jüngste Zeit behauptet, wurde jetzt aber durch *Kaḍavul̤* verdrängt.

Die Fabricius-Bibel

Der nächste bedeutende Name, der mit der Geschichte der tamulischen Bibel-übersetzung verbunden ist, ist Johann Philipp Fabricius[29]. Er wurde 1711 in Darmstadt in Hessen geboren, studierte in Halle und wurde von dort nach Indien gesandt. Er landete in Cuddalore am 28. August 1740[30] und kam 1742 nach Madras, wo er die Missionsarbeit von Walther übernahm. Er widmete sich besonders der tamulischen Sprache. Er beherrschte sowohl die Schriftsprache als auch die Umgangssprache in hohem Maße und war auch mit dem klassischen Tamulischen vertraut. Seine drei wichtigsten Werke sind erstens ein Tamil-Englisch Lexikon, das, wenn auch mit Revisionen und Zusätzen (doch die ursprüngliche geniale Anordnung wurde beibehalten), auf Wunsch indischer Tamilgelehrter noch 1973 wiedergedruckt worden ist; zweitens Übersetzungen von deutschen Kirchenliedern (Fabricius Hymnbook, es ist noch heute im Gebrauch) und drittens seine Bibelübersetzung, die den Ehrennamen "die goldene" verdient. Fabricius war es, der Gründlers Erwartung einer gründlichen Überprüfung der Ziegenbalg-Schultze-Bibel verwirklichen sollte (siehe oben S. 273). Er fing mit der Arbeit im Jahre 1753 an. 1772 war das Neue Testament und 1777 das Alte gedruckt. Aber die ganze Bibel erschien erst 1796, fünf Jahre nach Fabricius' Tod. Sämtliche Ausgaben wurden in Tranquebar gedruckt. Erst 1824 wurde die Übersetzung von der Madras Auxiliary Bible Society herausgegeben[31]. Fabricius arbeitete mit der größten Sorgfalt. A. Lehmann schreibt: "Wenn er ein Paar Kapitel durchgesehen und verbessert hatte, so versammelte er unter einem großen Baume vor seinem Hause Brahmanen, Sudras und Parias, denen sein Katechet die verbesserte Übersetzung vorlesen und sie fragen mußte, ob sie das Vorgelesene verstanden hätten, ob darin Fehler enthalten und wie dieselben zu verbessern seien. Fand nun Vater Fabricius unter den gemachten Einwendungen hie und da eine begründet, so mußte sie der Katechet in seiner Übersetzung anmerken, und am nächsten Tage nahm er sie mit einem Sprachgelehrten noch einmal durch, wobei erwogen wurde, ob und inwieweit die vorgeschlagenen Änderungen richtig seien."[32]
Das Vokabular ist im großen und ganzen das traditionelle aus der Zeit de Nobilis, aber selbständig verarbeitet. Inwieweit Fabricius Schultzes rote Notizen kannte und benützt hat, ist nicht sicher festzustellen. Daß er aber Walthers Vorarbeit kannte, kann man von der Tatsache ableiten, daß er wahrscheinlich von ihm das Wort *Parāparan* für Gott übernahm, das so der christlich-tamuli-

schen Sprache einverleibt wurde. Es wurde besonders unter den Lutheranern
sehr populär. Sie grüßen einander noch heute mit "parābaranukku stōttiram"
(das heißt Gott sei Lob). Aber auch außerhalb der lutherischen Kreise, besonders in der anglikanischen Gebetssprache, kommt es vor. Unter den Lutheranern hat die Fabriciusbibel einen autoritativen Platz eingenommen und kann
mit der englischen "King James's" oder "Authorized Version" wie auch mit
Luthers Übersetzung verglichen werden. Die Fabriciusbibel ist immer noch die
Kirchenbibel der Evangelisch-Lutherischen Tamulenkirche. Sie hat auch die
späteren Übersetzungen bis in die Gegenwart geprägt. Fabricius hat einen
gewählten Stil und zeichnet sich durch Treue gegen den Urtext aus. Ein kleines
Beispiel sei genannt: In Mk 10,33 übersetzt er *anabainomen* (wie Luther) mit
"wir gehen *hinauf*", während alle anderen tamulischen Übersetzungen, einschließlich der neusten, mit "wir gehen" übersetzen. Daher bin ich enttäuscht,
daß Fabricius den oben genannten Plural in Apg 2,42 nicht bemerkt hat.

Zum Schluß will ich Hooper & Culshaw, Bible Translation in India, zitieren, die
über die Fabricius-Übersetzung schreiben: "Others helped in the task, notably
C.W. Gericke and G.H.C. Hüttemann in Cuddalore – but the work was essentially that of Fabricius and ranks as one of the most notable achievements in
the whole field of biblical translation. It is said that he 'crept through the
original Bibletext on his knees, as if he were himself a poor sinner and mendicant, carefully weighing each word to see how it might best be rendered', and
the result was that especially in the Old Testament, as later revisers and scholars
have agreed, his rendering is again and again more faithful than either the
English or the German. Little wonder that his work has been basis of all
subsequent revisions."[33]

Die Union Version

Trotz der großen Verdienste der Fabricius-Version erhob sich der Wunsch nach
einer Revision. Dieser Wunsch hatte seinen Grund in dem Mangel von Bibelauflagen überhaupt. Hier kommen auch die Bibelgesellschaften in den Blick.
Die Britische und Ausländische Bibelgesellschaft hatte eine Filiale in Indien,
The Bible Society of India and Ceylon. Sie verlegte sich auf eine neue Ausgabe
der Tamilbibel. Die erste Edition wurde 1840 publiziert. Sie enthielt Fabricius' Altes Testament und eine Übersetzung des Neuen von C.T. Rhenius,
einem deutschen Missionar im Dienste der englischen Kirchenmissionsgesellschaft (Church Missionary Society). Während man die Verdienste von beiden
anerkannte, war man mit keiner von ihnen ganz zufrieden. Man fand Fabricius,
wie erwartet, "mehr exakt", bemängelte aber seine Idiome. Rhenius' Idiome
fand man besser, aber seine Übersetzung war (wie es oft der Fall ist!) periphrastisch. Inzwischen hatte die Jaffna Bibelgesellschaft in Ceylon unternommen, eine Revision der ganzen Bibel unter der Leitung von P. Percival anzufertigen, der von mehreren assistiert wurde. Die Arbeit weckte große Hoffnung.
Als sie aber 1850 fertiggestellt war, wurde sie besonders von den anglikanischen

Missionaren abgelehnt. Nach verschiedenen Versuchen beauftragte man ein Komitee mit Dr. H. Bower als Vorsitzenden. Mehrere Sprachgelehrte waren bei der Arbeit behilflich, besonders R. Caldwell, der Verfasser von *A Comparative Grammar of Dravidian Philology*. Fabricius' Text sollte der Übersetzung zugrunde liegen. Das Neue Testament erschien 1863 und das Alte 1868. Beide Versionen wurden indessen kritisiert und mußten erneut überarbeitet werden, bis das Komitee 1869 eine akzeptable Version vorlegte. Sie wurde 1871 unter dem Namen "the Union Version" publiziert[34]. Aber gewöhnlich hieß sie die "Bower's Translation". Sie fand allgemeinen Beifall und wurde auch in Ceylon akzeptiert. Sie wurde aber nie von den Lutheranern anerkannt. Trotzdem ist sie auch unter ihnen sehr populär und wird in der Hausandacht gern benutzt. Sie hat sich bis heute bewährt.

Ein Charakteristikum für die Tamulischen Bibelübersetzungen ist der Wechsel in dem Wort für Gott. Die auffallendste Neuerung der Union Version ist die Eliminierung von *Parāparan,* das durch *Dēvan* ersetzt wurde. Das sanskritische *Dēva* ist linguistisch mit dem lateinischen *Deus* identisch. Es kommt in den Bibelübersetzungen der tamulischen Schwestersprachen vor. Mit *Dēvan* glaubte man, ein ideales Wort für Gott gefunden zu haben. *Dēvan* war außerdem kein neues Wort in den Ohren der Christen. Ziegenbalg und Fabricius hatten es nicht nur für "Abgott" gebraucht, sondern auch in Zusammensetzungen, wie *Dēvālayam,* Gotteshaus, für Tempel, und *Dēvatūdan,* Gottesbote, für Engel. *Dēvan* ist aber polytheistisch besetzt. Die Hindibibel hat deshalb das Wort abgelehnt. Sogar die hinduistischen, theistischen Sekten brauchen es nicht gern. Sie konfrontieren die vielen *Dēvas* mit *Ēko dēva,* dem einzigen Gott.

Die Revised Version

Die Forderung nach einer Revision der Union Version erhob sich aus zwei Gründen. Teils wollte man einer Übersetzung des Neuen Testaments Eberhard Nestles Text zugrunde legen statt des bis dahin benutzten *Textus Receptus.* Teils machte sich das Bedürfnis nach einer zeitgemäßeren Sprache geltend. Der Revisionswunsch wurde jedoch nicht mit besonderer Begeisterung aufgenommen. Man wollte nicht verstehen, warum ein bestimmter griechischer Text entscheidend sein sollte. Und der gewöhnliche kirchliche Konservatismus fand jede sprachliche Modernisierung unmotiviert. Etliche, unter ihnen sogar orthodoxe Lutheraner, wurden jedoch durch die Tatsache überzeugt, daß der neue Text sich mehr dem ursprünglichen Textbestand anschließt. Dieses Faktum war das wichtigste Motiv für eine neue Übersetzung. Durch eine gewisse, jedoch vorsichtige Modernisierung der Sprache kam man auch der gängigen Prosasprache näher. Jedoch kann diese Revision nur als ein erster Schritt in diese Richtung betrachtet werden.

Die Arbeit wurde dem dänischen Missionar Dr. L.P. Larsen aufgetragen, der mit der Hilfe von Tamilpandit G.S. Dureiswami eine selbständige Übersetzung machte. Die revidierte Bibel erschien 1936[35]. Die absolut wichtigste Verbesserung war die Einführung des Wortes *Kaḍavuḷ* für Gott. Jetzt hatte endlich ein rein dravidisches Wort für die Gottheit seinen Weg in die tamulische Bibel gefunden. Das Verdienst des neuen Wortes liegt inhaltlich wie sprachlich offen zutage. *Kaḍavuḷ* kann mit "überschreitende Wirklichkeit" wiedergegeben werden und bringt dadurch die transzendente Natur Gottes zum Ausdruck. Der Begriff hat zwar nicht formell den persönlichen Klang wie *Dēvan*, wird aber gewöhnlich personal gebraucht. Er kann auch im Plural vorkommen, wird aber meistens im Singular verwendet, geradeso wie wir von "Gott" sprechen. Da es nicht so polytheistisch belastet ist wie *Dēvan*, ist es für den christlichen Sprachgebrauch besonders geeignet. Diese Tatsache war jedoch nicht das ausschlaggebende Argument für das Komitee, sondern der Wunsch nach einem echten tamulischen Wort. Man hat gegen *Kaḍavuḷ* eingewendet, es sei in jedermanns Mund, aber das spricht gerade für das Wort, weil die Kirche sich darum bemühen muß, solche Redensarten zu benützen, die ein Mensch auf der Straße verstehen kann. In jedem Falle scheint *Kaḍavuḷ* sich als der gemeinsame Name für Gott bei allen tamulischen Christen eingebürgert zu haben, nachdem nun heute sämtliche Bibelübersetzungen, einschließlich der katholischen, dies Wort adoptiert haben.

Die sogenannte Dr. Larsen-Version wurde jedoch nicht überall gebilligt. Sie wich zu viel von der Union-Version ab. Um der Kritik entgegenzukommen, ohne die ursprüngliche Absicht aus den Augen zu verlieren, wurde ein neues Komitee eingesetzt. C.G. Monahan, ein Missionar der Wesleyanischen Mission, wurde Vorsitzender, weswegen die Übersetzung die "Monahan Version" genannt wurde. Er wurde von dem schwedischen Missionar und späteren Bischof C.G. Diehl abgelöst. Das revidierte Neue Testament wurde 1954 publiziert, und 1956 erschien die ganze Bibel mit dem Alten Testament von 1949. Im gleichen Jahr wurde eine Jubiläumsausgabe zum Gedächtnis der Ankunft der ersten evangelischen Missionare in Indien (1706) gedruckt[36]. Diese Fassung ist allgemein als "The Revised Version" bekannt, im Unterschied zur Union Version, deren Platz sie jedoch nicht überall einnehmen konnte. Sie wurde jedoch von den Lutheranern, besonders von der Missouri Mission, ziemlich günstig aufgenommen und wurde zur Verwendung auf der Kanzel freigegeben. Natürlich vermißte man etliche Stellen aus dem *Textus Receptus*.

Katholische Übersetzungen

Die katholische Bibelübersetzung in Tamulisch ließ lange auf sich warten. Die erste Übersetzung des Neuen Testaments erschien 1857 in Pondicherry. Sie war ein Werk von Missionaren der Pariser Gesellschaft für Ausländische Mission, die 1776 die Arbeit der Jesuitenmission übernommen hatten[37]. Erst als diese wieder zurückkehrten, kam die Übersetzungsarbeit in Schwung. Eine Übersetzung des Neuen Testaments von J.B. Trincal, S.J., erschien 1880. Die Arbeit war 1860 begonnen und 1879 fertiggestellt worden. Das Original des Textes ist in dem Archiv des Sacred Heart College in Kodaikanal zugänglich. Es ist interessant zu sehen, daß Trincal dem Wort *Kaḍavuḷ* für Gott Raum gibt, wenn auch nicht in dem Text selbst. Zuoberst auf dem Titelblatt steht es: *"Kaḍavuḷ tunai"* (das heißt Es helfe Gott). In dem Text gebraucht Trincal oft Zusammensetzungen mit *Dēva* statt *Saruvēshuran* im Genitiv. Das Vokabular ist übrigens das traditionelle. Die Übersetzung basiert auf der *Vulgata*. Eine dritte Edition, von mehreren Jesuitengelehrten revidiert, erschien 1906. Das Vokabular ist hier und da geändert, jedoch ohne erkennbares Prinzip. Eine Neuheit ist die Einführung des Wortes *Aruḷ* für *Charis*. Die Bible Society of India hat es erst in der Ausgabe von 1976 eingeführt.

Eine andere Übersetzung des Neuen Testaments erschien 1923. Sie behält merkwürdigerweise in der Regel *Saruvēshuran* bei, gibt aber an mehreren Stellen *Kaḍavuḷ* Raum, auch dem Wort *Dēvan*. Das Vokabular ist teilweise neu, jedoch ohne größere Verbesserung, will mir scheinen. Ganz unmotiviert hat man den Namen Jesu als *Sesu* buchstabiert, wenn man sich dabei auch auf alte Tradition stützen konnte. Schon Enriquez buchstabierte *Isesu*. De Nobili braucht sowohl *Sesu* als *Iyesu*, oft auch *Esu* (weil anfänglicher E-Laut als "je" ausgesprochen wird). Trincal aber hat nur *Iyesu*. "Sesu" scheint dennoch unter den katholischen Tamulen sehr beliebt zu sein. Sie schließen gern ihr Gebet mit einem "Amen Sesu", und im Katechismus wie auch in liturgischen Büchern hat es sich bis heute erhalten. Diese Popularität mag eine Ursache dafür sein, warum "Sesu" in die Ausgabe von 1923 hineingekommen ist.

Vom Alten Testament erschien 1904 eine Übersetzung von Bischof Bottero, Missionar der oben genannten Pariser Missionsgesellschaft. Sie wurde in der katholischen Druckerei in Pondicherry gedruckt. Bemerkenswert ist es, daß Bottero *Kaḍavul* eingeführt hat, wie z.B. in Gen 1,1. Er gebraucht aber auch *Saruvēshuran*, so in Ps 108, und *Dēvan*, z.B. in Ps 22,1. Im übrigen ist das Vokabular das traditionelle. Eine Ausgabe, die ganze Bibel umfassend, wurde 1960 durch die Tamil Literatur Gesellschaft in Tuttukkudi (Tutucorin) herausgegeben[38]. Sie ist unter dem Namen "Die Pondicherrybibel" bekannt. Diese Auflage konnte aber nicht die ehrwürdige Trincal Edition in den Schatten stellen. Schon nach vier Jahren wurde 1964 eine Neuauflage in der De Nobili Press Druckerei in Madurai gedruckt. Als Schulbibel wurde sie mit instruktiven Bildern versehen. Dieses Ereignis kann als ein Zeichen der seit des Zweiten Vatikanischen Konzils (1962) in der Römischen Kirche entstehenden Bibelerweckung betrachtet werden.

Heutige Übersetzungen

Im Laufe der letzten Jahrzehnte kann man eine wachsende Bestrebung bemerken, die dravidische Kultur zu bewahren. Diese Bestrebung ist oft mit einer politischen Selbständigkeitsbewegung verbunden. Sie ist in Tamil Nad (dem Land der Tamulen) besonders durch eine sprachliche Renaissance zum Ausdruck gekommen. Es geht darum, die tamulische Sprache von dem sanskritischen Wortschatz zu befreien, der einst im Zusammenhang mit der arischen

Invasion in die Sprache eingedrungen war. Diese Dravidisierungstendenz hat den Wunsch erweckt, auch die Bibel in zeitgemäße Sprache zu kleiden. Die Weiterentwicklung der Sprache hat zudem die Forderung nach einer neuen Übersetzung unterstrichen. In beiden Konfessionen nahm man die Arbeit ungefähr gleichzeitig auf.

1962 setzte The Bible Society of India and Ceylon ein Komitee ein, um die Tamilbibel zu revidieren. Als Leiter wurde Devanesan Rajarigam, Rektor des Theologischen Seminars der Evangelisch-Lutherischen Tamulkirche, ernannt. Als Verfasser von *The History of Tamil Christian Literature* (Mysore 1958) und dank seiner eingehenden Sprachkenntnisse war er der richtige Mann für diese Aufgabe[39]. 1971–72 wurden Probeexemplare der vier Evangelien ausgegeben. 1976 wurde das ganze Neue Testament fertiggestellt. Im selben Jahre erschien eine Übersetzung des Psalters. Zum Unterschied von der Revidierten Edition von 1956 gilt die Edition von 1976 als eine "aus dem griechischen Urtext gemachte Neue Übersetzung". Schon die Überschrift des Matthäusevangeliums bestätigt diese Tatsache. Statt des herkömmlichen *Suvisēsham* (Gute Nachricht) ist für Evangelium *Aruṭceidi* (Gnadennachricht) eingeführt. Ob diese Änderung gut ist, muß man bezweifeln. Sie ist um so erstaunlicher, als Rajarigam sehr vorsichtig mit Wörtern umgegangen ist, die sich im christlichen Sprachgebrauch eingebürgert haben und dort unentbehrlich sind. In Lk 2,14 hat er die traditionelle Übersetzung behalten, aber in einer Fußnote Nestles' Text wiedergegeben. Natürlich wird diese Übersetzung von der konservativen Seite mit Mißtrauen aufgenommen, aber ganz gewiß wird sie bei der jüngeren Generation und besonders bei den Nichtchristen das Bibelwort verständlicher machen und dadurch seinen Zweck erreichen, der Bibel weitere Verbreitung zu verschaffen.

Die katholische Übersetzung erschien früher als die evangelische. Eine Probeübersetzung des Matthäusevangeliums erschien 1965, das Markusevangelium 1966, Lukas und Johannes ein Jahr später. 1970 war das ganze Neue Testament fertig. Es wurde in der protestantischen Diocesan Press in Madras gedruckt aber in Tutucorin herausgegeben. Das Titelblatt informiert uns, daß dies die erste katholische Übersetzung ist, die aus dem griechischen Urtext übersetzt ist. Leider ist es mir nicht möglich, über die Übersetzer Auskunft zu geben. Dem Text sind Einleitungen für jedes Bibelbuch hinzugefügt, auch zahlreiche exegetische Fußnoten von hervorragender Qualität, die selbst europäische Bibelausgaben übertreffen und sie bereichern können. "*Kaḍavul*" hat nun "*Saruvēshuran*" ersetzt, der sich jedoch als ein eigensinniges Relikt in eine Fußnote wieder eingeschlichen hat. Diese moderne Übersetzung wird dem Bedürfnis nach Bibelauflagen abhelfen, das durch die heutige Bibelbewegung entstanden ist.

Inwieweit diese Übersetzung die Version der Bible Society of India, die später herauskam, beeinflußt hat, ist schwer zu sagen. Beide sind voneinander unabhängig, sind aber dem gleichen Prinzip gefolgt, auch wenn sie oft gegenteilige Lösungen gewählt haben. So z.B. hat die Edition von 1970 solche Wörter wie *Suvisēsham* für Evangelium und *Visuvāsam* für Glaube beibehalten statt *Arut-*

ceidi und *Nambikkai,* die in der Edition von 1976 zu finden sind. Dadurch hat *Nambikkai* in der katholischen Edition die Bedeutung von "Hoffnung" bekommen. Derartige Übersetzungsprobleme hätten meiner Meinung nach leicht gelöst werden können, wenn die zwei Konfessionen versucht hätten, sich auf eine gemeinsame Übersetzung zu einigen. Auf die tamulischen, kuriosen Namen *Arulappar* (Gnadenvater) für Johannes, *Cinnappar* (der kleine Vater) für Paulus und *Irāyappar* (Felsenvater) für Petrus hätte man auf der katholischen Seite sicher verzichtet, wenn dadurch Einigkeit zu erreichen gewesen wäre. Wünschenswert wäre es, wenn man beim Alten Testament zusammenarbeiten könnte. Hoffen wir, daß in absehbarer Zeit die tamulischen Christen ein- und dieselbe Bibelübersetzung und dieselbe Version des Vaterunsers brauchen können.

Anmerkungen

1. In: Proceedings of the Second International Conference Seminar of Tamil Studies in Jan. 1968 I, 407.
2. *S. Rajamanickam S.J.:* Vanakkam, 1963, 13, 14.
3. Unter anderen: Gnanopadesam, 26 Predigten (Bibelgeschichte), 1963.
4. Wir können absehen von etlichen Versuchen in Ceylon 1688 und 1694. *D. Rajarigam:* The History of Tamil Christian Literature, 1958, 41.
5. *Arno Lehmann:* Es begann in Tranquebar, 1955, 8.
6. In der Zeit von Ziegenbalg nannte man die ganze südindische Halbinsel Malabar, später wurde so nur die Westküste genannt.
7. Die Sonntagsevangelien enthaltend.
8. *Arno Lehmann:* Alte Briefe aus Indien, 1957, 59.
9. *Arno Lehmann:* Es begann in Tranquebar, a.a.O. 43.
10. Evang. Missions-Zeitschrift 1967, 2.
11. *A. Lehmann:* Alte Briefe aus Indien, a.a.O. 171.
12. Ebd. 173.
13. *A. Lehmann:* Es begann in Tranquebar, a.a.O. 187.
14. *A. Lehmann:* Alte Briefe aus Indien, a.a.O. 296 und 310.
15. Ebd. 355, 401.
16. In: *A. Lehmann:* Es begann in Tranquebar, gibt es ein Faksimile desselben auf 39, so auch auf 295 ein Faksimile des lateinischen Titelblattes.
17. *A. Lehmann:* Es begann in Tranquebar, a.a.O. 44.
18. *A. Lehmann:* Alte Briefe aus Indien, a.a.O. 324.
19. Ebd. 373.
20. Ebd. 401.
21. Ebd. 494.
22. Ebd. 501f.
23. Ebd. 520, 524.
24. Ebd. 530.
25. Das Buchstabieren mit D statt T mag dadurch erklärt werden, daß die tamulischen Verschlußlaute unaspiriert sind und dadurch Tenues und Mediae verwechselt werden können.
26. Ziegenbalgs Malabarisches Heidentum, ausgegeben von W. Caland, 1926.
27. *A. Lehmann:* Es begann in Tranquebar, a.a.O. 42.
28. Bible Society 1956 Edition.
29. Wir können auch hier absehen von etlichen Übersetzungen in Ceylon 1741, 1748,

1755. Siehe *J.S.M. Hooper:* Bible Translation in India, Pakistan and Ceylon, Second Edition Revised by *W.J. Culshaw,* 1963, 72.

30. *A. Lehmann:* Es begann in Tranquebar, a.a.O. 273.
31. *J.S.M. Hooper,* a.a.O. 73, und *D. Rajarigam,* a.a.O. 42.
32. *A. Lehmann:* Es begann in Tranquebar, a.a.O. 280.
33. *J.S.M. Hooper,* a.a.O. 74.
34. Ebd. 77.
35. Ebd. 77.
36. Ebd. 78.
37. Ebd. 66.
38. Ebd. 66.
39. Rajarigam ist am 24. Januar 1978 gestorben.

Kurt Dockhorn
Identität, Dialog und Dienst in indischer und ökumenischer Perspektive

I.

Wer mit dem Bus oder im Zug durch Südindien reist, freut sich an der Landschaft in der Erwartung, daß die Berge, die ihn am Horizont ständig begleiten, doch irgendwann einmal näher herankommen müssen. Aber selbst nach stundenlanger Fahrt narren ihn die Berge immer noch, der Weg führt an ihnen vorbei, und sie rücken wieder in blaue Ferne. Fährt der Bus dann aber wirklich einmal hoch in die Westghats, die die Grenze zwischen Tamilnadu und Kerala bilden, klärt sich dem Reisenden das Geheimnis dieser südindischen Landschaft bald auf: Die Ebene ist durchsetzt mit vielen isolierten Felsen und vereinzelten Höhenzügen, die wie Inseln in einem Meer liegen, das weiter als das Auge reicht.

Unter dem Eindruck des Elends der Slums in den Städten und der Armut der ländlichen Massen und fasziniert vom heroischen Kampf einzelner Gruppen und Einrichtungen zu helfen, zu lindern, Hunger zu mindern, Menschenwürde zu retten, gerät dem Reisenden die Landschaft plötzlich zum Gleichnis für den Zustand der indischen Gesellschaft: sie ist ein unabsehbarer Ozean des Elends mit vielen vereinzelten Inseln der Nächstenliebe und der Hoffnung. Hier ein Hospital, dort ein Waisenhaus, drüben eine landwirtschaftliche Kooperative und wieder an einem anderen Ort eine Schule für Kinder von Unberührbaren. Im Jahre 1971 gab es in Indien knapp 5.200 Primary-Health-Zentren, jedes zuständig für etwa 100.000 Dorfbewohner! 90% der Krankenhausbetten stehen in den Städten, theoretisch also 20% der Gesamtbevölkerung verfügbar, in Wirklichkeit jedoch aufgrund der westlichen Orientierung der Medizin vorwiegend den Ober- und Mittelklassen vorbehalten. Die Zahl der Analphabeten sinkt nicht, sie nimmt zu und deckt sich im wesentlichen mit den zwei Dritteln der Gesamtbevölkerung, die unterhalb der Armutsgrenze leben. In beiden Bereichen, Gesundheit und Erziehung, ist die Kirche bekanntlich stark engagiert, ohne am Gesamtbild etwas zu verändern, daß mit zunehmender Unterprivilegierung die Aussicht abnimmt, Zugang zu den Segnungen der Zivilisation zu finden. In einem dritten Bereich, dem der ländlichen Entwicklungsprojekte, in dem die Kirche mit Hilfe ausländischer Gelder ebenfalls stark beteiligt ist, zeigt der allgemeine Trend, daß die, die schon Land besitzen, gefördert werden und der Projektleiter, der Pastor, der kirchliche Beauftragte, eher seine paternalistische Stellung verstärkt, für Leute etwas zu tun, anstatt an sie Macht zu übertragen und sie zur Selbsthilfe zu befähigen[1] . Mögen sich auch im Laufe der Jahre die Inseln der Liebe und der Hoffnung im Ozean des Elends vermehren und vergrößern, so scheint es doch aussichtslos, daß selbst bei einer beliebigen Vermehrung der Ozean verändert oder gar zugeschüttet werden könnte. Eine Veränderung des Bildes wäre nur vorstellbar, wenn sich der Meeresboden selbst erhöbe ...

Wo findet die Kirche von Südindien, dreißig Jahre nach ihrer Gründung[2], in dieser Situation ihren Stand, wie sieht sie ihre Rolle, mit wem ist sie im Gespräch und was erklärt sie zu ihrer Sache? P.L. Samuel[3] sieht anläßlich des dreißigsten Geburtstages der CSI keinen Grund zum Feiern. Lapidar stellt er fest, daß die Kirche bislang eine sich selbst betrachtende war, die keinen Einfluß auf das Leben von Millionen von Nicht-Christen hatte. Er findet eine schwache Synode vor und eine Diözesanstruktur, die den Bischof zum Opfer von Gruppeninteressen und engen Loyalitäten macht, "die Kirche wird die letzte Zuflucht des arbeitslosen Christen. Beeinflussung und Vetternwirtschaft spielen eine große Rolle in der Auswahl der Kandidaten für das Predigtamt". Diese Kirche ist nicht gerüstet, um ein "wirksames Instrument bei der Errichtung des Reiches Gottes in einer sich rasch wandelnden Gesellschaft zu sein". Samuel sieht den Akzent der kirchlichen Arbeit in falscher Weise auf die Großstadtgemeinden und auf — zum Teil überflüssige — Prestigeobjekte gelegt, Synodale aus Dorfgemeinden "bekommen nicht die Gelegenheit, sich selbst in ihren eigenen Sprachen frei und ohne Furcht auszudrücken", und er fordert, die eigenen Finanzquellen und den genügend großen Besitz der Kirche so zu entwickeln und zu nutzen, daß die Kirche für die Welt ein Modell gerechter Verteilung wird und gleichzeitig die Missionsgesellschaften gebeten werden können, "ihre Missionare und besonderen Projekthilfen gütigerweise zurückzuziehen", damit Eigeninitiative und eigene Übernahme von Verantwortung nicht länger gehindert werden.

Auf derselben Linie hat der Bischof von Madras, Sunder Clarke, in einem Referat über "das Moratorium"[4] die andauernde finanzielle Abhängigkeit vom Ausland gegeißelt und seine Kritik verbunden mit der Forderung, "die indische Kirche dahin zu erziehen, daß sie in der Eigenfinanzierung größere Anstrengungen unternimmt". Die Entschuldigung: "Wir sind ein armes Land", soll nicht länger gelten, sie verdeckt nur mangelnde Planung und das Fehlen von Vorsorge, Zielen und Antrieben. Die Gemeinde werde insgesamt ungenügend beteiligt an der Finanzplanung. Freilich zeigen die konkreten Vorschläge von Bischof Clarke zur Befreiung aus westlichem Paternalismus durch Überwindung der Mentalität der "ausgestreckten Hand", daß über den Weg zu diesem Ziel noch Unsicherheit herrscht. Unreflektiert stehen Appelle an größere Gebefreudigkeit — "Auch die Habenichtse können noch geben" — neben Vorschlägen zum ökonomischen, Kapital anlegenden und Zinsen bringenden Umgang mit Ressourcen[5].

Victor Premasagar, der Rektor des Andhra Christian Theological College in Secunderabad, stellt Überlegungen wie die von Clarke und Samuel in den Rahmen der grundsätzlichen Beobachtung eines Widerspruchs von sozialer Zusammensetzung der Christenheit in Indien und der Struktur der Kirche als Institution[6] : "Die Mehrheit der Christen lebt auf Dörfern in bitterster Armut, ohne Land und ohne Gelegenheiten zur Arbeit als normalen Lebensweg. Die städtischen Kirchen leben im Wohlstand mit hochqualifizierten Pastoren. Der grössere Teil der Kirche gehört dem Harijan-Milieu an. Diese armen Leute sind seit Jahrhunderten der Unterdrückung, der Dressur und der Ausbeutung unterworfen." Dem gegenüber steht eine zentrale Organisation der Kirche, die voller Machtkämpfe ist und kaum jemals an die armen und unterdrückten Nachbarn denkt[7]. "Diese Zentren der Macht und Autorität haben keine grundsätzliche Entscheidung getroffen, sich auf die Seite der Armen und Unterdrückten zu stellen. Die Fragen, die in den Ausschüssen und Kirchenräten zur Diskussion stehen, sind ohne jede Beziehung zu den Kämpfen der einfachen Leute." Im Gegenteil, die Organisationsstrukturen und die Konflikte im Apparat entfremden die Leute von der Kirche und die Kirche von den Leuten.

Hier zeigt sich für Premasagar, daß die Kirche ihren Minderheitenstatus nicht dazu genutzt hat, sich stellvertretend für die Ausgebeuteten, zu denen die Christen selber mehrheitlich gehören, dem Hauptstrom des nationalen Lebens im Kampf für die Befreiung der Unterdrückten zu öffnen, sondern stattdessen aus Selbsterhaltungstrieb eine eigene Machtstruktur aufgebaut bzw. von den Missionen übernommen hat, in der introvertiert und selbstbezogen Kämpfe ausgetragen werden, die die Vermittlung von Gottes Liebe an die Armen verhindern.

Im 30. Jahr der CSI finden wir nach indischen Zeugenaussagen also eine Kirche vor, die ein Eigenleben führt ohne klar bestimmte Beziehung zu der gesellschaftlichen Wirklichkeit, in die sie eingebettet ist, und ohne deutliche Zielangabe, wie sie ihre Sendung inmitten dieser sie umgebenden und bestimmenden Wirklichkeit versteht. Im folgenden soll dieser These detaillierter nachgegangen werden unter den drei gegenwärtig in der ökumenischen Diskussion zentralen Stichworten Identität, Dialog und Dienst, wobei Materialien zur Sprache kommen, die dem Verfasser während eines Indien-Aufenthaltes im Sommer 1977 zugänglich waren.

II.
Identität. Die Frage nach der Identität der Kirche ist bisher weitgehend verstanden worden als Frage nach der Indigenisation, dem Einheimischwerden von christlicher Theologie in Indien. Leitender Gesichtspunkt bei der Suche nach einem solchen einheimischen, authentischen Konzept von Theologie war dabei die Wahrnehmung des erdrückenden Übergewichts des Hinduismus, dem sich das Christentum in Sprache und Mentalität verständlich machen mußte, sollte Christus für Hindus als Herr und Erlöser annehmbar werden. Dabei interessierte am Hinduismus eigentümlicherweise weniger die Volksreligion, geschweige denn der Zusammenhang von Religion und Gesellschaft. Vielmehr faszinierte der Hinduismus als religionsphilosophisches System, hier wiederum in seiner brahmanisch-monistischen Ausprägung des Advaita, so daß der Entwurf christlicher Theologie in Indien zum apologetischen, auf ein bestimmtes religions-

philosophisches Bezugsfeld fixiertes Unternehmen wurde[8]. Anscheinend ist inzwischen ein völlig anderes Interesse, das zur Identitätsfindung führen soll, maßgebend geworden, während die bisherige Fragestellung in den neu thematisierten Bereich des Dialogs zwischen Christen und Hindus abgewandert ist. "Erfahrung mit den Armen ist eine Bedingung für authentische theologische Reflexion im Kontext der Dritten Welt ... Die Erfahrung der Marginalisierten ist eines der Themen der theologischen Reflexion selbst ... Es ist jetzt üblich geworden, in der Theologie vom Aktions-Reflexions-Prozeß zu sprechen, der aus dem Engagement entsteht ... Die Kirche wird Kirche des Volkes, wenn sie die Sache der großen Mehrheit des Volkes repräsentiert, wenn sie die Stimme der Stimmlosen wird ... Kirche ist, wenn im Namen Christi die Unterdrückten befreit werden."[9]

Der Wirtschaftswissenschaftler C.T. Kurien beschreibt zwei Ebenen seiner Erfahrung mit der Kirche[10]. Auf der ersten Ebene hat er eine gesellschaftliche Einrichtung erfahren, die vom Montag bis zum Samstag schläft und "sich am Sonntag zu etwas versammelt, was sie Gottesdienst nennt, in einem Gebäude, das für den Rest der Woche geschlossen ist. Der Gottesdienst ist gewöhnlich eine nicht inspirierende Erfahrung mit Übersetzungen von alten westlichen Chorälen, die schlecht gesungen werden, mit archaischen Gebeten, die mechanisch heruntergerasselt werden, und mit geistlichen Ermahnungen, in denen die üblichsten Beispiele sich auf die guten alten Tage der Königin Victoria beziehen. Bestenfalls erweist sich der Gottesdienst als emotionales Stimulans, wenngleich von sehr kurzer Dauer. In der Kirchentradition, die ich kenne, ist der Gottesdienst eine pietistische Dosis von emotionalem Spiritualismus − an jedes Individuum einzeln gerichtet. Dies war der Fall in den späten dreißiger Jahren, und mit seltenen Ausnahmen ist es weiterhin so in den späten Siebzigern ... Es geht darum, daß das Gemeindeleben eine isolierte Totalität eigener Prägung darstellt mit einer erstaunlichen Fähigkeit, den Rest des Lebens und den Rest der Welt zu ignorieren und zu vergessen". Auf der zweiten Ebene, ohne jede Verbindung zum eben Beschriebenen, sieht Kurien "die Avantgarde des modernen Zeitalters" in Unternehmungen von Vertretern des sozialen Evangeliums am Werk. Hier handelt es sich um säkularisierte, von der Kirche und der Ökumene beauftragte Spezialisten, die − etwa in den Projekten der Church's Auxiliary for Social Action, CASA − Entwicklungshilfe an den Brennpunkten des nationalen Aufbaus leisten. Sie möchten die gesellschaftliche Isolation der Gemeinde durchbrechen und verstärken diese tatsächlich doch nur, da sie aufgesetzte Aktionen repräsentieren, die in keiner Weise gewachsener Bestandteil des kirchlichen Lebens sind. Das ändert sich auch nicht dadurch, daß die indischen Christen einen Teil der Projekthilfen selber finanzieren müssen. Im Gegenteil: Soziales Engagement dieser Art ist nicht aus den Gemeinden heraus gewachsen und erreicht sie im Grunde auch nicht, da der von außen kommende Fachmann gerade die Entwicklung von Eigeninitiative verhindert. "Das wirkliche Ziel besteht darin, die Kirche in Indien auf der Gemeindeebene ihrer sozialen Aufgabe bewußt zu machen." So polarisiert sich die Kirche in Indien für Kurien in die Dynamik dieses von ihm so genannten para-ökumenischen Sektors und in den stagnierenden Konservatismus pietistischer Gemeindefrömmigkeit. Deutlich ist, daß die Suche nach der Identität zwischen diesen Polen verlaufen und die Initiative von unten ermöglichen muß, die die Gemeinde sensibel macht für ihre Umgebung, für die Kultur, die sie umgibt, und für die ökonomischen und politischen Probleme, die diese Umgebung prägen. Nur so kann eine Antwort auf die Frage nach der Sendung der Kirche in diesem Kontext sich finden lassen.

Deprimierender noch fällt Alexander Devasundarams Analyse der kirchlichen Situation aus[11]. Ihm stellt sich die Kirche dar als riesiger Eisberg, dessen Spitze über Wasser – eine kleine Minderheit von Leuten in Verwaltung und Projekten – in Berührung ist mit Entwicklungsbemühungen im säkularen Bereich, die aber diese Verbindung und dieses Problembewußtsein mit völliger Entfremdung von dem viel größeren Teil des Berges unter Wasser erkaufen muß – "das heißt von den Gemeinden, die in Unwissenheit und Abhängigkeit gehalten werden". Der überkommene und beibehaltene strukturelle Rahmen verunmöglicht die Bildung von Kadern, die in Verbindung mit der Basis die bewußtlose Masse der Christen dort aufwecken und befähigen könnten, zusammen mit den "weltlichen" Armen, die nicht anders dran sind als sie, zu leben und zu handeln.

Vorstellungen von geistlicher und materieller Selbständigkeit sind unter diesen Umständen illusionär. Aber dennoch gilt: "Die einzige langfristig lohnende Investition – die zugleich ihrer Natur nach eine sehr christliche ist – ist die Investition in den Geist des Menschen." Anders gesagt, die Situation schreit nach Basiserziehung im Sinne der Conscientisation Paulo Freires und nach gleichzeitiger Reform der theologischen Ausbildung im Sinne des von Sam Amirtham angedeuteten Aktions-Reflexions-Prozesses, der aus dem Engagement entsteht. Jedoch dürfte nur eine Minderheit in der indischen Kirche ihre Suche nach Identität auf diesem Wege betreiben. Weitaus stärkere Kräfte scheint die Vorstellung zu binden, daß Evangelisation, Aktion zur Gewinnung von Seelen, der Schlüsselbegriff ist, mit dem die Christenheit in Indien ihren Ort finden kann. Individualistisch orientierte Sünden- und Erweckungspredigt, die kein Wort an die soziale Situation verschwendet, hat erschütternd großen Zulauf. Es ist, als ahme Indien hier die Flucht der Erweckungsbewegung vor der sozialen Frage im Europa des 19. Jahrhunderts nach und als wolle die Kirche auf dem noch nicht säkularisierten Terrain Indiens die längst verlorene Feldschlacht gegen den Hinduismus, der sich immer "missionarischer" ausrichtet[12], doch noch auf diese Weise gewinnen. Wie ungeklärt die von der Kirche zu verfolgende Generallinie ist, zeigt die Kontroverse, die Billy Grahams Auftreten kürzlich in Südindien hervorgerufen hat. Eine Gruppe von Theologen am United Theological College in Bangalore attackierte Grahams "einseitige Auslegung des Evangeliums" und erklärte, daß das, "was die Christenheit Indiens heute braucht, Wachstum an Reife im Verstehen des Evangeliums und eine Vertiefung des Lebens im Heiligen Geist ist ... Dieses Interesse an Wachstum in Reife ist heute sogar noch stärker gefordert, da die Kirche in Indien vielschichtigen Problemen des sozialen Wandels, des Kampfes für Gerechtigkeit und der Begegnung mit Menschen anderen Glaubens gegenübersteht. Wir können keine Festivals der Guten Nachricht feiern, ohne daß wir um die verschiedenen Dimensionen des Evangeliums von Jesus Christus für die indische Situation wissen ... Seine Gleichgültigkeit sozio-politischen Realitäten gegenüber, in denen die Menschen leben, und die noch bedenklichere Folgerung, daß das Evangelium von Jesus Christus nur das Heil der inneren Seele angehe und wenig mit der Umformung von Gesellschaftsstrukturen zu tun habe, sind zutiefst beängstigend ... In Indien ist eine Interpretation des Evangeliums, die nur dem status-quo dient, höchst gefährlich ... Die Situation erfordert eine Darstellung des Evangeliums, die den status-quo in Frage stellt und den Gläubigen dazu hilft, sich mit andern in der Suche nach einer neuen Gesellschaft zusammenzutun".

Bischof Sunder Clarke wies diese Kritik zurück und begegnete den Argumenten mit der Emotion, daß Billy Graham ein Mann Gottes sei und man darum von ihm "vorurteilsfrei" das Wort Gottes empfangen und erkennen solle, "daß dies (Graham und seine Helfer) die Männer Gottes sind, die uns Gottes Botschaft bringen. Wir wollen durch keinerlei Art von Polarisation aufgehalten werden"[13]. Im Klartext heißt dies, daß für Bischof Clarke für die Frage, wie das Evangelium seine Adressaten erreicht, Situationsanalyse immer noch irrelevant ist und zur Frage der Identität von Christen in einer bestimmten Umwelt nichts austrägt.

Dialog. Ist die bislang beschriebene Tendenzwende im Verständnis von Identität richtig beobachtet, dann muß sich das an einem veränderten Verständnis von Dialog bewähren, der in Indien nach wie vor fast ausschließlich Dialog von Christen mit Hindus meint. Es wurde bereits darauf hingewiesen, daß die bisherige religionsphilosophisch orientierte Suche nach der "einheimischen" Theologie aufgegeben wurde und die Frage nach der umgebenden Hindu-Religion in den Bereich des Dialogs hinübergewandert ist. Vorherrschend dürfte noch der halbherzige Umgang mit dem Dialog als einem Mittel zur Evangelisation sein. So verstanden es auf Befragen die meisten der an einem Seminar über theologische Probleme des Dialogs teilnehmenden Studenten an einem theologischen College in Südindien, und so wurde es bekräftigt von den Pastoren der Diözese Kanyakumari auf einem Pastoralkolleg: "Wenn der Dialog nicht ein Mittel der Mission ist, führt er nirgendwo hin."[14] Kein Wunder, daß Hindus nach wie vor Grund sehen, in der Evangelisation der Christen — schon an Hand einer Analyse des dabei gebrauchten Vokabulars wie Kreuzzug, Strategie, Taktik, Seelen für Christus gewinnen — ein militantes Unternehmen zu vermuten[15]. Aufhorchen läßt andererseits, daß Studenten während eines Evangelisationspraktikums zum selben Zeitpunkt auf die Grundfrage stießen, ob "direkte Evangeliumsarbeit ohne Dialog Nutzen bringe"[16].
Man machte die Erfahrung, daß die vorgefertigte theologische Sprache von den Angesprochenen in den Dörfern nicht verstanden wurde, etwas, was bei uns zulande in den Predigten ja auch ständig passiert, ohne daß es darüber kontrollierte, systematische Rückmeldungen gäbe. Diese Erfahrung brachte die Studen-

ten auf die Forderung, daß bei einem nächsten derartigen Predigtpraktikum ein eingehendes Studium der Lebensumstände und Denkweisen der angesprochenen Bevölkerung vorhergehen müsse. Worum es geht, hat Sam Amirtham bereits im Jahre 1971 vor dem Theological Education Fund dargelegt[17]. Er weitet das Verständnis von Dialog aus zu einem lebendigen, empathischen Umgang des Theologen und Predigers mit dem gesamten Umfeld des Adressaten. Das Feld des Dialogs ist nicht mehr nur das "Inter-Religiöse", sondern die gesamte Umgebung, die Christen wie Nicht-Christen einschließt. "Diese Begegnung im Dialog ist nur möglich durch ein authentisches Sicheinlassen auf die Umgebung." Das Stichwort "Gemeinschaft", das im ökumenischen Dialog-Programm seit der Konsultation von 1974 in Colombo[18] zentral geworden ist, wird aus der ihm auf der Ökumene-Ebene eignenden Abstraktion herausgeholt und in den konkreten Zusammenhang von Partizipation an einem bestimmten Ort gestellt: "Nur Teilnahme an den fortlaufenden religiösen, kulturellen, politischen Prozessen in Tamil Nadu kann eine relevante Theologie für Tamil Nadu hervorbringen. Die Tatsache, daß jemand in Tamil Nadu geboren und großgezogen wurde, macht ihn nicht notwendig dessen bewußt, was in der Welt um ihn herum passiert. Noch gibt sie ihm die Empathie für die existentiellen Realitäten der Leute, deren Alltag er teilt. Eine christliche Subkultur isoliert die Christen oft vom Hauptstrom des nationalen Lebens." Genau um die Durchbrechung der isolierten christlichen Subkultur geht es, und dazu muß sich der inter-religiöse Dialog zur gesamtkulturellen Teilnahme am religiösen, geistigen, politischen und sozialen Leben und den damit verbundenen Kämpfen weiten. Das meint ausdrücklich auch ein Sichöffnen für säkulare und sozial-revolutionäre Strömungen. Damit die Kirche sie selbst werde, muß das noch als Tugend angesehene Abseitsstehen — "be ye apart" heißt das verbreitete Motto — aufgebrochen werden, denn es verunmöglicht nicht nur Kommunikation, sondern straft die Inkarnation und das biblische Evangelium selber Lügen.

Während die ökumenische Dialog-Theologie damals den Dialog noch unter der Voraussetzung einer grundlegenden gegenseitigen Bestätigung betrieben wissen wollte[19], kündigt sich im "Dialog vor Ort" bei Amirtham in der differenzierten Wahrnehmung des Umfelds unter der Leitfrage nach der für die Situation relevanten Theologie bereits das Abwägen an, welche Tendenzen in der Situation für die Theologie relevanter, welche weniger wichtig sind. Dabei bekommt die soziale Frage deutlich das größere Gewicht gegenüber einer zu überwindenden evangelikalen Grundhaltung, der es auf individualistisch verstandene Erlösung mit eskapistischer Ausrichtung ankommt. Bezeichnenderweise wird die Wende in der Ökumene nicht im Rahmen des Dialog-Programms vollzogen, sondern dort, wo die Sache der Unterdrückten als konstituierendes Element der theologischen Reflexion angesehen wird. Hier wird die Entwicklung eines "interkontextuellen" Dialogs gefordert, von wo aus "die Theologien, die im Dialog engagiert sind, zu einer grundsätzlichen Kritik fortschreiten können, anstatt sich wechselseitig ihre Kulturen und Ideologien grundsätzlich zu bestätigen ... Die Bemühung um Einheit in der ökumenischen Bewegung wurde herkömmlicherweise verfolgt, indem man den Konsens erstrebte. Die neue ökumenische Aufgabe ist es, die Konvergenzpunkte zwischen verschiedenen sozio-kulturellen und theologischen Kontexten herauszufinden, die eine Position für soziale Gerechtigkeit und gegen Armut und Unterentwicklung bezogen haben"[20].

Der Dialog wird so, statt konservativ eine Funktion der Evangelisation und liberal eine neue christliche Übung in Toleranz zu sein, zur Funktion der Identitätssuche, die frühestens dann beendet ist, wenn die Frage: Welches ist der Ort, an dem das Evangelium heute Gestalt wird, sehr genaue Beantwortung gefunden hat. Hinter dieser in der Ökumene aus der Sozialethik und in Indien aus dem Wahrnehmen der Situation stammenden Erkenntnis bleibt S. Wesley Ariarajah zurück, wenn er sagt, daß "das größte Hindernis für genuines theologisches Denken die maßlose Angst vor Synkretismus" sei[21]. So sehr diese Furcht, vor allem in der weißen Theologie und bei all den Christen, die sich in Indien weiterhin vom Westen bevormunden, das heißt sich an der Begegnung mit ihrem eigenen Ort hindern lassen, in der Tat verbreitet ist, so zweifellos ist das Synkretismus-Problem eine Frage von gestern, als die Theologie noch bemüht war, ihre Identität in Indien über eine religionsphilosophische Auseinandersetzung mit dem Hinduismus zu finden. Entsprechend sieht Ariarajah die Bedeutung der Aufnahme des Wortes "Gemeinschaft" in die Dialogtheologie nur in der Erweiterung von Heilsmöglichkeit und Heilsereignis auch außerhalb des Christentums: "Schließt nicht die göttliche Liebe für die ganze Menschheit völlig jede Vorstellung aus, daß Heil sich nur in einem Strom menschlicher Geschichte ereignet, der zeitlich auf die letzten neunzehn Jahrhunderte und räumlich auf jene Gebiete begrenzt ist, in die die Missionare kamen?" Dem läßt sich wohl nur bornierterweise widersprechen, doch wichtiger wäre es zu fragen, was denn an politischen, sozialen und wirtschaftlichen Kräften — Religion wäre hier eher beiläufig zu nennen — am Werk ist, so daß die Realisierung der von Gottes Liebe intendierten Gemeinschaft aller Menschen verhindert wird. Darüber wäre der Dialog in Gang zu setzen!

Sehr klar kommt die Richtung, in der christliche Identität in Indien, allem unerhört starken Hinduismus zum Trotz, gefunden werden muß, in einem neuen Band von M.M. Thomas zum Ausdruck. Er fragt nach der säkularen Bedeutung des Christus im Gegenspiel zu Indiens säkularen Ideologien[22]. Freilich, der Vorreiter der ökumenischen Bewegung übt, getreu der Weisheit, daß der Prophet im eigenen Lande nichts gilt, in der indischen Kirche als Institution keinen erkennbaren Einfluß aus.

Dienst. Die Testfrage des Jahres 1977 für den politischen Standort der Kirche in Indien und seine Implikationen war ihre Haltung zum Notstand der Indira-Gandhi-Regierung. Bekannt geworden waren während des Notstandes peinliche Loyalitätserklärungen von kirchlichen Führern und Gremien, vor allem aus Nordindien, Zurückweisungen kritischer Stimmen aus der Ökumene, aber andererseits auch synodale Äußerungen zur Verletzung der Grundrechte durch die Indira-Gandhi-Administration, die mutigen Kommentare von M.M. Thomas zunächst im Guardian, dann, nachdem sie dort dem Zensor zum Opfer gefallen waren, in den Newsletters vom Christian Institute for the Study of Religion and Society, oder der Briefwechsel zwischen C.T. Kurien vom Madras Christian College und Russel R. Chandran, dem Rektor des United Theological College in Bangalore, in dessen Verlauf Chandrans pro-Indira-Standpunkt zunehmend differenzierter und zurückhaltender wurde. Der Briefwechsel ist ein Lehrstück dafür, wie Soziologie Theologie sensibel machen kann in Bereichen, in denen Theologen meist nur pauschal reden[23]. Anläßlich einer Konsultation über "Indische Politik nach dem Ausnahmezustand", die Ende 1977 vom Christian Institute for the Study of Religion and Society und der Christian Association of India for Peace with Justice stattfand, schreibt G.R. Karat zusammenfassend[24]: "Weshalb war die christliche Gemeinschaft – oder wenigstens ihre offizielle Führerschaft – im ganzen für den Ausnahmezustand und für Indira? War es deshalb, weil die Christen eine Minderheit sind, oder lag es an der Unkenntnis der groben Mißbräuche, die während des Ausnahmezustandes begangen wurden, wie auch der tieferen und langfristigen Implikationen des Ausnahmezustandes? Und was soll man vom gegenwärtigen Schauspiel derselben Führer halten, die der Janata-Regierung begeisterte Unterstützung zusichern? Gibt es etwas im indischen Ethos, das es den Leuten schwer macht, einen Standpunkt, der etwas kostet, für oder gegen eine Sache zu beziehen? Die Kirche und die Christen haben sich anscheinend ausschließlich von Erwägungen über die eigene Sicherheit leiten lassen und von Überlegungen, die die Interessen der Gemeinschaft angesichts von bedrängenden, anscheinend unbesiegbaren Kräften im Auge hatten. Jede Minderheit neigt dazu, sich selbst zu verteidigen und sich selbst zu bestätigen ... Außerdem haben auch christliche Institutionen sich angewöhnt, sich nach den Mustern und Werten der soziologisch dominanten Gruppe zu verhalten wie alle andern Institutionen, die ursprünglich den Gedanken des Dienens ausdrückten, aber im Laufe der Zeit Quellen der Macht und der Patronage wurden. Dergestalt ist die Kirche unfähig geworden, sich selbst zu vergessen und mit den Machtlosen in der Gesellschaft gemeinsame Sache zu machen." Die Ursachen dieses Identifikationsdefizits sieht Karat weniger in einer unklaren Beurteilung einer bestimmten Situation – Emergency –, als vielmehr in einem grundlegenden Mangel an Fähigkeit, bedingt durch autoritäre Strukturen, law-and-order-Denken und Konfliktscheu, abweichende Meinungen einzuüben und für Freiheit und Menschenrechte einzutreten. An der Wurzel des Übels liegt das Fehlen einer Verbindung von christlichem Glauben und Gesellschaftsanalyse. Auch die Berechtigung des Motivs, die Kirche habe sich opportunistisch verhalten müssen aus Sorge um die Erhaltung der christlichen Minderheit, da nur die von Indira repräsentierte Politik den Christen Religionsfreiheit in einem säkularen Indien garantiere, stellt Karat in Frage, da es weniger um die Interessen der christlichen Gemeinschaft gegangen sei als um das Bedürfnis, die Machtstrukturen der Kirche und ihre ökonomischen Grundlagen nicht zu gefährden. Noch ist diese Kirche nicht in der Lage, über das Üben von caritas hinaus die Konfrontation um der sozialen Gerechtigkeit willen zu wagen. "Es ist traurig zu sagen, daß die Kirche und die christlichen Institutionen heute keine bemerkenswerten Beispiele von

Freiheit und Gerechtigkeit sind. Sie müssen zum Leben erweckt werden für die christliche Sendung, Gottes Gerechtigkeit unter Menschen und in Gesellschaften innerhalb der Geschichte aufzurichten."

M.M. Thomas[25] sieht es als Konsequenz aus den Erfahrungen mit dem Notstand an, daß der Konflikt um den rechten politischen Standort der Kirche in die kirchliche Institution selber hineingetragen werden muß. "Solange die Kirche ihrer Sendung treu bleibt, Christi neue Menschlichkeit in der Gesellschaft und im Staat zu bekennen, sind Spannungen zwischen Kirche und Staat unvermeidbar ... Wenn die amtlichen Kirchen nicht reif genug sind, das zu erkennen, hoffe ich, daß sie durch Vereinigungen wie die neu gegründete Fellowship of the Clergy[26] ... an alle menschlichen Wesen in Indien erinnert werden, die sich nach Befreiung von jeglicher Sklaverei sehnen."

Wie ist dieser Schritt von einer Kirche, die caritas übt, zu einer Kirche, die im Kampf um soziale Gerechtigkeit Partei ergreift, zu vollziehen? Anders gefragt: Wie kommt die Kirche zum Bewußtsein dessen, daß der Ruf nach Gerechtigkeit sozio-ökonomische Veränderungen an der Basis meint? C.T. Kurien hat auf den Widerspruch aufmerksam gemacht, der zwischen dem beträchtlichen Beitrag von Indern zum ökumenischen Nachdenken über Entwicklungsfragen und dem Ausbleiben eines entsprechenden Echos in der indischen Kirche selbst besteht[27]. Den Hauptgrund für diesen Widerspruch sieht Kurien darin, daß die Kirche trotz verbaler Zustimmung zu den Ansätzen ökumenischer Entwicklungsanalysen in ihren Aktionen der Praxis der Vergangenheit verhaftet geblieben ist, dem Dienst am einzelnen, vornehmlich sogar am einzelnen Christen, in den Bereichen Gesundheit, Bildung und Ernährung. Zur Überwindung des Zwiespalts werden einerseits kirchliche Strukturen kritisiert, andererseits eine Bewußtseinsbildung der Christen in Fragen der Entwicklung gefordert, die zur Einsicht in die Notwendigkeit von radikalen Strukturveränderungen führt. Zustimmend zitiert Kurien eine Stellungnahme der CSI-Synode vom Januar 1974 – The Church in the Struggle for Social Justice –, in der es heißt: "Die Kirche kann und muß nicht der Hauptagent einer solchen Umwandlung sein. Tatsächlich kann die Kirche in einer solchen Umwandlung nur eine demütige Rolle spielen ... Sie muß ihre Sorge um Gerechtigkeit in konkrete Handlung in ihrer eigenen Sphäre übersetzen."

Was hier an überkommener Einstellung beseitigt werden muß, diagnostiziert der Präsident des National Christian Council of India S.K. Biswas[28] als ein Geschlagensein mit Blindheit dafür, daß der Heilige Geist auch außerhalb der Reiche der kirchlichen Diakonie tätig sein könnte, z.B. durch andere Religionen oder weltliche Instanzen, die im selben Bereich "vielleicht mit einer deutlicheren Erfassung der grundsätzlichen Aufgaben, aber mit dürftigen Mitteln kämpfen. Wir haben Tonnen Papier beschrieben, um zu rechtfertigen, wie qualitativ verschieden christliche Diakonie ist. So haben wir unsere Arbeit getrennt entwickelt. Es gibt einen fundamentalen Mangel an Theologie, die uns befähigt hätte, eine Partnerschaft mit andern einzugehen ... In wessen Gesellschaft tun wir den sozialen Dienst? In der Gesellschaft der erlösten Mittelklassen, die aus sicherer Position heraus fortfahren werden, ihre Art zu erheben und ihr korruptes System auf Kosten der Armen zu rechtfertigen? Dürfen wir an die Adresse derer, die für theologische Ausbildung verantwortlich sind, die Frage richten, wo die theologische Kühnheit bleibt, die ihre Studenten zurüstet, Risiken einzugehen? Wenn sozialer Dienst nicht zur Konfrontation führt, wenn er nicht im Namen Christi zum Konflikt führt, wenn er uns nicht hilft, den einzigartigen Christus der indischen Armen in ihrer gegenwärtigen Kreuzigung zu finden, ist er wenig wert".

Daß andere, "vielleicht mit einer klareren Erfassung der grundlegenden Fragen", ihre Arbeit tun, ohne daß die Christen sich von ihren Kämpfen anrühren lassen, bestätigt sich indirekt in der Analyse eines Konfliktes mit Großgrundbesitzern nahe Tanjur, die Gabriele Dietrich vorgelegt hat[29] : eine marxistische Gruppe und Sarvodaya-Leute engagierten sich, die Christen kamen nicht vor. Joseph Vadakkan nennt die sicherlich nicht nur im katholischen Bereich geltenden Gründe dafür, daß die Kirche die Kooperation mit außerchristlichen Gruppen unterläßt. Er trifft sich darin mit dem kritischen Hinweis von Biswas auf das die Kirche behindernde Bündnis mit den Mittelklassen: Antikommunisten können nicht mit Kommunisten zusammenarbeiten; das offene Ansprechen der Notwendigkeit radikaler Veränderung in der Kirche, der Demokratisierung korrupter Praktiken und etablierter Interessen in den Institutionen der Kirche ist unerwünscht; die kirchliche Autorität zieht eine Politik vor, die das Los der Armen erleichtert, ohne die Reichen zu verletzen. So verhindert man, daß die Ausbeutung von Seiten der reichen Schichten der Gesellschaft bloßgestellt wird[30].

Einstweilen scheint es nur ganz am Rande der Kirche möglich zu praktizieren, was inzwischen so vielfach gefordert wird an Aufbruch aus der Tradition, der Institution und deren Strukturen, um solidarisch mit den Ausgebeuteten zu werden und die eigene Identität im sozialen Kampf und in der "inter-kontextuellen", dialogischen Zusammenarbeit mit nichtchristlichen Gruppen neu zu finden, die im selben Bereich kämpfen. Entschlossen an die Realisierung vorhandener Einsichten geht beispielsweise die People's Education for Action and Liberation des charakteristischerweise unabhängig von der Institution Kirche arbeitenden Pastors Y. David. Hier ist die Zusammenarbeit mit Nicht-Christen, Gandhianern, Marxisten kein Tabu mehr, sondern Bestandteil der täglichen Erfahrung. Hier scheut man sich auch nicht, als Ziel von Basiserziehung, Conscientisation und Massenbewegungen in Slums, auf dem Lande und in der Industrie eine sozialistische Gesellschaftsordnung für Indien zu nennen, in der jeder Mensch "wahrhaft menschlich mit Freiheit und Kreativität" sein kann[31]. Mit der Unabhängigkeit dieser Initiative von der Institution Kirche ist das klare Bewußtsein von der Unvermeidlichkeit des gesellschaftlichen Konfliktes gegeben. Bereitschaft zum Leiden, das sich daraus ergibt, ist da. Hier ist im Ansatz zu sehen, was Sam Amirtham "Dienst mit den Armen" nennt und was in einer neuen theologischen Ausbildung durch das Engagement von Theologiestudenten im Slum, auf dem Dorf, im Betrieb, in der Politik und im interreligiösen Dialog verwirklicht werden soll. So wie das Evangelium die Situation erhellt, so wird die Erfahrung mit den Unterdrückten auch die exegetische Arbeit

befruchten. Die Kirche, die für andere Stimme ist und die ihre Sendung vom
Evangelium her wesentlich als Befreiung begreift, schickt sich an, Kirche mit
anderen zu werden. Kirche hört in dieser Vision auf, Arme zum Objekt von
christlicher Nächstenliebe zu machen oder sie als Mittel zur Beruhigung des
eigenen Gewissens zu benutzen. Kirche arbeitet mit anderen an der Selbst-
bestimmung von Menschen als freien, ihre eigene Geschichte endlich in die
Hände nehmenden Wesen. Sie riskiert dabei, angegriffen zu werden von Unterdrückten, die fragen: "Warum habt ihr uns bisher daran gehindert, uns selbst
zu bestimmen?" Und Kirche sieht sich selbst nun bescheidener, nicht mehr als
Motor der Befreiung, sondern als Teilnehmer im Prozeß der Befreiung, der sich
mitfreut, wo immer Befreiung Ereignis wird[32].

III.

Die Durchsicht des Materials hat uns eine Reihe von Problemen verdeutlicht,
die im wesentlichen mit dem Charakter und dem Beharrungsvermögen der
Institution Kirche zusammenhängen. Es zeigt sich ein kirchlicher Apparat, der
dank westlicher Finanzhilfe und im Widerspruch zur breiten Masse der armen
Christen an der Basis keine Struktur gefunden hat, die der Kirche Jesu Christi
im Ozean des Elends angemessen wäre, und der das, was er hat, durch opportu-
nistische Anpassung an die herrschende Macht zu halten gedenkt, um den
Ruhe und Frieden versprechenden status quo einer Minderheit nicht zu gefährden. Damit macht die Struktur der Kirche die Christenheit undurchlässig für
die Weitergabe von Gottes Liebe an die Welt, die in der Solidarität mit den
Armen und im Üben der Gerechtigkeit für die Ausgebeuteten besteht. Der neue
Akzent auf Entwicklungsprojekten, der eben dieses Eintreten für die Entrechteten betonen soll, verschärft das Problem eher noch, da sie, wiederum mit
westlichen Geldern, getragen werden von Personen und Instanzen, die für
Abhängige etwas tun, anstatt mit ihnen Wege aus ihrer Abhängigkeit zu suchen.

Die Forderungen, die sich aus dieser Problemanzeige ergeben, lauten: Schafft
die Voraussetzungen zur Selbsthilfe, ermöglicht die Selbständigkeit – der
Kirche vom Westen und der Christen von einer sie in Unmündigkeit haltenden
Kirchenstruktur. Schafft die Voraussetzungen dafür, daß sich die christliche
Gemeinde am historischen Prozeß des ganzen Volkes zur Befreiung aus Abhän-
gigkeit und Ausbeutung beteiligen kann und diesen Prozeß als ihre eigene, im
Evangelium vom Gott, der in Jesus Christus den ganzen Menschen befreit,
begründete Sache begreifen lernt.

An Tendenzen, die zur Realisierung dieser Forderungen hinführen sollen, sahen
wir: Gruppen tragen als Vorreiter der Entwicklung die Auseinandersetzung in
die Institution Kirche hinein. Die Kirche ist dabei, den Schritt von der Nächstenliebe als Linderung von Symptomen des Elends zu einer Liebe zu tun, die
sich als Üben von Gerechtigkeit versteht. Dies wird praktizierbar in dem Maße,
in dem das Zusammenspiel von Evangelium und Analyse der Elendssituation
der Kirche den sozialen Ort weist, an dem sie als Kirche der Armen radikal für
die Aufdeckung der Ursachen des Elends einsteht. Dazu wird auf eine Befrei-

295

ung der Kirche aus ihrem ideologischen Ghetto hingearbeitet, in dem sie selbstherrlich und dialoglos ihren sozialen Dienst verabsolutiert. Bewußtseinsbildung an der Basis, Conscientisation, wird angestrebt in Zusammenarbeit mit Gandhianern und Marxisten, deren Tabuisierung christlicherseits aufzugeben ist. Der in Gang gekommene Prozeß von Aktion und Reflexion, der sich aus dem Dienst unter und mit den Armen ergibt, verändert nicht nur die Inhalte theologischer Ausbildung[33], er entdeckt auch Nichtchristen und säkulare Kräfte als Mitarbeiter am Befreiungsprozeß. Entsprechend verändert sich der Dialog als Methode der Evangelisation oder als gegenseitige Bestätigung verschiedener religiöser Grundhaltungen im Zeichen von deren Koexistenz zu einer praxis- und situationsbezogenen dialogischen Begegnung "durch Einheit in der Aktion"[34].

Die Probleme, Forderungen und Tendenzen zeigen, daß die gegenwärtigen theologischen Auseinandersetzungen in Indien gesamtökumenische Vorgänge reflektieren. Ulrich Duchrow hat die Stichworte "Identität der Kirche" und "ihr Dienst am ganzen Menschen" als Brennpunkte der derzeitigen internationalen kirchlichen Diskussion angesprochen[35]. Ans van der Bent sieht die Kirchen in unserer von außerchristlichen säkularen und religiösen Ideologien bestimmten Welt unvermeidlich mit den Problemfeldern Engagement, Einsicht und Zeugnis beschäftigt[36], wobei die am indischen Material beobachteten Tendenzen kraß bestätigen, wie richtig seine prononcierte Voranstellung von "Engagement" ist. Daß das "Zeugnis", die vorausgesetzte christliche Identität aus biblischer und konfessioneller Tradition, gewissermaßen automatisch zum rechten Dienst führe, wird von der christlichen Geschichte wie von der kirchlichen Gegenwart eindrucksvoll widerlegt. Allein aus der Berufung auf das biblische Zeugnis ist keine christliche Identität zu gewinnen. Umgekehrt wird ein Schuh draus: am Dienst in der Identifikation mit den Ausgebeuteten und im Kampf für ihre Befreiung finden die Christen ihre Identität neu, kommt ihr "Zeugnis" aus den Höhen feierlichen liturgischen Deklamierens herunter in die Geschichte und hört auf, ein beliebiges Wortgeklingel zu sein, in dessen Tedeum auch Diktatoren mühelos einstimmen können.

Damit verkompliziert sich die christliche Identitätsproblematik in der Dritten Welt. Es ist nicht damit getan, die geistliche Bevormundung durch den Westen abzuschütteln und — so notwendig das ist — das von den westlichen Missionaren als Repräsentanten einer wirtschaftlichen, politischen und geistigen Überlegenheit gepredigte Evangelium als "weiße Theologie" zurückzuweisen, um statt dessen die rassische und kulturelle Identität als göttliche Geschenke und menschliche Errungenschaften in die christliche Identität aufzunehmen, wie 1973 in Bangkok für die Dritte Welt formuliert wurde[37]. In der Tat geht es darum, "in eigener Verantwortung der Stimme Christi zu antworten", aber auch in Indien zeigt die theologische Entwicklung, daß diese authentische Antwort auf das Evangelium sich in einem mühsamen Prozeß von Kirche unterwegs zu den Graswurzeln vollzieht, wo Strukturen von Abhängigkeit und Unterdrückung die Massen unter Einschluß der mehrheitlich armen Christen immer hoffnungsloser verelenden lassen. Kategorien von Kultur und Rasse erweisen sich bei der Identitätsfindung als noch zu abstrakt.

Andererseits hat die Zurückweisung des bisher mit universalem Anspruch auftretenden westlichen Christentums als Stammesreligion des weißen Mannes die soweit unangezweifelte christliche Identität im Westen in Frage gestellt. Bislang ging es anscheinend immer nur um die noch nicht entdeckte Identität der Christen in den sogenannten Jungen Kirchen, wobei der westliche Paternalismus eine neue Gestalt seiner Unentbehrlichkeit darin fand, den Dritteweltschristen theologische Hilfen bei der Identitätssuche anzubieten, am stärksten in der Frage der Indigenisation von Theologie und Kirche. Aber Mission findet in sechs Kontinenten statt, und neuerdings wird mit Recht die christliche Identität im Westen selber problematisiert[38]. Ludwig Rütti fragt, wie weit der Abbau westlicher Dominanz durch die Dekolonisation etwa oder durch den Sieg Maos im chinesischen Bürgerkrieg das westlich-christliche Selbstverständnis von Erobern und Beherrschen in mehr oder minder verdeckten Formen in die Krise geführt hat. Ökumenisch gesehen ist diese Beobachtung sicher höchst wichtig, jedoch genügt sie nicht, da sie die grundlegendere Frage verdeckt, inwiefern Kirchen im Westen, zum Beispiel die EKD in der Bundesrepublik, ihre christliche Identität in einer nachchristlichen Gesellschaft mit Anpassung der Institution Kirche an die gesellschaftspolitisch restaurativen Tendenzen nach 1945 verwechselt haben. Wenn Christen in Indien sich anläßlich des Notstandes unter Indira Gandhi genötigt sehen, den Opportunismus ihrer offiziellen Repräsentanten zu diskutieren, so haben wir unsererseits eine Kette von gesellschaftspolitisch konfliktreichen Anlässen in der Bundesrepublik – von der Remilitarisierung über die FDP-Thesen zum Verhältnis von Staat und Kirche, Befreiungsbewegungen in der Dritten Welt, Atomenergie-Debatte und Radikalenerlaß bis hin zur unglückseligen Befürwortung des "Starken Staates" in der EKD-Erklärung zum Terrorismus im Herbst 1977 –, uns selber nach der theologischen Beziehung zwischen Evangelium und Opportunismus zu fragen. Wenn indische Christen in den sozialen Kämpfen nicht länger der Frage nach der Zusammenarbeit mit Marxisten ausweichen können, so besteht bei uns eher die Sorge, ob nicht die Kirche aus Überanpassung an gesellschaftliche Tendenzen bereits den Freiraum verspielt hat, in diese Frage noch unbefangen diskutiert werden kann[39]. Auch in der Bundesrepublik Deutschland hatten die Christen 1977 Grund zum Gedenken an ein dreißig Jahre zurückliegendes Ereignis. Für die Kirche war hier so wenig Grund zum Feiern wie in Indien zur Dreißigjahrfeier der CSI, denn sie ignorierte das Treffen der Christen aus dem In- und Ausland, auf dem man zum dreißigsten Jahrestag des Darmstädter Wortes des Bruderrates der Bekennenden Kirche von 1947 zurückblicken und in einer Welt von zunehmenden Reglementierungen und Sachzwängen den Aufbruch in die Zukunft wagen wollte[40]. "Werden die Kirchen die Bürger in eine immer größere Anpassung an den gesellschaftlichen Konsens führen, was die herrschenden Kräfte von ihnen erwarten? Oder werden sie sich dagegen wehren? ... Wir glauben, daß das prophetische Wort die Menschen aus ihren gesellschaftlichen Abhängigkeiten befreit *und daß so Kirche entsteht.* Dies haben wir neu gelernt, als wir das Darmstädter Wort von 1947 hörten, das von den Kirchen in der Bundesrepublik und Westeuropas verdrängt wurde."[41]

Darmstadt 1977 hat die großen Themen aufgenommen, deren Vernachlässigung in der EKD seit 1947 eine wichtige Ursache dafür sein dürfte, daß der westdeutsche Beitrag zum theologischen und sozialethischen Prozeß in der Ökumene entweder als nichtssagend oder als hemmend, auf jeden Fall aber als provinziell empfunden wird. Die traditionelle Anfälligkeit unserer Theologie für politische Heilslehren, die Frage nach dem Ja und dem Nein der Kirche in gesellschaftlichen Konflikten, der Dialog mit dem Marxismus, die Opposition von Gruppen und Institution in der Kirche, von der sich M.M. Thomas so viel Befreiendes versprach – im großen ganzen in der EKD verweigerte Themen also standen zur Debatte. Der Schritt von der Kirche "für andere" zur Kirche "mit anderen", wie ihn Amirtham schon partiell unternommen sieht, wird bei uns von höchst suspekten Randgrüppchen wie den "Christen für den Sozialismus" am deutlichsten vollzogen. Ihre Relevanz ist freilich eher im ökun.enischen Kontext als im Zusammenhang von Kirche in der Bundesrepublik auszumachen[42].

Eine letzte Infragestellung unserer üblichen Bestimmung des Identitätsproblems aus der Aufgabe, das vorgegebene Evangelium in eine nur vordergründig, kulturell und religiös, analysierte Umwelt zu bringen, stellt die Erfahrung dar, die V.S. Naipaul bei einem Besuch in Bombay gemacht hat[43]. Naipaul besuchte in einem Slumgebiet Mitglieder des Shiv Sena, dessen Symbol- und Identifikationsfigur Shivaji, der Marathi Guerillaführer aus dem 17. Jahrhundert, ist. Der Shiv Sena arbeitet an Verbesserungen primitivster Fazilitäten der Slumbewohner. Es geht um elementare Dinge wie Wasser, Nahrung, Behausung, Toiletten. Am Abend desselben Tages hörte Naipaul in einem Vortrag einem indischen Journalisten zu, der darüber sprach, wie er zwischen dem Schatz der kulturellen Tradition Indiens und dem gegenwärtigen Elend im Entwicklungsland Indien seine Identität als Inder verloren habe. Naipauls Schlußfolgerung: Wer angesichts der grauenhaften Verstümmelung der Menschenwürde in Bombay oder sonstwo seine Identität noch kulturell oder religiös bestimmen will, trägt eine Mittelklassenproblematik mit sich herum. Gilt das nicht mutatis mutandis auch für uns Christen, für unsere Suche nach der theologischen Identität? Daß diese Suche Ausdruck der Krise des Mittelklassenbewußtseins ist, die so lange andauern wird, bis wir unsern Ort in den sozialen Kämpfen der Gegenwart gefunden und eine klare Entscheidung getroffen haben, die den Wahn der Neutralität Gottes über den Fronten aufgibt? Und um unsere spezifisch christliche Spiritualität, in der sich das Woher der christlichen Identität ausdrückt, sollte uns dann nicht mehr bange sein. Nicht der Verlust der christlichen Spiritualität im Kampf ist die Gefahr, die aus unserer Unentschlossenheit droht[44], sondern umgekehrt droht die Gefahr, daß wir die kämpferische Zuspitzung des Dienstes aus dem Evangelium verfehlen und damit die Mensch- und Geschichtswerdung des Wortes nur halbherzig nachvollziehen.

Bringen wir an dieser Stelle unsere Überlegungen ins Gespräch mit Hans-Werner Gensichens "Glaube für die Welt"[45], so zeigt sich, daß die im Glauben aktualisierte Einheit von Dimension und Intention, von Begründung der missionarischen Kirche im Heilsereignis Jesus Christus und von Verkündigung, dem in die Welt hinausgreifenden Reden und Handeln der missionarischen Kirche, heute in Indien wie in der ökumenischen Diskussion zunehmend eine Akzentuierung erfährt, die nicht diese Einheit in Frage stellt, wohl aber die Vorgegebenheit von zwei Polen anzweifelt, die es nur noch in die richtig ausbalancierte Beziehung zueinander zu setzen gilt. Die Intention selbst verlangt eine Zuspitzung der Dimension des Zeugnisses in radikalisierter Solidarität mit den Entrechteten, wie umgekehrt die Dimension – das ist, um des Jas Gottes zur Welt willen, christliche Mitarbeit an der Aufgabe, eine Gasse in eine Zukunft menschenwürdigen Überlebens für alle zu schlagen – die Intention in unerhörter Weise radikalisiert als die Botschaft von Gottes befreiendem Handeln in der Geschichte[46]. Damit wären dann etwa Gensichens "mittlere Linie" im Verständnis des Wortes von Mexico City – "Mission in sechs Kontinenten" – oder seine ausgewogene Berücksichtigung der säkularen wie der religiösen Tendenzen der Zeit zu modifizieren: Es geht dann weniger um die richtige Verhältnisbestimmung von "Heidenmission" und "Volksmission" mit ihren verschiedenen Intentionen, die in der Dimension des einen Missionsgrundes zusammenzusehen sind, als vielmehr darum, die rechte Gestalt der Intention zu gewinnen. Das Wort von Mexico City markiert ja u.a. die Einsicht, daß es Missionswissenschaft als eigene Disziplin nicht mehr gibt. Sie ist in der ökumenischen Theologie aufgegangen. Die Intention ist nicht gesichert, solange die christliche Identität in der dialektischen Einheit von Zeugnis und Situation fraglich ist. Im Gewinnen und im Vollzug der christlichen Identität in der zweipoligen Einheit von Zeugnis und Situation zeigt sich dann auch, daß die "Fixierung auf die Säkularität", die Gensichen kritisiert, nicht durch den Verweis auf die hartnäckige und teilweise noch wachsende Vitalität der Religionen aufzuheben ist. Denn auch die Religionen werden sich insgesamt dem Kriterium von Mt 25,31ff. unterwerfen müssen. Theologischerseits wäre endlich zu erkennen, daß die leidige Kontroverse um hie säkular – da religiös im ganzheitlichen Dienst am ganzen Menschen von Mt 25 her überwunden ist. Der Begriff Partizipation, Teilhabe, den Gensichen im Anschluß an Wilfred C. Smith für den Umgang der Religionen miteinander aufnimmt, ist dann auch seines formalen Charakters zu entkleiden und daraufhin zu konkretisieren, daß Christen, Muslime, Hindus, Buddhisten in einen Dialog eintreten, der seine Aufmerksamkeit dem geringsten Bruder zuwendet. Teilhabe an universalem Heilsverlangen und metaphysischen Sehnsüchten der Menschheit kann nicht länger losgelöst vom Kampf gegen das Elend bedacht werden, das allein in Indien zwei Drittel der Bevölkerung unterhalb der Armutsgrenze dahinvegetieren läßt. Und die Tatsache, daß das Christentum auch Religion unter Religionen ist, darf nicht von der vielleicht schmerzenden Einsicht ablenken, daß der sozialen Frage in der heutigen Welt absolute Priorität zukommt. Dies wird von säkularen Kräften oft klarer erkannt als von Vertretern der Religionen. Die Faszination des Religiösen birgt die Gefahr, daß die Christen ihre Identität in der Welt im Banne der Metaphysik verfehlen. Die Kirche mit anderen wird den Christen den Weg in die Zukunft weisen. Auf ein ermutigendes Zeichen stößt man allenthalben in der indischen Theologieausbildung: In immer neuen Zusammenhängen in Lehre und Verkündigung wird den Studenten gezeigt, daß sie einst nicht nur an ihre kleine christliche Gemeinde, sondern an die ganze Gemeinschaft der Menschen gewiesen sein werden, unter und mit denen sie leben, beten und arbeiten werden.

Anmerkungen

1. Zahlen und Angaben bei *Bastiaan Wielenga:* Church and Society – Institutional Service, hektographiertes Referat, Madurai, ohne Datum.
2. Die Konstitution der CSI bestimmte im September 1947 die ersten 30 Jahre "für die Entwicklung der vollen Einheit in Dienst und Leben innerhalb der vereinigten Kirche".
3. Thirty Years of CSI, in: The South Indian Churchman, The Magazine of the Church of South India, August 1977, 2f.
4. Hektographiertes Manuskript, Madurai ohne Datum.
5. So gibt es Beispiele für den Verkauf ungenutzten Landes, aus dessen Erlös Häuser gebaut werden, die Miete bringen. Das Ecumenical Church Loan Fund, ECLOF, empfahl in einer gesamtindischen Konsultation im März 1977, "den Plänen und Projekten hohe Priorität zu geben, die ungenutzte Ländereien und Gebäude zugunsten von Häusern unterhalb der Armutsgrenze vorsehen", Indien-Information, Erlangen, Nr. 7 vom 15.6.1977, 8.
6. Jesus Christ in Asian Suffering and Hope, hg. von *J.M. Colaco:* The Church Literature Society Madras 1977, 58ff.
7. Vgl. dazu die erschütternde Fallstudie im unter 6. genannten Bd., 16ff., Poverty and Oppression at Erranyapallya von *Gladys d'Souza,* die die Röntgenaufnahme der Sozialstruktur eines Dorfes bei Bangalore vorführt. Dort sind neunzig Familien buchstäblich in der Hand von drei (christlichen) Familien, die den Boden, die Häuser und den Markt besitzen und gleichzeitig Grundschulbildung für die Kinder, Bewußtseinsbildung der Erwachsenen und Häuserbau für die Harijans durch staatliche Stellen zu verhindern wissen.
8. Noch in *Stanley Samarthas* "Hindus vor dem Universalen Christus", Stuttgart 1970, ist diese Ausrichtung der Theologie am Hinduismus ungebrochen.
9. *Sam Amirtham:* Training the Ministers the Church Ought To Have, International Review of Mission, Januar 1977, 49ff.
10. Senate of Serampore College, Convocation Address, 5.2.1977, maschinengeschriebenes Manuskript.
11. Church's Participation in Development, The South India Churchman, Juli 1977, 7ff.
12. Zunehmende Bedeutung der Lehrpredigt, große Anstrengungen zur Heranbildung eines geschulten Priesterstandes, Einrichtung von Sanskrit Colleges seien hier als Indizien dieser ebenfalls sozialflüchtigen Tendenz im Hinduismus der Gegenwart genannt.
13. Christian Conference of Asia News, 15.11.1977, deutsch in der Indien-Information, Erlangen, Nr. 9, Dezember 1977, 9ff.
14. Beide Veranstaltungen fanden im Sommer 1977 im Tamilnadu Theological Seminary, Madurai, statt.
15. "Evangelism as a Non-Christian Looks at It", hektographiertes Referat, Madurai, ohne Angabe von Autor und Datum.
16. Auswertung des Evangelisationspraktikums des TTS im August 1977, hektographiert.
17. *S. Amirtham:* Conditions and Presuppositions for Indigenous Theology – The Attempt at Arasaradi, hektographiertes Referat vor dem Theological Education Fund Committee 1971 in Kampala. Arasaradi ist der Sitz des TTS in Madurai.

18. Towards World Community, Multi-Lateral Dialogue in Colombo, WCC Genf 1974; deutsch: Auf dem Wege zur Weltgemeinschaft — Grundlagen und Erfordernisse des Zusammenlebens.
19. Punkt 8 des Züricher Aide-Mémoires: "Wir wollen den Glauben der Christen und die Mission der Kirche in eine positive Beziehung zum Glauben anderer Menschen setzen ... ", WCC Mai 1970.
20. To Break the Chains of Oppression, Results of an Ecumenical Study Process on Domination and Dependence, WCC, Geneva 1975, 63f. Zur weiteren Konkretion der Kontextualität des Dialogs siehe den Abschnitt "Dienst".
21. Towards a Theology of Dialogue, Ecumenical Review, Januar 1977, 4.
22. M.M. Thomas: The Secular Ideologies of India and the Secular Meaning of Christ, 1976.
23. Das gesamte Material liegt dokumentiert vor in: Christians and the Emergency, Vol. XXIV Nr. 2 und 3, 1977, Religion and Society-Bulletin of the Christian Institute for the Study of Religion and Society, Bangalore. Einige Stimmen sind auf deutsch zugänglich in der Indien-Information, Erlangen, Nr. 7, Juni 1977.
24. Hektographierter Bericht über die Konsultation.
25. The Churches and the Future of Indian Democracy, CCA News, 15.5.1977, deutsch in der Indien-Information Nr. 7, 12.
26. Die Fellowship of the Clergy Concerned With Human Rights wurde im Dezember 1976, also während des Notstandes, in Kerala gegründet. In der Gründungsresolution heißt es: "Daß die Kirche sich fürchtet und unfähig ist, angesichts von Menschenrechtsverletzungen einen mutigen Standpunkt zu beziehen, läuft darauf hinaus, daß sie in ihrer Sendung versagt ... Daß die Kirche der Partei, die an der Macht ist, ihre volle Unterstützung und ihre uneingeschränkte Loyalität ausspricht, heißt soviel wie, daß sie dem Staat ihre absolute Loyalität erklärt. Das bedeutet Götzendienst", Christians and the Emergency, 65ff.
27. C.T. Kurien: Poverty and Development, 1974, 195ff.
28. Trends in the Church's Development in Social Service in the Past Twenty Five Years, Bangalore Theological Forum 1976, 167ff.
29. G. Dietrich: Involvement of Gandhians and Marxists in Efforts of Community Building, hektographiertes Referat, gehalten auf einer Ökumenischen Konsultation über "Religions and Ideologies", Cartigny, Mai 1975.
30. A Priest's Encounter With Revolution, Studies on Indian Marxism Series 1, 1974, 137ff.
31. Annual Report, maschinenschriftlich, Juni 1977.
32. S. Amirtham: Training the Ministers ..., a.a.O. 49ff. Vgl. auch V. Premasagar über neue Modelle theologischer Ausbildung in Indien, Jesus Christ in Asian Suffering and Hope, 64ff.
33. Auswirkungen des in der Dritten Welt neu sich stellenden Praxis-Theorie-Problems beginnen, sich in Europa zu zeigen. So forderte eine Konsultation der "Konferenz europäischer Kirchen" zum Thema "Europäische Theologie herausgefordert durch die Weltökumene" in der Arbeitsgruppe über Folgerungen aus der Ökumene für die theologische Ausbildung in Europa, "den Praxisbezug schon während der Ausbildung herzustellen bzw. zu erweitern, um der konkreten Situation kirchlichen Dienstes von Anfang an gerecht zu werden", Konferenz Europäischer Kirchen, Studienheft Nr. 8, 1976, 147.
34. C.T. Kurien: Poverty and Development, 1974, 195.
35. Ulrich Duchrow: Die Identität der Kirche und ihr Dienst am ganzen Menschen, Evgl. Theologie 1977, 409ff.
36. Ans van der Bent: Engagement, Einsicht und Zeugnis — die Kirchen in der gegenwärtigen ideologiebestimmten Welt, Junge Kirche 1977, 504ff.
37. Sektion I, Kultur und Identität in: Das Heil der Welt heute, hg. von Ph. A. Potter, 1973, 177ff.
38. Vgl. zum Beispiel Ludwig Rütti: Westliche Identität als theologisches Problem, hekto-

graphiertes Referat auf dem Seminar der Ev. Arbeitsgemeinschaft für Weltmission "Ökumenische Theologie im interkulturellen Kontext", Bossey, Sept. 1976.

39. Einer Meldung der Frankfurter Rundschau vom 4. April 1978 zufolge soll in der neuen Kirchenverfassung der Berlin-Brandenburgischen Kirche-Ost festgelegt werden, "daß die Gemeinden auch das Gespräch mit Menschen anderer Überzeugung suchen und mit Nichtchristen zusammenarbeiten sollen".

40. Natürlich soll hier in keiner Weise eine Vergleichbarkeit von CSI-Gründung und Darmstädter Wort suggeriert werden, außerdem liegen beide Geburtstage sehr am Rande des ökumenischen Geschehens. Man kann jedoch legitimerweise hüben wie drüben ein solches Datum zum Anlaß nehmen zur Frage: Wo stehen wir, was sind unsere Perspektiven?

41. Aus dem Sendungswort zum Abschluß der Darmstädter Versammlung am 9.10.1977. Die Hervorhebung im Text vom Verfasser unterstreicht: So entsteht christliche Identität! Literatur zu Darmstadt: *Hartmut Ludwig:* Die Entstehung des Darmstädter Wortes, Junge Kirche 8/9/1977, Beiheft; *K.G. Steck − D. Schellong:* Umstrittene Versöhnung, Theologische Existenz heute 196, 1977; *E. Hein-Janke:* Der Beitrag der Evangelischen Kirche zur Restauration in Deutschland in den Jahren 1945−1949, Dahlemer Hefte 3, 1975[2].

42. Dies minimalisiert keineswegs, was *Walter Hollenweger* in der Evangelischen Theologie 1977, 425ff., Die Kirche für andere − ein Mythos, als notwendigen, positiv verstandenen mythischen Gehalt der Formel "Kirche für andere" herausgearbeitet hat. Dieser Mythos hält nach Hollenweger die Kirche offen und in Bewegung auf das Reich Gottes und zugleich auf die Realgeschichte hin in einem Vorgang immer stärker werdender Solidarität mit der Menschheit. Insofern ist die Formel "Kirche mit anderen" kein Widerspruch, vielmehr nimmt sie diesen Vorgang auf.

43. Bombay − The Skyscrapers and the Chawls, The New York Review, 10.6.1976.

44. Das ist ja die Angst, die stets aus den Warnungen vor der "Humanisierung" oder "Horizontalisierung" des Evangeliums spricht. "Spiritualität im Kampf" im Anschluß an *M.M. Thomas'* Formulierung "spirituality for combat" auf der V. Vollversammlung des ÖRK in Nairobi 1975.

45. 1971. Die folgenden Überlegungen beziehen sich auf die Seiten 80ff. und 218ff.

46. Eindrucksvoll nimmt das 1974 erschienene, leider immer noch nicht auf deutsch vorliegende Werk von *José Miranda:* Marx and the Bible, diese Radikalisierung der biblischen Intention vor mit der unter Einbeziehung der gesamten bürgerlichen, vorwiegend deutschsprachigen exegetischen Literatur erarbeiteten These: Gott kennen heißt Gerechtigkeit üben. Demnächst erscheinen wird bei uns aus dem Französischen von *Michel Clévenot:* So kennen wir die Bibel nicht − Anleitung zu einer materialistischen Lektüre biblischer Texte, 1978.

Hans-Jürgen Becken

Fahnen knattern über Afrikas Kralen

Einheimische afrikanische Theologie in ökumenischer
Verantwortung

Viele bunte Fahnen stellen heute die politische Unabhängigkeit der Staaten
Afrikas zur Schau, nachdem Tricolore und Union Jack niedergeholt worden
sind. Diese Fahnen haben keine Tradition im Denken der afrikanischen Religionen; bestenfalls sind sie Lehnstücke, mit deren Hilfe man versucht, die
koloniale Vergangenheit zu bewältigen.

Gar nicht fremdartig sind dagegen die Fahnen, die heute über vielen Wohnstät-
ten afrikanischer Familien in Stadt und Land wehen. Schon seit Jahrzehnten
pflegen junge Männer zum Umtrunk anläßlich ihrer Verlobung dadurch öffentlich einzuladen, daß sie neben der Hütte einen hohen Mast aufrichten, an dem
eine weiße Fahne im Winde flattert[1]. Nun beobachtete bereits Sundkler, daß
zionistische Propheten im Zululand Masten mit weißen Fahnen aufstellten, an
deren Fuß jeweils ein kleines Holzkreuz angebunden war[2]. Mitglieder der
Afrikanischen Unabhängigen Kirchen (AUK) sahen darin einen viel wirksame-
ren Schutz gegen Blitzschlag als in den Holzpflöcken von Bäumen, in die der
Blitz nicht einzuschlagen pflegt, wie sie die traditionellen Arzt-Priester bisher
in das Deckgras der Hütten hineingesteckt hatten, um die Familien dadurch
gegen böse Mächte fest zu machen.

Die Propheten selbst gaben dafür allerdings andere Erklärungen ab: J.N. im
Nordzululand, über dessen Kral zwei weiße Fahnen wehten, deutete sie schlicht
als Erkennungszeichen: "Hier wohnt J.N.". Ntuli in Mittel-Natal gab zu verstehen, seine sieben weißen Fahnen seien die Siegel der sieben Engel aus dem
Buch der Offenbarung. Nicht alle von ihnen hätten die gleiche Aufgabe; aber
einige wehten bei Tag und Nacht Gebete zu Gott empor und wendeten auf
diese Weise den Blitz von seinem Kral ab[3]. In Shembes Kirchensiedlung Eku-
phakameni bei Durban flattern noch heute ungezählte weiße Wimpel im Winde
und zeigen an, daß der Geist dort weht.

Nun kommt seit einigen Jahren Farbe ins Bild. Herr Choncho, selbst Mitglied
einer der AUK, der *Mahon Mission,* lud zum Verlobungsumtrunk gleich mit
fünf bunten Fahnen ein: In der Mitte stand eine rote Fahne und an den vier
Seiten des Krals eine dunkelblaue, eine blaugrüne, eine hellgrüne und eine rosa
Fahne. Herr Choncho konnte mir allerdings nicht erklären, warum er diese
Farben gewählt hatte. Heute erkennt man die Wohnung einer Familie, die den

AUK angehört, schon von weitem an den bunten Fahnen. Nur ganz selten trifft man auf eine Gemeinde, die noch keine Fahnen aufzieht. Auf die blauen und grünen, die weißen, gelben oder roten Tücher nähen sie in den verschiedensten Kombinationen Kreuze und Sterne, Sonnen und Monde, und jede Fahne hat ihren eigenen Masten. Unter diesen Fahnen leben Familien, die darin Sinnbilder ihres Glaubens sehen. Anstelle einer Tabelle der Deutungen dieser Symbole werden hier einige Beispiele angeführt, wie diese Christen selbst ihre Fahnen verstehen.

In Hlonga hat die Gebetsfrau Elina Mkhize von der *Independent New Jerusalem Church* eine blaue Fahne, in die sie unten ein kreisrundes Loch geschnitten hat, über ihrem Kral wehen. "Das ist ein Zeichen dafür, daß unser Pfarrer für meine Familie gebetet hat", erklärt sie, "und daß hier Christen wohnen, die keine Medizin einnehmen und ihre Hütten nicht vom Arzt-Priester befestigen lassen."

Amos Khanyile, ein Prediger der *Zion Apostolic Church of South Africa* in Linklater, weist stolz auf eine blaue und eine weiße Fahne über seinem Gehöft hin und berichtet: "Die Frauenleiterin unserer Kirche hat eigenhändig die Kreuze auf die Tücher genäht. Dann hat unser Pfarrer unter Handauflegung über den Fahnen gebetet, bevor die Masten aufgerichtet wurden. Sie sind Zeichen des Glaubens."

Pfarrer Mineas Ntombela von der *Nazareth Church* in Enjangweni sagte: "Meine Fahnen sind anders als die der anderen Gemeinschaften. Der Geist unterscheidet diese Dinge und zeigt sie im Traum den 'Kindern des Gebetes'. Diese erzählen mir dann, wie ich es machen muß. Nach ihren Angaben werden die Fahnen genäht und in den Kralen aufgestellt, die ihnen im Traum gezeigt wurden." Seine Fahnen wiesen denn auch eine außerordentliche Fülle und Vielfalt von Symbol-Kombinationen auf – wie man sie wohl nur erträumen kann.

Die AUK haben keine einheitliche Bezeichnung für diese Fahnen. Oft nennt man sie *ama-fulegi* (ein Lehnwort vom engl. "flag"). Häufig werden aber auch die Metaphern *izi-kombo* (Anzeiger) oder *ama-seshi* (Detektive) verwendet. Dabei stellt man sich vor, daß die Fahne auf Mißstände in der Hausgemeinde aufmerksam macht, wenn sie schlaff am Masten herunterhängt. Wenn sie aber "nach oben schaut", wenn der Wind sie bewegt, dann zerstreut sie alles, was der Hausgemeinde schaden könnte.

Für die schwarzen Christen ist nicht der Stoff-Fetzen wesentlich, der dort oben im Winde flattert; die Fahne ist für sie vielmehr ein Erinnerungszeichen an die kultische Handlung, das Hissen der Fahne.

Eine klare Dezembernacht wölbt sich über dem Tal des Tugela-Flusses, der die alte Grenze zwischen dem Zululand und Natal bezeichnet. Im langen, weißen Gewand, das mit blauen Bändern verziert ist, wandert Elphas Buthelezi mit einer Gruppe weißgekleideter Frauen durch das Dornenland. Er ist ein Prediger einer der traditionsreichen AUK mit dem klangvollen Namen *The Christian Catholic Apostolic Holy Spirit Church in Zion*, die um 1920 von Daniel Nkonyane gegründet wurde und ihr Kirchenzentrum in Charlestown hat[4]. Im Mondlicht erreicht die kleine Schar den Mncunu-Kral, dessen Hausherr alle Nachbarn zu einem Nacht-Wach-Gottesdienst eingeladen hat.

In der großen, grasgedeckten Rundhütte versammelt sich die Gemeinde. Die Gebetsfrauen sind noch bei den letzten Vorbereitungen: Sie nähen das weiße Kreuz auf das blaue Fahnentuch und die Ösen zum Aufhängen an den Saum. Dann breiten sie die Fahne in der Mitte des Raumes aus. Nun kann der Gottesdienst beginnen. Gebete, einprägsame Chorusse und Kurzansprachen der Gemeindeglieder reihen sich pausenlos aneinander. Nur ganz unauffällig führt der Prediger die Regie, indem er mit seiner "Waffe" – so nennt er seinen langen weißen Stab – den Teilnehmern Zeichen gibt, wann sie an der Reihe sind.

Die Stunden der Nacht eilen dahin, ohne daß jemand müde wird; nur die Kleinkinder schlafen friedlich im Schultertuch ihrer Mutter. Als draußen der Morgen graut, tritt ein Mädchen an den Prediger heran und flüstert ihm etwas ins Ohr. Elphas Buthelezi nickt und läßt sie einen Eimer mit Wasser, der hinten in der Hütte stand, heranbringen. Mit geschlossenen Augen betet er laut und lange über dem Wasser, und in das Amen am Schluß fällt die ganze Gemeinde ein. Nun besprengt er das Fahnentuch mit dem so geweihten Wasser. Die Frauen stimmen ein Jubellied an. Viele Hände ergreifen die Fahne und tragen sie in den dämmernden Morgen vor die Hütte hinaus.

Draußen stehen die Männer der Großfamilie, die einen hohen, dünnen Baumstamm abgeschält und nahe beim Viehkral ein tiefes Loch in die Erde gegraben haben. Das Mädchen holt nun eine Schüssel mit frischer Holzasche aus der Küchenhütte. Der Prediger betet darüber, während die Fahne an den Masten geknüpft wird, und bestreut mit der Asche Fahne und Mast. Der Rest des geweihten Wassers wird in das Loch geleert, der Mast hineingestellt und mit runden Steinen aus dem Fluß fest eingekeilt. Aller Augen sind nun auf die Fahne gerichtet. Ein frischer Morgenwind kommt auf und bringt das Tuch in Bewegung. Da jubelt die Gemeinde auf und tanzt singend um den Masten herum.

Elphas Buthelezi hat seine Arbeit getan. Er zieht seine Sandalen wieder an, die er beim Betreten der Hütte abgelegt hatte, und mit den ersten Strahlen der aufgehenden Sonne sieht man ihn mit seinen Begleiterinnen wieder nach Emtatweni heimwandern. Hinter ihm bleibt die Mncunu-Familie zurück, die sich unter dem Zeichen der blauen Fahne wieder neu in Gottes Hand geborgen weiß.

Am nächsten Tag treffe ich Elphas Buthelezi wieder im Laden von Tugela Ferry, wo er als Verkäufer seinen Lebensunterhalt verdient. Vielleicht kommt es ihm seltsam vor, daß ich ihn nach Dingen frage, die ihm selbstverständlich sind. Auf meine Frage, warum die Fahne bei Nacht aufgestellt wurde, meint er nach kurzem Nachdenken: "Um nicht von den Leuten gesehen zu werden, damit sie nichts anderes dazu tun." Als ich wissen will, warum er gerade eine blaue Fahne gewählt habe, antwortet er: "Weil wir diese Hütten nicht befestigen wie die Anhänger des alten Glaubens, so schützen wir uns damit gegen alles Böse, gegen Blitzschlag, Schadzauber und böse Geister." Und als ich ihn frage, warum man um Neujahr eine neue Fahne brauche, bekomme ich zur Antwort: "Weil die alte dann verbraucht ist."

In der missionswissenschaftlichen Literatur ist das Phänomen der Fahnen bei den AUK im Rahmen ihrer Familien-Riten bisher noch kaum zur Kenntnis genommen worden. Im Wissen darum, daß einheimische afrikanische Theologie nicht geschrieben, sondern gelebt, gepredigt, gesungen und getanzt wird, ist aber dieses Phänomen zusammen mit der Interpretation, die ihm von den afrikanischen Christen selbst gegeben wird, hilfreich zum Verstehen dieser uns so fremden Theologie.

Gensichen hat dafür ein tiefes Verständnis aufgebracht. Er sah, daß der Gottesdienst der AUK "den Afrikaner in einer Tiefenschicht seines Wesens anspricht und engagiert, die der aus dem Westen importierte 'weltliche' Gottesdienst gar nicht oder nur unzulänglich zu erreichen vermag"[5]. Kommunikation beginnt dann damit, "daß christlicher Gottesdienst als ganzer dem Sendungsauftrag an die ganze Umwelt, die religiöse und die nichtreligiöse, geöffnet bleibt"[6].

Es lohnt sich, in diesem Zusammenhang auf das zu hören, was Gensichen zur Frage der einheimischen Theologie, besonders im afrikanischen Kontext, zu sagen hat. Da wird der christliche Gottesdienst in einer umfassenden missionarischen Perspektive gesehen. Verstanden wir bisher schon den Gottesdienst einerseits als Zurüstung zur Sendung durch die Verkündigung und durch den Segen, andererseits als Vollzug der Sendung durch evangelistische Predigt, durch Fürbitte und Kollekte, so lernen wir ihn nun in seiner Gesamtheit als Mission verstehen. Im gottesdienstlichen Handeln gibt die Gemeinde ihre Antwort auf das Evangelium in einer Weise, die ihrer besonderen Situation und damit der Umwelt entspricht, in die hinein die "neue Gemeinschaft der Leute Gottes" ausstrahlen soll. Durch ihr Leben wird die Gemeinde für andere relevant, mehr noch, unter den Menschen, zu denen sie selbst gehört, wird das Wort in ihr Mensch.

Die damit angesprochene Kontextualität des Wirkens der neuen Gemeinschaft ist also nicht nur eine Technik der Anrede, eine Anpassung an das Denken der Hörer, die immer der doppelten Gefahr des Synkretismus und des Nationalismus ausgesetzt sind. Vielmehr wird hier "die Botschaft selbst in einer Weise auf die Hörer bezogen, daß sie den vorgängigen Anspruch Jesu Christi gerade auf *diese* Hörer, auf ihre Antwort in *dieser* ihrer Situation verbindlich zum Ausdruck bringt"[7]. Es geht bei der Theologie der AUK also nicht um das Verlangen nach besseren Kommunikationsmethoden oder nach intensiverer "Einheimischmachung" der Kirche, sondern um "das Verlangen, daß die Kirche christlicher sein möge — christlicher sowohl in ihrem Kerygma und ihrer Diakonie als auch in ihrer Koinonia mit allen Entrechteten und Unterdrückten"[8]. Von daher wird auch das in den AUK auffällige heilende Handeln als wesentlicher Teil des Lebens der Gemeinde angesehen[9].

Dabei ist nun wichtig, die Universalität und die Katholizität der Kirche nicht mit Uniformität zu verwechseln. Gerade in ihrer differenzierten Pluralität erweist sich die Ortsgemeinde als Vertreter der einen Kirche, deren Wesen in der Mission liegt. Dabei ist der Begriff Mission nicht auf die missionarische Veranstaltung verengt, sondern auf das Sein der weltweiten Kirche als die in die Welt Gesandte zu verstehen. Die Verschiedenheit ist nur um der Einheit des Leibes Christi willen da, und "der Entscheidungscharakter des Glaubens prägt auch die gottesdienstliche und besonders die sakramentale Gemeinschaft"[10].

Diese Schau, die zuerst immer das Ganze im Auge hat und erst von da her die Einzelheiten unter die Lupe nimmt, erweist sich als hilfreich gerade beim Verstehen von uns wenig geläufigen Phänomenen, denn sie nimmt das theologische Denken der afrikanischen Christen ernst und verhütet kurzschlüssige Urteile, wie sie ein westlicher Beobachter aufgrund seines andersartig vorgeprägten Denkens fällen könnte. Von unserer religionsgeschichtlichen Schulung her sind wir daran gewöhnt, die vorfindlichen Phänomene nach den gewohnten Kategorien dieses Kulturkreises zu klassifizieren. Ginge man bei den Fahnen der AUK gleich ins Detail, so käme man – je nach dem eigenen Standpunkt – entweder zum Ergebnis Magie und Synkretismus oder geglückte Anpassung an die Vorstellungswelt der Afrikaner. Im folgenden soll nun der missions-theologische Ansatz Gensichens als Verstehenshilfe für diese neue Erscheinung in den AUK verwendet werden.

Wir haben bereits festgestellt, daß für die AUK nicht der "Stoff-Fetzen" wichtig ist, sondern die Hausweihe, in deren Verlauf die Fahne gehißt wird. Dieser Gottesdienst wird nicht in einem ausgesonderten Kirchengebäude gefeiert, sondern in der Wohnstätte der Familie. Bereits dieser Rahmen macht die uns geläufige Abgrenzung zwischen profanem und sakralem Raum durchlässig. Doch wird die Dimension des Heiligen dadurch respektiert, daß man beim Betreten dieses Raumes die Sandalen ablegt. Der Mensch ist dabei in derselben Lage wie Moses, der an einem alltäglichen Ort, am Dornenbusch auf der Weide, Gott begegnet (Ex 3,5).

Typisch für den Gottesdienst der AUK ist es auch, daß alle Teilnehmer ihn mitgestalten – auch wenn die "Waffe" des Predigers in dezenter Weise für Ordnung sorgt. Auf diese Weise bemüht man sich darum, den Gottesdienst "christlicher" zu gestalten. In westlich-dogmatische Terminologie übersetzt: Das Allgemeine Priestertum aller Gläubigen gewinnt Gestalt in seiner Spannung zum kirchlichen Amtsbegriff, indem die Gemeinde ihre Antwort auf die Botschaft gibt, der Amtsträger aber als "enabler" auftritt, der die Gemeinde dazu befähigt, mit den verschiedenen Gaben ihrer Glieder einen gemeinsamen Gottesdienst zu gestalten.

Das wichtigste an diesem Gottesdienst ist aber seine missionarische Dimension: Das Volk Gottes an diesem Ort sammelt sich zu Anbetung und Verkündigung des Heils und feiert die in Jesus Christus geschenkte Koinonia. Wieder ist es typisch für die AUK, daß dabei die Gemeinde nicht als abgeschlossene Gruppe den "Heiden", die noch nicht zur Gemeinschaft gehören, gegenübersteht, sondern daß sie eine "offene Gemeinde" sein will, zu der die Nachbarn eingeladen werden, um sie in das Erleben der Gruppe einzubeziehen.

Diese Offenheit verwischt jedoch nicht den Entscheidungscharakter des Geschehens. Zwar ist die Verkündigung in dieser Versammlung weder aggressiv noch verletzend. In ihren "Zeugnissen" greifen die schwarzen Christen keine Missionskirchen an und polemisieren nicht gegen die Arzt-Priester der vorchristlichen afrikanischen Religion. Aber der ganze Gottesdienst ist ein unüberhörbares Angebot, das zum Glauben einlädt: Wir brauchen die Sicherungen des alten Glaubens nicht mehr. In den Gefahren, die uns umgeben und die wir nicht weniger fürchten als andere Menschen, wissen wir uns in Gottes Hand geborgen.

Zur Erinnerung an diese Botschaft, die der ganze Gottesdienst ausgesagt hat, weht hernach die Fahne über dem Kral im Winde. Selbst wer bei diesem Gottesdienst nicht dabeigewesen sein sollte, weiß diese farbige Zeichensprache zu deuten und kann sich selbst davon überzeugen, daß im Deckgras dieser Hütten keine Blitzabweiser mehr stecken. "Hier wohnt J.N. – oder wie er sonst heißen mag –, der mit seiner Familie den neuen Weg der Leute Gottes geht." "Hier leben Menschen, die ihr Vertrauen nicht mehr auf die Medizin der Arzt-Priester setzen, sondern die allein auf Gott vertrauen."

Wenn es richtig ist, daß Mission nicht bedeutet, die Welt zu verbessern, sondern Zeichen der anbrechenden Gottesherrschaft aufzustellen, dann sind solche Fahnen sehr anschauliche Zeichen, die in der den Afrikanern geläufigen Symbolsprache der Farben und Motive auch eine im einzelnen recht detaillierte gute Nachricht weitergeben. Bei der weiten Verbreitung der AUK werden solche Zeichen sehr häufig aufgerichtet, und die Mission, die hier durch das Bekenntnis christlicher Gemeinschaften wirkt, spricht lauter und überzeugender als jede Plakatmission mit Bibelsprüchen oder jede Massenevangelisation.

Gerade gegenüber den weithin individualistisch ausgerichteten Kirchen, die durch den Einfluß westlicher Missionen geprägt wurden, erscheint ein weiterer Aspekt wichtig: Das Aufstellen der Fahnen wird als Familienfeier ernstgenommen. In der Zulu-Sprache bezeichnet der Begriff *umu-zi* zugleich den Kral und die Großfamilie, die darin wohnt. Zwar ist es auch bei den AUK möglich, daß ein einzelner aus einer Familie Christ in einer ihrer Gemeinden wird. Aber es bleibt ihr selbstverständliches Missionsziel, die ganze Familie für den Glauben zu gewinnen. Eine Fahne wird auch nur dann aufgesetzt, wenn wenigstens ein Zweig der Familie, der im Kral eine geschlossene Wohngemeinschaft bildet, der Kirche beigetreten ist.

Von den Fahnen her wird also die Mission der AUK besser verständlich. Die vorchristliche afrikanische Religion kannte keine Mission. Für sie war die Religionsgemeinschaft mit der Blutsverwandtschaft identisch. Ein Übertritt von einer solchen Gemeinschaft zur andern war – nur für eine Frau, und das nur einmal in ihrem Leben – dadurch möglich, daß sie in eine andere Sippe einheiratete und damit deren Gottesdienst annahm. Sonst war man nicht daran interessiert, andere Menschen für seine Religionsgemeinschaft zu gewinnen.

Durch die christliche Botschaft ist in diesem Denken grundsätzlich etwas anders geworden. Die christliche Kirche unterscheidet sich von der traditionellen Religionsgemeinschaft nicht nur durch den Inhalt ihrer Botschaft, sondern auch dadurch, daß sie ihrem Wesen nach missionarisch ist, daß sie sich darum bemüht, auch andere Familien mit in ihre Solidaritätsgemeinschaft hineinzunehmen. Der einzelne ist dabei in seiner Eingebundenheit in die

Gemeinschaft zu sehen. Westlich gesprochen: Die Kirche ist nicht die Summe ihrer einzelnen Bekenner, sondern der einzelne ist Glied seiner Familie, seiner Gemeinde, die die weltweite Christenheit an diesem Orte authentisch vertritt.

Auch hier soll nicht übervereinfacht werden: Es gibt bei den AUK neben der offenen Gemeinde auch den wandernden Propheten, und man ruft ihn zur Ausübung seines heilenden Dienstes ins Haus, wenn jemand krank ist. Aber wenn der Kranke geheilt ist, dann betet der AUK-Heiler über jedem Familienmitglied, um durch deren Bekehrung ein Betriebsklima im Kral zu ermöglichen, in dem der Geheilte gesund bleibt, seines Glaubens leben kann. Wo das gelingt, da wird auch bald eine Fahne aufgezogen.

Der Gottesdienst erweist sich auch dadurch als missionarisch, daß er auf die Vorstellungswelt der angesprochenen Menschen eingeht. Die Vorväter, die — unsichtbar für das menschliche Auge — darüber wachen, daß ihre Nachkommen die in das Sippenleben "eingekerbten" Sitten achten, werden ebenso selbstverständlich als Realitäten angesehen wie die Schadzauberer — die niemand je bei ihrem Tun beobachten konnte. Es sind dieses personifizierte Umschreibungen für das, was wir in unserer abstrakten Redeweise als Gewissen bzw. gesellschaftliche Spannungen bezeichnen. Die können wir ja auch nicht ohne Schaden für die Botschaft außer acht lassen, wenn wir die Menschen unserer Umwelt anreden. Gerade an diesem Punkt wird deutlich, warum eine einheimische Gemeinde in Afrika besser Mission treiben kann als ein Fremdling aus dem Westen: Die afrikanischen religiösen Vorstellungen sind im Denken ihrer Glieder bereits vorgegeben. Sie braucht sie nicht erst durch schwierige Umdenkprozesse hereinzuholen, wie das im interkulturellen Kontakt nötig wäre — und auch nur höchst selten gelingt.

Doch diese Vorstellungswelt ist nicht das Entscheidende an der in Afrika wachsenden Theologie; dadurch wird nur der Rahmen gesetzt, nur die Frage gestellt, auf die das Evangelium dadurch eine relevante Antwort gibt, daß es in den Menschen, die durch Jesus Christus mit Gott und untereinander Gemeinschaft gefunden haben, Mensch wird. Diese neue Inkarnation degradiert nicht die erstmalige geschichtliche Inkarnation in der Person Jesu Christi, auf die auch sie bezogen bleibt. Aber diese Gemeinde repräsentiert den ganzen Leib Christi in Afrika genauso authentisch, wie es andere Ortskirchen in ihrer anderen Lage tun.

Es ist heute unbestritten, daß die AUK ihren Gottesdienst auf die Kommunikation an die religiöse Umwelt hin offen gestalten. Dagegen wird die Öffnung auf die nichtreligiöse Umwelt hin, wie sie in Gensichens Überlegungen gefordert wird, häufig in Frage gestellt. Es wird dabei behauptet, diese religiös ausgerichteten Afrikaner hätten keinen Sinn für das säkulare Denken, das heute auch in ihrem Erdteil Fuß faßt. Haben die Kritiker doch recht, die diese Bewegung als Sekte einstufen, weil — nach der Definition von Ernst Troeltsch — eine Sekte sich eher von der Welt zurückzieht als sich auf die Wirklichkeit der Gesellschaft einzulassen und sie zu durchdringen?

Diese Annahme wird schon dadurch widerlegt, daß die AUK sich in den von der Säkularisierung stärker beeinflußten Städten schneller verbreiten als in den konservativeren Landgebieten und daß zu den Mitgliedern der AUK nicht nur Analphabeten zählen, sondern auch Gebildete, schwarze Akademiker, Beamte und Lehrer, die nicht aus der Welt zu fliehen gedenken, sondern ihre Probleme einbringen.

Als Menschen des Friedens werden die AUK zwar nicht zu den Waffen der Freiheitskämpfer greifen. Aber ihr "Schwarzes Bewußtsein", durch das sich die Afrikaner wieder als Menschen verstehen, hat sich nicht nur im Entkolonialisierungsprozeß als tragende Kraft erwiesen, sondern blieb auch nach der Erlangung der nationalen Unabhängigkeit im Gegenüber zu neuen totalitären Regimen bedeutungsvoll, weil es nicht ideologische Probleme oberflächlich angeht, sondern eine Antwort auf die Angst gibt, die Menschen in beiden Situationen bedrängt.

In dieser Gemeinschaft findet die Solidarität mit den Leidenden und Unterdrückten ihren Ausdruck, nicht nur durch die augenfällige Krankenheilung, durch die eindrückliche Fürsorge für die Notleidenden, sondern auch durch die Heilung des Menschenbildes, die Betonung der Menschenwürde, die gerade in gesellschaftlichen Krisensituationen ein schwer zu überschätzendes missionarisches Gewicht hat. Wenn man auch hier erst vom Ganzen her die Details interpretieren darf, dann gewinnt es z.B. an Bedeutung, daß in den AUK heute die Freiheitshymne *Nkosi sikelela uAfrika* (Herr, segne Afrika) im Gottesdienst gesungen wird. Und dann darf die noch unbewiesene Vermutung zunächst einmal als Frage ausgesprochen werden, ob die "Erfindung" der Kral-Fahnen, die sich in den letzten Jahren so schnell durchgesetzt hat, nicht doch etwas von der Symbolik der eingangs genannten Fahnen der Unabhängigkeit aufgenommen haben könnte, auch wenn diese Neuschöpfung als ganze gewiß nicht einfach damit identifiziert werden darf.

Schon früher hat Gensichen darauf hingewiesen, daß Theologie einheimisch sein muß, um ökumenisch sein zu können[11]. Er hat in diesem Zusammenhang allerdings auch davor gewarnt, diese Selbständigkeit als ein Reservat anzusehen, in dem sie allein und isoliert bleibt. Zur ökumenischen Dimension einheimischer Theologie gehört wesensmäßig der Dialog mit den anderen Kirchen in der Welt. Wir sollen also nicht nur die bunten Fahnen über Afrikas Kralen bestaunen und interpretieren; wir sind vielmehr dadurch gefordert, ins Gespräch zu kommen mit den Menschen, die diese Zeichen aufgerichtet haben. Wir könnten dabei Facetten der biblischen Botschaft neu entdecken, die bei uns vielleicht noch unter dem Schutt unserer langen Kirchengeschichte verborgen liegen. Wir könnten z.B. neu verstehen, welche Bedeutung das Gemeinschaftsleben und der Gottesdienst der Gemeinde für ihre Mission hat, und für unseren eigenen Missionsauftrag in einer säkularisierten Umwelt neue Anstöße empfangen. Dadurch könnte die Mission der ganzen Kirche bereichert werden.

Zum anderen könnte uns dieser Dialog dazu verhelfen, auch unsere "einheimischen" Theologien des Westens zu hinterfragen und zu prüfen, ob und wie weit sie den ökumenisch-missionarischen Kriterien entsprechen, an denen wir die

310

andern messen. Wir werden dann gewiß keine Fahnen auf unsere Häuser setzen; hoffentlich aber andere, sichtbare Zeichen der anbrechenden Gottesherrschaft, die von den Menschen in unserer eigenen Umwelt nicht mehr übersehen werden können.

Anmerkungen

1. Vgl. *M. Kohler:* Marriage Customs in Southern Natal, Ethnological Publications Vol. IV, 1933, 32.
2. *B.G.M. Sundkler:* Bantu Prophets in South Africa, 1948, 257.
3. Ebd. 258.
4. Ebd. 49.
5. *H.-W. Gensichen:* Glaube für die Welt, Theologische Aspekte der Mission, 1971, 158.
6. Ebd. 158.
7. Ebd. 190.
8. Ebd. 210.
9. Ebd. 211 f.
10. Ebd. 155.
11. *H.-W. Gensichen:* "Einheimische" Theologie und ökumenische Verantwortung, in: *H.-W. Gensichen (Hg.):* Das Problem einer "einheimischen" Theologie, Theologische Stimmen aus Asien, Afrika und Lateinamerika Bd. I, 1965, 29ff.

Hans-Jochen Margull

Das Fach
"Religionen, Mission, Ökumene"
an der Universität Hamburg

Unter dem Titel "Theologiestudium – Vikariat – Fortbildung" ist im Frühjahr 1978 als Empfehlung des Rates der Evangelischen Kirche in Deutschland der "Gesamtplan der Ausbildung für den Pfarrerberuf" erschienen. Eine Würdigung dieses seit 1965 unter dem Ansatz der Studienreform erarbeiteten Werkes ist hier nicht intendiert, soviel jedoch mag zum Ganzen gesagt sein, daß dessen Bewertung sehr viel positiver ausfallen würde, als es die hier umrissene Beschäftigung mit nur einem Punkt des Planes erwarten läßt.

Zum Ersten Theologischen Examen heißt es: "Das Examen fordert mündliche Leistungen in den Fächern Altes Testament, Neues Testament, Historische Theologie (Kirchen- und Dogmengeschichte), Systematische Theologie und Praktische Theologie. Darüber hinaus soll die Prüfungsordnung mündliche Leistungen in Philosophie oder in einem der Fächer Pädagogik, Psychologie, Soziologie (Sozialwissenschaften) vorsehen; diese kann der Prüfling entweder als vorgezogene Prüfungsleistung während des Studiums oder als Fachleistung oder als fächerübergreifende Leistung in Verbindung mit einem der theologischen Fächer während des Examens selbst erbringen. Das gleiche gilt, wenn mündliche Leistungen in einem weiteren Fach der Theologie vorgesehen werden, z.B. Sozialethik, Missions-, Religionswissenschaft, Ökumenik."

Mit dem den Kirchen und Fakultäten im übrigen schon zugänglichen Manuskript des Gesamtplanes in der Hand machte der Vorsitzende der für den Plan zuständigen Kommission des Rates der EKD auf den gerade zitierten Passus aufmerksam, er selber – in der Gesellschaft einiger Missionswissenschaftler und im Zuge einer fruchtbaren, vielleicht auch nur optimistischen Diskussion über die missions- und ökumenewissenschaftliche Leistungsfähigkeit in Theologie und Kirche – über nämliche Aussage nun doch einigermaßen verwundert. Das geschah auf der 2. Sitzung des Ausschusses für theologische Ausbildung des Evangelischen Missionswerkes im September 1977. Dem Ausschuß steht der Jubilar vor, einer der Herausgeber dieses Bandes und der Verfasser des vorliegenden Beitrages gehören ihm an. Alle drei waren betroffen.

Bei gründlicher Lektüre dieses Passus kann die Betroffenheit angesichts der vorgesehenen Option für einen Gegenstand aus dem Bereich "Missions-, Religionswissenschaft, Ökumenik" entweder im Zuge einer vorgezogenen Prüfung während des Studiums oder in Verbindung mit einem der (sic) theologischen Fächer weichen. Sie mag sich auch im Blick auf die Tatsache mindern, daß ja schließlich nicht an allen Ausbildungsstätten die Lehrvoraussetzungen für eine Prüfung im Fach oder in der Fächerkombination "Religionen, Mission, Ökumene" gegeben sind, von Kandidaten also nicht verlangt werden kann, was ihnen nicht geboten worden ist. Jedoch bleibt die Betroffenheit wegen der offensichtlich nicht oder nur kaum veränderten Einschätzung des Faches — trotz unermüdlicher Bemühungen der Fachvertreter und, was wichtiger ist, trotz der wachsenden Erfahrung der ökumenischen, das heißt nicht nur der interkonfessionellen, sondern auch und verstärkt der interkulturellen, interreligiösen, missionarischen, entwicklungsbezogenen, eben weltweiten Bedingungen gegenwärtiger Kirche. Die Reihenfolge ist es, in der hier komplementäre Disziplinen den klassischen Grundfächern zugeordnet werden, das "wenn" ist es, das "z.B.", z.B. also Mission.

Das "wenn" liegt im Ermessen der für die Prüfungsordnungen zuständigen Instanzen, also bei den Landeskirchen und den Fakultäten. Der Gesamtplan wollte bereits in seiner Erarbeitungsphase und will jetzt nach seiner Veröffentlichung den genannten Instanzen eine Handreichung für die neu zu schaffenden oder umzuschreibenden Prüfungsordnungen sein. Liegt damit schon alles fest? Oder hat es doch noch Sinn, von dem einen oder anderen Exempel des Umgangs mit dem Fach "Religionen, Mission, Ökumene" auf die Möglichkeiten zu deuten, die Fakultäten in der Lehre, sowie Kirchen und Fakultäten in den Prüfungsordnungen haben — und zwar eben schon in den formativen Jahren des Studiums und nicht erst in der eher applikativen Zeit des Vikariats? Mit dieser Frage ging ich aus der Betroffenheit in jener Sitzung heraus. Es kam zu dem unter Kollegen, Fakultäten und Schulen hoffentlich nicht mißverständlichen Entschluß, die Hamburger Bemühungen und Lösungen einmal schlicht zu beschreiben — uns selber zur Rechenschaft, anderen vielleicht zur Anregung.

Lehre und Prüfung

Die an der Hamburger Fakultät (Fachbereich) seit 1956 geltende Prüfungsordnung für das Erste Theologische Examen bestimmt,
— daß "das Thema der wissenschaftlichen Hausarbeit ... dem Kandidaten nach seiner Wahl aus dem Bereich der alttestamentlichen oder neutestamentlichen Theologie, der Kirchengeschichte, der Systematik oder der Missionswissenschaft gestellt" wird
— und daß die mündliche Prüfung folgende Fächer umfaßt: Altes Testament, Neues Testament, Kirchen- und Dogmengeschichte, Dogmatik und Ethik, Praktische Theologie, Religions- und Missionswissenschaft, Philosophie.
Der damit im Blick auf die Missionswissenschaft gegebenen Orientierung folgte die Hamburger Landeskirche in ihrer Prüfungsordnung von 1959. "Vergleichende Religionswissenschaft einschließlich Missionskunde" wurde mündliches Prüfungsfach. Auch kann der knappe Wortlaut dieser Ordnung so gelesen werden, daß die wissenschaftliche Hausarbeit und eine der vier Klausuren mit

einem missionswissenschaftlichen Thema zu versehen wären. Dagegen sah die Hamburger Fakultätsordnung eine Klausur im Fach der Missionswissenschaft nicht vor.

Dann setzten 1969/70 die Bemühungen um eine Studien- und Prüfungsordnungsreform ein, die auf Initiative des damaligen Lübecker Bischofs Heinrich Meyer im nordelbischen Raum gemeinsam von den die Nordelbische Evangelisch-Lutherische Kirche bildenden Landeskirchen und den Fakultäten in Kiel und Hamburg unternommen wurden. Das Ziel war eine einheitliche Prüfungsordnung der verschiedenen Institutionen. Mit einer charakteristischen Abweichung im Bereich der Prüfungsinhalte, und zwar hinsichtlich des hier bedachten Faches, wurde dieses Ziel erreicht.

Anfang 1976 setzte die schleswig-holsteinische Landeskirche ihre neue Ordnung für die Erste Theologische Prüfung in Kraft, in der das Fach "Religionswissenschaft, Missions- und Ökumenewissenschaft" wählbar für die wissenschaftliche Hausarbeit und verpflichtend für die mündliche Prüfung ist. Die noch zu schaffende Prüfungsordnung der Nordelbischen Kirche wird im ganzen und jedenfalls in diesem Punkt der schleswig-holsteinischen gleichen.

Ende 1975 verabschiedete der Fachbereich Evangelische Theologie der Universität Hamburg seine Ordnung und beantragte ihre staatliche Genehmigung, die freilich wegen der Änderung des Hochschulgesetzes auch 1978 noch nicht vorlag. Diese Ordnung ist darin einmalig, daß sie über die Wählbarkeit eines Themas aus dem Fach "Religionen, Mission, Ökumene" für die Hausarbeit und die Verpflichtung zur mündlichen Prüfung in diesem Fach (20 Minuten wie für alle anderen Fächer) in § 8 festlegt:

"Die Fächer

Altes Testament

Neues Testament

Kirchen- und Dogmengeschichte

Systematische Theologie

Religionen, Mission, Ökumene

sind Klausurfächer. Von ihnen hat der Kandidat in vier Fächern je eine Klausur zu schreiben. – Für das Fach, in dem von dem Kandidaten keine Klausur geschrieben wird, ist der Prüfungskommission eine im Laufe des Studiums angefertigte schriftliche Arbeit (Hauptseminararbeit) vorzulegen, die mit mindestens 'befriedigend' bewertet worden ist."

Zu dieser Regelung kam es nach einer sich über etwa drei Jahre hinziehenden, oft nicht leichten Diskussion, in der vor allem die studentischen Mitglieder der befaßten Gremien für das Fach wortführend waren. Man muß hinzufügen, daß diese nicht nur Prüfungsinhalte umgewichten, sondern dabei auch und besonders dem hier kurz sogenannten "ökumenischen" Bezug theologischen Studiums Ausdruck und Geltung verschaffen wollten.

In der Beschreibung der Klausurbereiche wurde die Konfessions- und Kirchenkunde dem Fach "Religionen, Mission, Ökumene" zugeschlagen.

Im Blick auf diese Prüfungsordnung wurden dann im Hamburger Fachbereich 1978 eine Studienordnung und ein Studienplan entwickelt. Diese empfehlen, daß ein Student für sein gesamtes Theologiestudium – von einführenden und fächerübergreifenden Veranstaltungen hier abgesehen – zum Erwerb von Grund- und Spezialwissen in den Fächern AT, NT, Systematik und Praktische Theologie je mindestens 19, in der Kirchengeschichte mindestens 18 und im Fach "Religionen, Mission, Ökumene" mindestens 14 Semesterwochenstunden belegen soll. Solche Stundenzahlen ergaben sich im Blick auf die Lehrinhalte, aber schließlich auch mit Rücksicht auf die verfügbaren Lehrpersonen. In unserem Fach sind dies in Hamburg: zwei Professoren, ein wissenschaftlicher Assistent, regelmäßig zwei Lehrbeauftragte, gelegentlich ein Gastprofessor.

Mindestens vierzehn Semesterwochenstunden, das heißt, daß ein Student während der Zeit seines in der Regel je viersemestrigen Grundstudiums und Hauptstudiums wenigstens teilnehmen soll an (schematisch)

1 Vorlesung zur Religionswissenschaft	3 st
1 Vorlesung zur Missionswissenschaft	2 st
1 Vorlesung zur Ökumenewissenschaft	3 st
1 Religionswissenschaftliches (Pro-)Seminar	2 st
1 Missionswissenschaftliches (Pro-)Seminar	2 st
1 Ökumenewissenschaftliches (Pro-)Seminar	2 st

Ehe nun Antwort gegeben werden soll über die thematische Füllung dieses Rasters, ist es notwendig, über die Anforderungen an dieses Fach zu informieren, die von den Hamburger staatlichen Prüfungsordnungen für die Lehramtskandidaten im Fach Evangelische Religion ausgehen. In der Summe werden danach verlangt: "Überblick über die wichtigsten christlichen Konfessionen und außerchristlichen Religionen", "Kenntnis von Grundproblemen der Religionsgeschichte oder der Religionsphänomenologie oder der Religionssoziologie oder der Religionspsychologie nach Wahl des Bewerbers", "Kenntnis einer nichtchristlichen Weltreligion". Darüber mag in der einen oder anderen Beziehung gedacht werden, was man will, die pure Tatsache bleibt bestehen, daß die Last zur Schaffung der Voraussetzungen solchen, wie tief auch immer reichenden Wissens den im personellen Verbund stehenden Missionswissenschaftlichen und Ökumenischen Seminaren der Universität Hamburg zufällt – aber auch die Chance, daß sich der theologische Lehrbetrieb und hier besonders der im Bereich von "Religionen, Mission, Ökumene" nicht nur in bezug auf die Gemeinde, sondern der größeren gesellschaftlichen Relevanz wegen auch auf die Schule formiert.

Was bieten wir nun an? Was wollen wir?

Wir wollten vom Anfang der hier in den Blick genommenen Periode an ein nach Möglichkeit selbstverständlich integrierter Teil des Theologiestudiums von der Studieneingangsphase über das Grundstudium und das Hauptstudium bis ins Examen hinein sein – und darüber hinaus, dank der Fazilitäten der Missionsakademie an der Universität Hamburg, ein ebenso selbstverständlich integrierter Teil für das Vikariat und die Pfarrerfortbildung. Da die Missionsakademie für das Theologiestudium nur gelegentlich eine Rolle spielt und deshalb hier außer Betracht bleiben kann, soll an dieser Stelle wenigstens dies gesagt sein: die Missionsakademie hat neben ihrem Studienprogramm für überseeische Stipendiaten, gegenwärtig meist Doktoranden, ein Kursprogramm für einzelne Vikare, ganze Predigerseminare, für Pfarrer und (andere) Mitarbeiter der Kirchen und Werke, dessen Inhalte und Formen von den in den beiden Universitätsseminaren gewonnenen Konzeptionen mitbestimmt werden. Wir wollten uns nicht länger als Spezialfach verstehen und verstehen lassen und meinen, dies nun auch nicht mehr zu brauchen. Wir stellten uns in ordentlichen und außerordentlichen Lehrveranstaltungen den drängenden Themen der Zeit, worunter zur Genüge solche waren, bei denen unsere missions-, ökumene- und religionswissenschaftliche Expertise, wenn auch nicht immer reibungslos, etwas austrug. Wir sammelten, oder die Studenten sammelten einfach alles unter dem in ihrem Bewußtsein anschaulich gewordenen Stichwort "Ökumene", gleich: Christenheit und Menschheit in einer ganzen Welt. Wir freuten uns, als im studentischen Bericht über das erste Hamburger Propädeutikum (Studieneingangsphase) von drei gewonnenen Impulsen die Rede war, vom propädeutischen, praktischen und ökumenischen, und es zum letzten hieß: "Der ökumenische Impuls wird von einem Stichwort charakterisiert: Entprovinzialisierung. Dieser Vorgang hat uns aus unserem Denken herausgerissen, das sich zumeist mit den Problemen der gegenwärtigen Umgebung befaßt. Wir sehen uns heute als einen Teil in einem globalen Zusammenhang" (mitgeteilt in Theologia Practica 8, 1973, 123).

Im Propädeutikum haben die Stelleninhaber des Missionswissenschaftlichen und des Ökumenischen Seminars von Beginn an mitgearbeitet. Der Verfasser hat in jedem zweiten Jahr die Orientierungsvorlesung "Jüngste Christentumsgeschichte" gehalten, in der von Sache und Fach her ökumene- und missionswissenschaftliche Akzente gesetzt wurden. Im Sommersemester 1978 schrieben nach Abschluß dieser dreistündigen Lehrveranstaltungen 143 Studenten eine Klausur; 8 unterzogen sich einer mündlichen Fleißprüfung. Die Assistenten übernahmen oder beteiligten sich an den Theologischen Übungen, etwa zu der Frage "Wozu Theologie?". Sie arbeiteten an den Kirchenpraktika mit, die in den Ferien zwischen dem Winter- und dem Sommersemester veranstaltet und mit einer Auswertungsübung abgeschlossen wurden. Dabei gab es in Abstimmung mit den Interessen der Studienanfänger drei Schwerpunkte und somit drei Gruppen: Mission-Ökumene-Dritte Welt, Seelsorge, Konfirmandenunterricht. Alle Gruppen wurden zur Hospitation in Hamburger Gemeinden geschickt, die erste Gruppe zusätzlich in die Häuser des Ev. Missionswerkes und des Nordelbischen Missionszentrums. In den Gemeinden nahmen sie an thematisch einschlägigen Gottesdiensten und Zusammenkünften teil, waren aber auch nicht selten der Anlaß dafür, daß in den Gemeinden überhaupt etwas Einschlägiges zustande kam. Jeder Teilnehmer hatte danach einen ausführlichen Erfahrungsbericht zu schreiben, in dessen Erarbeitung sich oft genug Themen für die wissenschaftliche Nach- und Weiterarbeit ergaben, schließlich auch Einsichten über manch hausbackene Verhältnisse.

Für das Grund- und Hauptstudium müssen wenigstens und regelmäßig die oben aufgelisteten Vorlesungen und Seminare gehalten werden. Zumindest die Vorlesungen stellen das Rückgrat für manch weitere, meist speziellere Lehrveranstaltungen dar; sie müssen stabil und so gespannt sein, daß sie einen in Studium und Praxis hoffentlich oder vermutlich wachsenden Körper des Wissens zu tragen vermögen. Sie haben also den Stoff exemplarisch zu verarbeiten und diesen problembewußt mit dem anderer Disziplinen zu verbinden. Im Turnus wird vom Verfasser gelesen:

— Allgemeine Religionsgeschichte
— Überseeische Christenheit
— Ökumenische Bewegung
— (Jüngste Christentumsgeschichte).

Die Titel sind bewußt allgemein gewählt, um besonders für die beiden mittleren Vorlesungen Raum für Darlegung und Diskussion von aktuellen Ereignissen und Problemen zu lassen. Alle vier Vorlesungen werden von Pfarramts- und Lehramtskandidaten besucht, wobei die letzteren im religionswissenschaftlichen Kolleg besonders zahlreich sind und dieses zu einer, wenn man will, großen Vorlesung machen. Die Vorlesung "Überseeische Christenheit" enthält sachgemäß starke missionsgeschichtliche und kirchenkundliche Züge in der Exposition exemplarischer Situationen und Probleme. Sie soll, wie alle Veranstaltungen, dazu führen, im Wissen um die Geschichte und in der Abklärung der Gegenwart die missionale Intention der Teilhabe am christlichen Glauben herauszubilden. Grundzüge der Konfessionskunde sind dann in die Darlegung der Geschichte der ökumenischen Bewegung und in die Erörterung der wichtigsten Probleme ökumenischer Diskussion in der Vorlesung "Ökumenische Bewegung" eingebettet. Ich sage "Vorlesung" und benutze damit eine Benennung, die gerade brauchbar, aber didaktisch nicht unbedingt bindend ist. Bleibt der Kreis der Teilnehmer unter vierzig, so wechseln sich Grundinformationen mit Kolloquien und in Auftrag gegebenen Berichten oder Referaten ab. Dann ist die Gelegenheit gegeben, in unserer durchgängig gestellten Frage nach einer "ökumenischen Didaktik" oder nach einem ökumenischen, partizipatorischen Lernen an bestimmten Situationen, in die man so oder so verwickelt ist, weiterzukommen. Beispiele: die reale Hamburger oder norddeutsche Ökumene; die Missionsfrage angesichts eines überseeischen Kommilitonen, christlich oder nichtchristlich, angesichts des Missionswesens in Werken und Gemeinden, angesichts des eigenen und gegenwärtigen Bewußtseins; das gleiche zur Entwicklungsproblematik; Fragen im Angesicht eines türkischen Gastarbeiters etc.

Von den Proseminaren und Seminaren will ich nur die Titel der missions- und ökumenewissenschaftlichen aus den letzten sechs Semestern nennen: Deutschland in der Ökumene 1945–1975; Sekten und religiöse Erscheinungen der Gegenwart; Das Verständnis von Mission auf den westdeutschen Synoden des letzten Jahres; Schwarze Kirchen in Amerika und Afrika; Politik und Kirche in Ostafrika; Geschichte und Probleme der ökumenischen Bewegung für Glauben und Kirchenverfassung; Hauptprobleme der Weltkirchenkonferenz von Nairobi; Mission und Kolonialismus; Sozialethische Positionen in der ökumenischen Bewegung; Zum dialogischen Verständnis der Religionen; David Livingstone: Missions- und Sozialgeschichte; Der theologische Ertrag der ökumenischen Studie "Einheit der Kirche — Einheit der Menschheit"; Bekehrung als religiöser und sozialer Faktor; Die Kirchen in der Geschichte Lateinamerikas (interdisziplinäres Seminar mit Historikern); Einführung in missionswissenschaftliches Arbeiten: Las Casas; Kirchenreform als Thema ökumenischer Studien; Rezeptionsmöglichkeiten der ökumenischen Diskussion über die Befreiung der Frau; Anfänge der Missionsbewegung in Deutschland; Amt und Herrenmahl — Situation und Zukunft des evangelisch-katholischen Gesprächs (intradisziplinär durch einen Systematiker). Und angekündigt sind u.a.: Von Söderblom bis Hromadka — Frieden als ökumenische Aufgabe; Theologische Fragen der Verkündigung am Beispiel der jüngsten Diskussion im Ökumenischen Rat der Kirchen, unter evangelikalen Gruppen und in der Katholischen Kirche.

Im Zusammenhang mit solchen Seminaren ist es bei nicht wenigen Studenten zur Schwerpunktbildung für ihr theologisches Studium gekommen, bei der sich dann die Wahl für ein missions- und ökumenewissenschaftliches Hausarbeitsthema nahelegt. Von den durchschnittlich zwölf Kandidaten, die sich seit etwa 1970 am Hamburger Fachbereich dem halbjährlich stattfindenden Ersten Theologischen Examen unterzogen, hat je Prüfung in der Regel einer ein solches Thema gewählt. Die Arbeiten reichten von Untersuchungen des Schriftgebrauchs in der Theologie der Befreiung über die des Begriffes Konziliarität bis zu der der Darstellungen und Bewertungen der Jesuitenreduktionen. Dabei konnte mit Befriedigung festgestellt werden, daß sich nicht gerade die schwächsten Kandidaten an Themen dieser Disziplin gesetzt hatten. Außerdem brauchen wir wohl nicht damit zu rechnen, daß sich dies quantitativ und qualitativ im Rahmen des zukünftigen landeskirchlichen "Regelexamens" ändern wird, jedenfalls was Hamburger Studenten betrifft.

Ähnlich positiv ist von den mündlichen Prüfungen zu berichten. Da sich hier alle Kandidaten stellen müssen, zeigt sich an dieser Stelle am besten, welchen Grad von Interesse das Fach zu erreichen und welchen Durchblick es anzuregen vermochte. Indikator braucht dabei nicht die Prüfung selber zu sein, aufschlußreicher ist das Vorgespräch über die zu behandelnden Gegenstände. Mindestens zwei müssen vorgeschlagen werden. Hier zeigt sich, was in der Lehre geboten wurde und was das Angebot wert war. In den meisten Fällen verläuft dieses Gespräch glatt und befriedigend, exemplarische und examinable Gegenstände werden genannt, Hinweise auf die eine oder andere Vertiefung, auf wesentliche Punkte oder die eine und die andere Literatur werden gegeben. In wenigen Fällen müssen die Vorschläge korrigiert und mit den entsprechenden Vorbereitungsempfehlungen versehen werden. In noch geringeren Fällen kommt heraus, daß der Kandidat sich während seines Studiums um das Fach nur sehr wenig oder auch gar nicht gekümmert hat, gelegentlich mit dem Hinweis auf ein mangelndes Lehrangebot in früheren Ausbildungsstätten. In dieser Stunde, so meine ich, ist die Gelegenheit, mit einem jungen Theologen zusammen über die im Pfarramt auf ihn zukommenden vielfältigen Aufgaben und die Relevanz nachzudenken, die der einen oder anderen Information und Reflexion im Fach

"Religionen, Mission, Ökumene" für die eine oder andere Aufgabe punktuell, wenn nicht gar dimensional zukommen. Wenn es dann gelingt, zwei noch zu erarbeitende Gegenstände in Verbindung zu vorhandenem Wissen in anderen Disziplinen zu umreißen, dann ist nicht nur eine Prüfung gerettet, sondern in der Regel auch eine Einsicht vermittelt.

Forschung

Der Akzent dieses Beitrages liegt auf den Hamburger Bemühungen um Lehre und Prüfung, sowie in der Frage nach deren bisherigen Ergebnissen. Ein ausführlicher Bericht über die Hamburger missions- und ökumenewissenschaftliche Forschung braucht folglich nicht gegeben zu werden, er würde über den schon in Anspruch genommenen Raum auch weit hinausgehen. Nötig ist freilich ein doppelter Verweis auf die direkte didaktische und theoretische Bedeutung der Forschung für die Lehre.

Wenn man die Punkte sucht, an denen uns der Ausbruch aus der fachlichen Marginalität gelungen ist, so wird man u.a. eine Reihe von Dissertationen und die dazugehörigen Verfasser finden. Doktoranden sind wichtige Faktoren für die Lehre und zu einem bestimmten Zeitpunkt auch in ihr. Gewissermaßen auf halbem Wege zwischen Studenten und Dozenten stehend, manifestieren sie gegenüber den ersteren, daß in dem für Dissertationen gewählten Fach thematisch Bewegung ist und Forschung vorangeht. Sie werden über ihre Themen befragt und geben dabei auch über ihre Methoden Auskunft. So regen sie Studenten zum forschenden Lernen an, wo es in der Sache und bei der Person möglich ist. Sie bereichern die Lehrveranstaltungen, wenn sie in diesen zu ihren Themen herangezogen werden und Gelegenheit zum Einblick in eine frische Werkstatt geben. Stehen theologische Schwierigkeiten bei der Beurteilung einer Dissertation an, so kann der Interessentenkreis um einen Doktoranden und die Aufmerksamkeit auf seinen Gegenstand und seine Fachrichtung erheblich wachsen. Im ganzen haben es (in welcher Reihenfolge auch immer) Quantität, Qualität und Thematik der einschlägigen Hamburger Dissertationen seit etwa 1970 bewirkt, eine zunehmende Zahl von Studenten empfinden zu lassen, daß "bei Mission und Ökumene etwas los ist".

Die Chance zu solcher Entwicklung war mit dem Antrag der Hamburger Fakultät auf Bildung eines missions- und ökumenewissenschaftlichen Sonderforschungsbereiches gegeben. Der Antrag mußte um 1970 substantiiert werden, womit wir unter den Zwang kamen, ein der Deutschen Forschungsgemeinschaft plausibles Forschungsprojekt zu benennen. Man wird im nachhinein offenlegen können, daß wir dazu alle Kräfte, die tatsächlichen und die nur irgendwie vermutlichen, mobilisierten und dabei nur wenig Angst hatten, über kurz oder lang über unsere Verhältnisse leben zu müssen. Die Definition eines Sonderforschungsbereiches wurde bei der Forschungsgemeinschaft bald strikter, geisteswissenschaftliche Fächer hatten es sehr schwer, wir wurden zwar anerkannt, aber nur vorübergehend und hilfsweise finanziell gefördert. In der

Hauptsache mußten und müssen wir auf universitäre und kirchliche Stipendien-mittel zurückgreifen.

Jedoch waren uns in dieser spannenden Phase eine potente Gruppe junger Forscher und ein trächtiges Projektthema zugewachsen. Zur Gruppe gehör-ten Mitarbeiter der Missionsakademie, Assistenten sowie deutsche und dann zunehmend überseeische Doktoranden. Der Professor war primus inter pares und teils Tutor, teils Sekretär. Unser Gegenstand lag in der Tradition Walter Freytags und Stephen C. Neills nahe, er ergab sich auch unumwunden im Blick auf die der Disziplin zugekommenen Fragen. Dringend erschien uns eine ausreichend gefächerte empirische und nicht vorschnell systematisie-rende Forschung zu den Prozessen des Entstehens und der Veränderungen jüngerer Kirchen, womit neben deren Kenntnis auch die Frage nach den Re-sultaten der Missionsgeschichte gefördert und langfristig ein Beitrag zur theo-logisch-geschichtlichen Bewältigung des Problems Mission versucht werden sollte. Das Thema, unter dem wir dies am umfassendsten und sachgerech-testen unternehmen zu können meinten, lautete: "Selbstverständnis und Funktion der Christenheit in überseeischen Gesellschaften", kurz "Über-seeische Christenheit". Die für die missionswissenschaftliche Sprache damals recht neu- und eigenartige Formulierung mag unseren Entschluß verraten, mit diesem Projekt in der Überseeforschung und darüber hinaus kommunikabel zu sein.

Einen Überblick voraufgehender und umliegender Forschung erstellte der Ver-fasser in zwei längeren Literaturberichten, die unter dem Kurztitel des Projekts in "Verkündigung und Forschung" 2/1971 und 1/1974 erschienen. In der glei-chen Zeitschrift veröffentlichten 2/1977 E. Kamphausen und W. Ustorf eine Arbeit zum missionsgeschichtlichen Aspekt: "Deutsche Missionsgeschichts-schreibung: Anamnese einer Fehlentwicklung". Die folgenden Einzelarbeiten des Projekts wurden veröffentlicht (zehn weitere, darunter eine Studie über das Christentum in Vietnam, sind in Arbeit):

—   Wolfram Weiße: Südafrika und das Antirassismusprogramm. Kirchen im Spannungsfeld einer Rassengesellschaft, 1975.

—   Erhard Kamphausen: Anfänge der kirchlichen Unabhängigkeitsbewegung in Südafrika. Geschichte und Theologie der äthiopischen Bewegung, 1976.

—   Lothar Engel: Kolonialismus und Nationalismus im deutschen Protestan-tismus in Namibia 1907–1945, 1976.

—   Werner Ustorf: Afrikanische Initiative. Das aktive Leiden des Propheten Simon Kimbangu, 1975.

—   Joachim Wietzke: Theologie im modernen Indien – Paul David Devanan-dan, 1975.

—   Christopher Furtado: The Contribution of Dr. D.T. Niles to the Church Universal and Local, 1978.

—   Ingo Lembke: Christentum unter den Bedingungen Lateinamerikas. Die katholische Kirche vor den Problemen der Abhängigkeit und Unterentwick-lung, 1975.

—   Zwinglio Dias: Krisen und Aufgaben im brasilianischen Protestantismus.

Eine Studie zu den sozialgeschichtlichen Bedingungen und volkspädagogischen Möglichkeiten der Evangelisation, 1978.

– Arturo Blatezky: Sprache des Glaubens in Lateinamerika. Eine Studie zu Selbstverständnis und Methode der "Theologie der Befreiung", 1978.

Mit Ausnahme des Buches von Furtado, das in Madras herauskam, sind die genannten Arbeiten in der von Peter Lang, Frankfurt und Bern, verlegten Buchreihe "Studien zur interkulturellen Geschichte des Christentums" erschienen. Der Titel entstand bei den ersten Strichen zu einer aus den Einzelarbeiten hervorgehenden Theoriebildung, wonach sich das Christentum im Zuge seiner durch die neuzeitliche Missionsbewegung und ihre Konsequenzen erfolgten Universalisierung gegenwärtig in einem Prozeß befindet, der faktisch und intentional interkulturell ist, wobei die von uns sogenannte "Tertiaterranität des Christentums" geschichtlich motorisch wirkt. Im übrigen wird die Buchreihe vom Verfasser in Gemeinschaft mit den Leitern der Institute herausgegeben, die mit den Hamburger Seminaren in einem fruchtbaren Lehr- und Forschungsverbund stehen: Richard Friedli, Freiburg, Schweiz, und Walter J. Hollenweger, Birmingham – der erste gelegentlich, der andere regelmäßig zu Gastvorträgen in Hamburg.

Was wir somit arbeiteten, wurde innerhalb des Hamburger Fachbereiches nach und nach zur Kenntnis genommen und schließlich auch beachtet. Die interdisziplinäre Intention, die Methodenprobleme, die wir uns darunter stellen ließen, und die Entscheidungen, die wir dazu treffen mußten, führten bei den Beobachtern in und außerhalb Hamburgs jedoch zu einer Reihe zunächst reibungsvoller, dann hilfreicher Fragen aus dem Fundus theologischer Tradition. Am Ende konnte deutlich werden, daß die methodologische Grundentscheidung zu einem die bisherige theologische Gangart verändernden interdisziplinären Weg sich aus der Einsicht ergab, daß man im Metier der ererbten Missionshistoriographie und im Zuge eingeübter Kirchengeschichtsschreibung dem Phänomen der überseeischen Christenheit wissenschaftlich nicht gewachsen sein dürfte, vor allem nicht bei dem Versuch, die Selbstverständnisse und die (faktischen) Funktionen von Kirchen zu erfassen, die Kirchen in der Dritten Welt sein wollen. So stehen wir methodisch in dem Versuch, alle einschlägigen theologischen Fragen zu stellen und alle historische Kunst zu üben und das je entsprechende sozialwissenschaftliche Instrumentarium im Rahmen eines konsequent geschichtlichen Denkens zu nutzen.

Diese methodologische Grundentscheidung hat dann auch in der Aufbereitung der Stoffe und in der Art ihrer Bearbeitung die Lehrveranstaltungen bestimmt. Damit konnten Verlauf und Sache der Mission sowohl gegen ihre Vorurteile als auch gegen ihre Engführungen freimütig und ertragreich auf dem Feld kritischer Wissenschaft dargelegt und in die Komplexität der Weltchristenheit eingefügt werden. Die Weltchristenheit erschien dann zugleich in den Bezügen der Menschheit – und die Sache war umrissen, die die Sache in der gesamten Christenheit ist, einschließlich die unserer Gemeinden und (zukünftigen) Pfarrer.

R. Hummel
Bibliographie Hans-Werner Gensichen

Aufgeführt sind im folgenden alle Bücher, fast alle Aufsätze und – in Auswahl – Literaturberichte und Rezensionen. Die meisten Rezensionen sowie einige für eine breitere Leserschaft bestimmte Aufsätze und Beiträge wurden nicht aufgenommen. Abgesehen von einigen weniger bekannten Zeitschriften und Serien werden die Abkürzungen verwendet, die im "Internationalen Abkürzungsverzeichnis für Theologie und Grenzgebiete", Berlin & New York 1974, vorgeschlagen sind.

1950
Die Lehrverpflichtung in der Hannoverschen Landeskirche, in: JGNKG 1950, 98–108.
Zur Frage der "reinen Lehre" bei Luther, in: ELKZ 1950, 274–277.

1951
Das Taufproblem in der Mission (BMEvR 1), 1951.
Die lutherisch-sozianische Auseinandersetzung um 1620, in: ELKZ 1951, 264–268.

1952
Grundzüge heutigen Missionsdenkens in Deutschland, in: EvTh 1951/52, 259–267.

1953
Kirche und Volk in der Mission, in: EMM 1953, 46–56.

1954
The Elements of Ecumenism, 1954.
Zur Diskussion im indischen Parlament über die Zulassung ausländischer Missionare, in: EMM 1954, 26–31, 153–157.

1955
Damnamus. Die Verwerfung von Irrlehre bei Luther und im Luthertum des 16. Jahrhunderts (AGTL 1), 1955.

1956
Tranquebar – then and now, 1956.

Die konfessionelle Stellung der dänisch-halleschen Mission, in: EMZ 1956, 1–19.
Neue Gespräche zwischen der Kirche von Südindien und den südindischen lutherischen Kirchen, in: LR 1956/57, 193–197.
New Conversations between the CSI and the Lutheran Churches in South India, in: Lutheran World 1956, 178–181.

1957
Die Kirche von Südindien (Weltmission heute 5/6), 1957 (Neudruck 1960).
The Teaching of Indian Church History, in: IJT 1957, 46–52.
Die Unionspläne für Nordindien, Pakistan und Ceylon und ihr Verhältnis zur Südindischen Union, in: EMM 1957, 163–170.
Imitating the Wisdom of the Almighty. Ziegenbalg's Program of Evangelism, in: CTM 1957, 835–843.
Artikel: Abendmahl VII: In den jungen Kirchen. – Azariah, Vendanayakam Samuel, in: RGG[3], Bd. 1, Tübingen 1957.
Die Einheit der Kirche in Christus, in: Offizieller Ber. d. Vollversammlung des Luth. Weltbundes. 3: Minneapolis 1957, 1958, 60–67. Auch in: LR 1957/58, 244–251, und in: ZdZ 1958, 89–95.
The Unity of the Church in Christ, in: LW 1957, 233–241.

1958
Die Südindische Union als Frage an die Kirchen, in: JEM 1958, 42–52.
Mission, kolonialvälde och nationalism, in: Evangeliska Missionen 1958, 161–175.
Goßner – Harms – Löhe. Erwägungen im Gedenkjahr 1958, in: EMZ 1958, 76–80. 108–113. 142–145.
Die südindischen lutherischen Kirchen und die Kirche von Südindien, in: LR 1958/59, 94–99.
The Lutheran Churches in South India and the Church of South India: New Developments since 1956, in: LW 1958, 84–88.
Indiens Begegnung mit dem Christentum, in: ÖR 1958, 1–12.
Sammelrezension in: LW 1958, 102–105.
Rezension: G. van der Leeuw: Vom Heiligen in der Kunst, in: Gnomon 1958, 395–398.

1959
Buddhistische Mission und christliches Zeugnis (Christus und die Welt 2), 1959.
Aufstand gegen die Götter. Religiöse Aspekte der dravidischen Bewegung in Südindien, in: Basileia. Walter Freytag zum 60. Geb., Stuttgart 1959, 252–263.
Bartholomäus Ziegenbalg und der Islam, in: Stat crux dum volvitur orbit. Festschrift für Landesbischof D. H. Lilje zum 60. Geb., 1959, 140–147.
Die Mission zwischen Kolonialismus und Nationalismus, in: Kreis 1959, 6–10.

Das Sendungsbewußtsein des Hinduismus, in: LMJ 1959, 25–35.

Tod und Leben im Buddhismus und im christlichen Glauben, in: EMM 1959, 95–109.

Was bleibt von Ghana?, in: EMZ 1959, 9–16.

Predigt über Lukas 10,38–42, in: Heidelberger Predigten (Pflüget ein Neues 8), 1959, 15–20.

Artikel: Hinduismus. II: Die biblische Botschaft gegenüber dem Hinduismus. – Indien. III: Die indischen Religionen und die christliche Botschaft. – Indien. IV: Missions- und Kirchengeschichte. – Junge Kirchen, in: RGG³, Bd. 3, 1959.

Kirche und Volk in Mission und jungen Kirchen, in: EvW 1959, 145–148.

Auf dem Wege zu einer indischen Theologie, in: NZSTh 1959, 326–349.

1960

Predigtmeditationen über Rogate (Joh 16,23b–30), in: Gepredigt den Völkern, hg. v. W. Tebbe, G.F. Vicedom, W. Ruf, 1960, 139–142. – Über Erntedanktag (Lk 12,15–21): Ebd. 276–279.

Were the Reformers Indifferent to Missions?, in: History's Lessons for Tomorrow's Mission, Student World 1960, 119–127.

Auch in: Gospel for India, hg. The Gurukul Faculty, Madras 1963, 46–54.

Religion und Sprache in der dravidischen Bewegung in Südindien, in: ThLZ 1960, 231–232.

Credo unam sanctam catholicam et apostolicam ecclesiam. Thesen über die missionarische Dimension der Kirche des dritten Artikels, in: LMJ 1960, 18–22.

Artikel: Luthertum IV: Mission im Luthertum. – Mission III C: Geschichte – Missionarsausbildung – Missionsschulwesen, in: RGG³, Bd. 4, 1960.

Missionarsdienst heute, in: EvW 1960, 241–244.

Der Säkularismus und die Religionen, in: ZW 1960, 90–104.

1961

Missionsgeschichte der neueren Zeit, in: Kirche in ihrer Geschichte, Bd. 4 Lfg. T., 1961, T1–T62 (2. Aufl. 1969).

Missionarsdienst heute, in: Mission als Partnerschaft, 1961, 12–17.

Artikel: Pfander, Karl Gottlieb. – Rhenius, Carl. T. E. – Ringeltaube, Wilhelm Tobias. – Schule und Kirche II. In den Jungen Kirchen, in: RGG³, Bd. 5, 1961.

Religion und Sozialethik im neuen Indien, in: Saec. 1961, 12–22.

Indien, in: Weltmission in ökumenischer Zeit, hg. v. G. Brennecke, 1961, 17–24.

1962

The Missionary Task in a Changing World, in: Bulletin (Moravian Theological Seminary, Bethlehem, Pa.) Fall 1962, 34–43.

Die deutsche Mission und der Kolonialismus, in: KuD 1962, 136–149.

Die theologische Ausbildung in "jungen" Kirchen im Kraftfeld der Ökumene, in: EMZ 1962, 105–119.
Artikel: Taufe. VIII. In der Mission. – Volk und Volkstum III. Volkstum als Missionsproblem, in: RGG³, Bd. 6, 1962.
Theologische Entwicklungshilfe, in: LR 1962, 67–76.
Neu-Delhi und die Weltmission der Kirche. Ebd. 172–184.
Zeugnis und Einheit der Christenheit nach der Integration von Mission und Ökumene, in: ÖR 1962, 23–30.
The Theological Education Fund. Its Work and Aim, in: LW 1962, 50–58.
New Delhi and the World Mission of the Church. Ebd. 133–143.

1963
Die theologische Ausbildung im Bildungsumbruch Afrikas, in: Ihr werdet meine Zeugen sein. Festschrift f. G.F. Vicedom, hg. v. W. Ruf, 1963, 87–102.
"Sanctissima causa". Zu Thomas Ohms "Theorie der Mission", in: LM 1963, 580–584.
Predigt über Eph. 5,1–14, in: Heidelberger Predigten N.F., hg. von H. Krimm (Pflüget ein Neues 11/12), 1963, 65–69.
Theological Education in Africa: The Special Africa Programme of the Theological Education Fund, in: IRM 1963, 155–162.
TEF: Strategie in der Mission, in: Sonntagsblatt 1963, Nr. 45, 13.
Theologisches Studium in jungen Kirchen, in: EvW 17 (1963), 218–219.

1964
Le Syncrétisme interroge l'Eglise d'aujourd'hui, in: Flambeau, Aout 1964, No. 3, 79–86.
Der Ausbildungsfond für Theologen, in: In sechs Kontinenten. Dokumente der Weltmissionskonferenz Mexiko 1963, hg. v. Th. Müller-Krüger, 1964, 121–129.
The Missionary in a Changing World, in: Ministry 1963/64, 4–8.
Afrikanische Universitäten, in: Ruperto-Carola 16, 1964, 151–157.

1965
"Gemeinsames Handeln in der Mission" und das Bekenntnis, in: JEM 1965, 26–42.
Teologiska Undervisningsfonden, in: Svensk Missionstidskrift 1965, 48–53.
Theologische Ausbildung in den jungen Kirchen, in: LM 1965, 54–59.
Magie und Religion in Afrika, in: Nachr. aus d. Ärztlichen Mission 1965, Nr. 2, Beilage.
Erläuterungen der Mexiko-Entschließungen, in: Geistige Nahrung für junge Kirchen, hg. v. N.P. Moritzen, 1965, 70–79.
"Einheimische" Theologie und ökumenische Verantwortung, in: Problem einer "einheimischen" Theologie (Theologische Stimmen aus Asien, Afrika und Lateinamerika 1), München 1965, 15–31.
Luthertum und Union in Südindien, in: Reformatio und Confessio. Festschrift für D. Wilhelm Maurer, hg. v. W. Kantzenbach, G. Müller, 1965, 401–411.

Heutige Perspektiven der Weltmission, in: ÖR 1965, 1–14.
Warten auf Christus? Anleihen ohne Entscheidung, in: Sonntagsblatt 1965, Nr. 35, 15.
Die jungen Kirchen von heute und ihre Pfarrer von morgen, in: EvW 1965, 337–341.
Der Kampf gegen die Not. Entwicklungshilfe in christlicher Sicht, in: ZW 1965, 737–747.

1966

Living Mission: The Test of Faith, 1966.
Artikel "Evangelische Mission", in: Entwicklungspolitik. Handbuch und Lexikon, hg. v. H. Besters und E.E. Boesch, 1966.
Vom Auftrag der Kirche in der außerchristlichen Welt, in: Jb. der Evangelischen Akademie Tutzing 1965/66, 67ff.
Die Herausforderung der protestantischen Mission durch das Zweite Vatikanische Konzil, in: Materialdienst des konfessionskundlichen Instituts 1966, 81ff.
Der Synkretismus als Frage an die Christenheit heute, in: EMZ 1966, 58ff.

1967

We condemn. How Luther and 16th-century Lutheranism condemned false doctrine, 1967.
"Verdammliches Heidentum". Eine wiederaufgefundene Schrift von Bartholomäus Ziegenbalg, in: EMZ 1967, 1ff.
Christen im Dialog mit Menschen anderen Glaubens. Ebd. 83ff.
Der Synkretismus fordert die Christen heraus, in: EvW 1967, 174ff.
"Abominable Heathenism". A rediscovered tract by Bartholomäus Ziegenbalg, in: ICHR 1967, 29ff.
Joint action for mission in relation to confession, in: IRM 1967, 87ff.
The Second Vatican Council's challenge to protestant missions. Ebd. 291ff.
Die christliche Mission in der Begegnung mit den Religionen, in: Kirche in der außerchristlichen Welt, 1967, 65ff.

1968

The German Society for Missionary Studies, in: Afrika 1968, 48f.
"Warum sollen Heiden Christen werden?" Gedanken über das Recht der Mission. I., in: Dt. allg. Sonntagsbl. 9.6.1968, 12.
"Seelen für das Lamm". Gedanken über das Recht der Mission. II. Ebd. 16.6. 1968, 12.
Wirklichkeit und Wahrheit der Religionen (Sammelrezension), in: LM 1968, 41ff. und 95ff.

1969

Can Lutherans Cross Frontiers?, in: The Church Crossing Frontiers. Essays on the Nature of Mission, in Honour of Bengt Sundkler, 1969, 233–243.

Hoffnung in den Religionen und die Hoffnung der Christenheit, in: EMZ 1969, 10ff.

Revolution und Mission in der Dritten Welt, in: LR 1969, 15ff.

Einzigartigkeit und Eigenart. Erwägungen zur Frage der "einheimischen" Theologie, in: ÖR 1969, 469ff.

The One Ministry and the Diversity of Ministries, in: Theological Education in Today's Africa. T. 2,2, 1969, 1–11.

Zum Meister-Jünger-Verhältnis im Hinduismus, in: Wort und Religion. Kalima na dini. Ernst Damman zum 65. Geburtstag, hg. v. H.-J. Greschat und H. Jungraithmayr, Stuttgart 1969, 340–353.

Gerechtigkeit im Kampf gegen Hunger und Armut. Predigt über Luk 12,16–21, in: Zuwendung und Gerechtigkeit, hg. von P. Philippi (Heidelberger Predigten 3), 1969, 60–64.

Die Religionen und die christliche Mission (Sammelrezension), in: LR 1969, 579–582.

1970

Mehrere Artikel in: Concise Dictionary of the Christian World Mission, ed. by S. Neill et al. 1970.

Mission im Konflikt mit dem Entwicklungsdienst, in: EK 1970, 460ff.

Mahatma Gandhi – Zwischen Weltreligion und Weltmission, in: EMZ 1970, 1ff.

Tendenzen der Religionswissenschaft, in: Theologie als Wissenschaft in der Gesellschaft. Ein Heidelberger Experiment, hg. v. H. Siemers und H.-R. Reuter, 1970, 28–40.

1971

Glaube für die Welt. Theologische Aspekte der Mission, 1971.

Dialogue with Non-Christian Religions, in: The Future of the Christian World Mission, ed. W.J. Danker und W.J. Kang, 1971, 29–40.

1972

"Ich nehme meine Zuflucht zu Christus", in: Dt. allgem. Sonntagsblatt 1972, Nr. 5, 9.

Rassismus und christliches Bekennen, in: Leipziger Mission '72, 1972, 52–62.

The Dual Mandate of the Church: Witness and Service. Towards a Theology of Development. Towards a Strategy of Christian Participation in Development, in: The Role of the Church in Socio-Eonomic Development in Southern Africa, 1972, 80–105.

Dialog der Religionen, in: Der Überblick 1972, 1ff.

Mission und Säkularisierung, in: Verbum (svd) 1972, 173–185.

Den Humanismus umformen. Religiöse Aspekte der Entwicklung in der Dritten Welt, in: LM 1972, 40–43 (Literaturbericht).

1973

West-Mission wird Welt-Mission, in: Aufbruch 1973, H. 5, 2.

Bangkok und die Entwicklungfrage, in: epd-Entwicklungspolitik 1973, Nr. 2, 13–16.

Ambassadors of Reconciliation, in: Lutheran World 1973, 236–244.

Botschafter der Versöhnung, in: LR 1973, 314–324.

Zur Frage des Humanum in den nichtchristlichen Religionen und im Christentum, in: So sende ich euch. Festschrift für M. Pörksen zum 70. Geburtstag, hg. v. O. Waack, 1973, 62–72.

Mission, Kolonialismus und Entwicklungshilfe – eine kritisch-geschichtliche Würdigung, in: Die Verantwortung der Kirche in der Gesellschaft. Eine Studienarbeit des Ökumenischen Ausschusses der VELKD, Hg. v. J. Baur u.a., 1973, 195–212.

"Wagen, um zu wissen". Voraussetzungen und Möglichkeiten des Religionsgespräches heute, in: Weltreligionen – Weltprobleme, hg. v. H. Schultze und W. Trutwin, 1973, 13–22.

1974

Magie und Religion in Afrika, in: Ärztlicher Dienst weltweit, hg. v. W. Erk und M. Scheel, 1974, 275–287.

From Minneapolis 1957 to Jakarta 1975. Variations on an Ecumenical Theme, in: ER 1974, 469–482.

Mission nach Bangkok. Ergebnisse und Fragen, in: EvMiss 1974, 9–26.

Grußwort in: Heinrich Meyer. Ein Bischof als Missionar, Theologe und Prediger, hg. v. K. Gruhn u.a., 1974, 15–16.

Von Minneapolis 1957 nach Jakarta 1975. Variationen über ein ökumenisches Thema, in: ÖR 1974, 283–296.

Zweite Weltkonferenz der Religionen für den Frieden, 1974: Ebd. 546–548.

Zur Bedeutung der Zweiten Weltkonferenz der Religionen für den Frieden in Löwen, in: Das Wort in der Welt 1974, Nr. 6, 8–9.

1975

Über die Ursprünge der Missionsgesellschaft. Versuch einer Orientierung, in: Misjionskall og forskerglede, ed. N.E. Bloch-Hoell, 1975, 48–69.

In der Freiheit bestehen. Perspektiven junger Kirchen vor Nairobi, in: ÖR 1975, 304–317.

"Dienst der Seelen" und "Dienst des Leibes" in der frühen pietistischen Mission, in: Der Pietismus in Gestalten und Wirkungen. Martin Schmidt zum 65. Geburtstag, hg. v. H. Bornkamm, F. Heyer und A. Schindler (AGP 14), 1975, 155–178.

Religion und Sozialethik im neueren Hinduismus, in: Aspekte sozialer Ungleichheit in Südasien, hg. v. H. Ahrens, K. Gräfin Schwerin, 1975, 181–192.

1976

Missionsgeschichte der neueren Zeit, 3., verb. und erg. Aufl., 1976 (Die Kirche in ihrer Geschichte 4, Lfg. T).

Kirchengeschichte im Kontext. Die Historiographie der jungen Kirchen auf neuen Wegen, in: LR 1976, 301–313.

Church History in Context, in: LW 1976, 252–261.

Dimensionen christlichen Handelns: Missionarische Herausforderung, in: Protestanten und ihre Kirche in der Bundesrepublik Deutschland, hg. v. H.-W. Hessler (Geschichte und Staat 203–205), 1976, 217–241.

World Community and World Religions, in: Religion in a Pluralistic Society, ed. by S.J. Pobee, 1976, 27–37.

Bericht über den 3. Kongreß der International Association for Mission Studies, San Jose, Costa Rica, in: ZMi 1976, 239–243.

1977

Religionswissenschaft und Theologie, in: Theologie, was ist das?, Hg. v. G. Picht, 1977, 107–125.

Europäische Überlegungen zur lateinamerikanischen Theologie der Befreiung, in: Verbum 1977, 189–199.

1978

Mission heute – Zustand und Zukunft, in: Der evang. Erzieher, 1978, 68–85.

Ein Fonds und die Folgen, in: Wissenschaft u. Praxis in Kirche und Gesellschaft, 1978, 77–81.

Weltmission und Menschenrechte, in: Weltmission '78. Material für Gemeinden und Schulen, 1978, 5–9.

Wiedersehen mit Gurukul, in: Ährenlese, Nachr. aus der Ev.-luth. Mission 1978, Nr. 3, 1–3.

Evangelium und Kultur. Neue Variationen über ein altes Thema, in: ZMi. 1978, 197–214.

Erbe und Auftrag. Protestantische Erwägungen zu Gegenwartsfragen im Lichte der Geschichte, in: " ... denn Ich bin bei Euch". Perspektiven im christlichen Missionsbewußtsein heute. Festgabe für J. Glazik u. B. Willeke zum 65. Geburtstag, hg. v. H. Waldenfels, 1978, 135–145.

1979

Christentum im Orient, in: Schopenhauer-Jahrb. 1979, 117–124.

Der Islam heute – Weltreligion im Aufbruch, in: epd, Ausgabe für die kirchl. Presse, Nr. 15–18, 1979.

Ist der christliche Dialog mit den Religionen notwendig? In: Gemeinde in diakonischer und missionarischer Verantwortung. H.-H. Ulrich zum 65. Geburtstag, hg. v. Th. Schober und H. Thimme, 1979, 265–270.

Christliche Kirchen in Asien. TRE 4, 173–195.

The Dual Mandate of the Church: Witness and Service; Towards a Theology of Development; Towards a Strategy of Christian Participation in Development, in: Debate on Mission – Issues from the Indian Context, hg. v. H. H. Hoefer, 1979, 207–242.

Herausgegebene Publikationen
Das Problem einer "einheimischen" Theologie (Theologische Stimmen aus Asien, Afrika und Lateinamerika 1), 1965.
Beiträge zur biblischen Theologie (Theologische Stimmen aus Asien, Afrika und Lateinamerika 2), 1967.
Theologie der Ökumene, 1973ff.

Mitherausgegebene Publikationen
Neue Perspektiven des Friedens. 2. Weltkonferenz der Religionen für den Frieden, Löwen/Belgien 1974, 1975.
Evangelische Missionszeitschrift, 1965–1973.
Kirchengeschichte als Missionsgeschichte, München 1974ff.
Missionswissenschaftliche Forschungen, Gütersloh 1966ff.

Autorenverzeichnis

Dr. H.-J. Becken, Vogelsangstr. 62, 7000 Stuttgart 1

Prof. Dr. W. Bieder, Septerstr. 1, CH 4056 Basel

Prof. Dr. H. Bürkle, Waldschmidstr. 7, 8130 Starnberg

Prof. Dr. Chr. Burchard, Am Pferchelhang 29, 6900 Heidelberg-Ziegelhausen

Prof. Dr. A. Camps O.F.M., Ringlaan 214 A, Wijchen/Holland

Prof. Dr. E. Dammann, Peinerweg 57, 2080 Pinneberg

Prof. Dr. W.J. Danker, 6148 McPherson Ave, St. Louis, MO 63112 / USA

Bischof D.C.G. Diehl, Danska vägen 32, S 222 39 Lund

Dr. K. Dockhorn, Kurt-Schumacher-Ring 19, 3320 Salzgitter 1

Prof. Dr. C.W. Forman, Yale University, 409 Prospect Street, New Haven, Conn. 06511 / USA

Prof. Dr. F. Hahn, Schellingstr. 3 VG, 8000 München 40

Prof. Dr. C.F. Hallencreutz, Valhallagatan 15, S 75334 Uppsala

Prof. Dr. Fr. Heyer, Landfriedstr. 7, 6900 Heidelberg

Dr. R. Hummel, Krete 7, 2420 Eutin

Prof. Dr. W. Kohler, Saarstr. 21, 6500 Mainz

Prof. Dr. G. Lanczkowski, Liebermannstr. 45, 6900 Heidelberg 1

Prof. Dr. H.J. Margull, Jenischstr. 29, 2000 Hamburg 52

Prof. Dr. N.-P. Moritzen, Jordanweg 2, 8520 Erlangen

Prof. Dr. P. Philippi, Karlstr. 16, 6900 Heidelberg

Prof. Dr. R. Rendtorff, Kisselgasse 1, 6900 Heidelberg 1

Prof. Dr. G. Rosenkranz, Im Scherwäldle 11, 7260 Calw

Prof. Dr. U. Schoen, P.O. Box 11, 7424 Beirut, Lebanon, Near East School of Theology

Prof. Dr. L. Steiger, Karlstr. 16, 6900 Heidelberg

Prof. Dr. T. Sundermeier, Trienendorfer Str. 94, 5802 Wetter 4

Prof. Dr. B. Tiliander, Revingagatan 19 A, S 223 59 Lund

Prof. Dr. H. Wagner, Finkenstr. 5, 8806 Neuendettelsau

Prof. Dr. H. Waldenfeld, Grenzweg 2, 4000 Düsseldorf 31

Prof. Dr. C. Westermann, Ketteler Str. 2, 6837 St. Leon-Rot